La
Peau de chagrin

H. de Balzac

La
Peau de Chagrin

Éditions Garnier Frères
6, Rue des Saints-Pères, Paris

Introduction,

notes et relevé de variantes

par

Maurice Allem

Édition illustrée

« *Le jeune homme passait sans réclamer son chapeau;* »
(p. 11).

Illustration de Janet-Lange pour l'édition H. Delloye et Victor
Lecou (1838).

RAPHAËL

« Son regard attestait des efforts trahis, mille espérances trompées ! » (p. 8).

Illustration de Lavieille pour l'édition Furne (1845).

INTRODUCTION

Dans le *recueil des* Pensées, sujets, fragments *d'Honoré de Balzac que M. Jacques Crépet a publiés en* 1910, *il y a, à la page* 77, *cette note : « L'invention d'une peau qui représente la vie. Conte oriental. » C'est l'idée première de* la Peau de chagrin. *Ce devait, dans l'esprit de Balzac, être un conte fantastique. Le fantastique est du surnaturel et le surnaturel est invérifiable. Il importe donc d'en placer les manifestations hors des atteintes de l'observation, soit fort loin dans le temps, soit fort loin dans l'espace, en Orient, par exemple, comme Balzac le projetait. Il n'a pas cependant, de son idée, tiré un conte oriental; il n'en a pas pris le sujet dans les vieux âges; il a, au contraire, fait un roman contemporain et parisien.*

Il n'était pas aisé, dans un tel roman, de faire accepter l'élément fantastique que Balzac y a mis. Comment les lecteurs auraient-ils admis qu'un homme de leur temps et de leur ville, un de ces jeunes gens à chapeau haut de forme et en pantalon à sous-pieds qu'ils coudoyaient tous les jours, trouvant chez un antiquaire une peau de chagrin qu'on lui disait être miraculeuse le crût; qu'il se persuadât qu'elle était, ainsi qu'on le prétendait, destinée à se rétrécir à mesure qu'il obtien-

drait la satisfaction de ses propres désirs, et que l'épui-
sement de cette peau marquerait la fin de sa propre vie ?

Cette peau n'aurait-elle pas pu échoir à un homme
décidé à réprimer tous ses désirs, comme le personnage
de Balzac y aspire en vain, mais capable, lui, d'y réussir ?
Miracle pour miracle, pourquoi pas celui-là ? Dans
ce cas, voilà un homme immortel. On pourra penser,
il est vrai, que le satanique antiquaire n'aurait pas cédé
cette peau à un client aussi exceptionnel, car ce marchand
n'est pas moins étrange que son étrange marchandise
et il fait un étrange marché en remettant ce merveilleux
objet à un malheureux qu'il sait être hors d'état de le
lui payer.

Faut-il rappeler le sujet de ce roman ? Un jeune
homme pauvre, mais laborieux, après avoir vécu plusieurs années d'étude et de privations et s'être, pendant
cette période, trouvé entre deux femmes, l'une « sans
cœur » et qu'il aime, l'autre pleine de cœur, au contraire,
et qu'il n'aime pas, est désespéré et songe au suicide
quand un de ses amis — il faut le nommer car il tient
dans la Comédie humaine une grande place : c'est
Rastignac — lui conseille de s'étourdir dans les plaisirs
et, pour en trouver les moyens, de jouer le peu d'argent
qu'ils ont. C'est Rastignac qui va à la roulette. Il gagne.
Les voici riches pour un temps. Et ce sont trois années
de débauche au bout desquelles notre jeune homme (Raphaël)
se retrouve, comme avant, pauvre et désespéré et songeant
de nouveau au suicide. S'il avait eu le courage de se jeter
en plein jour dans la Seine, il était mort. Il préféra
attendre la nuit et c'est pour passer le peu d'instants
qu'il s'accordait encore qu'il entra chez cet incroyable

antiquaire et qu'il reçut la magique peau de chagrin qui le rendit à la vie.

Mais n'aurait-il pas pu être rendu à la vie par d'autres moyens, moins extraordinaires, par quelque circonstance humaine, qu'un romancier tel que Balzac aurait bien su imaginer et, par exemple, la rencontre — qu'il fit d'ailleurs — de ses amis ? Et la suite des événements n'aurait-elle pas pu, à quelques détails près, être ce qu'elle est ?

Quand Raphaël, bouillonnant d'espérance, s'élance dans la rue, trois de ses amis passent donc et ils l'entraînent chez le banquier Taillefer à une fête qui devient une orgie, et au lendemain de laquelle, réalisant un souhait, que Raphaël avait formé, de posséder deux cent mille francs de rentes, un notaire lui annonce qu'il hérite d'un parent, mort aux Indes, une somme de six millions. Raphaël en reçoit la nouvelle avec un effroi qui étonne mais qui se trouve justifié par la constatation que la peau de chagrin s'est rétrécie ; l'étonnement vient alors du fait même de ce rétrécissement, car ce n'est pas le vœu formé par Raphaël qui lui a miraculeusement fait venir une fortune ; elle était à lui bien avant, quoiqu'il l'ignorât, et la peau de chagrin n'y est vraiment pour rien.

Avec la grande richesse, qui lui donne tant de raisons de tenir désormais à la vie, commence le véritable malheur de Raphaël. Le sentiment d'effroi qui, à l'annonce de cette richesse, l'a saisi, ne quittera plus son âme. Et, pour ne point céder à la tentation de formuler des désirs, il mènera une vie recluse et inhumaine, afin de se dérober aux tentations. Drame atroce que celui de cette détresse morale, plus affreuse que l'autre.

Un soir pourtant, il se trouve au théâtre et dans

la loge voisine de la sienne est la jeune fille qui, au temps
qu'il était pauvre, lui avait voué tant d'amour. Elle
est devenue riche, elle aussi. Ils se voient, se parlent,
reprennent les douces relations d'autrefois, et bientôt,
épris l'un de l'autre, ils décident de se marier. Mais,
à mesure que ses désirs se forment, la terrible peau de
chagrin se rétrécit encore et Raphaël, dans son désarroi,
fait enfin une réflexion de bon sens qu'il aurait pu tout
aussi bien faire chez le marchand d'antiquités : « Quoi !
[...] dans un siècle de lumières [...], dans une époque
où tout s'explique [...] je croirais, moi, à une espèce
de Mané, Thecel, Pharés? » *(Voir p.* 229*). Il ne peut*
s'empêcher d'y croire cependant. Et il est affolé. Il est
malade aussi. Il est rendu malade par l'obsession de
la peau de chagrin ; il pourrait l'être du fait de sa cons-
titution même ou par l'effet de son existence de misère
d'abord, puis de dissipation. Dans ce cas il eût fait
aussitôt appel aux médecins. Dans les circonstances
où Balzac l'a mis, il recourt d'abord aux savants ;
il attend de leur science ou un moyen d'empêcher la peau
de chagrin de se rétrécir davantage, ou un moyen, en la
distendant, d'en élargir la surface. Le voici chez un
naturaliste, puis chez un professeur de mécanique,
puis chez un chimiste. La peau oppose aux traitements
qu'ils lui font successivement subir une résistance qu'il
est à propos d'appeler fantastique.

Raphaël a le sentiment angoissé de sa fin prochaine.
Pauline se désole de le voir de plus en plus malade.
Il se décide alors à consulter des médecins. Ils sont trois
eux aussi et qui se contredisent avec beaucoup d'autorité.
Raphaël est découragé. Sur le conseil de son ami Horace

Bianchon, qui estime que « le mieux est et sera toujours de se fier à la nature », il consent à aller en Savoie.

Aux eaux d'Aix il a un duel où la peau de chagrin fait merveille, car son possesseur n'est pas atteint par un adversaire qui le vise et qu'il abat sans même le viser. Le sentiment de sécurité que Raphaël tire de la possession de son talisman a eu pour effet d'impressionner l'adversaire d'une manière paralysante, de lui rendre comme sensible la présence d'une fatalité ennemie. L'ascendant de l'un, le malaise de l'autre, auraient pu être produit par des circonstances moins extraordinaires ; mais celles-ci ont contribué à réduire encore la surface du talisman.

Quand Raphaël, de retour à Paris, retrouve Pauline, la peau de chagrin est devenue aussi petite qu'une feuille de saule. Pour tâcher de prolonger encore ses misérables jours, il repousse d'abord la jeune fille, puis, dans un élan furieux de désir, il l'appelle, se jette sur elle, et dans l'accès d'une frénésie impuissante, tandis sans doute que la peau de chagrin achève de se dissoudre, il meurt après avoir mordu au sein sa maîtresse.

Balzac avait eu raison, en notant son idée de conte oriental, d'y mettre que sa peau de chagrin « représente la vie ». Elle n'est rien de plus, en effet, que le symbole de la vie humaine se consumant au feu de ses propres désirs. Elle n'est pas un élément intime du roman. Elle n'y paraît pas nécessaire, ainsi qu'on a, à l'occasion de divers épisodes, essayé de le montrer. Elle y pourrait manquer sans que rien d'essentiel y manquât et, sans cet artifice, il ne serait pas moins émouvant.

Quand Balzac écrivit la Peau de chagrin, *le genre*

*fantastique était à la mode. On lisait Hoffmann et
on prétendait que Balzac l'avait lu. Il ne le nia pas ;
mais, dans une lettre qu'il écrivit, le 25 août, à Charles
de Bernard, qui, dès le 13, avait publié dans* la Gazette
de Franche-Comté *un article sur* la Peau de chagrin,
il disait : « Je ne me suis vraiment pas inspiré d'Hoffmann,
que je n'ai connu qu'après avoir pensé *mon ouvrage... »*

  *Cet ouvrage est, peau de chagrin à part, une étude
de mœurs. Balzac a voulu y peindre toute son époque.
Le 5 octobre 1831 il écrivait à M*me *de Castries :*
« La Peau de chagrin *devait formuler le siècle actuel,
notre vie, notre égoïsme... »* (Lettres à Madame de
Castries, *publiées par* Marcel Bouteron ; Cahiers
balzaciens, *n*o 6, p. 4.) *Et le 25 novembre à M. de
Montalembert :* « La Peau de chagrin *est la formule
de la vie humaine, abstraction faite des individualités
et, comme le disait Ballanche, tout y est mythe, figure. »
Dans ses* Pensées, sujets, fragments *(p. 95) il avait
écrit :* « Pour les contes philosophiques : *1*o La Peau
de chagrin. *L'expression pure et simple de la vie humaine
en tant que vie et que mécanisme. Formule exacte de la
machine humaine. Enfin l'individu décrit et jugé, mais
pratiquement. »*

  *Outre les quelques personnages menés par la passion
et qui en représentent les divers modes, Balzac, avec ses
médecins, ses savants, ses hommes de plaisir, ses courtisanes, ses artistes, ses écrivains, ses journalistes,
présente, dans* la Peau de chagrin, *les divers milieux
intellectuels, les diverses théories scientifiques, les diverses
opinions politiques, les diverses tendances littéraires
de son temps. Il avait prétendu en faire le tableau phi-*

*losophique et il allait jusqu'à s'étonner que l'on appelât
ce roman un roman. Ainsi, dans une lettre à M*ᵐᵉ *Hanska,
le 22 janvier* 1838, *il écrivait :* « *Il y a encore des gens
qui s'obstinent à voir* un roman *dans* la Peau de
chagrin. *Mais chaque jour aussi les gens sérieux et
les appréciateurs de cette composition gagnent du terrain.* »
(Lettres à l'Étrangère, *I,* 458.) *Cette composition
a aujourd'hui aussi des appréciateurs, qui sont sensibles
à la diversité de ses peintures, aux satires qu'elle contient,
au drame qu'elle raconte, au fantastique même qui y
met, malgré tout, une ombre mystérieuse, et ces appréciateurs ne croient ni mal définir cette composition ni
manquer de déférence à son auteur en appelant* la Peau
de chagrin *un roman ; disons, pour être juste : un
beau roman.*

*La vérité des milieux qui y sont dépeints est accusée
— et c'est l'un des intérêts de cet ouvrage — par la
présence de personnages réels. Ainsi, dans le salon de
Taillefer, le soir de cette orgie qui fut si remarquée
par la critique, on a reconnu, dans l'ordre où Balzac
les présente (voir p.* 48-49) : *Delacroix, Latouche,
David d'Angers, Henry Monnier et Gustave Planche.
Ainsi, dans les docteurs Brisset, Caméristus et Maugredie,
on a reconnu, sous les noms un peu déformés que Balzac
leur a donnés, les docteurs Broussais, Récamier et
Magendie. Broussais était le chef de l'école physiologiste,
ou, comme dit Balzac en parlant de Brisset,* « *de l'école
organiste* », *quoique organiciste eût mieux valu ; Récamier
était, comme Caméristus, le chef de l'école vitaliste.
M. Joachim Merlant, dans un article,* Note sur les
originaux de Balzac : quelques médecins, *publié dans*

la Revue bleue *le* 17 *juin* 1911, *a donné le résultat
des recherches qu'il a faites sur ces personnages épisodiques
de* la Peau de chagrin, *et il a démontré que Balzac
a donné à Brisset et à Caméristus, non seulement les
théories médicales de Broussais et de Récamier mais
encore leur aspect physique et leur allure. Ce sont des
portraits ressemblants. La ressemblance n'est pas aussi
frappante entre Maugredie et Magendie et en admettant,
comme y invitent quelques traits et la parenté des noms,
que Balzac, en composant son Maugredie, ait songé
à Magendie, M. Joachim Merlant trouve que dans ce
Maugredie il y a encore, idées et caractère, bien des traits
du docteur Trousseau.*

On *a recherché aussi quels ont pu être les modèles
des personnages principaux de ce roman : Raphaël
c'est un peu Balzac, et il est fréquent qu'un romancier
mette quelque chose de lui-même dans certains des êtres
qu'il imagine. Ce Raphaël on le retrouve, logé encore
rue des Cordiers et toujours « avide de connaissances »,
dans la nouvelle :* les Martyrs ignorés, *recueillie au
tome* XX *des* Œuvres complètes *de Balzac dans
l'édition in-8º de Michel Lévy. Son portrait est à la
page* 353, *mais M. Spoelberch de Lovenjoul, dans une
étude sur* les « Études philosophiques » *de Balzac,
que nous aurons à rappeler dans la suite de cette Introduction et qui parut dans le numéro de juillet-septembre*
1907 *de la* Revue d'Histoire littéraire de la France,
dit (p. 428*) que le texte manuscrit de ce portrait diffère
quelque peu du texte imprimé et que, par exemple,
le personnage, avant d'être appelé* Raphaël, *avait été
appelé* Scribonius, *mais que ce n'est pas encore là*

son premier nom et que Balzac « l'avait d'abord baptisé :
Moi. *» Ceci autorise le rapprochement discret que l'on*
peut faire entre lui-même et Raphaël de Valentin.

   Sur Pauline, on a peu de données. Dans une lettre
à la duchesse de Castries, le 5 octobre 1831, Balzac
écrivait : « Pour moi, Pauline existe et plus belle même.
Si j'en ai fait une illusion, ce fut pour ne rendre personne
*maître de mon secret. » (Corresp., p. 99.) M*me *Geneviève*
Buxton, dans son livre sur la Dilecta de Balzac, *pense*
que la Pauline Gaudin de la Peau de chagrin *et la*
Pauline de Villenoix de Louis Lambert, *toutes deux*
jeunes, belles toutes deux, toutes deux apportant « d'un
même geste au misérable, à l'abandonné, l'offrande de
leur splendide amour », sont « une seule et même personne »
*et que cette femme est M*me *de Berny, la* Dilecta *elle-*
même, à qui, en effet, Balzac devait naturellement
songer quand il voulait montrer dans toute sa force et
toute sa pureté le « dévouement passionné ».

   Mais le personnage de la Peau de chagrin *qui a le*
plus intrigué et incité aux recherches, c'est Fœdora.
*A la fin de janvier 1833, Balzac écrivait à M*me *Hanska :*

Vous voulez savoir si j'ai rencontré Fœdora, si elle
est vraie ? Une femme de la froide Russie, la comtesse
Bagration, passe, à Paris, pour être le modèle. J'en suis
à la soixante-douzième femme qui a eu l'impertinence
de s'y reconnaître. Elles sont toutes d'un âge mûr.
Mme Récamier elle-même a voulu se *fœdoriser*. Rien
de tout cela n'est vrai. J'ai fait Fœdora de deux femmes
que j'ai connues sans être entré dans leur intimité.
L'observation m'a suffi, outre quelques confidences.

Il y a aussi de belles âmes qui veulent que j'aie cour-

tisé la plus belle des courtisanes de Paris et que je me
sois caché dans ses rideaux. Ce sont des calomnies.

J'ai rencontré une Fœdora mais celle-là, je ne la pein-
drai pas ; et alors il y avait longtemps que *la Peau
de chagrin* avait paru. (*Lettres à l'Étrangère*, I, 9.)

*Si la Fœdora que Balzac dit ne pas vouloir peindre
est bien, comme on l'a supposé, Mme de Castries (et
quelle autre pourrait-ce être ?), il n'a guère tardé de
manquer à sa promesse car avant même la fin de cette
année 1833 il peignait (et de quels traits !) Mme de
Castries dans sa nouvelle* la Duchesse de Langeais,
intitulée ensuite Ne touchez pas à la hache. *Comment
d'ailleurs, dans cette lettre écrite une année et demie
après la première édition de* la Peau de chagrin, *Balzac
pouvait-il prétendre qu'il y avait longtemps que son livre
avait paru quand il rencontra cette Fœdora ? Il y avait
seulement quelques mois.*

*Des deux femmes dont Balzac dit avoir formé sa
Fœdora, M. Amédée Pichot a cru en reconnaître une
et, dès 1831, il la désignait dans un compte rendu de*
la Peau de chagrin, *qu'il avait écrit pour le journal*
le Temps *et que, ce journal n'ayant pas consenti à le
publier, il envoya à Balzac. Cet article, demeuré jusque-là
inédit, M. Spoelberch de Lovenjoul l'a publié dans son
livre :* Une page perdue de Balzac *(Ollendorf, 1902).*

*M. Amédée Pichot y disait — et l'on n'admettra
pas facilement que, si son dire eût été calomnieux, il
eût adressé son article à Balzac :*

...Nous avons connu Fœdora, *la femme sans cœur.*
C'est chez elle que nous croyons avoir rencontré le
prétendu Raphaël. Nous y étions le soir où il se tapit

dans sa chambre, derrière les rideaux de la fenêtre,
pour assister indiscrètement à son coucher. Oui, nous
l'avons vu se glisser dans cette cachette, et si nous ne
le dénonçâmes pas à Julie, la femme de chambre (elle
s'appelait bien Julie), c'est que nous le croyions d'intelligence avec Fœdora. Fœdora avait si souvent fait
l'éloge de ses yeux noirs, doués d'une vraie fascination !
Mais certes, le dénouement de cette scène, nous ne
l'eussions pas deviné !... Ah ! monsieur Raphaël, c'est
vous qui nous apprenez le vrai caractère de Fœdora.
Elle est bien *la femme sans cœur*. Le surnom va lui rester...

Cette « *femme sans cœur* », *M. Spoelberch de Lovenjoul la nomme : c'était Olympe Pélissier, courtisane
connue, qui avait un salon où fréquentaient des hommes
du monde, des hommes politiques, des artistes et des
littérateurs, parmi lesquels Balzac, qui, assure-t-on, la
courtisait. M. Claude Serval, qui a fait sur ce personnage une enquête sérieuse (cf. :* Une énigme balzacienne : la Fœdora de « la Peau de chagrin », *dans
le* Bulletin de la Société historique et archéologique
des VIIIe et XVIIe arrondissements de Paris,
*nouvelle série; n° 5, 1925-1926), dit que cette Olympe
Pélissier s'appelait en réalité Olympe Descuiller ; que
sa mère était actrice, mais « une actrice fort obscure et
d'une moralité déplorable » ; qu'Olympe avait une sœur
aînée qui fut actrice aussi, et qu'il ne semble pas qu'elle
ait été actrice elle-même, quoiqu'on l'ait prétendu. Elle
fit sa carrière dans la galanterie. Elle eut de riches protecteurs. Elle fut aussi la maîtresse d'écrivains et d'artistes. On nomme parmi ses amants un comte de L...,
Eugène Sue, Horace Vernet, qui fit d'elle le modèle de
sa Judith dans son tableau de* Judith et Holopherne,

*un agent de change, M. B... Elle fut aussi la maîtresse
de Rossini, qui, en 1846, finit par l'épouser. Elle vécut
jusqu'en 1878, ayant toujours à son service la même femme
de chambre qui, ainsi que l'avait écrit M. Amédée Pichot,
s'appelait bien Julie, comme dans le roman de Balzac,
et à qui, dit M. Claude Serval, elle légua une rente viagère de 800 francs. Elle laissait aussi 50.000 francs à sa
sœur. Elle n'était, en somme, pas sans cœur pour tout
le monde.*

*Il ne semble pas que, sauf dans l'article non publié
d'Amédée Pichot, elle ait été, quand* la Peau de chagrin
*parut, reconnue comme le modèle de Fœdora, ni qu'elle
se soit reconnue elle-même dans ce personnage. M. Claude
Serval rappelle des lettres écrites par elle à Balzac de
1832 à 1835 et qui sont, dit-il, simples et aimables.*

*En 1832, l'année donc qui suivit celle de la publi-
cation de* la Peau de chagrin, *elle l'invite à dîner avec
Rossini ; en 1834, c'est Balzac qui les invite, Rossini
et elle. Cf. Lettre du 26 novembre 1834,* (Lettres à
l'Étrangère, I, 216), *où il dit : « La belle Olympe a été
gracieuse, sage et parfaite. » Cette cordialité contraste
fort avec le ton du roman et fait hésiter à admettre sans
réserves l'hypothèse qu'Olympe Pélissier soit le modèle
de Fœdora. Elle en a, sans doute, fourni quelques traits,
mais on peut supposer, en s'autorisant de la déclaration
de Balzac à Mme Hanska, qu'il a eu aussi un autre
modèle. Il est difficile de dire lequel. Il faut rappeler cependant que, en 1823, Balzac avait songé à une Fœdora
dont le nom devait être le titre d'un poème, demeuré
inachevé. Il fit, de ce poème, un plan détaillé, en prose,
où, dit M. Louis Arrigon* (Les Débuts littéraires

d'Honoré de Balzac, *p. 156)* « *chaque strophe du futur poème était représentée par un paragraphe de plusieurs lignes* ». *Ce plan, conservé dans les dossiers de la collection Lovenjoul, et dont M. Louis Arrigon n'a cité qu'un court fragment, a été publié en entier dans l'article de M. Claude Serval que nous avons mentionné. Nous le reproduisons ici d'après cet article :*

FŒDORA

Elle glissait si légèrement qu'elle avait l'air d'une ombre dansant, le soir, au clair de lune, sur l'herbe fraîche des prairies, et la jeune fille, le matin, cherchera vainement quelles fleurs le fantôme a fauchées...

Elle enviera pendant une seconde le sort et les plis gracieux de la robe flottante de l'ombre. Pour le moment, elle valse, non pas dans une prairie, non ; le salon de l'ambassadeur de Russie est le théâtre sur lequel elle déploie la grâce de ses mouvements. L'abandon de sa tête est si grand, qu'à chaque effort on croit qu'elle va se détacher d'un col blanc comme le lait.

Elle est veuve, comtesse, riche, jeune, belle, bienfaisante, douce et son mari étant mort avant de franchir le seuil nuptial, l'avait laissée vierge... Tout Moscou l'avait comparée à l'arche du Seigneur, dont l'approche donnait la mort...

Leurs têtes charmantes sont confondues ; les mains de Georges tiennent cette taille que des femmes seules ont pressée jusqu'ici.

Mille bougies, mille cristaux, mille parures, des glaces fidèles, des tableaux ornent le salon. Mais, parmi les femmes, Fœdora brille comme le lustre étincelant qui descend de la voûte. Et Georges est la voûte qui tient le lustre, car, sans lui, Fœdora n'est rien.

Il est là, dans un coin, le visage pâle, les yeux inquiets,

sa chevelure noire est en désordre ; il cache toujours
ses mains, il semble le Dieu du mystère. Chacun se
demande : Quel est ce jeune homme ? On répond :
C'est l'ami de Fœdora ; dans peu ils seront époux, et
il veut qu'elle retourne au sein des forêts de la Russie.

Une pâleur livide était répandue sur son visage ;
il ne voyait que Fœdora...

Georges avait un amour immense ; Fœdora l'aurait
envoyé mourir, si elle avait pu le vouloir ; par toutes
ses actions, il témoignait d'une âme grande et généreuse.
On apercevait dans ses paroles les traces d'une gaîté
qui s'éteignait de jour en jour. Sa mélancolie commença
avec son amour...

Ils devaient partir bientôt. Les apprêts d'un long
voyage étaient faits. La joie brillait dans les yeux de
Fœdora, Georges se trouvait dans la chambre à coucher
de son amie. La voix enrouée d'un crieur public arriva
jusqu'à lui. Il pâlit et tomba dans les bras de son amie...

La veille de son départ, Fœdora, accompagnée de
sa tante, était en calèche et revenait à son hôtel ; « Avancez doucement », disait la comtesse à son cocher. La
voiture n'avançait pas, la foule était trop immense.
L'image d'une prairie émaillée de fleurs est incomplète
pour donner l'idée de ce rassemblement d'un peuple
entier... Fœdora, étonnée, lève les yeux. Elle voit la
main chérie qu'elle couvrait de baisers... Cette main
tenait une tête sanglante et la montrait au peuple.

Fœdora ne poussa qu'un soupir : « Fœdora !
Fœdora ! » disait sa tante en la tenant par la manche. Il
ne restait plus d'elle que le nom, et les formes qu'un ange
prit pour apparaître aux mortels. La tante, voyant le
doigt de sa nièce, qui, tout mort qu'il était, montrait
l'échafaud, y jeta les yeux...

Ce jour-là la mort eut quatre victimes !

*On prendra peut-être quelque intérêt à rapprocher
des premiers paragraphes de ce plan la partie du poème*

qui leur correspond et que M. Louis Arrigon a citée
(Op. cit., p. 157) :

Par ses deux bras de neige enveloppant son guide,
    Gracieuse, elle glisse, et de son pied rapide,
        Voltige dans les airs ;
    Comme on voit dans les prés une ombre diaphane
    Célébrer en dansant sous les yeux de Diane
        Ses suaves concerts...

    De même, Fœdora valsant sur la prairie
    Laisserait la verdure immobile et fleurie
        Sous son rapide essor,
    Mais les champs ne sont point le curieux théâtre
    Où cette ombre légère et se joue et folâtre
        Comme un ange aux pieds d'or.

    D'un messager des Czars la demeure sacrée
    Admire en ses lambris cette belle adorée...

Cette Fœdora a, de commun avec celle de la Peau de
chagrin, *outre sa qualité de Russe, la beauté, le luxe*
et cet empire dans l'amour... Réelle ou imaginaire, il
est possible, comme le pense M. Claude Serval, qu'elle
ait, avec Olympe Pélissier, concouru à former la Fœdora
de notre roman ; peut-être ne sont-elles pas les seules.
Et nous arrivons à la conclusion à laquelle nous sommes
arrivés pour chacun des romans de Balzac que nous avons
déjà réédités et à laquelle on arriverait pour presque tous
les personnages de la littérature d'imagination, c'est qu'en
ces personnages sont réunis des éléments empruntés de
modèles divers et combinés, dans un souci de vérité géné-
rale par la volonté et par l'art de l'écrivain dont l'am-
bition est de créer des types vivants. Et nous rappellerons

*que, précisément, à la fin presque de la préface qu'il a
mise à* la Peau de chagrin, *Balzac déclare qu'il proteste « d'avance contre les allusions auxquelles pourraient donner lieu les personnages mis en scène dans son
livre », et qu'il ajoute : « Il a moins tâché de tracer des
portraits que de présenter des types. » C'est prendre
trop de précautions, peut-être, du moins pour les quelques
personnages secondaires que l'on a reconnus et que nous
avons nommés.*

*
* *

Balzac commença d'écrire la Peau de chagrin *vers
la fin de* 1830. *Dans le numéro du* 16 *décembre de* la
Caricature, *il en publia, sous le titre du* Dernier
Napoléon *(c'est-à-dire : la dernière pièce d'or), quelques
pages qui formaient le début du roman ; on les trouvera
à la n.* 92 *de notre édition et l'on verra que Balzac en a,
pour son livre, grandement modifié le texte.*

En mai 1831, *il écrivait de Nemours à M. Victor
Ratier, directeur de* la Silhouette *: « Je suis assez
en train sur cette terrible* Peau de chagrin *que je voudrais au rebours du héros voir diminuer, et j'espère en
être quitte à la fin du mois. »* (Correspondance, *tome*
XXIV *des* Œuvr. compl., *édit. in-8°, Calmann-
Lévy, p.* 83.) *Le* 18 *du même mois, et de Nemours aussi,
il écrivait à M. Charles Rabou, directeur de la* Revue
de Paris *: « Je suis ici sans un pauvre livre, seul dans
un pavillon au fond des terres, vivant avec* la Peau de
chagrin *qui, Dieu merci, s'achève. Je travaille nuit et
jour, ne vivant que de café. » Mais il ajoute : « Aussi*

j'ai besoin, pour trouver une distraction à mon travail habituel, de faire l'Auberge rouge, *comme on va caresser la femme d'un voisin.* » (Corresp., *p.* 85-86.) *Il semble qu'il se soit distrait de la composition de* la Peau de chagrin *plus qu'il ne le laisse entendre, car en juin il écrivit à son amie, Mme Zulma Carraud, dont le mari était instructeur à Saint-Cyr :* « *Mes nuits et mes jours ont été employés à des travaux extraordinaires, et je vous aurai tout dit en vous confiant que je n'ai pas écrit une ligne de* la Peau de chagrin *depuis le peu de pages que j'ai écrites à Saint-Cyr.* » (Corresp., *p.* 86.)

Cependant Balzac avait, en mai, fait paraître deux fragments de son roman, l'un intitulé : la Débauche, *le* 15, *dans la* Revue des Deux Mondes ; *l'autre intitulé :* le Suicide d'un poète, *le* 27, *dans la* Revue de Paris. (Voir, *à ce propos, les n.* 327 *et* 1026.) *Si l'ouvrage ne fut pas achevé à la fin de mai, comme Balzac s'en était flatté, il dut l'être vers la fin de juin, car en juillet, et certainement pendant qu'il en corrigeait les épreuves, il écrivait à son éditeur, Charles Gosselin :* « *Votre neveu a dû vous dire que je me suis enfermé et que je ne quitte pas* la Peau de chagrin *qu'elle ne soit finie. J'ai bien préparé le succès. Mme Récamier a réclamé une lecture, en sorte que nous aurons encore une immense quantité de prôneurs dans le faubourg Saint-Germain. Vous ferez bien de mettre dans les journaux un avis pour les libraires de province, afin qu'ils vous envoient à l'avance leurs demandes parce que je sais, par plusieurs personnes que cela sera d'un bon effet.* » (Corresp., *p.* 89).

Le roman parut dans les premiers jours d'août*. *Comme Balzac l'avait prévu, il eut un grand succès.*

Ce succès, Balzac, ainsi qu'il l'avait annoncé, l'avait préparé. Vers la fin de juillet, il avait lu la Peau de chagrin *à l'Abbaye au Bois, comme Mme Récamier l'y avait invité. M. Louis Arrigon* (les Années romantiques de Balzac, p. 107) *croit qu'il en fit aussi une lecture dans le salon de Mme Sophie Gay.*

Quelle que pût être l'efficacité de cette sorte de publicité, Balzac ne pouvait la tenir pour suffisante. Il fallait encore, et surtout, des annonces dans les journaux, et même des annonces ayant la forme d'articles. Comme on ne saurait être mieux servi que par soi-même, il rédigea et il signa du nom d'Alexandre de B... une apologie que la Caricature *publia dans son numéro du 11 août 1831, et que M. Spoelberch de Lovenjoul a réimprimée dans son* Histoire des œuvres d'Honoré de Balzac *(3e édition, p. 168).*

En voici le texte :

LA PEAU DE CHAGRIN
ROMAN PHILOSOPHIQUE
par M. DE BALZAC

Deux volumes in-8°, avec des dessins de Tonny Johannot, Prix : 15 francs, chez Ch. Gosselin, rue Saint-Germain-des-Prés, n° 9.

---

* *La Peau de chagrin, roman philosophique*, par M. de Balzac, Paris, Charles Gosselin, libraire, rue Saint-Germain-des-Prés, n° 9 ; Urbain Canel, libraire, rue du Bac, n° 104. MDCCCXXXI, 2 vol. in-8°. Chaque volume est orné d'une vignette de Tony Johannot, gravée par Porret. Au tome I : Raphaël chez l'antiquaire ; au tome II : Raphaël aux genoux de Pauline à moitié déshabillée.

Si nous dérogeons à nos habitudes satiriques, et si nous abdiquons le pouvoir de la moquerie en faveur de ce livre ;

Ce n'est pas parce qu'il a le plus brillant succès ;

Ni parce qu'il tire violemment le lecteur de l'époque actuelle, de ses misères, de ses grandeurs, de la politique boiteuse, de la propagande qui marche ;

Ni parce qu'il a une haute partie de morale et de philosophie ;

Ni parce que, suivant l'admirable expression du premier critique qui en ait parlé, « notre société cadavéreuse y est fouettée et marquée en grande pompe sur un échafaud, au milieu d'un orchestre tout rossinien » ;

Ni parce que la vie humaine y est représentée, formulée, traduite comme Rabelais et Sterne, les philosophes et les étourdis, les femmes qui aiment et les femmes qui n'aiment pas la conçoivent ; drame qui serpente, ondule, tournoie, et au courant duquel il faut s'abandonner, comme le dit la très spirituelle épigraphe du livre * ;

Ni parce que le style le plus éblouissant encadre ce conte oriental, fait avec nos mœurs, avec nos fêtes, nos salons, nos intrigues et notre civilisation, qui tourne sur elle-même et augmente l'intensité de son tourbillon, sans y mettre plus de bonheur qu'il n'y en avait hier, qu'il n'y en aura demain ;

Ni parce que l'amour y est ravissant comme l'amour, l'amour jeune, l'amour trompé, l'amour heureux ;

Ni parce que la vie du jeune homme riche de cœur et pauvre d'argent y est jetée comme un brandon entre l'immensité de la coquetterie et la passion réelle de la femme.

Mais nous recommandons cet ouvrage à ceux qui aiment la belle littérature et les émotions, parce que

---

* Cette épigraphe était ici reproduite.

nous avons autant d'amitié que d'admiration pour M. de Balzac.

Si ce n'est pas de l'adresse, au moins il y a dans cet aveu de la franchise, ce qui est rare en fait de journalisme.

ALEXANDRE DE B...

Cette franchise, l'accent de cette forte conviction, durent toucher et décider bien des acheteurs. Dès le mois de septembre 1831, *parut une nouvelle édition de* la Peau de chagrin, *mais cette fois le roman n'était que le premier récit d'un ensemble qui en contient treize et qui portait le titre de* Romans et Contes philoso- phiques*. *La moitié des exemplaires portèrent la mention, inexacte, de troisième édition. Balzac travailla de nouveau à son propre succès et il rédigea la note sui- vante que* la Caricature *publia dans son numéro du* 13 *octobre et qui était signée de quatre pseudonymes dont Balzac usait dans ce journal :*

ROMANS ET CONTES PHILOSOPHIQUES
PAR M. DE BALZAC

Le nombreux tirage d'une première édition de *la Peau de chagrin* n'a pu suffire à l'empressement du public, et une seconde édition de cet ouvrage remar-

---

* *Romans et Contes philosophiques,* par M. de Balzac. Seconde édition, Paris, Charles Gosselin, libraire, rue Saint-Germain- des-Prés, nº 9. MDCCCXXXI, 3 vol. in-8º. En tête du tome I est une *Introduction,* signée P..., et qui est de Philarète Chasles. *La Peau de chagrin* remplit le tome I et une partie du tome II, qui est complété par : *Sarrasine,* la *Comédie du Diable* et *El Verdugo* ; le tome III contient : *l'Enfant maudit,* l'*Élixir de longue vie,* les *Proscrits,* le *Chef-d'œuvre inconnu,* le *Réquisitionnaire,* Étude de femme, les *Deux Rêves,* Jésus-Christ en Flandre, l'Église.

quable vient de paraître, enrichie d'un troisième volume,
composé de douze nouveaux contes, dont quelques-
uns ont paru dans *la Revue de Paris*. Un pareil succès
renferme tous les éloges que nous n'avions pas osé
accorder, dès son apparition, à l'œuvre d'un ami. Aujour-
d'hui, redire des louanges passées en proverbe, et
présager aux trois nouveaux volumes de M. de Balzac
le même sort qu'ont eu les deux premiers, c'est rendre
un juste hommage à la plume d'un écrivain que réclame
la bibliothèque de tout lecteur de goût. Les nôtres
retrouveront, dans l'édition que nous annonçons,
le *Dialogue des Morts*,* qui parut dans l'un des premiers
numéros de *la Caricature*, et dont la piquante originalité
révélait assez cette vraie modestie du talent qui se cache
sous l'anonyme.

Alf. Coudreux, le comte Al. de B...,
Henri B..., E. Morisseau.

*M. Spoelberch de Lovenjoul, qui a réimprimé cette
note dans son* Histoire des Œuvres de Balzac *(3ᵉ édition, p. 169), y a réimprimé celle qui avait été rédigée
pour je ne sais quel journal et que* l'Amateur d'auto-
graphes *a publiée le 15 mai 1865, d'après un manuscrit
de Balzac. La voici :*

ROMANS ET CONTES PHILOSOPHIQUES
par M. de BALZAC
Trois volumes. Ch. Gosselin, 1831.

Les *Contes philosophiques* de M. de Balzac ont paru
cette semaine chez le libraire Gosselin. *La Peau de
chagrin* a été jugée comme ont été jugés les admirables

---

* *La Comédie du Diable*, dans cette édition.

romans d'Anne Radcliffe. Ces choses-là échappent aux analystes et aux commentateurs. L'avide lecteur s'empare de ces livres. Ils jettent l'insomnie dans l'hôtel du riche et dans la mansarde du poète ; ils animent la campagne, l'hiver, ils donnent un reflet plus vif au sarment qui pétille ; grands privilèges du conteur ! C'est qu'en effet c'est la nature qui fait les conteurs. Vous aurez beau être savant et grave écrivain, si vous n'êtes pas venu au monde conteur, vous n'obtiendrez jamais cette popularité qui a fait *les Mystères d'Udolphe* et la *Peau de chagrin, les Mille et une Nuits* et M. de Balzac. J'ai lu quelque part que Dieu mit au monde Adam le nomenclateur en lui disant : *Te voilà homme !* Ne pourrait-on pas dire qu'il a mis aussi dans le monde Balzac le conteur en lui disant : *Te voilà conte !* Et en effet quel conteur ! que de verve et d'esprit ! quelle infatigable persévérance à tout peindre, à tout oser, à tout flétrir ! Comme le monde est disséqué par cet homme ! quel annaliste ! quelle passion et quel sang-froid !

Les *Contes philosophiques* sont l'expression au fer chaud d'un civilisation perdue de débauche et de bien-être que M. de Balzac expose au poteau infamant. C'est ainsi que *les Mille et une Nuits* sont l'histoire complète du mot Orient à ses jours de bonheur et de rêves parfumés. C'est ainsi que *Candide* est toute l'histoire d'une époque où il y avait des bastilles, un parc aux cerfs et un roi absolu. En prenant ainsi et du premier bond une place à côté de ces conteurs formidables ou gracieux, M. de Balzac a prouvé une chose qui était à démontrer encore, à savoir que le drame, qui n'était plus possible aujourd'hui sur le théâtre, était encore possible dans le conte ; que notre société si dangereusement sceptique, blasée et railleuse, véritable *Fœdora* sans âme et sans cœur, pouvait encore cependant être remuée par les galvaniques secousses de cette poésie des sens colorée, vivante, en chair et en os, prise de vin et de luxure, à laquelle s'abandonne avec tant de délices

et de délire M. de Balzac. De sorte que la surprise
a été grande lorsque, grâce à ce conteur, nous avons
encore trouvé parmi nous quelque chose qui ressemble
à la poésie ; les festins, l'ivresse, la fille de joie, folle
de son corps, donnant ses caresses au milieu de l'orgie,
le punch qui court couronné de flammes bleues, la
politique en gants jaunes, l'adultère musqué, la petite
fille s'abandonnant au plaisir, à l'amour, rêvant tout
haut ; la pauvreté propre et reluisante et entourée
de décence et d'heureux hasards, nous avons vu tout
cela dans Balzac. L'Opéra et ses filles, boudoir rose et
ses molles tentures, le festin et ses indigestions : nous
avons même vu apparaître encore les médecins de
Molière, tant cet homme a besoin de sarcasmes et de
grotesques. Plus vous avancez dans *la Peau de chagrin*,
vices, vertus manquées, misères, ennui, profond silence,
science sèche et dénaturée, scepticisme anguleux et sans
esprit, égoïsme ridicule, vanités puériles, amours
soldés, juifs brocanteurs, que sais-je ? tout ce monde
manqué à physionomie effacée et sans style, plus vous
reconnaissez avec étonnement et douleur qu'ainsi est
construit, en effet, ce XIXe siècle où vous vivez. *La
Peau de chagrin*, c'est *Candide* avec des notes de Béranger ;
c'est les misères, c'est le luxe, c'est la foi, c'est la moquerie, c'est la poitrine sans cœur et le crâne sans cervelle
du XIXe siècle, ce siècle si paré, si musqué, si révolu-
tionnaire, si peu lettré, si peu quelque chose ; ce siècle
de fantasmagories brillantes dont on ne pourra plus
rien saisir dans cinquante ans, excepté *la Peau de chagrin*
de M. de Balzac.

*L'auteur n'était, on le voit, pas à court pour louer
son œuvre, mais les éditions des* Romans et Contes
philosophiques *ne satisfaisaient pas les acheteurs de
la première édition de* la Peau de chagrin *désireux de
posséder les douze contes, mais peu soucieux d'avoir le*

*roman une deuxième fois ; il fut donc fait, à leur inten-
tion, en* 1832, *une édition des douze contes seuls ; elle
parut, comme la précédente, chez Charles Gosselin. En
mars* 1833, *parut, sous le même titre et avec la mention
« quatrième édition », une édition nouvelle, qui n'était,
en réalité, que la troisième, de* la Peau de chagrin *et des
douze contes philosophiques* *. *Cette édition est présentée
comme « revue et corrigée » et l'on verra, par les variantes
que nous y avons relevées, qu'elle l'était en effet. A ce
propos, Balzac, à la fin du mois de janvier* 1833 *écrivait
à* Mme *Hanska :* « Je travaille dix-huit heures par
jour. Je me suis aperçu des défauts de style qui déparent
la Peau de chagrin *; je la corrige pour la rendre irré-
prochable, mais, après deux mois de travail,* la Peau
réimprimée, je découvre encore une centaine de fautes. Ce
sont des chagrins de poète. » (Lettres à l'Étrangère, *I*,
7). *Et le* 24 *février :* « La Peau de chagrin, *déjà corrigée, va l'être de nouveau. Si tout cela n'est pas parfait,
du moins ce sera moins laid.* » (Op. cit., *I*, 12).

Balzac corrigea donc une fois de plus la Peau de
chagrin, *en vue d'une autre édition pour laquelle il
traita le* 15 *juillet* 1834, *avec le libraire Werdet, à qui
Charles Gosselin cédait les exemplaires qu'il lui restait
des romans et des contes philosophiques, parmi lesquels il
n'y en avait que vingt et un de* la Peau de chagrin. *L'édition projetée devait, outre les ouvrages déjà réunis dans
les éditions antérieures, en comprendre de nouveaux et*

---

* *Romans et contes philosophiques*, par M. de Balzac. Quatrième
édition revue et corrigée ; librairie de Charles Gosselin, rue
Saint-Germain-des-Prés, nᵒ 9 ; MDCCCXXXIII, 4 vol. in-8ᵒ,
dont les deux premiers contiennent *la Peau de chagrin*, précédée
de l'Introduction de Philarète Chasles, signée, cette fois, P. Ch. ...

*former sous le titre d'*Études philosophiques, *une
suite de volumes qui, d'après les annonces successivement
faites, devait avoir d'abord vingt volumes, puis vingt-
cinq, puis trente. La bibliographie des* Études philosophiques *est assez compliquée*, nous n'avons à en
retenir ici que ce qui est relatif à* la Peau de chagrin.

Dès le 11 *août* 1834, *Balzac, nommant dans une
lettre à* Mme *Hanska, son ami Charles Lemesle, qu'il
appelle son « Boileau » et son « hypercritique », ajoutait :
« Nous savonnerons à nous deux* la Peau de chagrin.
Il faut que dans cette édition il n'y ait plus de fautes »
(Lettres à l'Étrangère, I, 179). *Et le 26 du même mois :
« En ce moment, je fais le dernier travail de style de la*
Peau de chagrin. *Je la réimprime et j'enlève les dernières
taches. »* (Op. cit., I, 188.) *Le 19 octobre, il lui demande :
« Dois-je vous envoyer* la Peau de chagrin *corrigée ? »
Et il répond lui-même aussitôt : « Oui », et il pense
envoyer l'ouvrage dans une dizaine de jours.* (Op. cit.,
I, 195.) *Mais le 26, il écrit qu'il faut attendre quelques
jours encore.* (Op. cit., I, 201.) *En réalité, malgré les
annonces de cet impatient, il fallut attendre quelques
mois et c'est seulement en janvier que put être envoyée à*
Mme *Hanska, la première livraison des* Études phi-
losophiques**. *Le premier volume contenait une* Intro-

---

* M. Spoelberch de Lovenjoul l'a établie dans une étude très
minutieuse, comme il les faisait : *les « Études philosophiques »
d'Honoré de Balzac (édition Werdet)* (*Revue d'Histoire littéraire
de la France,* juillet-septembre 1907, p. 393-442).

** Cette livraison était de cinq volumes dont les quatre premiers
contenaient *la Peau de chagrin,* que suivait, pour compléter le
quatrième volume, le conte intitulé *l'Adieu : Études philosophiques,*
par M. de Balzac; *la Peau de chagrin,* 4e édition, revue et corrigée...
Paris, librairie de Werdet, 18, rue des Quatre-Vents ; in-12.

duction *par M. Félix Davin, mais à la rédaction de laquelle Balzac dut sérieusement collaborer, car, dans une lettre datée 22 décembre 1834 - 4 janvier 1835, il écrivait à Mme Hanska : « Vous devinerez facilement que l'*Introduction m'a autant coûté qu'à M. Davin, car il a fallu le* serinetter *et le recorriger jusqu'à ce qu'il eût exprimé convenablement ma pensée *. » Cette édition portait, comme celle de 1833, la mention — exacte cette fois — de « quatrième édition » et contenait à ce sujet cet avertissement de l'éditeur :*

Plusieurs exemplaires de cet ouvrage ayant porté la rubrique de *Quatrième Édition*, celle-ci devrait être la cinquième et n'est, en réalité, que la quatrième.

La première en deux volumes in-8º, faite par les libraires Urbain Canel et Charles Gosselin, et tirée à neuf cents exemplaires, au commencement de l'année 1831, était précédée d'une préface que supprima l'auteur dans l'édition suivante.

La deuxième fut éditée dans la même année en 3 volumes in-8º, par le libraire Gosselin seul, qui manifesta le désir de la séparer en deux tirages et de désigner le second sous le nom de *Troisième Édition*. L'ouvrage alors entrepris par l'auteur porta le titre général de *Romans et Contes philosophiques* et fut précédé d'une *Introduction* due à P... C... La première édition était imprimée en caractère dit *Saint-Augustin* ; cette seconde le fut en caractère dit *Cicero*, chez Cosson, et tirée à quatorze cents exemplaires.

La troisième réelle, qui porte faussement le nom de quatrième, fut publiée au commencement de 1833, en 2 volumes in-8º, imprimés en caractère dit *Douze*

---

* M. Spoelberch de Lovenjoul a réimprimé ce texte dans son *Histoire des Œuvres d'Honoré de Balzac* (3e édition).

de *Firmin-Didot*, par Barbier, et tirée à 400 exemplaires.

L'auteur, ne voulant tremper dans aucun charlatanisme commercial, quelque innocent qu'il soit, a désiré que l'éditeur donnât cette explication pour rétablir l'ordre véritable des éditions et les constater.

Celle-ci, différente des trois autres par une correction sévère, élèvera le tirage total de cette œuvre à près de 4.000 exemplaires. Si nous indiquons scrupuleusement les nombres et la contexture des exemplaires, c'est pour éviter les doutes élevés par certains critiques sur la réalité des éditions qui, selon les ouvrages, accusent ou les caprices de la mode ou des succès durables.

Aujourd'hui l'œuvre entière prend le seul titre (*Études philosophiques*) que l'auteur avait voulu lui imposer dès l'origine, et auquel s'étaient opposées de mesquines considérations dont il est inutile de parler.

Cette note inspirée, sinon rédigée par Balzac, et que l'on cite ici pour cette raison, résume parfaitement l'histoire bibliographique de la Peau de chagrin. *Il reste cependant à mentionner encore l'édition qui en fut faite en* 1838, *avec des illustrations de Baron, Janet-Lange, Gavarni, François et Marckl, gravées sur acier, par Brunellière, Nargeot et Langlois* *, *et celle de* 1839 *dans la* Bibliothèque-Charpentier **.

En 1845, la Peau de chagrin *prit place dans le tome XIV de* la Comédie humaine, *publiée chez*

---

* *Balzac illustré. La Peau de chagrin. Études sociales*, Paris, E. Delloye, Victor Lecou, éditeurs, rue des Filles-Saint-Thomas; 13, place de la Bourse, 1838 ; in-8⁰.

** *La Peau de chagrin*, par M. de Balzac, nouvelle édition revue et corrigée. Paris, Charpentier, libraire-éditeur, 6, rue des Beaux-Arts, 1839, in-12.

*Furne,** et, en 1869, dans le tome XV des Œuvres complètes de Balzac, publiées chez Michel Lévy ***. Nous avons adopté le texte de cette dernière édition qui reproduit celui de la dernière édition publiée du vivant de Balzac, mais en tenant compte des modifications qu'il y avait faites en vue d'une édition nouvelle*

Nous avons, dans les notes, relevé, sauf de menues différences sans intérêt, les variantes que présente avec notre texte celui des sept éditions que nous avons énumérées, et des fragments publiés dans la Revue des Deux Mondes *et dans la* Revue de Paris.

Dans la première édition, la Peau de chagrin *était divisée en trois parties et un épilogue, qui ont subsisté, à cette seule différence près que le titre de la première partie, au lieu du* Talisman *était la* Peau de chagrin. *Chaque partie était divisée en un certain nombre de chapitres sans titre spécial et que, pour cette raison, nous n'avons pas conservés, nous conformant ainsi au parti adopté dès l'édition de 1845. Ces chapitres étaient au nombre de quatorze pour la première partie, de vingt pour la deuxième (XV-XXXIV) et de dix-huit pour la troisième, soit cinquante-deux en tout.*

---

* C'est, dans cette édition globale, le t. I des *Études philosophiques* qui, outre *la Peau de chagrin,* contient : *Jésus-Christ en Flandre, Melmoth réconcilié, le Chef-d'œuvre inconnu, la Recherche de l'absolu.*

** C'est aussi, dans cette édition, le t. I des *Études philosophiques* ; il contient outre les ouvrages du t. XIV de 1845 : *Gambara* et *Massimilia Doni.*

SOMMAIRE BIOGRAPHIQUE

1799. — *Naissance, à Tours, le 20 mai, d'Honoré Balzac, fils du « citoyen Bernard-François Balzac » et de la « citoyenne Anne-Charlotte-Laure Sallambier, son épouse ». Il sera mis en nourrice à Saint-Cyr-sur-Loire jusqu'à l'âge de quatre ans. Il aura deux sœurs : Laure, née en 1800, et Laurence, née en 1802 ; un frère, Henri, né en 1807.*

1804. — *Il entre à la pension Le Guay, à Tours.*

1807 — *Il entre, le 22 juin, au collège des Oratoriens de Vendôme, qu'il quittera, après un rigoureux internat, le 22 avril 1813.*

1814. — *Pendant l'été, il fréquente le collège de Tours. En novembre, il suit sa famille à Paris, rue du Temple.*

1815. — *Il fréquente deux institutions du quartier du Marais, l'institution Lepître, puis, à partir d'octobre, l'institution Ganser et suit vraisemblablement les cours du lycée Charlemagne.*

1816. — *En novembre, il s'inscrit à la Faculté de Droit et entre, comme clerc, chez Me Guillonnet-Merville, avoué rue Coquillière.*

1818. — *Il quitte, en mars, l'étude de Me Guillonnet-Merville pour entrer dans celle de Me Passez, notaire, ami de ses parents et qui habite la même maison, rue du Temple. Il rédige des Notes sur l'immortalité de l'âme.*

1819. — *Vers le 1er août, Bernard-François Balzac, retraité de l'administration militaire, se retire à Villeparisis avec sa* *famille. Honoré, bachelier en droit depuis le mois de janvier, obtient de rester à Paris pour devenir homme de lettres. Installé dans un modeste logis mansardé, rue Lesdiguières, il y compose une tragédie,* Cromwell, *qui ne sera ni jouée, ni publiée de son vivant.*

1820. — *Il commence* Falthurne *et* Sténie, *deux récits qu'il n'achèvera pas. Le 18 mai, il assiste au mariage de sa sœur Laure avec Eugène Surville, ingénieur des Ponts et Chaussées. Ses parents donnent congé rue Lesdiguières pour le 1er janvier 1821.*

1821. — *Le 1er septembre, sa sœur Laurence épouse M. de Montzaigle.*

1822. — *Début de sa liaison avec Laure de Berny, âgée de quarante-cinq ans, dont il a fait la connaissance à Villeparisis l'année précédente ; elle sera pour lui la plus vigilante et la plus dévouée des amies. Pendant l'été, il séjourne à Bayeux, en Normandie, avec les Surville. Ses parents emménagent avec lui à Paris, dans le Marais, rue du Roi-Doré.*
Sous le pseudonyme de Lord R'Hoone, il publie, en collaboration, L'Héritière de Birague *et* Jean-Louis ; *puis, seul,* Clotilde de Lusignan. Le Centenaire *et* Le Vicaire des Ardennes, *parus la même année, sont signés Horace de Saint-Aubin.*

1823. — *Au cours de l'été, séjour en Touraine.*
La Dernière Fée, *par Horace de Saint-Aubin.*

1824. — *Vers la fin de l'été, ses parents ayant regagné Villeparisis, il s'installe rue de Tournon.*
Annette et le Criminel (Argow le Pirate), *par Horace de Saint-Aubin. Sous l'anonymat :* Du droit d'aînesse ; Histoire impartiale des Jésuites.

1825. — *Associé avec Urbain Canel, il réédite les œuvres de Molière et de La Fontaine. En avril, bref voyage à Alençon. Début des relations avec la duchesse d'Abrantès. Sa sœur Laurence meurt le 11 août.*

Wann-Chlore, *par Horace de Saint-Aubin. Sous l'ano-*
nymat : Code des gens honnêtes.

1826. — *Le 1er juin, il obtient un brevet d'imprimeur. Associé*
avec Barbier, il s'installe rue des Marais-Saint-Germain
(aujourd'hui rue Visconti). Au cours de l'été, sa famille
abandonne Villeparisis pour se fixer à Versailles.

1827. — *Le 15 juillet, avec Laurent et Barbier, il crée une*
société pour l'exploitation d'une fonderie de caractères d'impri-
merie.

1828. — *Au début du printemps, Balzac s'installe 1, rue Cassini,*
près de l'Observatoire. Ses affaires marchent mal : il doit les
liquider et contracter de lourdes dettes. Il revient à la littéra-
ture : du 15 septembre à la fin d'octobre, il séjourne à Fougères,
chez le général de Pommereul, pour préparer un roman sur la
chouannerie.

1829. — *Balzac commence à fréquenter les salons : il est reçu*
chez Sophie Gay, chez le baron Gérard, chez Mme Hamelin,
chez la princesse Bagration, chez Mme Récamier. Début de la
correspondance avec Mme Zulma Carraud qui, mariée à un
commandant d'artillerie, habite alors Saint-Cyr-l'École. Le
19 juin, mort de Bernard-François Balzac.
En mars a paru, avec la signature Honoré Balzac, Le Dernier
Chouan ou La Bretagne en 1800 *qui, sous le titre définitif*
Les Chouans, *sera le premier roman incorporé à* La Comédie
humaine. *En décembre,* Physiologie du mariage, « *par un*
jeune célibataire ».

1830. — *Balzac collabore à la* Revue de Paris, *à la* Revue des
Deux Mondes, *ainsi qu'à divers journaux : le* Feuilleton des
journaux politiques, La Mode, La Silhouette, Le Voleur,
La Caricature. *Il adopte la particule et commence à signer* « *de*
Balzac ». *Avec Mme de Berny, il descend la Loire en bateau*
(juin) et séjourne, pendant l'été, dans la propriété de La Grena-
dière, à Saint-Cyr-sur-Loire. Pendant l'automne, il devient un
familier du salon de Charles Nodier, à l'Arsenal.

Premières « Scènes de la vie privée » : La Vendetta ; Les Dangers de l'inconduite (Gobseck) ; Le Bal de Sceaux ; Gloire et Malheur (La Maison du Chat-qui-pelote) ; La Femme vertueuse (Une double famille) ; La Paix du ménage. *Parmi les premiers* « *Contes philosophiques* » *:* Les Deux Rêves, l'Élixir de longue vie...

1831. — *Désormais consacré comme écrivain, il travaille avec acharnement, tout en menant, à ses heures, une vie mondaine et luxueuse, qui ranimera indéfiniment ses dettes. Ambitions politiques demeurées insatisfaites.*
La Peau de chagrin, *roman philosophique. Sous l'étiquette* « *Contes philosophiques* » *:* Les Proscrits ; Le Chef-d'Œuvre inconnu...

1832. — *Entrée en relations avec Mme Hanska,* « *l'Étrangère* », *qui habite le château de Wierzchownia, en Ukraine. Il est l'hôte de M. de Margonne à Saché (où il a fait et fera d'autres séjours) ; puis des Carraud, qui habitent maintenant Angoulême. Il est devenu l'ami de la marquise de Castries, qu'il rejoint en août à Aix-les-Bains et qu'il suit en octobre à Genève : désillusion amoureuse. Au retour, il passe trois semaines à Nemours auprès de Mme de Berny. Il a adhéré au parti néo-légitimiste et publié plusieurs essais politiques.*
La Transaction (Le Colonel Chabert). *Parmi de nouvelles* « Scènes de la vie privée » : Les Célibataires (Le Curé de Tours) *et cinq* « *scènes* » *distinctes qui seront groupées plus tard dans* La Femme de trente ans. *Parmi de nouveaux* « *Contes philosophiques* » *:* Louis Lambert. *En marge de la future* Comédie humaine *: premier dixain des* Contes drolatiques.

1833. — *Début d'une correspondance suivie avec Mme Hanska. Il la rencontre pour la première fois en septembre à Neuchâtel et la retrouve à Genève pour la Noël. Contrat avec Mme Béchet pour la publication, achevée par Werdet, des* Études de mœurs au XIXᵉ siècle *qui, de 1833 à 1837, paraîtront en douze volumes et qui sont comme une préfiguration de* La Comé-

die humaine *(I à IV : « Scènes de la vie privée ». V à VIII :*
« Scènes de la vie de province ». IX à XII : « Scènes de la vie
parisienne »).

Le Médecin de campagne. *Parmi les premières* « Scènes
de la vie de province » : La Femme abandonnée ; La
Grenadière ; L'Illustre Gaudissart ; Eugénie Grandet
(décembre).

1834. — *Retour de Suisse en février. Le 4 juin naît Marie du*
Fresnay, sa fille présumée. Nouveaux développements de la vie
mondaine : il se lie avec la comtesse Guidoboni Visconti.

La Recherche de l'absolu. *Parmi les premières* « Scènes de la
vie parisienne » : Histoire des Treize *(I. Ferragus, 1833.*
II. Ne touchez pas la hache (La Duchesse de Langeais),
1833-1834. III. La Fille aux yeux d'or, *1834-1835.)*

1835. — *Une édition collective d'*Études philosophiques *(1835-*
1840) commence à paraître chez Werdet. Au printemps,
Balzac s'installe en secret rue des Batailles, à Chaillot. Au
mois de mai, il rejoint Mme Hanska, qui est avec son mari à
Vienne, en Autriche ; il passe trois semaines auprès d'elle
et ne la reverra plus pendant huit ans.

Le Père Goriot *(1834-1835).* Melmoth réconcilié. La
Fleur des pois (Le Contrat de mariage). Séraphîta.

1836. — *Année agitée. Le 20 mai naît Lionel-Richard Guido-*
boni-Visconti, qui est peut-être son fils naturel. En juin, Balzac
gagne un procès contre la Revue de Paris *au sujet du* Lys dans
la vallée. *En juillet, il doit liquider* La Chronique de Paris,
qu'il dirigeait depuis janvier. Il va passer quelques semaines à
Turin ; au retour, il apprend la mort de Mme de Berny, sur-
venue le 27 juillet.

Le Lys dans la vallée. L'Interdiction. La Messe de l'athée.
Facino Cane. L'Enfant maudit *(1831-1836).* Le Secret
des Ruggieri (La Confidence des Ruggieri).

1837. — *Nouveau voyage en Italie (février-avril) : Milan,*
Venise, Gênes, Livourne, Florence, le lac de Côme.

La Vieille Fille. Illusions perdues *(début).* César Birotteau.

1838. — *Séjour à Frapesle, près d'Issoudun, où sont fixés désormais les Carraud (février-mars) ; quelques jours à Nohant, chez George Sand. Voyage en Sardaigne et dans la péninsule italienne (avril-mai). En juillet, installation aux Jardies, entre Sèvres et Ville-d'Avray.*

La Femme supérieure (Les Employés). La Maison Nucingen. *Début des futures* Splendeurs et Misères des courtisanes (La Torpille).

1839. — *Balzac est nommé, en avril, président de la Société des Gens de Lettres. En septembre-octobre, il mène une campagne inutile en faveur du notaire Peytel, ancien co-directeur du* Voleur, *condamné à mort pour meurtre de sa femme et d'un domestique. Activité dramatique : il achève* L'École des ménages *et* Vautrin. *Candidat à l'Académie française, il s'efface, le 2 décembre, devant Victor Hugo, qui ne sera pas élu.*

Le Cabinet des antiques. Gambara. Une fille d'Ève. Massimilla Doni. Béatrix ou les Amours forcés. Une princesse parisienne (Les Secrets de la princesse de Cadignan).

1840. — Vautrin, *créé le 14 mars à la Porte Saint-Martin, est interdit le 16. Balzac dirige et anime la* Revue Parisienne, *qui aura trois numéros (juillet, août, septembre) ; dans le dernier, la célèbre étude sur* La Chartreuse de Parme. *En octobre, il s'installe 19, rue Basse (aujourd'hui la « Maison de Balzac », 47, rue Raynouard).*

Pierrette. Pierre Grassou. Z. Marcas. Les Fantaisies de Claudine (Un prince de la bohème).

1841. — *Le 2 octobre, traité avec Furne et un consortium de libraires pour la publication de* La Comédie humaine, *qui paraîtra avec un* Avant-propos *capital, en dix-sept volumes (1842-1848) et un volume posthume (1855).*

Le Curé de village *(1839-1841).* Les Lecamus (Le Martyr calviniste).

1842. — *Le 19 mars, création, à l'Odéon, des* Ressources de Quinola.

Mémoires de deux jeunes mariées. Albert Savarus. La Fausse Maîtresse. Autre Étude de femme. Ursule Mirouët. Un début dans la vie. Les Deux Frères (La Rabouilleuse).

1843. — *Juillet-octobre : séjour à Saint-Pétersbourg, auprès de Mme Hanska, veuve depuis le 10 novembre 1841 ; retour par l'Allemagne. Le 26 septembre, création, à l'Odéon, de* Paméla Giraud.
Une Ténébreuse Affaire. La Muse du département. Honorine. Illusions perdues, *complet en trois parties (I.* Les Deux Poètes, *1837. II.* Un grand homme de province à Paris, *1839. III.* Les Souffrances de l'inventeur, *1843).*

1844. — Modeste Mignon. Les Paysans *(début).* Béatrix *(II.* La Lune de miel). Gaudissart II.

1845. — *Mai-août : Balzac rejoint à Dresde Mme Hanska, sa fille Anna et le comte Georges Mniszech ; il voyage avec eux en Allemagne, en France, en Hollande et en Belgique. En octobre, il retrouve Mme Hanska à Châlons et se rend avec elle à Naples. En décembre, seconde candidature à l'Académie française.*
Un Homme d'affaires. Les Comédiens sans le savoir.

1846. — *Fin mars : séjour à Rome avec Mme Hanska ; puis la Suisse et le Rhin jusqu'à Francfort. Le 13 octobre, à Wiesbaden, Balzac est témoin au mariage d'Anna Hanska avec le comte Mniszech. Au début de novembre, Mme Hanska met au monde un enfant mort-né, qui devait s'appeler Victor-Honoré.*
Petites Misères de la vie conjugale *(1845-1846).* L'Envers de l'histoire contemporaine *(premier épisode).* La Cousine Bette.

1847. — *De février à mai, Mme Hanska séjourne à Paris, tandis que Balzac s'installe rue Fortunée (aujourd'hui rue Balzac). Le 28 juin, il fait d'elle sa légataire universelle. Il la rejoint à Wierzchownia en septembre.*

Le Cousin Pons. La Dernière Incarnation de Vautrin (*dernière partie de* Splendeurs et misères des courtisanes).

1848. — *Rentré à Paris le 15 février, il assiste aux premières journées de la Révolution.* La Marâtre *est créée, en mai, au Théâtre Historique ;* Mercadet, *reçu en août au Théâtre-Français n'y sera pas représenté. A la fin de septembre, il retrouve Mme Hanska en Ukraine et reste avec elle jusqu'au printemps de 1850.*
L'Initié, *second épisode de* L'Envers de l'histoire contemporaine.

1849. — *Deux voix à l'Académie française le 11 janvier (fauteuil Chateaubriand) ; deux voix encore le 18 (fauteuil Vatout). La santé de Balzac, déjà éprouvée, s'altère gravement : crises cardiaques répétées au cours de l'année.*

1850. — *Le 14 mars, à Berditcheff, il épouse Mme Hanska. Malade, il rentre avec elle à Paris le 20 mai et meurt le 18 août. Sa mère lui survit jusqu'en 1854 et sa femme jusqu'en 1882. Son frère Henri mourra en 1858 ; sa sœur Laure en 1871.*

1854. — *Publication posthume du* Député d'Arcis, *terminé par Charles Rabou.*

1855. — *Publication posthume des* Paysans, *terminé sur l'initiative de Mme Honoré de Balzac. Édition, commencée en 1853, des* Œuvres complètes *en vingt volumes par Houssiaux, qui prend la suite de Furne comme concessionnaire (I à XVIII.* La Comédie humaine. *XIX.* Théâtre. *XX.* Contes drolatiques).

1856-1857. — *Publication posthume des* Petits Bourgeois, *terminés par Charles Rabou.*

1869-1876. — *Édition définitive des* Œuvres complètes *de Balzac en vingt-quatre volumes chez Michel Lévy, puis Calmann-Lévy. Parmi les « Scènes de la vie parisienne » sont réunies pour la première fois les quatre parties de* Splendeurs et misères des courtisanes.

LA PEAU DE CHAGRIN

A Monsieur SAVARY

MEMBRE DE L'ACADÉMIE DES SCIENCES[1]

STERNE. *Tristram Shandy*, ch. CCCXXII [2]

LA PEAU DE CHAGRIN

I

LE TALISMAN

Vers la fin du mois d'octobre 1829, un jeune homme entra dans le Palais-Royal au moment où les maisons de jeu s'ouvraient, conformément [3] à la loi qui protège une [4] passion essentiellement imposable. Sans trop hésiter, il monta l'escalier du tripot désigné sous le nom de numéro 36 [5].

— Monsieur, votre chapeau, s'il vous plaît ? lui cria d'une voix sèche et grondeuse un petit vieillard blême, accroupi dans l'ombre, protégé par une barricade, et qui se leva soudain en montrant une figure moulée sur un type ignoble [6].

Quand vous entrez dans une maison de jeu, la loi commence par vous dépouiller de votre chapeau. Est-ce une parabole évangélique et providentielle [7] ? N'est-ce pas plutôt une manière de conclure [8] un contrat infernal avec vous en exigeant je ne sais quel gage ? Serait-ce pour vous obliger à garder un maintien respectueux devant ceux qui vont gagner votre argent ? Est-ce la police, tapie dans tous les égouts sociaux, qui tient à savoir [9] le nom de votre chapelier ou le vôtre, et si vous l'avez inscrit sur la coiffe ? Est-ce, enfin, pour prendre la mesure de votre crâne et dresser

une statistique instructive sur la capacité cérébrale
des joueurs ? Sur ce point, l'administration garde un
silence complet. Mais, sachez-le bien, à peine avez-vous
fait un pas vers le tapis vert, déjà votre chapeau [10]
ne vous appartient pas plus que vous ne vous appartenez à vous-même : vous êtes au jeu, vous, votre
fortune, votre coiffe, votre canne et votre manteau.
A votre sortie, le Jeu vous démontrera, par une atroce
épigramme en action [11], qu'il vous laisse encore quelque
chose en vous rendant votre bagage. Si toutefois vous
avez une coiffure [12] neuve, vous apprendrez à vos
dépens qu'il faut se faire un costume de joueur [13].

L'étonnement manifesté par le jeune homme en
recevant [14] une fiche numérotée en échange de son
chapeau, dont heureusement les bords étaient légèrement pelés [15], indiquait assez une âme encore innocente ; aussi le petit vieillard, qui sans doute avait
croupi dès son jeune âge dans les bouillants plaisirs [16]
de la vie des joueurs, lui jeta-t-il un coup d'œil terne
et sans chaleur, dans lequel un philosophe aurait vu [17]
les misères de l'hôpital, les vagabondages des gens
ruinés [18], les procès-verbaux d'une foule d'asphyxies,
les travaux forcés à perpétuité, les expatriations au
Guazacoalco [19]. Cet homme, dont la longue face
blanche n'était plus nourrie que par les soupes gélatineuses de Darcet [20], présentait la pâle image [21] de
la passion réduite à son terme le plus simple. Dans
ses rides, il y avait trace de vieilles tortures, il devait
jouer ses maigres appointements le jour même où il
les recevait. Semblable aux rosses sur qui les coups
de fouet n'ont plus de prise, rien ne le faisait tressaillir ; les sourds gémissements des joueurs qui sortaient ruinés, leurs muettes imprécations, leurs regards
hébétés le trouvaient toujours insensible [22]. C'était
le Jeu incarné. Si le jeune homme avait contemplé ce
triste cerbère, peut-être se serait-il dit : « Il n'y a plus
qu'un jeu de cartes dans ce cœur-là ! » L'inconnu

n'écouta pas ce conseil vivant, placé là [23] sans doute par la Providence, comme elle a mis le dégoût à la porte de tous les mauvais lieux. Il entra résolument dans la salle, où le son de l'or exerçait une éblouissante fascination sur les sens en pleine convoitise. Ce jeune homme [24] était probablement poussé là par la plus logique de toutes les éloquentes phrases de Jean-Jacques Rousseau [25], et dont voici, je crois, la triste pensée : *Oui, je conçois qu'un homme aille au jeu, mais c'est lorsque, entre lui et la mort, il ne voit plus que son dernier écu.*

Le soir, les maisons de jeu n'ont qu'une poésie vulgaire, mais dont l'effet est assuré comme celui d'un drame sanguinolent [26]. Les salles sont garnies de spectateurs et de joueurs, de vieillards indigents qui s'y traînent pour s'y réchauffer [27], de faces agitées, d'orgies commencées dans le vin et près de finir dans la Seine. Si la passion y abonde, le trop grand nombre d'acteurs vous empêche de contempler face à face le démon du jeu. La soirée est un véritable morceau d'ensemble où la troupe entière crie, où chaque instrument de l'orchestre module sa phrase. Vous verriez là beaucoup de gens honorables qui viennent y chercher des distractions et les payent comme ils payeraient le plaisir du spectacle, de la gourmandise, ou comme ils iraient dans une mansarde acheter à bas prix de cuisants regrets pour trois mois [28]. Mais comprenez-vous tout ce que doit avoir de délire et de vigueur dans l'âme un homme qui attend avec impatience l'ouverture d'un tripot ? Entre le joueur du matin et le joueur du soir, il existe la différence [29] qui distingue le mari nonchalant de l'amant pâmé sous [30] les fenêtres de sa belle. Le matin seulement, arrivent la passion palpitante et le besoin dans sa franche horreur. En ce moment, vous pourrez admirer un véritable joueur qui n'a pas mangé, dormi, vécu, pensé, tant il était rudement flagellé par le fouet de sa martingale, tant

il souffrait travaillé par le prurit d'un coup de trente
et quarante. A cette heure maudite, vous rencontrerez [31] des yeux dont le calme effraye, des visages
qui vous fascinent, des regards qui soulèvent les cartes
et les dévorent [32].

Aussi les maisons de jeu ne sont-elles sublimes qu'à
l'ouverture de leurs séances. Si l'Espagne a ses combats
de taureaux, si Rome a eu ses gladiateurs, Paris s'enor-
gueillit de son Palais-Royal, dont les agaçantes roulettes
donnent le plaisir de voir couler le sang à flots sans que
les pieds du parterre risquent d'y glisser. Essayez de
jeter un regard furtif sur cette arène, entrez !... Quelle
nudité ! Les murs, couverts d'un papier gras à hauteur
d'homme, n'offrent pas une seule image qui puisse
rafraîchir l'âme. Il ne s'y trouve même pas un clou [33]
pour faciliter le suicide. Le parquet est usé, malpropre [34].
Une table oblongue [35] occupe le centre de la salle.
La simplicité des chaises de paille pressées autour de
ce tapis usé par l'or annonce une curieuse indifférence
du luxe chez ces hommes qui viennent périr là pour la
fortune et le luxe.

Cette antithèse humaine se découvre partout [36] où
l'âme réagit puissamment sur elle-même. L'amoureux
veut mettre sa maîtresse dans la soie, la revêtir d'un
moelleux tissu d'Orient [37], et, la plupart du temps, il
la possède sur un grabat. L'ambitieux se rêve au faîte
du pouvoir, tout en s'aplatissant dans la boue du
servilisme. Le marchand végète au fond d'une boutique humide et malsaine, en élevant un vaste hôtel,
d'où son fils, héritier précoce, sera chassé par une lici-
tation fraternelle [38]. Enfin, existe-t-il chose plus déplaisante [39] qu'une maison de plaisir ? Singulier problème !
Toujours en opposition avec lui-même, trompant ses
espérances par ses maux présents, et ses maux par un
avenir qui ne lui appartient pas, l'homme imprime
à tous ses actes le caractère de l'inconséquence et de la
faiblesse. Ici-bas, rien n'est complet que le malheur [40].

Au moment où le jeune homme entra dans le salon, quelques joueurs s'y trouvaient déjà. Trois vieillards à têtes chauves étaient nonchalamment assis autour du tapis vert ; leurs visages de plâtre, impassibles comme ceux des diplomates, révélaient des âmes blasées, des cœurs qui depuis longtemps avaient désappris de palpiter, même en risquant les biens paraphernaux d'une femme. Un jeune Italien aux cheveux noirs, au teint olivâtre, était accoudé tranquillement au bout de la table, et paraissait écouter ces pressentiments secrets qui crient fatalement à un joueur : « Oui ! — Non ! » Cette tête méridionale respirait l'or et le feu. Sept ou huit spectateurs, debout, rangés de manière à former une galerie, attendaient les scènes que leur préparaient les coups du sort, les figures des acteurs, le mouvement de l'argent et celui des râteaux. Ces désœuvrés étaient là, silencieux, immobiles, attentifs comme l'est le peuple à la Grève [41], quand le bourreau tranche une tête.

Un grand homme sec, en habit râpé, tenait un registre d'une main et de l'autre une épingle pour marquer les passes de la *rouge* ou de la *noire*. C'était un de ces Tantales modernes qui vivent en marge de toutes les jouissances de leur siècle, un de ces avares sans trésor qui jouent une mise imaginaire [42] ; espèce de fou raisonnable qui se consolait de ses misères en caressant une chimère, qui agissait enfin [43] avec le vice et le danger comme les jeunes prêtres avec l'eucharistie [44], lorsqu'ils disent des messes blanches. En face de la banque, un ou deux de ces fins spéculateurs, experts des chances du jeu, et semblables à d'anciens forçats qui ne s'effrayent plus des galères, étaient venus là pour hasarder trois coups et remporter immédiatement le gain probable duquel ils vivaient [45]. Deux vieux garçons de salle se promenaient nonchalamment les bras croisés, et de temps en temps regardaient le jardin par les fenêtres, comme [46] pour montrer aux passants leurs plates figures, en guise d'enseigne.

Le *tailleur* et le *banquier* venaient de jeter sur les pontes ce regard blême qui les tue, et disaient d'une voix grêle : « Faites le jeu ! » quand le jeune homme ouvrit la porte. Le silence [47] devint en quelque sorte plus profond, et les têtes se tournèrent vers le nouveau venu par curiosité. Chose inouïe [48] ! les vieillards émoussés, les employés pétrifiés, les spectateurs, et jusqu'au fanatique Italien, tous, en voyant l'inconnu, éprouvèrent je ne sais [49] quel sentiment épouvantable. Ne faut-il pas être bien malheureux pour obtenir de la pitié, bien faible pour exciter une sympathie, ou d'un bien sinistre aspect pour faire [50] frissonner les âmes dans cette salle où les douleurs doivent être muettes, où la misère est gaie et le désespoir décent ? Eh bien, il y avait de tout cela dans la sensation neuve qui remua ces cœurs glacés quand le jeune homme entra. Mais les bourreaux n'ont-ils pas quelquefois pleuré sur les vierges dont les blondes têtes devaient être coupées à un signal de la Révolution [51] ?

Au premier coup d'œil, les joueurs lurent sur le visage du novice quelque horrible mystère ; ses jeunes traits étaient empreints d'une grâce nébuleuse, son regard attestait des efforts trahis, mille espérances trompées [52] ! La morne impassibilité du suicide donnait à ce front une pâleur mate et maladive, un sourire amer dessinait de légers plis dans les coins de la bouche, et la physionomie exprimait une résignation [53] qui faisait mal à voir.

Quelque secret génie scintillait au fond de ces yeux, voilés peut-être par les fatigues du plaisir. Était-ce la débauche qui marquait [54] de son sale cachet cette noble figure, jadis pure et brillante, maintenant dégradée ? Les médecins auraient sans doute [55] attribué à des lésions au cœur ou à la poitrine le cercle jaune qui encadrait les paupières et la rougeur qui marquait les joues, tandis [56] que les poètes eussent voulu reconnaître à ces signes les ravages de la science, les traces

de nuits passées à la lueur d'une lampe studieuse. Mais
une passion plus mortelle que la maladie, une maladie
plus impitoyable que l'étude et le génie altéraient cette
jeune tête, contractaient ces muscles vivaces, tordaient
ce cœur qu'avaient seulement effleuré les orgies, l'étude
et la maladie [57]. Comme, lorsqu'un célèbre criminel
arrive au bagne, les condamnés l'accueillent avec respect, ainsi tous ces démons humains, experts en tortures,
saluèrent une douleur inouïe, une blessure profonde
que sondait leur regard, et [58] reconnurent un de leurs
princes à la majesté de sa muette ironie, à l'élégante
misère de ses vêtements.

Le jeune homme avait bien un frac de bon goût,
mais la jonction de son gilet et de sa cravate était
trop savamment maintenue pour qu'on lui supposât
du linge [59]. Ses mains, jolies comme des mains de
femme, étaient d'une douteuse propreté ; enfin, depuis
deux jours, il ne portait plus de gants [60] ! Si le tailleur
et les garçons de salle eux-mêmes frissonnèrent, c'est
que les enchantements de l'innocence florissaient par
vestiges dans ces formes grêles et fines, dans ces cheveux [61] blonds et rares, naturellement bouclés. Cette
figure avait encore vingt-cinq ans, et le vice paraissait
n'y être qu'un accident. La verte vie de la jeunesse y
luttait encore avec les ravages [62] d'une impuissante lubri-
cité. Les ténèbres et la lumière, le néant et l'existence s'y
combattaient en produisant tout à la fois de la grâce
et de l'horreur. Le jeune homme se présentait là comme
un ange sans rayons, égaré dans sa route. Aussi tous ces
professeurs émérites de vice et d'infamie, semblables
à une vieille femme édentée prise de pitié à l'aspect d'une
belle fille [63] qui s'offre à la corruption, furent-ils près
de crier au novice : « Sortez ! » Celui-ci marcha droit
à la table [64], s'y tint debout, jeta sans calcul sur le tapis
une pièce d'or qu'il avait à la main, et qui roula sur noir ;
puis, comme les âmes fortes, abhorrant de chicanières [65]

incertitudes, il lança sur le tailleur un regard tout à
la fois turbulent et calme.

L'intérêt de ce coup était si grand, que les vieillards
ne firent pas de mise ; mais l'Italien saisit avec le fanatisme de la passion une idée qui vint lui sourire, et
ponta sa masse d'or en opposition au jeu de l'inconnu.
Le banquier oublia de dire ces phrases, qui se sont
à la longue converties en un cri rauque et inintelligible :

— Faites le jeu !

— Le jeu est fait !

— Rien ne va plus.

Le tailleur étala les cartes, et sembla souhaiter [66]
bonne chance au dernier venu, indifférent qu'il était à
la perte ou au gain fait par les entrepreneurs de ces
sombres plaisirs. Chacun des spectateurs voulut voir
un drame et la dernière scène d'une noble vie dans le
sort de cette pièce d'or ; leurs yeux, arrêtés sur les
cartons fatidiques, étincelèrent ; mais [67], malgré l'attention avec laquelle ils regardèrent alternativement et
le jeune homme et les cartes, ils ne purent apercevoir
aucun symptôme d'émotion sur sa figure froide et
résignée.

— Rouge, pair, passe, dit [68] officiellement le tailleur.

Une espèce de râle sourd sortit de la poitrine de l'Italien lorsqu'il vit tomber un à un les billets pliés que lui
lança [69] le banquier. Quant au jeune homme, il ne comprit sa ruine qu'au moment où le râteau s'allongea
pour ramasser son dernier napoléon. L'ivoire fit rendre
un bruit sec à la pièce, qui, rapide, comme une flèche,
alla se réunir au tas d'or étalé devant la caisse. L'inconnu
ferma les yeux doucement, ses lèvres blanchirent ;
mais il releva bientôt ses paupières, sa bouche reprit
une rougeur de corail, il affecta l'air d'un Anglais pour
qui la vie n'a plus de mystères, et disparut sans mendier
une consolation par un de ces regards déchirants que
les joueurs au désespoir lancent assez souvent sur la
galerie. Combien d'événements se pressent dans l'es-

pace d'une seconde, et que de choses dans un coup de dé [70].

— Voilà sans doute sa dernière cartouche, dit [71] en souriant le croupier, après un moment de silence pendant lequel il tint cette pièce d'or entre le pouce et l'index pour la montrer aux assistants [72].

— C'est un cerveau brûlé qui va se jeter à l'eau, répondit un habitué en regardant autour de lui les joueurs, qui se connaissaient tous [73].

— Bah ! s'écria le garçon de chambre [74] en prenant une prise de tabac.

— Si nous avions imité monsieur ! dit un des vieillards à ses collègues en désignant l'Italien [75].

Tout le monde regarda l'heureux joueur, dont les mains tremblaient en comptant ses billets de banque.

— J'ai entendu, dit-il, une voix qui me criait dans l'oreille : « Le jeu aura raison contre le désespoir de ce jeune homme. »

— Ce n'est pas un joueur, reprit le banquier ; autrement, il aurait groupé son argent en trois masses pour [76] se donner plus de chances.

Le jeune homme passait sans réclamer son chapeau ; mais le vieux molosse, ayant remarqué le mauvais état de cette guenille, la lui rendit sans proférer une parole ; le joueur restitua la fiche par un mouvement machinal, et descendit les escaliers en sifflant *Di tanti palpiti* [77] d'un souffle si faible, qu'il en entendit à peine lui-même les notes délicieuses.

Il se trouva bientôt sous les galeries du Palais-Royal, alla [78] jusqu'à la rue Saint-Honoré, prit le chemin des Tuileries et traversa le jardin d'un pas indécis [79]. Il marchait comme au milieu d'un désert, coudoyé par des hommes qu'il ne voyait pas, n'écoutant à travers les clameurs populaires qu'une seule voix, celle de la mort ; enfin perdu dans une engourdissante méditation, semblable à celle dont jadis étaient saisis les criminels qu'une charrette conduisait, du Palais à la Grève, vers cet échafaud rouge de tout le sang versé depuis 1793.

Il existe [80] je ne sais quoi de grand et d'épouvantable dans le suicide. Les chutes d'une multitude de gens sont sans danger, comme celles des enfants, qui tombent de trop bas pour se blesser ; mais, quand un grand homme [81] se brise, il doit venir de bien haut, s'être élevé jusqu'aux cieux [82], avoir entrevu quelque paradis inaccessible. Implacables doivent être les ouragans qui le forcent [83] à demander la paix de l'âme à la bouche d'un pistolet. Combien de jeunes talents confinés dans une mansarde s'étiolent et périssent [84] faute d'un ami, faute d'une femme consolatrice, au sein d'un million d'êtres, en présence d'une foule lassée d'or et qui s'ennuie !

A cette pensée, le suicide prend des proportions gigantesques. Entre une mort volontaire et la féconde espérance dont la voix appelait un jeune homme à Paris, Dieu seul sait combien se heurtent de conceptions, de poésies abandonnées, de désespoirs et de cris étouffés, de tentatives inutiles et de chefs-d'œuvre avortés. Chaque suicide [85] est un poème sublime de mélancolie. Où trouverez-vous, dans l'océan des littératures, un livre surnageant qui puisse lutter de génie avec cet entrefilet [86] :

« Hier, à quatre heures, une femme s'est jetée dans la Seine du haut du pont des Arts [87]. »

Devant ce laconisme parisien, les drames, les romans, tout pâlit, même ce vieux frontispice : *Les Lamentations du glorieux roi de Kaërnavan, mis en prison par ses enfants* ; dernier fragment d'un livre perdu, dont la seule lecture faisait pleurer ce Sterne qui lui-même délaissait sa femme et ses enfants.

L'inconnu fut assailli par mille pensées semblables, qui passaient en lambeaux dans son âme, comme des drapeaux déchirés voltigent au milieu d'une bataille. S'il déposait pendant un moment le fardeau de son

intelligence et de ses souvenirs pour s'arrêter devant
quelques fleurs dont les têtes étaient mollement[88]
balancées par la brise parmi les massifs de verdure,
bientôt saisi par une convulsion de la vie, qui regim-
bait encore sous la pesante idée du suicide, il levait
les yeux au ciel : là, des nuages gris, des bouffées de
vent chargées de tristesse, une atmosphère lourde, lui
conseillaient encore de mourir. Il s'achemina vers le
pont Royal en songeant aux dernières fantaisies de
ses prédécesseurs. Il souriait en se rappelant que lord
Castlereagh[89] avait satisfait le plus humble de nos
besoins avant de se couper la gorge, et que l'académicien Auger[90] avait été chercher sa tabatière pour
priser tout en marchant à la mort. Il analysait ces
bizarreries et s'interrogeait lui-même, quand, en se
serrant contre le parapet du pont pour laisser passer
un fort de la Halle, celui-ci ayant[91] légèrement blanchi
la manche de son habit, il se surprit à en secouer soigneusement la poussière. Arrivé au point culminant de
la voûte, il regarda l'eau d'un air sinistre[92].

— Mauvais temps pour se noyer, lui dit en riant
une vieille femme vêtue de haillons. Est-elle sale et
froide, la Seine !...

Il répondit par un sourire plein de naïveté qui attestait le délire de son courage ; mais il frissonna tout à
coup en voyant de loin, sur le port des Tuileries, la
baraque surmontée d'un écriteau où ces paroles sont
tracées en lettres hautes d'un pied : SECOURS AUX
ASPHYXIÉS. M. Dacheux[93] lui apparut armé de sa
philantropie[94], réveillant et faisant mouvoir ces vertueux avirons qui cassent la tête aux noyés, quand
malheureusement ils remontent sur l'eau ; il l'aperçut
ameutant les curieux, quêtant un médecin, apprêtant
des fumigations ; il lut les doléances des journalistes
écrites entre les joies d'un festin et le sourire d'une
danseuse ; il entendit sonner les écus comptés à des
bateliers pour sa tête par le préfet de police[95]. Mort,

il valait cinquante francs ; mais, vivant, il n'était qu'un homme de talent sans protecteurs, sans amis, sans paillasse, sans tambour, un véritable zéro social, inutile à l'État, qui n'en avait aucun souci [96]. Une mort en plein jour lui parut ignoble, il résolut de mourir [97] pendant la nuit, afin de livrer un cadavre indéchiffrable [98] à cette société qui méconnaissait la grandeur de sa vie [99]. Il continua donc son chemin, et se dirigea vers le quai Voltaire en affectant la démarche indolente d'un désœuvré [100] qui veut tuer le temps.

Quand il descendit les marches qui terminent le trottoir du pont, à l'angle du quai, son attention fut excitée par les bouquins étalés sur le parapet [101] ; peu s'en fallut qu'il n'en marchandât quelques-uns. Il se prit à sourire, remit philosophiquement les mains dans ses goussets, et allait reprendre son allure d'insouciance où perçait un froid dédain [102], quand il entendit avec surprise quelques pièces retentir d'une manière véritablement fantastique au fond de sa poche [103]. Un sourire d'espérance illumina son visage, glissa de ses lèvres sur ses traits, sur son front, fit briller de joie ses yeux et ses joues sombres. Cette étincelle de bonheur ressemblait à ces feux qui courent dans les vestiges d'un papier déjà consumé par la flamme ; mais le visage eut le sort des cendres noires, il redevint triste quand l'inconnu, après avoir vivement [104] retiré la main de son gousset, aperçut trois gros sous.

— Ah ! mon bon monsieur, *la carita ! la carita ! Catarina !* Un petit sou pour avoir du pain !

Un jeune ramoneur, dont la figure bouffie était noire, le corps brun de suie, les vêtements déguenillés, tendit la main à cet homme pour lui arracher ses derniers sous.

A deux pas du petit Savoyard, un vieux pauvre honteux, maladif, souffreteux, ignoblement vêtu d'une tapisserie trouée, lui dit d'une grosse voix sourde :

— Monsieur, donnez-moi *ce que vous voudrez* [105], je prierai Dieu pour vous...

Mais, quand l'homme jeune eut regardé le vieillard, celui-ci se tut et ne demanda plus rien, reconnaissant peut-être sur ce visage funèbre la livrée d'une misère plus âpre que n'était la sienne.

— *La carita ! la carita !*

L'inconnu jeta sa monnaie à l'enfant et au vieux pauvre en quittant le trottoir pour aller vers les maisons, il ne pouvait plus supporter le poignant aspect de la Seine.

— Nous prierons Dieu pour la conservation de vos jours, lui dirent les deux mendiants.

En arrivant à l'étalage d'un marchand d'estampes, cet homme presque mort rencontra une jeune femme qui descendait d'un brillant équipage. Il contempla délicieusement cette charmante personne, dont la blanche figure était harmonieusement encadrée dans le satin d'un élégant chapeau. Il fut séduit par une taille svelte, par de jolis mouvements. La robe, légèrement relevée par le marchepied, lui laissa voir une jambe dont les fins contours étaient dessinés par un bas blanc et bien tiré. La jeune femme entra [106] dans le magasin, y marchanda des albums, des collections de lithographies ; elle en acheta pour plusieurs pièces d'or, qui étincelèrent [107] et sonnèrent sur le comptoir.

Le jeune homme, en apparence occupé sur le seuil de la porte à regarder les gravures exposées dans la montre, échangea vivement [108] avec la belle inconnue l'œillade la plus perçante que puisse lancer un homme, contre un de ces coups d'œil insouciants jetés au hasard sur les passants [109]. C'était, de sa part, un adieu à l'amour, à la femme ! mais cette dernière et puissante interrogation ne fut pas comprise, ne remua pas ce cœur de femme frivole, ne la fit pas rougir, ne lui fit pas baisser les yeux. Qu'était-ce pour elle ? une admiration de plus, un désir inspiré qui, le soir, lui suggérerait cette douce parole : « J'étais *bien* aujourd'hui [110] ».

Le jeune homme passa promptement [111] à un autre

cadre, et ne se retourna point quand l'inconnue remonta
dans sa voiture. Les chevaux partirent, cette dernière
image du luxe et de l'élégance s'éclipsa comme allait
s'éclipser sa vie [112]. Il marcha d'un pas mélancolique
le long des magasins, en examinant sans beaucoup
d'intérêt les échantillons de marchandises [113]. Quand
les boutiques lui manquèrent, il étudia le Louvre [114],
l'Institut, les tours de Notre-Dame, celles du Palais,
le pont des Arts. Ces monuments paraissaient prendre
une physionomie [115] triste en reflétant les teintes
grises du ciel, dont les rares clartés prêtaient un air
menaçant à Paris, qui, pareil à [116] une jolie femme,
est soumis à d'inexplicables caprices de laideur et de
beauté. Ainsi, la nature elle-même conspirait à plonger
le mourant dans [117] une extase douloureuse. En proie
à cette puissance malfaisante dont l'action dissolvante
trouve un véhicule dans le fluide qui circule en nos
nerfs, il sentait son organisme [118] arriver insensiblement aux phénomènes de la fluidité. Les tourmentes
de cette agonie lui imprimaient un mouvement semblable à celui des vagues, et lui faisaient voir [119] les
bâtiments, les hommes, à travers un brouillard où tout
ondoyait. Il voulut se soustraire aux titillations que
produisaient sur son âme les réactions de la nature
physique, et se dirigea vers un magasin d'antiquités
dans l'intention de donner une pâture à ses sens, ou
d'y attendre la nuit en marchandant des objets d'art.
C'était, pour ainsi dire, quêter du courage et demander
un cordial, comme les criminels qui se défient de leurs
forces en allant à l'échafaud ; mais la conscience de sa
prochaine mort rendit pour un moment au jeune homme
l'assurance d'une duchesse qui a deux amants, et il
entra chez le marchand de curiosités d'un air dégagé,
laissant voir sur ses lèvres un sourire fixe comme celui
d'un ivrogne. N'était-il pas ivre de la vie, ou peut-être
de la mort ! Il retomba bientôt dans ses vertiges, et
continua d'apercevoir les choses sous d'étranges cou-

leurs, ou animées d'un léger mouvement dont le principe était sans doute dans une irrégulière circulation
de son sang, tantôt bouillonnant comme une cascade,
tantôt tranquille et fade comme [120] l'eau tiède. Il demanda
simplement à visiter les magasins pour chercher s'ils
ne renfermaient pas quelques singularités à sa convenance. Un jeune garçon à la figure fraîche et joufflue,
à chevelure rousse, et coiffé d'une casquette de loutre,
commit la garde de la boutique à une vieille paysanne,
espèce de Caliban femelle [121] occupée à nettoyer un
poêle dont les merveilles étaient dues au génie de Bernard
Palissy [122] ; puis il dit à l'étranger d'un air insouciant :
— Voyez, monsieur, voyez ! Nous n'avons en bas
que des choses assez ordinaires [123] ; mais, si vous voulez
prendre la peine de monter au premier étage, je pourrai
vous montrer de fort belles momies du Caire, plusieurs
poteries incrustées, quelques ébènes sculptées, *vraie
renaissance*, récemment arrivées, et qui sont de toute
beauté.

Dans l'horrible situation où se trouvait l'inconnu, ce
babil de cicerone, ces phrases sottement mercantiles
furent pour lui comme les taquineries mesquines par
lesquelles des esprits étroits [124] assassinent un homme
de génie. Portant sa croix jusqu'au bout [125], il parut
écouter son conducteur et lui répondit par gestes ou
par monosyllabes ; mais insensiblement il sut conquérir
le droit d'être silencieux, et put se livrer sans crainte [126]
à ses dernières méditations, qui furent terribles [127]. Il
était poète, et son âme rencontra fortuitement [128] une
immense pâture : il devait voir par avance les ossements de vingt mondes.

Au premier coup d'œil, les magasins lui offrirent
un tableau confus, dans lequel toutes les œuvres
humaines et divines se heurtaient [129]. Des crocodiles,
des singes, des boas empaillés souriaient à des vitraux
d'église, semblaient vouloir mordre des bustes, courir
après des laques, ou grimper sur des lustres. Un vase

de Sèvres, où Mme Jacotot [130] avait peint Napoléon, se
trouvait auprès d'un sphinx dédié à Sésostris. Le commencement du monde et les événements d'hier se
mariaient avec une grotesque bonhomie. Un tourne-
broche était posé sur un ostensoir, un sabre républicain
sur une haquebute du moyen âge. Mme du Barry,
peinte au pastel par Latour, une étoile sur la tête,
nue et dans un nuage, paraissait contempler avec con-
cupiscence une chibouque indienne, en cherchant à
deviner l'utilité des spirales qui serpentaient vers
elle.

Les instruments de mort, poignards, pistolets curieux,
armes à secret, étaient jetés pêle-mêle avec des instruments de vie : soupières en porcelaine, assiettes
de Saxe, tasses diaphanes venues de Chine, salières antiques [131], drageoirs féodaux. Un vaisseau d'ivoire
voguait à pleines voiles sur le dos d'une immobile
tortue. Une machine pneumatique éborgnait l'empereur
Auguste, majestueusement impassible [132]. Plusieurs portraits d'échevins français, de bourgmestres hollandais,
insensibles alors comme pendant leur vie, s'élevaient
au-dessus de ce chaos d'antiquités, en y lançant un
regard pâle et froid.

Tous les pays de la terre semblaient avoir apporté
là quelque débris [133] de leurs sciences, un échantillon
de leurs arts. C'était une espèce de fumier philosophique
auquel rien ne manquait, ni le calumet du sauvage,
ni la pantoufle vert et or du sérail, ni le yatagan du
Maure, ni l'idole des Tartares. Il y avait jusqu'à la
blague à tabac du soldat, jusqu'au ciboire du prêtre [134],
jusqu'aux plumes d'un trône. Ces monstrueux tableaux
étaient encore assujettis à mille accidents de lumière
par la bizarrerie d'une multitude de reflets dus à la
confusion des nuances, à la brusque opposition des
jours et des noirs [135]. L'oreille croyait entendre des
cris interrompus, l'esprit saisir des drames inachevés,
l'œil apercevoir des lueurs mal étouffées. Enfin, une

poussière obstinée avait jeté son léger voile sur tous [136] ces objets, dont les angles multipliés et les sinuosités nombreuses produisaient les effets les plus pittoresques.

L'inconnu compara d'abord ces trois salles gorgées de civilisation, de cultes, de divinités, de chefs-d'œuvre, de royautés, de débauches, de raison et de folie, à un miroir plein de facettes dont chacune représentait un monde. Après cette impression brumeuse, il voulut choisir ses jouissances ; mais, à force de regarder, de penser, de rêver, il tomba sous [137] la puissance d'une fièvre due peut-être à la faim qui rugissait dans ses entrailles. La vue de tant d'existences nationales ou individuelles, attestées par ces gages humains qui leur survivaient, acheva d'engourdir les sens du jeune homme ; le désir qui l'avait poussé dans le magasin fut exaucé : il sortit de la vie réelle, monta par degrés vers un monde idéal, arriva dans les palais enchantés de l'extase [138], où l'univers lui apparut par bribes et en traits de feu, comme l'avenir passa jadis flamboyant aux yeux de saint Jean dans Pathmos [139].

Une multitude de figures endolories, gracieuses et terribles, obscures et lucides, lointaines et rapprochées [140], se leva par masses, par myriades, par générations. L'Égypte, raide, mystérieuse, se dressa de ses sables, représentée par une momie qu'enveloppaient des bandelettes noires ; puis ce fut les Pharaons ensevelissant des peuples pour [141] se construire une tombe, et Moïse, et les Hébreux, et le désert, il entrevit tout un monde antique et solennel. Fraîche et suave, une statue de marbre assise sur une colonne torse et rayonnant de blancheur lui parla des mythes voluptueux de la Grèce et de l'Ionie. Ah ! qui n'aurait souri comme lui de voir, sur un fond rouge, la jeune fille brune [142] dansant dans la fine argile d'un vase étrusque devant le dieu Priape, qu'elle saluait d'un air joyeux ? En regard, une reine latine caressait sa chimère avec amour ! Les caprices de la Rome impériale respiraient

là tout entiers et révélaient le bain, la couche, la toilette d'une Julie indolente, songeuse, attendant son
Tibulle. Armée du pouvoir des talismans arabes, la
tête de Cicéron évoquait les souvenirs de la Rome
libre et lui déroulait les pages de Tite-Live. Le jeune
homme contempla *Senatus populusque romanus* : le
consul, les licteurs, les toges bordées de pourpre, les
luttes du Forum, le peuple courroucé, défilaient lentement
devant lui comme les vaporeuses figures d'un rêve.

Enfin la Rome chrétienne dominait ces images. Une
peinture ouvrait les cieux, il y voyait la Vierge Marie
plongée dans un nuage d'or, au sein des anges, éclip-
sant la gloire du soleil, écoutant les plaintes des malheureux auxquels cette Ève régénérée souriait [143] d'un
air doux. En touchant une mosaïque faite avec les
différentes laves du Vésuve et de l'Etna, son âme
s'élançait dans la chaude et fauve Italie : il assistait
aux orgies des Borgia, courait dans les Abruzzes,
aspirait aux amours italiennes, se passionnait pour les
blancs visages aux longs yeux noirs.

Il frémissait aux dénoûments [144] nocturnes interrompus par la froide épée d'un mari, en apercevant une
dague du moyen âge dont la poignée était travaillée
comme l'est une dentelle, et dont la rouille ressemblait
à des taches de sang. L'Inde et ses religions revivaient
dans une idole coiffée [145] de son chapeau pointu, à
losanges relevés, parés de clochettes, vêtue d'or et de
soie. Près du magot [146], une natte, jolie comme la baya-
dère qui s'y était roulée, exhalait encore les odeurs du
sandal [147]. Un monstre de la Chine [148] dont les yeux
restaient tordus, la bouche contournée, les membres
torturés, réveillait l'âme par les interventions d'un
peuple qui, fatigué du beau toujours unitaire, trouve
d'ineffables plaisirs dans la fécondité des laideurs.

Une salière sortie des ateliers de Benvenuto Cellini
le reportait au sein de la Renaissance [149], au temps
où les arts et la licence florissaient, où les souverains se

divertissaient à des supplices, où les conciles, couchés
dans les bras des courtisanes, décrétaient la chasteté
pour les simples prêtres [150]. Il vit les conquêtes
d'Alexandre sur un camée, les massacres de Pizarre
dans une arquebuse à mèche, les guerres de religion,
échevelées, bouillantes, cruelles [151], au fond d'un casque.
Puis les riantes images de la chevalerie sourdirent
d'une armure de Milan supérieurement damasquinée,
bien fourbie, et sous la visière de laquelle brillaient
encore les yeux d'un Paladin.

Cet océan de meubles, d'inventions, de modes,
d'œuvres, de ruines, lui composait un poème sans fin.
Formes, couleurs, pensées, tout revivait là ; mais rien
de complet ne s'offrait à l'âme. Le poète devait achever
les croquis du grand peintre qui avait fait cette immense
palette où les innombrables accidents de la vie humaine
étaient jetés à profusion, avec dédain. Après s'être
emparé du monde, après avoir contemplé des pays,
des âges, des règnes, le jeune homme revint à des existences individuelles. Il se personnifia de nouveau [152],
s'empara des détails en repoussant la vie des nations,
comme trop accablante [153] pour un seul homme.

Là dormait un enfant en cire, sauvé du cabinet [154]
de Ruysch [155], et cette ravissante créature lui rappelait les joies de son jeune âge [156]. Au prestigieux aspect
du pagne virginal de quelque jeune fille de Taïti [157],
sa brûlante imagination lui peignait la vie simple de
la nature, la chaste nudité de la vraie pudeur, les délices
de la paresse si naturelle à l'homme, toute une destinée
calme au bord d'un ruisseau frais et rêveur, sous un
bananier qui dispensait une manne savoureuse, sans
culture [158]. Mais tout à coup il devenait corsaire,
et revêtait la terrible poésie empreinte dans le rôle
de Lara [159], vivement inspiré par les couleurs nacrées
de mille coquillages, exalté par la vue de quelques
madrépores qui sentaient le varech, les algues et les
ouragans atlantiques.

Admirant plus loin les délicates miniatures, les
arabesques d'azur et d'or qui enrichissaient quelque
précieux missel manuscrit, il oubliait [160] les tumultes
de la mer. Mollement balancé dans une pensée de paix,
il épousait de nouveau l'étude et la science, souhaitait
la grasse vie des moines, exempte de chagrins, exempte
de plaisirs, et se couchait au fond d'une cellule, en
contemplant par sa fenêtre en ogive les prairies [161],
les bois, les vignobles de son monastère. Devant
quelque Teniers [162], il endossait la casaque d'un soldat
ou la misère d'un ouvrier ; il désirait porter le bonnet [163]
sale et enfumé des Flamands, s'enivrait de bière, jouait
aux cartes avec eux, et souriait à une grosse paysanne
d'un [164] attrayant embonpoint. Il grelottait en voyant
une tombée de neige de Mieris [165], ou se battait en
regardant un combat de Salvator Rosa [166]. Il caressait
un tomahawk d'Illinois, et sentait le scalpel d'un
Chérokée [167] qui lui enlevait la peau du crâne. Émerveillé
à l'aspect d'un rebec, il le confiait à la main d'une châtelaine en en savourant la romance mélodieuse et lui
déclarant son amour [168], le soir, auprès d'une cheminée
gothique dans la pénombre où se perdait un regard [169]
de consentement. Il s'accrochait à toutes les joies, saisissait toutes les douleurs, s'emparait de toutes les formules
d'existence en éparpillant si généreusement sa vie et ses
sentiments sur les simulacres de cette nature plastique
et vide, que le bruit de ses pas retentissait dans son
âme comme le son lointain d'un autre monde, comme la
rumeur de Paris arrive sur les tours de Notre-Dame.

En montant l'escalier intérieur qui conduisait aux
salles situées au premier étage, il vit des boucliers
votifs, des panoplies, des tabernacles sculptés, des
figures en bois pendues [170] au mur, posées sur chaque
marche. Poursuivi par les formes les plus étranges,
par des créations merveilleuses assises sur les confins [171]
de la mort et de la vie, il marchait dans les enchantements d'un songe. Enfin, doutant de son existence,

il était comme ces objets curieux, ni tout à fait mort, ni tout à fait vivant. Quand il entra dans les nouveaux magasins, le jour commençait à pâlir ; mais la lumière semblait inutile aux richesses resplendissant d'or et d'argent qui s'y trouvaient entassées.

Les plus coûteux caprices de dissipateurs morts sous des mansardes après avoir possédé plusieurs millions étaient dans ce vaste bazar [172] des folies humaines. Une écritoire payée [173] cent mille francs et rachetée pour cent sous gisait auprès d'une serrure à secret dont le prix aurait suffi jadis à la rançon [174] d'un roi. Là, le genre humain [175] apparaissait dans toutes les pompes de sa misère, dans toute la gloire de ses gigantesques petitesses [176]. Une table d'ébène, véritable idole d'artiste, sculptée d'après les dessins de Jean Goujon et qui coûta jadis plusieurs années de travail, avait été peut-être acquise au prix du bois à brûler. Des coffrets précieux, des meubles faits par la main des fées y étaient dédaigneusement amoncelés.

— Vous avez des millions ici ! s'écria le jeune homme en arrivant à la pièce qui terminait une immense enfilade d'appartements dorés et sculptés par des artistes du siècle dernier.

— Dites des milliards, répliqua le gros garçon joufflu. Mais ce n'est rien [177] encore, montez au troisième étage, et vous verrez !

L'inconnu suivit son conducteur et parvint à une quatrième galerie où successivement passèrent devant ses yeux fatigués plusieurs tableaux du Poussin, une sublime statue de Michel-Ange, quelques ravissants paysages de Claude Lorrain, un Gérard Dow qui ressemblait à une page de Sterne, des Rembrandt, des Murillo, des Velasquez [178] sombres et colorés comme un poème de lord Byron ; puis des bas-reliefs antiques, des coupes d'agate, des onyx merveilleux !... Enfin c'était des travaux à dégoûter du travail, des chefs-d'œuvre accumulés à faire prendre en haine les arts

et à tuer l'enthousiasme. Il arriva devant une vierge
de Raphaël, mais il était las de Raphaël. Une figure
du Corrège qui voulait un regard ne l'obtint même pas.
Un vase inestimable en porphyre antique et dont les
sculptures circulaires représentaient de toutes les
priapées romaines la plus grotesquement licencieuse,
délice de quelque Corinne [179], eut à peine un sourire.
Il étouffait sous les débris de cinquante siècles évanouis, il
était malade de toutes ces pensées humaines, assassiné par
le luxe et les arts, oppressé sous ces formes renaissantes
qui, pareilles à des monstres enfantés sous ses pieds par
quelque malin génie, lui livraient un combat sans fin.

Semblable en ses caprices à la chimie moderne,
qui résume la création par un gaz, l'âme ne compose-
t-elle pas de terribles poisons par la rapide concentration [180] de ses jouissances, de ses forces ou de ses idées ?
Beaucoup d'hommes ne périssent-ils pas sous le fou-
droiement de quelque acide moral soudainement épan-
du dans leur être intérieur [181] ?

— Que contient cette boîte ? demanda-t-il en arrivant à un grand cabinet, dernier monceau de gloire,
d'efforts humains, d'originalités, de richesses parmi
lesquelles il montra [182] du doigt une grande caisse
carrée construite en acajou, suspendue à un clou par
une chaîne d'argent.

— Ah ! monsieur en a la clef, dit le gros garçon
avec un air de mystère. Si vous désirez voir ce portrait,
je me hasarderai volontiers à prévenir monsieur.

— Vous hasarder ! fit [183] le jeune homme. Votre
maître est-il un prince ?

— Mais je ne sais pas, répondit le garçon.

Ils se regardèrent pendant un moment, aussi étonnés
l'un que l'autre. Après avoir interprété le silence de
l'inconnu comme un souhait, l'apprenti le laissa [184] seul
dans le cabinet.

Vous êtes-vous jamais lancé dans l'immensité de
l'espace et du temps [185], en lisant les œuvres géolo-

giques de Cuvier [186] ? Emporté par son génie [187], avez-vous plané [188] sur l'abîme sans bornes du passé, comme soutenu par la main d'un enchanteur ? En découvrant de tranche en tranche, de couche en couche, sous les carrières de Montmartre ou dans les schistes de l'Oural, ces animaux dont les dépouilles fossilisées appartiennent à des civilisations antédiluviennes, l'âme est effrayée d'entrevoir des milliards d'années, des millions de peuples que la faible mémoire humaine, que l'indestructible tradition divine, ont oubliés et dont la cendre, entassée à la surface [189] de notre globe, y forme les deux pieds de terre qui nous donnent du pain et des fleurs. Cuvier n'est-il pas le plus grand poète de notre siècle ? Lord Byron a bien reproduit par des mots quelques agitations morales ; mais notre immortel naturaliste a reconstruit des mondes avec des os blanchis, a rebâti, comme Cadmus, des cités avec des dents [190], a repeuplé mille forêts de tous les mystères de la zoologie avec quelques fragments de houille, a retrouvé des populations de géants dans le pied d'un mammouth. Ces figures se dressent, grandissent et meublent des régions en harmonie avec leurs statures colossales. Il est poète [191] avec des chiffres, il est sublime en posant un zéro près d'un sept. Il réveille le néant sans prononcer des paroles artificiellement magiques [192] ; il fouille une parcelle de gypse, y aperçoit une empreinte, et vous crie : « Voyez ! » Soudain les marbres s'animalisent, la mort se vivifie, le monde se déroule ! Après d'innombrables dynasties de créatures gigantesques, après des races de poissons et des clans de mollusques, arrive enfin le genre humain, produit dégénéré d'un type grandiose, brisé peut-être par le Créateur. Échauffés par son regard rétrospectif, ces hommes chétifs, nés d'hier, peuvent franchir le chaos, entonner un hymne sans fin et se configurer le passé de l'univers dans une sorte d'Apocalypse rétrograde [193]. En présence de cette épouvantable résurrection due à la voix d'un seul homme, la miette dont l'usufruit nous est concédé dans [194] cet infini sans nom, commun à toutes les sphères et que nous avons nommé LE TEMPS, cette minute de vie nous fait pitié. Nous nous demandons, écrasés que nous sommes sous tant d'univers en ruine [195], à quoi bon nos gloires, nos haines, nos amours ; et si, pour devenir un point intangible dans l'avenir, la peine de vivre doit s'accepter ? Déracinés du présent, nous sommes morts jusqu'à ce que notre valet de chambre entre et vienne nous dire : « Madame la comtesse a répondu qu'elle attendait monsieur [196]. »

Les merveilles dont l'aspect venait de présenter au jeune homme toute la création connue mirent dans son âme l'abattement que produit chez le philosophe la vue scientifique des créations inconnues ; il souhaita plus vivement que jamais de mourir, et tomba sur une chaise curule en laissant errer ses regards à travers les fantasmagories de ce panorama du passé. Les tableaux s'illuminèrent, les têtes de Vierge lui sourirent, et les statues se colorèrent d'une vie trompeuse. A la faveur de l'ombre, et mises en danse par la fiévreuse tourmente qui fermentait dans son cerveau brisé, ces œuvres s'agitèrent et tourbillonnèrent devant lui ; chaque magot lui jeta sa grimace [197], les paupières des personnages représentés dans les tableaux s'abaissèrent sur leurs yeux pour les rafraîchir [198]. Chacune de ces formes frémit, sautilla, se détacha de sa place gravement, légèrement, avec grâce ou brusquerie, selon ses mœurs, son caractère et sa contexture. Ce fut un mystérieux sabbat digne des fantaisies entrevues par le docteur Faust sur le Brocken [199]. Mais ces phénomènes d'optique, enfantés par la fatigue, par la tension des forces oculaires ou par les caprices du crépuscule, ne pouvaient effrayer l'inconnu. Les terreurs de la vie étaient impuissantes sur une âme familiarisée avec les terreurs de la mort. Il favorisa même par une sorte de complicité railleuse les bizarreries de ce galvanisme moral, dont les prodiges s'accouplaient aux dernières pensées qui lui donnaient encore le sentiment de l'existence [200]. Le silence régnait si profondément autour de lui, que bientôt [201] il s'aventura dans une douce rêverie dont les impressions graduellement noires suivirent, de nuance en nuance et comme par magie, les lentes dégradations de la lumière.

Une lueur, en quittant le ciel, fit reluire [202] un dernier reflet rouge en luttant contre la nuit ; il leva la tête, vit un squelette à peine éclairé qui pencha dubitativement son crâne [203] de droite à gauche, comme pour lui dire : « Les morts ne veulent pas encore de toi ! » En passant la main sur son front pour en chasser le sommeil, le jeune homme sentit distinctement un vent frais produit par je ne sais quoi de velu qui lui effleura les joues, et il frissonna. Les vitres ayant retenti d'un claquement sourd, il pensa que cette froide caresse digne des mystères de la tombe venait de quelque [204] chauve-souris. Pendant un moment encore, les vagues reflets du couchant lui permirent d'apercevoir indistinctement les fantômes par lesquels il était entouré ; puis toute cette nature morte s'abolit dans une même teinte noire.

La nuit, l'heure de mourir était subitement venue. Il s'écoula, dès ce moment [205], un certain laps de temps pendant lequel il n'eut aucune perception claire des choses terrestres, soit qu'il se fût enseveli dans une rêverie profonde, soit qu'il eût cédé à la somnolence provoquée par ses fatigues et par la multitude des pensées qui lui déchiraient le cœur. Tout à coup, il crut avoir été appelé par une voix terrible, et il tressaillit comme lorsque au milieu d'un brûlant cauchemar [206] nous sommes précipités d'un seul bond dans les profondeurs d'un abîme. Il ferma les yeux, les rayons d'une vive lumière l'éblouissaient : il voyait briller [207] au sein des ténèbres une sphère rougeâtre dont le centre était occupé par un petit vieillard qui se tenait debout

et dirigeait sur lui la clarté [208] d'une lampe. Il ne l'avait
entendu ni venir, ni parler, ni se mouvoir.

Cette apparition eut quelque chose de magique.
L'homme le plus intrépide, surpris ainsi dans son
sommeil, aurait sans doute tremblé devant ce personnage [209] qui semblait être sorti d'un sarcophage voisin.
La singulière jeunesse qui animait les yeux immobiles
de cette espèce de fantôme empêchait l'inconnu de
croire à des effets surnaturels ; néanmoins, pendant le
rapide intervalle qui sépara sa vie somnambulique
de sa vie réelle, il demeura dans le doute philosophique
recommandé par Descartes, et fut alors, malgré lui,
sous la puissance de ces inexplicables hallucinations dont
les mystères sont condamnés par notre fierté ou que [210]
notre science impuissante tâche en vain d'analyser.

Figurez-vous un petit vieillard sec et maigre, vêtu
d'une robe en velours noir serrée autour de ses reins
par un gros cordon de soie. Sur sa tête, une calotte en
velours également noir laissait passer, de chaque côté
de la figure, les longues mèches de ses cheveux blancs
et s'appliquait sur le crâne de manière à rigidement
encadrer le front. La robe ensevelissait le corps comme
dans un vaste linceul, et ne permettait de voir d'autre
forme humaine qu'un visage étroit et pâle [211]. Sans
le bras décharné, qui ressemblait à un bâton sur lequel
on aurait posé une étoffe et que le vieillard tenait en
l'air pour faire porter sur le jeune homme toute la
clarté de la lampe, ce visage aurait paru suspendu dans
les airs. Une barbe grise [212] et taillée en pointe cachait
le menton de cet être bizarre, et lui donnait l'apparence
de ces têtes judaïques qui servent de types aux artistes
quand ils veulent représenter Moïse.

Les lèvres de cet homme étaient si décolorées, si
minces, qu'il fallait une attention particulière pour
deviner la ligne tracée par la bouche dans son blanc
visage [213]. Son large front ridé, ses joues blêmes et
creuses, la rigueur implacable de ses petits yeux verts

dénués de cils et de sourcils pouvaient faire croire à l'inconnu que *le Peseur d'or* de Gérard Dow [214] était sorti de son cadre. Une finesse d'inquisiteur, trahie par les sinuosités de ses rides et par les plis circulaires dessinés sur ses tempes, accusait une science profonde des choses de la vie.

Il était impossible de tromper cet homme, qui semblait avoir le don de surprendre les pensées au fond des cœurs les plus discrets. Les mœurs de toutes les nations du globe et leur sagesse se résumaient sur sa face froide, comme les productions du monde entier se trouvaient accumulées dans ses magasins poudreux. Vous y auriez lu la tranquillité lucide d'un Dieu qui voit tout, ou la force orgueilleuse d'un homme [215] qui a tout vu. Un peintre aurait, avec deux expressions différentes et en deux coups de pinceau, fait de cette figure une belle image du Père éternel ou le masque ricaneur du Méphistophélès, car il se trouvait [216] tout ensemble une suprême puissance dans le front et de sinistres railleries sur la bouche. En broyant toutes les peines [217] humaines sous un pouvoir immense, cet homme devait avoir tué les joies terrestres. Le moribond frémit [218] en pressentant que ce vieux génie habitait une sphère étrangère au monde, et où il vivait seul, sans jouissances parce qu'il n'avait plus d'illusions, sans douleurs parce qu'il ne connaissait plus de plaisirs. Le vieillard se tenait debout, immobile, inébranlable comme une étoile au milieu d'un nuage de lumière. Ses yeux verts, pleins de je ne sais quelle malice calme, semblaient éclairer le monde moral comme sa lampe illuminait ce cabinet mystérieux.

Tel fut le spectacle étrange qui surprit le jeune homme au moment où il ouvrit les yeux, après avoir été bercé par des pensées de mort et de fantasques [219] images. S'il demeura comme étourdi, s'il se laissa momentanément dominer par une croyance digne d'enfants qui écoutent les contes de leurs nourrices, il faut attribuer cette erreur au voile étendu sur sa vie

et sur son entendement par ses méditations, à l'agace-
ment de ses nerfs irrités, au drame violent dont les
scènes venaient de lui prodiguer les atroces délices
contenues dans un morceau d'opium. Cette vision
avait lieu dans Paris, sur le quai Voltaire, au xixᵉ siècle,
temps et lieux où la magie devait être impossible.
Voisin de la maison où le dieu de l'incrédulité française avait expiré, disciple de Gay-Lussac [220] et d'A-
rago [221], contempteur des tours de gobelets que font
les hommes du pouvoir, l'inconnu n'obéissait sans
doute qu'à ces fascinations poétiques auxquelles [222]
nous nous prêtons souvent, comme pour fuir de déses-
pérantes vérités, comme pour tenter la puissance de
Dieu. Il trembla donc devant cette lumière et ce vieillard, agité par l'inexplicable pressentiment de quelque
pouvoir étrange ; mais cette émotion [223] était semblable
à celle que nous avons tous éprouvée devant Napoléon,
ou en présence de quelque grand homme brillant de
génie et revêtu de gloire [224].

— Monsieur désire voir le portrait de Jésus-Christ
peint par Raphaël ? lui dit courtoisement le vieillard
d'une voix dont la sonorité claire et brève avait quelque
chose de métallique.

Et il posa la lampe sur le fût d'une colonne brisée,
de manière que la boîte brune reçût [225] toute la clarté.

Aux noms religieux de Jésus-Christ et de Raphaël,
il échappa au jeune homme un geste de curiosité,
sans doute attendu par le marchand, qui fit jouer un
ressort. Soudain le panneau d'acajou glissa [226] dans
une rainure, tomba sans bruit et livra la toile à l'admiration de l'inconnu. A l'aspect de cette immortelle
création, il oublia les fantaisies du magasin, les caprices [227] de son sommeil, redevint homme, reconnut
dans le vieillard une créature de chair, bien vivante,
nullement fantasmagorique, et revécut dans le monde
réel. La tendre sollicitude, la douce sérénité du divin
visage [228], influèrent aussitôt sur lui. Quelque parfum

épanché des cieux dissipa les tortures infernales qui lui brûlaient la moelle des os. La tête du Sauveur des hommes paraissait sortir des ténèbres figurées par un fond noir ; une auréole de rayons étincelait vivement autour de sa chevelure d'où cette lumière voulait sortir ; sous le front, sous les chairs, il y avait une éloquente conviction qui s'échappait de chaque trait par de pénétrantes [229] effluves. Les lèvres vermeilles venaient de faire entendre la parole de vie, et le spectateur en cherchait le retentissement sacré dans les airs, il en demandait les ravissantes paraboles au silence, il l'écoutait dans l'avenir, la retrouvait dans les enseignements du passé. L'Évangile était traduit par la simplicité calme de ces adorables yeux où se réfugiaient les âmes troublées. Enfin la religion catholique se lisait tout entière en un suave et magnifique sourire qui semblait exprimer ce précepte où elle se résume : *Aimez-vous* [230] *les uns les autres !* Cette peinture inspirait une prière, recommandait le pardon, étouffait l'égoïsme, réveillait toutes les vertus endormies.Partageant le privilège des enchantements de la musique, l'œuvre de Raphaël vous jetait sous le charme impérieux des souvenirs, et son triomphe était complet, on oubliait le peintre. Le prestige [231] de sa lumière agissait encore sur cette merveille : par moments, il semblait que la tête s'agitât dans le lointain, au sein [232] de quelque nuage.

— J'ai couvert cette toile de pièces d'or [233], dit froidement le marchand.

— Eh bien, il va falloir mourir ! s'écria le jeune homme, qui sortait d'une rêverie dont la dernière pensée l'avait ramené vers sa fatale destinée en le faisant descendre par d'insensibles déductions d'une dernière espérance à laquelle il s'était attaché.

— Ah ! ah ! j'avais donc raison de me méfier de toi ! répondit le vieillard en saisissant les deux mains du jeune homme, qu'il serra par les poignets dans l'une des siennes, comme dans un étau [234].

L'inconnu sourit tristement de cette méprise et dit d'une voix douce :

— Eh ! monsieur, ne craignez rien, il s'agit de ma vie et non de la vôtre... Pourquoi n'avouerais-je pas une innocente supercherie ? reprit-il après avoir regardé le vieillard inquiet. En attendant la nuit, afin de pouvoir me noyer sans esclandre, je suis venu voir vos richesses. Qui ne pardonnerait ce dernier plaisir à un homme de science et de poésie ?

Le soupçonneux marchand examina d'un œil sagace le morne visage de son faux chaland, tout en l'écoutant parler. Rassuré bientôt par [235] l'accent de cette voix douloureuse, ou lisant peut-être dans ces traits décolorés les sinistres destinées qui naguère avaient fait frémir les joueurs, il lâcha les mains ; mais, par un reste [236] de suspicion qui révéla une expérience au moins centenaire, il étendit nonchalamment le bras vers un buffet comme pour s'appuyer, et dit en y prenant un stylet :

— Êtes-vous depuis trois ans surnuméraire au Trésor, sans y avoir touché de gratification ?

L'inconnu ne put s'empêcher de sourire en faisant un geste négatif.

— Votre père vous a-t-il trop vivement reproché d'être venu au monde ? ou bien êtes-vous déshonoré ?

— Si je voulais me déshonorer, je vivrais.

— Avez-vous été sifflé aux Funambules [237] ou vous trouvez-vous obligé de composer des flonflons pour payer le convoi de votre maîtresse ? N'auriez-vous pas plutôt la maladie de l'or ? Voulez-vous détrôner l'ennui ? Enfin, quelle erreur vous engage à mourir ?

— Ne cherchez pas le principe de ma mort dans les raisons vulgaires qui commandent la plupart des suicides. Pour me dispenser de vous dévoiler des souffrances inouïes et qu'il est difficile d'exprimer en [238] langage humain, je vous dirai que je suis dans la plus profonde, la plus ignoble, la plus perçante de toutes les misères. Et, ajouta-t-il d'un ton de voix dont la

fierté sauvage démentait ses paroles précédentes, je
ne veux mendier ni secours ni consolations.

— Eh ! eh [239] !

Ces deux syllabes que d'abord le vieillard fit entendre
pour toute réponse ressemblèrent au cri d'une crécelle.
Puis il reprit ainsi :

— Sans vous forcer à m'implorer, sans vous faire
rougir, et sans vous donner un centime de France,
un parat du Levant, un tarain de Sicile. un heller
d'Allemagne, un kopeck de Russie, un farthing d'Écosse,
une seule des sesterces [240] ou des oboles de l'ancien
monde ni une piastre du nouveau, sans vous offrir
quoi que ce soit en or, argent, billon, papier, billet,
je veux vous faire plus riche, plus puissant et plus
considéré que ne peut l'être un roi constitutionnel [241].

Le jeune homme crut le vieillard en enfance, et resta
comme engourdi, sans oser répondre [242].

— Retournez-vous, dit le marchand en saisissant
tout à coup la lampe pour en diriger la lumière sur
le mur qui faisait face au portrait, et regardez cette
PEAU DE CHAGRIN, ajouta-t-il [243].

Le jeune homme se leva brusquement et témoigna
quelque surprise en apercevant au-dessus du siège où
il s'était assis un morceau de *chagrin* accroché sur
le mur, et dont la dimension n'excédait pas celle d'une
peau de renard ; mais, par un phénomène inexplicable
au premier abord, cette peau projetait au sein de la
profonde obscurité qui régnait dans le magasin des
rayons si lumineux, que vous eussiez dit une petite
comète [244]. Le jeune incrédule s'approcha de ce prétendu talisman qui devait le préserver du malheur,
et s'en moqua par une phrase mentale. Cependant,
animé d'une curiosité bien légitime, il se pencha pour
regarder alternativement la peau sous toutes les faces,
et découvrit [245] bientôt une cause naturelle à cette
singulière lucidité. Les grains noirs du chagrin étaient
si soigneusement polis et si bien brunis [246], les rayures

capricieuses en étaient si propres et si nettes, que,
pareilles à des facettes de grenat, les aspérités de ce
cuir oriental formaient autant [247] de petits foyers qui
réfléchissaient vivement la lumière. Il démontra mathé-
matiquement la raison de ce phénomène au vieillard,
qui, pour toute réponse, sourit avec malice. Ce sourire
de supériorité fit croire au jeune savant qu'il était la
dupe en ce moment de quelque charlatanisme. Il ne
voulut pas emporter une énigme de plus dans la tombe,
et retourna promptement la peau comme un enfant
pressé de connaître les secrets de son jouet nouveau [248].

— Ah ! ah ! s'écria-t-il, voici l'empreinte du sceau
que les Orientaux nomment le cachet de Salomon [249].

— Vous le connaissez donc ? demanda le marchand [250], dont les narines laissèrent passer deux ou
trois bouffées d'air qui peignirent plus d'idées que
n'en auraient exprimé les plus [251] énergiques paroles.

— Existe-t-il au monde un homme assez simple
pour croire à cette chimère [252] ? s'écria le jeune homme
piqué d'entendre ce rire muet et plein d'amères déri-
sions. Ne savez-vous pas, ajouta-t-il, que les superstitions de l'Orient ont consacré la forme mystique et les
caractères mensongers de cet emblème qui représente
une puissance fabuleuse ? Je ne crois pas devoir être plus
taxé de niaiserie dans cette circonstance que [253] si je
parlais des sphinx ou des griffons, dont l'existence
est en quelque sorte mythologiquement admise [254].

— Puisque vous êtes un orientaliste, reprit le vieillard,
peut-être lirez-vous cette sentence ?

Il apporta la lampe près du talisman que le jeune
homme tenait à l'envers, et lui fit apercevoir des caractères incrustés dans le tissu cellulaire de cette peau
merveilleuse, comme s'ils eussent été produits par l'animal auquel elle avait jadis appartenu.

— J'avoue, s'écria l'inconnu, que je ne devine guère
le procédé dont on se sera servi pour graver si profondément ces lettres sur la peau d'un onagre.

Et, se retournant avec vivacité vers les tables chargées
de curiosités, ses yeux [255] parurent y chercher quelque
chose.

— Que voulez-vous ? demanda le vieillard.

— Un instrument pour trancher le chagrin, afin
de voir si les lettres y sont empreintes ou incrustées.

Le vieillard présenta son stylet à l'inconnu, qui le
prit [256] et tenta d'entamer la peau à l'endroit où les
paroles se trouvaient écrites ; mais, quand il eut enlevé
une légère couche de cuir, les lettres y reparurent si
nettes et tellement conformes à celles qui étaient imprimées sur la surface, que, pendant un moment, il crut
n'en avoir rien ôté [257].

— L'industrie du Levant a des secrets qui lui sont
réellement particuliers, dit-il en regardant la sentence
orientale [258] avec une sorte d'inquiétude.

— Oui, répondit le vieillard, il vaut mieux s'en
prendre aux hommes qu'à Dieu !

Les paroles mystérieuses étaient disposées de la manière suivante :

لو مكلتنى ملكت آلكل

ولكن عرك ملكى

واراد الله هكذا

اطلب وستنغنال مطالبك

ولكن قسن مطالبك على عرك

وهى هاهنا

فيكل مرامك استسنزل ايامك

أتريد فى

الله يجيبك

آمين

Ce qui voulait dire en français [259] :

SI TU ME POSSÈDES, TU POSSÉDERAS TOUT.

MAIS TA VIE M'APPARTIENDRA. DIEU L'A

VOULU AINSI. DÉSIRE, ET TES DÉSIRS

SERONT ACCOMPLIS. MAIS RÈGLE

TES SOUHAITS SUR TA VIE.

ELLE EST LÀ. A CHAQUE

VOULOIR, JE DÉCROITRAI

COMME TES JOURS.

ME   VEUX-TU ?

PRENDS. DIEU

T'EXAUCERA.

SOIT !

— Ah ! vous lisez couramment le sanscrit [260], dit le vieillard. Peut-être avez-vous voyagé en Perse ou dans le Bengale [261] ?

— Non, monsieur, répondit le jeune homme en tâtant avec curiosité [262] cette peau symbolique, assez semblable à une feuille de métal par son peu de flexibilité.

Le vieux marchand remit la lampe sur la colonne où il l'avait prise, en lançant au jeune homme un regard empreint d'une froide ironie qui semblait dire : « Il ne pense déjà plus à mourir. »

— Est-ce une plaisanterie ? est-ce un mystère ? demanda [263] le jeune inconnu.

Le vieillard hocha de la tête et dit gravement :

— Je ne saurais vous répondre. J'ai offert le terrible pouvoir que donne ce talisman à des hommes [264] doués de plus d'énergie que vous ne paraissez en avoir ; mais, tout en se moquant de la problématique influence qu'il devait exercer sur leurs destinées futures, aucun n'a voulu se risquer à conclure ce contrat si fatalement proposé [265] par je ne sais quelle puissance. Je pense comme eux, j'ai douté, je me suis abstenu, et [266]...

— Et vous n'avez pas même essayé ? dit le jeune homme [267] en l'interrompant.

— Essayer ! répondit le vieillard. Si vous étiez sur la colonne de la place Vendôme, essayeriez-vous de vous jeter dans les airs ? Peut-on arrêter le cours de la vie ? L'homme a-t-il jamais pu scinder la mort ? Avant d'entrer dans ce cabinet, vous aviez résolu de vous suicider [268] ; mais tout à coup un secret vous occupe et vous distrait de mourir. Enfant ! Chacun de vos jours ne vous offrira-t-il pas une énigme plus intéressante que ne l'est celle-ci ? Écoutez-moi. J'ai vu la cour licencieuse du régent. Comme vous, j'étais alors dans la misère, j'ai mendié mon pain ; néanmoins j'ai atteint l'âge de cent deux ans, et je suis devenu millionnaire : le malheur m'a donné la fortune, l'ignorance m'a instruit. Je vais vous révéler en peu de mots un grand mystère de la vie humaine. L'homme s'épuise par deux actes instinctivement accomplis qui tarissent les sources de son existence. Deux verbes expriment toutes les formes que prennent ces deux causes de mort : VOULOIR ET POUVOIR. Entre ces deux termes de l'action humaine, il est une autre formule dont s'emparent les sages, et je lui dois le bonheur et ma longévité. *Vouloir* nous brûle, et *pouvoir* nous détruit ; mais SAVOIR laisse notre faible organisation dans un perpétuel état de calme [269]. Ainsi le désir ou le vouloir est mort en moi, tué par la pensée ; le mouvement ou le pouvoir s'est résolu par le jeu naturel de mes organes. En deux mots, j'ai placé ma vie, non dans le cœur qui se brise, non dans les sens qui s'émoussent, mais dans le cerveau qui ne s'use pas et qui survit à tout. Rien d'excessif n'a froissé ni mon âme, ni mon corps. Cependant, j'ai vu le monde entier. Mes pieds ont foulé les plus hautes montagnes de l'Asie et de l'Amérique, j'ai appris tous les langages humains, et j'ai vécu sous tous les régimes [270]. J'ai prêté mon argent à un Chinois en prenant pour gage le corps de son père, j'ai dormi sous

la tente de l'Arabe sur la foi de sa parole, j'ai signé des
contrats dans toutes les capitales européennes, et j'ai
laissé sans crainte mon or dans le wigwam des sauvages ;
enfin j'ai tout obtenu, parce que j'ai tout su dédaigner.
Ma seule ambition a été de voir. Voir, n'est-ce pas
savoir ?... Oh ! savoir, jeune homme, n'est-ce pas
jouir intuitivement ? n'est-ce pas découvrir la substance
même du fait et s'en emparer essentiellement ? Que
reste-t-il d'une possession matérielle ? une idée. Jugez
alors combien doit être belle la vie d'un homme qui,
pouvant empreindre toutes les réalités dans sa pensée,
transporte en son âme les sources du bonheur, en extrait
mille voluptés idéales dépouillées des souillures terrestres.
La pensée est la clef de tous les trésors, elle procure
les joies de l'avare [271] sans en donner les soucis. Aussi
ai-je plané sur le monde, où mes plaisirs ont toujours
été des jouissances intellectuelles. Mes débauches étaient
la contemplation des mers, des peuples, des forêts, des
montagnes ! J'ai tout vu, mais tranquillement, sans
fatigue ; je n'ai jamais rien désiré, j'ai tout attendu.
Je me suis promené dans l'univers comme dans le jardin
d'une habitation qui m'appartenait. Ce que les hommes
appellent chagrins, amours, ambitions, revers, tristesse, est, pour moi, des idées que je change en rêveries ; au lieu de les sentir, je les exprime, je les traduis ;
au lieu de leur laisser dévorer ma vie, je les dramatise,
je les développe ; je m'en amuse comme de romans
que je lirais par une vision intérieure. N'ayant jamais
lassé [272] mes organes, je jouis encore d'une santé
robuste. Mon âme ayant hérité de toute la force dont
je n'abusais pas, cette tête est encore mieux meublée
que ne le sont mes magasins. Là, dit-il en se frappant
le front, là sont les vrais millions [273]. Je passe des
journées délicieuses en jetant un regard intelligent dans
le passé ; j'évoque des pays entiers, des sites, des vues
de l'Océan, des figures historiquement belles [274] ! J'ai
un sérail imaginaire où je possède toutes les femmes

que je n'ai pas eues. Je revois souvent vos guerres, vos révolutions, et je les juge. Oh ! comment préférer de fébriles, de légères admirations pour quelques chairs plus ou moins colorées, pour des formes plus ou moins rondes ; comment préférer tous les désastres de vos volontés trompées à la faculté sublime de faire comparaître en soi l'univers, au plaisir immense de se mouvoir sans être garrotté par les liens du temps ni par les entraves de l'espace, au plaisir de tout embrasser [275], de tout voir, de se pencher sur le bord du monde pour interroger les autres sphères, pour écouter Dieu ? Ceci, dit-il d'une voix éclatante en montrant la peau de chagrin, est le *pouvoir* et le *vouloir* réunis. Là sont vos idées sociales, vos désirs excessifs [276], vos intempérances, vos joies qui tuent, vos douleurs qui font trop vivre ; car le mal n'est peut-être qu'un violent plaisir. Qui pourrait déterminer le point où la volupté [277] devient un mal et celui où le mal est encore la volupté ? Les plus vives lumières du monde idéal ne caressent-elles pas la vue, tandis que les plus douces ténèbres du monde physique la blessent toujours ? Le mot de sagesse ne vient-il pas de savoir ? et qu'est-ce que la folie, sinon l'excès d'un vouloir ou d'un pouvoir ?

— Eh bien, oui, je veux vivre avec excès ! dit [278] l'inconnu en saisissant la peau de chagrin.

— Jeune homme, prenez garde [279] ! s'écria le vieillard, avec une incroyable vivacité.

— J'avais résolu ma vie par l'étude et par la pensée ; mais elles ne m'ont même pas nourri, répliqua l'inconnu [280]. Je ne veux être la dupe ni d'une prédication digne de Swedenborg [281], ni de votre amulette orientale, ni des charitables efforts que vous faites, monsieur, pour me retenir dans un monde où mon existence est désormais impossible [282]... Voyons ! ajouta-t-il en serrant le talisman d'une main convulsive et regardant le vieillard. Je veux un dîner royalement splendide, quelque bacchanale digne du siècle où tout s'est, dit-on,

perfectionné ! Que mes convives soient jeunes, spirituels et sans préjugés, joyeux jusqu'à la folie ! Que
les vins se succèdent toujours plus incisifs, plus pétillants,
et soient de force à nous enivrer pour trois jours [283] !
Que cette nuit soit parée de femmes ardentes ! Je veux
que la débauche en délire et rugissante nous emporte,
dans son char à quatre chevaux, par delà [284] les bornes
du monde, pour nous verser sur des plages inconnues !
Que les âmes montent dans les cieux ou se plongent
dans la boue, je ne sais si alors elles s'élèvent ou s'a-
baissent, peu m'importe ! Donc, je commande à ce
pouvoir sinistre de me fondre toutes les joies dans une
joie. Oui, j'ai besoin d'embrasser les plaisirs du ciel et
de la terre dans une dernière étreinte, pour en mourir.
Aussi souhaité-je et des priapées antiques après boire,
et des chants à réveiller les morts, et de triples baisers,
des baisers sans fin dont la clameur [285] passe sur Paris
comme un craquement d'incendie, y réveille les époux
et leur inspire une ardeur cuisante qui les rajeunisse tous,
même les septuagénaires [286] !

Un éclat de rire, parti de la bouche du petit vieillard,
retentit dans les oreilles du jeune fou comme un bruissement de l'enfer, et l'interdit si despotiquement, qu'il
se tut [287].

— Croyez-vous, dit le marchand [288] que mes plan-
chers vont s'ouvrir tout à coup pour donner passage
à des tables somptueusement servies et à des convives
de l'autre monde ? Non, non, jeune étourdi. Vous
avez signé le pacte, tout est dit. Maintenant, vos volontés
seront scrupuleusement satisfaites, mais aux dépens
de votre vie. Le cercle de vos jours, figuré par cette
peau, se resserrera suivant la force et le nombre de vos
souhaits, depuis le plus léger jusqu'au plus exorbitant.
Le bramine [289] auquel je dois ce talisman m'a jadis
expliqué qu'il s'opérerait un mystérieux accord entre les
destinées et les souhaits du possesseur. Votre premier
désir est vulgaire, je pourrais le réaliser ; mais j'en laisse

le soin aux événements de votre nouvelle existence.
Après tout, vous vouliez mourir ? eh bien, votre suicide
n'est que retardé.

L'inconnu, surpris et presque irrité de se voir toujours plaisanté par ce singulier vieillard, dont l'intention à demi philanthropique lui parut clairement
démontrée dans cette dernière raillerie, s'écria :

— Je verrai bien, monsieur, si ma fortune changera
pendant le temps que je vais mettre à franchir la largeur
du quai. Mais, si vous ne vous moquez pas d'un malheureux, je désire, pour me venger d'un si fatal service,
que vous tombiez amoureux d'une danseuse ! Vous
comprendrez alors le bonheur d'une débauche, et peut-
être deviendrez-vous prodigue [290] de tous les biens que
vous avez si philosophiquement ménagés.

Il sortit sans entendre un grand soupir que poussa
le vieillard, traversa les salles et descendit l'escalier
de cette maison, suivi par le gros garçon joufflu, qui
voulut vainement l'éclairer ; il courait [291] avec la pres-
tesse d'un voleur pris en flagrant délit. Aveuglé par
une sorte de délire, il ne s'aperçut même pas de l'incroyable ductilité de la peau de chagrin, qui, devenue
souple comme un gant, se roula sous ses doigts fré-
nétiques et put entrer dans la poche de son habit, où
il la mit presque machinalement. En s'élançant de la
porte du magasin sur la chaussée, il heurta [292] trois
jeunes gens qui se tenaient bras dessus, bras dessous.

— Animal !

— Imbécile !

Telles furent les gracieuses interpellations qu'ils
échangèrent.

— Eh ! c'est Raphaël !

— Ah bien, nous te cherchions.

— Quoi ! c'est vous ?

Ces trois phrases amicales succédèrent à l'injure
aussitôt que la clarté d'un réverbère balancé par le
vent frappa les visages de ce groupe étonné.

— Mon cher ami, dit à Raphaël le jeune homme qu'il avait failli renverser, tu vas venir avec nous.

— De quoi s'agit-il donc ?

— Avance toujours [293], je te conterai l'affaire en marchant.

De force ou de bonne volonté, Raphaël fut entouré de ses amis, qui, l'ayant enchaîné par les bras dans leur joyeuse bande, l'entraînèrent vers le pont des Arts.

— Mon cher, dit l'orateur en continuant, nous sommes à ta poursuite depuis une semaine environ. A ton respectable hôtel de *Saint-Quentin* [294], dont par parenthèse l'enseigne inamovible offre des lettres [295] toujours alternativement noires et rouges comme au temps de Jean-Jacques Rousseau, ta Léonarde [296] nous a dit que tu étais parti pour la campagne [297]. Cependant, nous n'avions certes pas l'air de gens d'argent, huissiers, créanciers, gardes de commerce, etc. N'importe ! Rastignac t'avait aperçu la veille aux Bouffons [298], nous avons repris courage, et nous avons mis de l'amour-propre à découvrir si [299] tu perchais sur les arbres des Champs-Élysées, si tu allais coucher pour deux sous dans ces maisons philanthropiques où les mendiants dorment appuyés [300] sur des cordes tendues ; ou si, plus heureux, ton bivac n'était pas établi dans quelque boudoir. Nous ne t'avons rencontré nulle part, ni sur les écrous de Sainte-Pélagie [301], ni sur ceux de la Force [302] ! Les ministères, l'Opéra, les maisons conventuelles, cafés, bibliothèques, listes de préfets, bureaux de journalistes, restaurants, foyers de théâtres, bref, tout ce qu'il y a dans Paris de bons et de mauvais lieux [303] ayant été savamment exploré, nous gémissions sur la perte d'un homme doué d'assez de génie pour se faire également chercher à la cour et dans les prisons. Nous parlions de te canoniser comme un héros de juillet ! et, ma parole d'honneur, nous te regrettions [304].

En ce moment, Raphaël passait avec ses amis sur le

pont des Arts, d'où, sans les écouter, il regardait la
Seine, dont les eaux mugissantes répétaient les lumières de Paris. Au-dessus de ce fleuve, dans lequel
il voulait se précipiter naguère, les prédictions du
vieillard étaient accomplies, l'heure de sa mort se trouvait déjà fatalement retardée [305].

— Et nous te regrettions vraiment ! reprit son ami,
poursuivant toujours sa thèse. Il s'agit [306] d'une combinaison dans laquelle nous te comprenions en ta
qualité d'homme supérieur, c'est-à-dire d'homme qui
sait se mettre au-dessus de tout. L'escamotage de la
muscade constitutionnelle sous le gobelet royal se fait
aujourd'hui, mon cher, plus gravement que jamais.
L'infâme monarchie renversée par l'héroïsme populaire était une femme de mauvaise vie avec laquelle
on pouvait rire et banqueter ; mais la patrie est une
épouse acariâtre et vertueuse ; il nous faut accepter,
bon gré, mal gré, ses caresses compassées. Or donc,
le pouvoir s'est transporté, comme tu sais, des Tuileries chez les journalistes, de même que le budget a
changé de quartier, en passant du faubourg Saint-
Germain à la Chaussée-d'Antin. Mais voici ce que tu
ne sais peut-être pas ! Le gouvernement, c'est-à-dire
l'aristocratie de banquiers et d'avocats qui font aujour-
d'hui de la patrie comme les prêtres faisaient jadis
de la monarchie, a senti la nécessité de mystifier le
bon peuple de France avec des mots nouveaux et
de vieilles idées, à l'instar des philosophes de toutes les
écoles et des hommes forts de tous les temps. Il s'agît [307]
donc de nous inculquer une opinion royalement nationale, en nous prouvant [308] qu'il est bien plus heureux
de payer douze cents millions trente-trois centimes
à la patrie, représentée par MM. tels et tels, que onze
cents millions neuf centimes à un roi qui disait *moi*
au lieu de *nous*. En un mot, un journal armé de deux
ou trois cent bons mille francs vient d'être fondé
dans le but de faire [309] une opposition qui contente

les mécontents, sans nuire au gouvernement national du roi-citoyen. Or, comme nous nous moquons de la liberté autant que du despotisme, de la religion aussi bien que de l'incrédulité ; que, pour nous, la patrie est une capitale où les idées s'échangent et se vendent à tant la ligne, où tous les jours [310] amènent de succulents dîners, de nombreux spectacles ; où fourmillent de licencieuses prostituées, où les soupers ne finissent que le lendemain, où les amours vont à l'heure comme les citadines [311] ; que Paris sera toujours la plus adorable de toutes les patries ! la patrie de la joie, de la liberté, de l'esprit, des jolies femmes, des mauvais sujets, du bon vin, et où le bâton du pouvoir ne se fera jamais trop sentir, puisque l'on est près de ceux qui le tiennent ; ... nous [312], véritables sectateurs du dieu Méphistophélès, avons entrepris de badigeonner l'esprit public, de rhabiller les acteurs, de clouer de nouvelles planches à la baraque gouvernementale, de médicamenter les doctrinaires [313], de recuire les vieux républicains, de réchampir les bonapartistes et de ravitailler le centre, pourvu qu'il nous soit permis de rire *in petto* des rois et des peuples, de ne pas être le soir de notre opinion du matin, et de passer [314] une joyeuse vie à la Panurge ou *more orientali*, couchés sur de moelleux coussins. Nous te destinions les rênes de cet empire macaronique et burlesque ; ainsi nous t'emmenons de ce pas au dîner donné par le fondateur dudit journal [315], un banquier retiré qui, ne sachant que faire de son or, veut le changer en esprit. Tu y seras accueilli comme un frère, nous t'y saluerons roi de ces esprits frondeurs que rien n'épouvante, dont la perspicacité découvre les intentions de l'Autriche, de l'Angleterre ou de la Russie, avant que la Russie, l'Angleterre ou l'Autriche aient des intentions ! Oui, nous t'instituerons le souverain de ces puissances intelligentes qui fournissent au monde les Mirabeau, les Talleyrand, les Pitt, les Metternich, enfin tous ces

habiles Crispins [316] qui jouent entre eux les destinées
d'un empire comme les hommes vulgaires jouent leur
kirschenwasser [317] au domino. Nous t'avons donné pour
le plus intrépide compagnon qui jamais ait étreint
corps à corps la débauche, ce monstre admirable avec
lequel veulent lutter tous les esprits forts ; nous avons
même affirmé qu'il ne t'a pas encore vaincu. J'espère
que tu ne feras pas mentir nos éloges. Taillefer, notre
amphitryon [318], nous a promis de surpasser les étroites
saturnales de nos petits Lucullus modernes. Il est assez
riche pour mettre de la grandeur dans les petitesses,
de l'élégance et de la grâce dans le vice... Entends-tu,
Raphaël ? lui demanda l'orateur en s'interrompant.

— Oui, répondit le jeune homme, moins étonné
de l'accomplissement de ses souhaits que surpris de la
manière naturelle par laquelle les événements [319]
s'enchaînaient.

Quoiqu'il lui fût impossible de croire à une influence
magique, il admirait les hasards de la destinée humaine.

— Mais tu nous dis oui, comme si tu pensais à la
mort de ton grand-père, lui répliqua l'un de ses voisins.

— Ah ! reprit Raphaël avec un accent de naïveté
qui fit rire ces écrivains, l'espoir de la jeune France, je
pensais, mes amis, que nous voilà près de devenir de
bien grands coquins ! Jusqu'à présent, nous avons fait
de l'impiété entre deux vins, nous avons pesé la vie
étant ivres, nous avons prisé les hommes et les choses
en digérant. Vierges du fait, nous étions hardis en
paroles ; mais, marqués maintenant par le fer chaud
de la politique, nous allons entrer [320] dans ce grand
bagne et y perdre nos illusions. Quand on ne croit plus
qu'au diable, il est permis de regretter le paradis de
la jeunesse, le temps d'innocence où nous tendions
dévotement [321] la langue à un bon prêtre pour recevoir le sacré corps de Notre Seigneur Jésus-Christ.
Ah ! mes bons amis, si nous avons eu tant de plaisir
à commettre nos premiers péchés, c'est que nous avions

des remords pour les embellir et leur donner du piquant, de la saveur ; tandis que, maintenant...

— Oh ! maintenant, reprit le premier interlocuteur, il nous reste...

— Quoi ? demanda un autre.

— Le crime...

— Voilà un mot qui a [322] toute la hauteur d'une potence et toute la profondeur de la Seine, répliqua Raphaël.

— Oh ! tu ne m'entends pas... Je parle des crimes politiques. Depuis ce matin, je n'envie qu'une existence, celle des conspirateurs. Demain, je ne sais si ma fantaisie durera toujours ; mais, ce soir, la vie pâle de notre civilisation, unie comme la rainure d'un chemin de fer, fait bondir mon cœur de dégoût ! Je suis épris de passion pour les malheurs de la déroute de Moscou, pour les émotions du *Corsaire rouge* [323] et pour l'existence des contrebandiers. Puisqu'il n'y a plus de chartreux en France, je voudrais au moins un Botany-Bay [324], une espèce d'infirmerie destinée aux petits lords Byrons, qui, après avoir chiffonné la vie comme une serviette après dîner, n'ont plus rien à faire qu'à incendier leur pays, se brûler la cervelle, conspirer pour la république, ou demander la guerre [325]...

— Émile, dit avec feu le voisin de Raphaël à l'interlocuteur, foi d'homme, sans la révolution de juillet, je me faisais prêtre pour aller mener une vie animale au fond de quelque campagne, et...

— Et tu aurais lu le bréviaire tous les jours ?

— Oui.

— Tu es un fat.

— Nous lisons bien les journaux !

— Pas mal, pour un journaliste ! Mais tais-toi, nous marchons au milieu d'une masse d'abonnés. Le journalisme, vois-tu, c'est la religion des sociétés modernes, et il y a progrès.

— Comment ?

— Les pontifes ne sont [326] pas tenus de croire, ni le peuple non plus...

En devisant ainsi, comme de braves gens qui savaient le *De Viris illustribus* depuis longues années, ils arrivèrent à un hôtel de la rue Joubert.

Émile [327] était un journaliste [328] qui avait conquis plus de gloire à ne rien faire que les autres n'en recueillent de leurs succès. Critique hardi, plein de verve [329] et de mordant, il possédait toutes les qualités que comportaient ses défauts. Franc et rieur, il disait en face mille épigrammes à un ami que, absent, il défendait avec courage et loyauté. Il se moquait de tout, même de son avenir. Toujours dépourvu d'argent, il restait, comme tous les hommes de quelque portée, plongé dans une inexprimable paresse, jetant un livre dans un mot au nez de gens qui ne savaient pas mettre un mot dans leurs livres. Prodigue de promesses [330] qu'il ne réalisait jamais, il s'était fait de sa fortune et de sa gloire un coussin pour dormir, courant ainsi la chance de se réveiller vieux à l'hôpital. D'ailleurs, ami jusqu'à l'échafaud, fanfaron de cynisme et simple comme un enfant, il ne travaillait que par boutade ou par nécessité.

— Nous allons faire, suivant l'expression de maître Alcofribas [331], un fameux *tronçon de chiere lie* [332], dit-il à Raphaël en lui montrant les caisses de fleurs qui embaumaient et verdissaient les escaliers.

— J'aime les porches bien chauffés et garnis de riches tapis, répondit [333] Raphaël. Le luxe dès le péristyle est rare en France. Ici, je me sens renaître.

— Et, là-haut, nous allons boire et rire encore une fois, mon pauvre Raphaël. — Ah çà ! reprit-il, j'espère que nous serons les vainqueurs et que nous marcherons sur toutes ces têtes-là.

Puis, d'un geste moqueur, il montra les convives en entrant dans un salon qui resplendissait de dorures, de lumières [334], et où ils furent aussitôt accueillis par les jeunes gens les plus remarquables de Paris. L'un venait de révéler un talent neuf, et de rivaliser par son premier tableau avec les gloires de la peinture impériale. L'autre avait hasardé la veille un livre plein de verdeur, empreint d'une sorte de dédain littéraire, et qui découvrait à l'école moderne de nouvelles routes. Plus loin, un statuaire, dont la figure pleine de rudesse accusait quelque vigoureux génie, causait avec un de ces froids railleurs qui, selon l'occurrence [335], tantôt ne veulent voir de supériorité nulle part, et tantôt en reconnaissent partout. Ici, le plus spirituel de nos caricaturistes, à l'œil malin, à la bouche mordante, guettait les épigrammes pour les traduire à coups de crayon. Là, ce jeune et audacieux écrivain, qui mieux que personne distillait la quintessence des pensées politiques, ou condensait [336] en se jouant l'esprit d'un écrivain fécond, s'entretenait avec ce poète dont les écrits écraseraient toutes les œuvres du temps présent, si son talent avait la puissance de sa haine. Tous deux essayaient de ne pas dire la vérité et de ne pas mentir en s'adressant de douces flatteries. Un musicien célèbre consolait en *si bémol*, et d'une voix moqueuse, un jeune homme politique récemment tombé de la tribune sans se faire aucun mal. De jeunes auteurs sans style étaient auprès de jeunes auteurs sans idées, des prosateurs pleins de poésie près de poètes prosaïques. Voyant ces êtres incomplets, un pauvre saint-simonien, assez naïf pour croire à sa doctrine, les accouplait avec charité, voulant sans doute les transformer en religieux de son ordre [337].

Enfin, il s'y trouvait deux ou trois de ces savants destinés à mettre de l'azote dans la conversation [338], et plusieurs vaudevillistes prêts à y jeter de ces lueurs éphémères, qui semblables aux étincelles du diamant, ne donnent ni chaleur ni lumière. Quelques hommes à paradoxes, riant sous cape des gens qui épousent leurs admirations ou leurs mépris pour les hommes et

les choses, faisaient déjà de cette politique à double
tranchant avec laquelle ils conspirent contre tous les
systèmes, sans prendre parti pour aucun. Le *jugeur*
qui ne s'étonne de rien, qui se mouche au milieu d'une
cavatine aux Bouffons, y crie [339] *brava* avant tout le
monde, et contredit ceux qui préviennent son avis [340],
était là, cherchant à s'attribuer les mots des gens d'esprit.

Parmi ces convives, cinq avaient de l'avenir, une
dizaine devaient obtenir quelque gloire viagère ;
quant aux autres, ils pouvaient, comme toutes les médio-
crités, se dire le fameux mensonge de Louis XVIII :
Union et oubli [341]. L'amphitryon avait la gaieté soucieuse d'un homme qui dépense deux mille écus. De
temps en temps, ses yeux se dirigeaient avec impatience vers la porte du salon, en appelant celui des
convives qui se faisait attendre. Bientôt apparut un
gros petit homme qui fut accueilli par [342] une flatteuse
rumeur, c'était le notaire qui, le matin même, avait
achevé de créer le journal. Un valet de chambre vêtu
de noir [343] vint ouvrir les portes d'une vaste salle à
manger, où chacun alla sans cérémonie reconnaître
sa place autour d'une table immense. Avant de quitter
les salons, Raphaël y jeta un dernier coup d'œil. Son
souhait était certes bien complètement réalisé. La soie
et l'or tapissaient les appartements. De riches candé-
labres supportant d'innombrables bougies faisaient
briller les plus légers détails des frises dorées, les délicates ciselures du bronze [344] et les somptueuses couleurs de l'ameublement. Les fleurs rares de quelques
jardinières artistement construites avec des bambous
répandaient de doux parfums. Tout jusqu'aux draperies respirait [345] une élégance sans prétention ;
enfin, il y avait en tout je ne sais quelle grâce poétique
dont le prestige devait agir sur l'imagination d'un
homme sans argent [346].

— Cent mille livres de rente sont un bien joli com-
mentaire du catéchisme et nous aident merveilleuse-

ment à mettre la *morale en actions !* dit-il en soupirant.
Oh ! oui, ma vertu ne va guère à pied. Pour moi, le
vice c'est une mansarde, un habit râpé, un chapeau
gris en hiver, et des dettes chez le portier... Ah ! je veux
vivre au sein de ce luxe un an, six mois n'importe !
et puis après, mourir. J'aurai du moins connu, épuisé,
dévoré mille existences !

— Oh ! lui dit Émile, qui l'écoutait, tu prends le
coupé d'un agent de change pour le bonheur. Va, tu
serais bientôt ennuyé de la fortune en t'apercevant
qu'elle te ravirait la chance d'être un homme supérieur. Entre les pauvretés de la richesse et les richesses
de la pauvreté, l'artiste a-t-il jamais balancé ? Ne nous
faut-il pas [347] toujours des luttes, à nous autres ? Aussi,
prépare ton estomac, vois, dit-il en lui montrant par
un geste héroïque le majestueux, le trois fois saint et
rassurant [348] aspect que présentait la salle à manger du
benoît capitaliste.

— Cet homme-là, reprit-il, ne s'est vraiment donné
la peine d'amasser son argent que pour nous. N'est-ce
pas une espèce d'éponge oubliée par les naturalistes
dans l'ordre des polypiers, et qu'il s'agit de presser
avec délicatesse, avant de la laisser sucer par des héritiers ? Ne trouves-tu pas du style aux bas-reliefs qui
décorent les murs ? Et les lustres et les tableaux, quel
luxe bien entendu ! S'il faut croire les envieux et ceux
qui tiennent à voir les ressorts de la vie, cet homme
aurait tué, pendant la Révolution, un Allemand et
quelques autres personnes, qui seraient, dit-on, son
meilleur ami et la mère de cet ami. Peux-tu [349] donner
place à des crimes sous les cheveux grisonnants de ce
vénérable Taillefer [350] ? Il a l'air d'un bien bon homme.
Vois donc comme l'argenterie étincelle et chacun de ces
rayons brillants serait pour lui un coup de poignard ?...
allons donc ! autant vaudrait croire en Mahomet. Si
le public avait raison, voici trente hommes de cœur
et de talent qui s'apprêteraient à manger les entrailles,

à boire le sang d'une famille ;... et nous deux, jeunes gens pleins de candeur, d'enthousiasme, nous serions complices du forfait ! J'ai envie de demander à notre capitaliste s'il est honnête homme...

— Non pas maintenant ! s'écria Raphaël, mais quand il sera ivre mort ; nous aurons dîné.

Les deux amis s'assirent en riant. D'abord et par un regard plus rapide que la parole, chaque convive paya son tribut d'admiration au somptueux coup d'œil qu'offrait une longue [351] table, blanche comme une couche de neige fraîchement tombée, et sur laquelle s'élevaient symétriquement les couverts couronnés de petits pains blonds. Les cristaux répétaient les couleurs de l'iris dans leurs reflets étoilés, les bougies traçaient des feux croisés à l'infini, les mets placés sous des dômes d'argent aiguisaient l'appétit et la curiosité. Les paroles furent assez rares. Les voisins se regardèrent. Le vin de Madère circula [352]. Puis le premier service apparut dans toute sa gloire, il aurait fait honneur à feu Cambacérès [353], et Brillat-Savarin [354] l'eût célébré. Les vins de Bordeaux et de Bourgogne, blancs et rouges, furent servis avec une profusion royale. Cette première partie du festin était comparable, en tout point, à l'exposition d'une tragédie classique.

Le second acte devint quelque peu bavard. Chaque convive avait bu raisonnablement [355] en changeant de crus suivant ses caprices, en sorte qu'au moment où l'on emporta les restes de ce magnifique service, de tempétueuses discussions s'étaient établies; quelques fronts pâles rougissaient, plusieurs nez commençaient à s'empourprer, les visages s'allumaient, les yeux pétillaient. Pendant cette aurore de l'ivresse, le discours ne sortit pas encore des bornes de la civilité ; mais les railleries, les bons mots s'échappèrent peu à peu [356] de toutes les bouches ; puis la calomnie éleva tout doucement sa petite tête de serpent et parla d'une voix flûtée [357] ; çà et là, quelques sournois écoutèrent attentivement, espérant garder leur raison.

Le second service trouva donc les esprits tout à fait échauffés. Chacun mangea en parlant, parla en mangeant, but sans prendre garde à l'affluence des liquides, tant ils étaient lampants et parfumés, tant l'exemple fut contagieux. Taillefer [358] se piqua d'animer ses convives, et fit avancer les terribles vins du Rhône, le chaud tokay, le vieux roussillon capiteux [359]. Déchaînés comme les chevaux d'une malle-poste qui part d'un relais, ces hommes, fouettés par les flammèches du vin de Champagne [360] impatiemment attendu, mais abondamment versé, laissèrent alors galoper leur esprit dans le vide de ces raisonnements que personne n'écoute, se mirent à raconter ces histoires qui n'ont pas d'auditeurs, recommencèrent cent fois ces interpellations qui restent sans réponse. L'orgie seule déploya sa grande voix, sa voix composée de cent clameurs confuses qui grossissent comme les crescendo de Rossini. Puis arrivèrent les toasts insidieux, les forfanteries, les défis. Tous renonçaient à se glorifier de leur capacité intellectuelle pour revendiquer celle des tonneaux, des foudres, des cuves. Il semblait que chacun eût deux voix. Il vint un moment où les maîtres parlèrent tous à la fois, et où les valets sourirent [361]. Mais cette mêlée de paroles où les paradoxes douteusement lumineux, les vérités grotesquement habillées se heurtèrent à travers les cris, les jugements interlocutoires, les arrêts souverains et les niaiseries [362], comme au milieu d'un combat se croisent les boulets, les balles et la mitraille [363], eût sans doute intéressé quelque philosophe par la singularité des pensées, ou surpris un politique par la bizarrerie des systèmes. C'était tout à la fois un livre et un tableau.

Les philosophies, les religions, les morales, si différentes d'une latitude à l'autre, les gouvernements, enfin tous les grands actes de l'intelligence humaine tombèrent sous une faux [364] aussi longue que celle

du Temps, et peut-être eussiez-vous pu difficilement
décider si elle était maniée par la Sagesse ivre, ou par
l'Ivresse devenue sage et clairvoyante. Emportés par
une espèce de tempête, ces esprits semblaient, comme
la mer irritée contre ses falaises, vouloir ébranler
toutes les lois entre lesquelles flottent les civilisations,
satisfaisant ainsi sans le savoir à la volonté de Dieu,
qui laisse dans la nature le bien et le mal en gardant
pour lui seul le secret [365] de leur lutte perpétuelle.
Furieuse et burlesque, la discussion fut en quelque
sorte un sabbat des intelligences. Entre les tristes
plaisanteries dites par ces enfants de la Révolution à
la naissance d'un journal, et les propos tenus par de
joyeux buveurs à la naissance de Gargantua, se trouvait tout l'abîme qui sépare [366] le XIXe siècle du XVIe.
Celui-ci apprêtait une destruction en riant, le nôtre
riait au milieu des ruines.

— Comment appelez-vous le jeune homme que je
vois là-bas ? dit le notaire en montrant Raphaël. J'ai
cru l'entendre nommer Valentin.

— Que chantez-vous, avec votre Valentin tout court ?
s'écria Émile en riant. Raphaël de Valentin, s'il vous
plaît ! Nous portons *un aigle d'or en champ de sable,
couronné d'argent, becqué et onglé de gueules,* avec une belle
devise : NON CECIDIT ANIMUS [367] ! Nous ne sommes
pas un enfant trouvé, mais le descendant de l'empereur
Valens, souche des Valentinois, fondateur des villes
de Valence en Espagne et en France, héritier légitime
de l'empire d'Orient. Si nous laissons trôner Mahmoud
à Constantinople, c'est par pure bonne volonté, et
faute d'argent ou de soldats.

Émile décrivit en l'air, avec sa fourchette, une couronne au-dessus de la tête de Raphaël. Le notaire se
recueillit pendant un moment et se remit bientôt à
boire en laissant échapper un geste authentique, par
lequel il semblait avouer qu'il lui était impossible de
rattacher à sa clientèle les villes de Valence, de Cons-

tantinople, Mahmoud, l'empereur Valence et la famille des Valentinois.

— La destruction de ces fourmilières nommées Babylone, Tyr, Carthage, ou Venise, toujours écrasées sous les pieds d'un géant qui passe, ne serait-elle pas un avertissement donné à l'homme par une puissance moqueuse ? dit Claude Vignon [368], espèce d'esclave acheté pour faire du Bossuet à dix sous la ligne.

— Moïse, Sylla, Louis XI, Richelieu, Robespierre et Napoléon sont peut-être un même homme qui reparaît à travers les civilisations, comme une comète dans le ciel ! répondit un ballanchiste [369].

— Pourquoi sonder la Providence ? dit Canalis, le fabricant de ballades [370].

— Allons, voilà la Providence ! s'écria le jugeur en l'interrompant. Je ne connais rien au monde de plus élastique [371].

— Mais, monsieur, Louis XIV a fait périr plus d'hommes pour creuser les aqueducs de Maintenon que la Convention pour asseoir justement l'impôt, pour mettre de l'unité dans la loi, nationaliser la France et faire également partager les héritages, disait Massol, un jeune homme [372] devenu républicain faute d'une syllabe devant son nom.

— Monsieur, lui répondit Moreau (de l'Oise), bon propriétaire [373], vous qui prenez le sang pour du vin, cette fois-ci, laisserez-vous à chacun sa tête sur ses épaules ?

— A quoi bon, monsieur ? Les principes de l'ordre social ne valent-ils donc pas quelques sacrifices [374] ?

— Bixiou [375] ! hé ! Chose le républicain prétend que la tête de ce propriétaire serait un sacrifice ! dit un jeune homme à son voisin.

— Les hommes et les événements ne sont rien, disait le républicain en continuant sa théorie à travers les hoquets ; il n'y a en politique et en philosophie que des principes et des idées.

— Quelle horreur! Vous n'auriez nul chagrin de tuer vos amis pour un *si*?...

— Eh! monsieur, l'homme qui a des remords est le vrai scélérat, car il a quelque idée de la vertu; tandis que Pierre le Grand, le duc d'Albe [376], étaient des systèmes, et le corsaire Monbard [377] une organisation [378].

— Mais la société ne peut-elle pas se priver de vos systèmes et de vos organisations [379]? dit Canalis.

— Oh! d'accord, s'écria le républicain.

— Eh! votre stupide république me donne des nausées! nous ne saurions découper tranquillement un chapon sans y trouver la loi agraire.

— Tes principes sont excellents, mon petit Brutus farci de truffes! Mais tu ressembles à mon valet de chambre : le drôle est si cruellement possédé par la manie de la propreté, que, si je lui laissais brosser mes habits à sa fantaisie, j'irais tout nu.

— Vous êtes des brutes! vous voulez nettoyer une nation avec des cure-dents, répliqua l'homme à la république. Selon vous, la justice serait plus dangereuse que les voleurs.

— Eh! eh! fit l'avoué Desroches [380].

— Sont-ils ennuyeux, avec leur politique [381]! dit Cardot le notaire. Fermez la porte. Il n'y a pas de science ou de vertu qui vaillent une goutte de sang. Si nous voulions faire la liquidation de la vérité, nous la trouverions [382] peut-être en faillite.

— Ah! il en aurait sans doute moins coûté de nous amuser dans le mal que de nous quereller [383] dans le bien. Aussi, donnerais-je tous les discours prononcés à la tribune depuis quarante ans pour une truite, pour un conte de Perrault ou une croquade de Charlet [384].

— Vous avez bien raison!... Passez-moi des asperges... Car, après tout, la liberté enfante l'anarchie, l'anarchie conduit au despotisme, et le despotisme ramène à la liberté. Des millions d'êtres ont péri sans avoir pu faire triompher aucun de ces systèmes [385]. N'est-ce pas le cercle vicieux dans lequel tournera toujours le monde moral ? Quand l'homme croit avoir perfectionné, il n'a fait que déplacer les choses.

— Oh ! oh ! s'écria Cursy le vaudevilliste [386], alors, messieurs, je porte un toast à Charles X, père de la liberté !

— Pourquoi pas ? dit Émile [387]. Quand le despotisme est dans les lois, la liberté se trouve dans les mœurs, et *vice versa*.

— Buvons donc à l'imbécillité du pouvoir qui nous donne tant de pouvoir sur les imbéciles [388] ! dit le banquier.

— Eh ! mon cher, au moins Napoléon nous a-t-il laissé de la gloire ! criait un officier de marine qui n'était jamais sorti de Brest.

— Ah ! la gloire, triste denrée. Elle se paye cher et ne se garde pas. Ne serait-elle point l'égoïsme des grands hommes, comme le bonheur est celui des sots ?

— Monsieur, vous êtes bien heureux...

— Le premier qui inventa les fossés était sans doute un homme faible, car la société ne profite qu'aux gens chétifs. Placés aux deux extrémités du monde moral, le sauvage et le penseur ont également horreur de la propriété.

— Joli ! s'écria Cardot [389]. ·S'il n'y avait pas de propriétés, comment pourrions-nous faire des actes ?

— Voilà des petits pois délicieusement fantastiques !

— Et le curé fut trouvé mort dans son lit, le lendemain...

— Qui parle de mort ?... Ne badinez pas ! j'ai un oncle.

— Vous vous résigneriez sans doute à le perdre.

— Ce n'est pas une question.

— Écoutez-moi, messieurs !... MANIÈRE DE TUER SON ONCLE. Chut ! (*Écoutez ! écoutez !*) Ayez d'abord un oncle gros et gras, septuagénaire au moins, ce sont les meilleurs oncles. (Sensation [390].) Faites-lui manger, sous un prétexte quelconque, un pâté de foies gras.

— Eh ! mon oncle est un grand homme sec, avare et sobre.

— Ah ! ces oncles-là sont des monstres qui abusent de la vie.

— Et, dit l'homme aux oncles en continuant, annoncez-lui, pendant sa digestion, la faillite de son banquier [391].

— S'il résiste ?

— Lâchez-lui une jolie fille !

— S'il est... ? dit l'autre en faisant un geste négatif.

— Alors, ce n'est pas un oncle,... l'oncle est essentiellement égrillard [392].

— La voix de la Malibran [393] a perdu deux notes.

— Non, monsieur.

— Si, monsieur.

— Oh ! oh ! Oui et non, n'est-ce pas l'histoire de toutes les dissertations religieuses, politiques et littéraires ? L'homme est un bouffon qui danse sur des précipices !

— A vous entendre, je suis un sot ?

— Au contraire, c'est parce vous ne m'entendez pas.

— L'instruction, belle niaiserie ! M. Heineffettermach porte le nombre des volumes imprimés à plus d'un milliard, et la vie d'un homme ne permet pas d'en lire cent cinquante mille. Alors, expliquez-moi ce que signifie le mot *instruction* ? Pour les uns, l'instruction consiste à savoir les noms du cheval d'Alexandre [394], du dogue Bérécillo du seigneur des Accords [395], et d'ignorer celui de l'homme auquel nous devons le flottage des bois ou la porcelaine. Pour les autres, être instruit, c'est savoir brûler un testament et vivre en honnêtes gens, aimés, considérés, au lieu de voler une montre en récidive, avec les cinq circonstances aggravantes, et d'aller mourir en place de Grève [396], haïs et déshonorés.

— Nathan restera-t-il ?

— Ah ! ses collaborateurs, monsieur, ont bien de l'esprit !

— Et Canalis [397] ?

— C'est un grand homme, n'en parlons plus.

— Vous êtes ivres !

— La conséquence immédiate d'une constitution est l'aplatissement des intelligences. Arts, sciences, monuments, tout est dévoré par un effroyable sentiment d'égoïsme, notre lèpre actuelle. Vos trois cents bourgeois, assis sur des banquettes, ne penseront qu'à planter des peupliers. Le despotisme fait illégalement de grandes choses, la liberté ne se donne même pas la peine d'en faire légalement de très petites.

— Votre enseignement mutuel fabrique des pièces de cent sous en chair humaine, dit un absolutiste en interrompant. Les individualités disparaissent chez un peuple nivelé par l'instruction.

— Cependant, le but de la société n'est-il pas de procurer à chacun le bien-être ? demanda le saint-simonien.

— Si vous aviez cinquante mille livres de rente, vous ne penseriez guère au peuple. Êtes-vous épris de belle passion pour l'humanité ? allez à Madagascar : vous y trouverez un joli petit peuple tout neuf à saint-simoniser, à classer, à mettre en bocal ; mais, ici, chacun entre tout naturellement dans son alvéole, comme une cheville dans son trou. Les portiers sont portiers, et les niais sont des bêtes sans avoir besoin d'être promus par un collège de Pères [398]. Ah ! ah !

— Vous êtes un carliste !

— Pourquoi pas ? J'aime le despotisme, il annonce un certain mépris pour la race humaine. Je ne hais pas les rois. Ils sont si amusants ! Trôner dans une chambre, à trente millions de lieues du soleil, n'est-ce donc rien ?

— Mais résumons cette large vue de la civilisation,

disait le savant qui, pour l'instruction du sculpteur inattentif, avait entrepris une discussion sur le commencement des sociétés et sur les peuples autochtones. A l'origine des nations, la force fut en quelque sorte matérielle, une, grossière ; puis, avec l'accroissement des agrégations, les gouvernements ont procédé par des décompositions plus ou moins habiles du pouvoir primitif. Ainsi, dans la haute antiquité la force était dans la théocratie ; le prêtre tenait le glaive et l'encensoir. Plus tard, il y eut deux sacerdoces : le pontife et le roi. Aujourd'hui, notre société, dernier terme de la civilisation, a distribué la puissance suivant le nombre des combinaisons, et nous sommes arrivés aux forces nommées industrie, pensée, argent, parole. Le pouvoir, n'ayant plus alors d'unité, marche sans cesse vers une dissolution sociale qui n'a plus d'autre barrière que l'intérêt. Aussi ne nous appuyons-nous ni sur la religion, ni sur la force matérielle, mais sur l'intelligence. Le livre vaut-il le glaive ? la discussion vaut-elle l'action ? Voilà le problème.

— L'intelligence a tout tué ! s'écria le carliste. Allez, la liberté absolue mène les nations au suicide, elles s'ennuient dans le triomphe, comme un Anglais millionnaire.

— Que nous direz-vous de neuf ? Aujourd'hui, vous avez ridiculisé tous les pouvoirs, et c'est même chose vulgaire que de nier Dieu ! Vous n'avez plus de croyance. Aussi le siècle est-il comme un vieux sultan perdu de débauche ! Enfin, votre lord Byron, en dernier désespoir de poésie, a chanté les passions du crime.

— Savez-vous, lui répondit Bianchon complètement ivre, qu'une dose de phosphore de plus ou de moins fait l'homme de génie ou le scélérat, l'homme d'esprit ou l'idiot, l'homme vertueux ou le criminel [399] ?

— Peut-on traiter ainsi la vertu ! s'écria Cursy [400] ; la vertu, sujet de toutes les pièces de théâtre, dénoûment de tous les drames, base de tous les tribunaux...

— Eh ! tais-toi donc, animal. Ta vertu, c'est Achille sans talon [401] ! dit Bixiou.

— A boire !

— Veux-tu parier que je bois une bouteille de vin de Champagne d'un seul trait ?

— Quel trait d'esprit ! s'écria Bixiou [402].

— Ils sont gris comme des charretiers, dit un jeune homme qui donnait sérieusement à boire à son gilet.

— Oui, monsieur, le gouvernement actuel est l'art de faire régner l'opinion publique.

— L'opinion ? mais c'est la plus vicieuse de toutes les prostituées ! A vous entendre, hommes de morale et de politique, il faudrait sans cesse préférer vos lois à la nature, l'opinion à la conscience. Allez, tout est vrai, tout est faux ! Si la société nous a donné le duvet des oreillers, elle a certes compensé le bienfait par la goutte, comme elle a mis la procédure pour tempérer la justice, et les rhumes à la suite des châles de Cachemire [403].

— Monstre ! dit Émile en interrompant le misanthrope, comment peux-tu médire de la civilisation en présence de vins, de mets si délicieux, et à table [404] jusqu'au menton ? Mords ce chevreuil aux pieds et aux cornes dorés, mais ne mords pas ta mère...

— Est-ce ma faute, à moi, si le catholicisme arrive à mettre un million de dieux dans un sac de farine, si la république aboutit toujours à quelque Napoléon [405], si la royauté se trouve entre l'assassinat de Henri IV et le jugement de Louis XVI, si le libéralisme devient La Fayette ?

— L'avez-vous embrassé [406] en juillet ?

— Non.

— Alors, taisez-vous, sceptique.

— Les sceptiques sont les hommes les plus consciencieux.

— Ils n'ont pas de conscience.

— Que dites-vous ! ils en ont au moins deux.

— Escompter le ciel ! monsieur, voilà une idée vraiment commerciale. Les religions antiques n'étaient qu'un heureux développement du plaisir physique ; mais, nous autres, nous avons développé l'âme et l'espérance ; il y a eu progrès.

— Eh ! mes bons amis, que pouvez-vous attendre d'un siècle repu de politique ? dit Nathan. Quel a été le sort de l'*Histoire du roi de Bohême et de ses sept châteaux*, la plus ravissante conception ?...

— Ça ? cria le jugeur [407] d'un bout de la table à l'autre, c'est des phrases tirées au hasard dans un chapeau, véritable ouvrage écrit pour Charenton.

— Vous êtes un sot !

— Vous êtes un drôle !

— Oh ! oh !

— Ah ! ah !

— Ils se battront [408].

— Non.

— A demain, monsieur.

— A l'instant, répondit Nathan [409].

— Allons ! allons ! vous êtes deux braves.

— Vous en êtes un autre ! dit le provocateur [410].

— Ils ne peuvent seulement pas se mettre debout.

— Ah ! je ne me tiens pas droit, peut-être ! répliqua le belliqueux Nathan [411] en se dressant comme un cerf-volant indécis.

Il jeta sur la table un regard hébété ; puis, comme exténué par cet effort, il retomba sur sa chaise, pencha la tête et resta muet.

— Ne serait-il pas plaisant, dit le jugeur à son voisin, de me battre pour un ouvrage que je n'ai jamais vu ni lu ?

— Émile [412], prends garde à ton habit, ton voisin pâlit, dit Bixiou.

— Kant, monsieur ? Encore un ballon lancé pour amuser les niais ! Le matérialisme et le spiritualisme sont deux jolies raquettes avec lesquelles des char-

latans en robe font aller le même volant. Que Dieu
soit en tout, selon Spinosa, ou que tout vienne de
Dieu, selon saint Paul..., imbéciles ! ouvrir ou fermer
une porte, n'est-ce pas le même mouvement ? L'œuf
vient-il de la poule ou la poule de l'œuf ?... Passez-
moi du canard !... Voilà toute la science.

— Nigaud, lui cria le savant, la question que tu
poses est tranchée par un fait.

— Et lequel ?

— Les chaires de professeurs n'ont pas été faites
pour la philosophie, mais bien la philosophie pour les
chaires ? Mets des lunettes et lis le budget.

— Voleurs !

— Imbéciles !

— Fripons !

— Dupes !

— Où trouverez-vous ailleurs qu'à Paris un échange
aussi vif, aussi rapide entre les pensées, s'écria Bixiou
en prenant [413] une voix de basse-taille.

— Allons, Bixiou, fais-nous quelque farce [414] classique ! Voyons, une charge !

— Voulez-vous que je vous fasse le xixe siècle ?

— Écoutez !

— Silence !

— Mettez des sourdines à vos mufles !

— Te tairas-tu, chinois !

— Donnez-lui du vin, et qu'il se taise, cet enfant !

— A toi, Bixiou [415] !

L'artiste boutonna son habit noir jusqu'au col,
mit ses gants jaunes, et se grima de manière à singer
la *Revue des Deux Mondes*, en louchant ; mais [416] le
bruit couvrit sa voix, et il fut impossible de saisir
un seul mot de sa moquerie. S'il ne représenta [417]
pas le siècle, au moins représenta-t-il la *Revue* [418], car
il ne s'entendit pas lui-même.

Le dessert se trouva servi comme par enchantement.
La table fut couverte d'un vaste surtout en bronze

doré, sorti des ateliers de Thomire. De hautes figures, douées par un célèbre artiste des formes convenues en Europe pour la beauté idéale [419], soutenaient et portaient des buissons de fraises, des ananas, des dattes fraîches, des raisins jaunes, de blondes pêches, des oranges arrivées de Sétubal par un paquebot, des grenades, des fruits de la Chine, enfin toutes les surprises du luxe, des miracles du petit four, les délicatesses les plus friandes, les friandises les plus séductrices. Les couleurs de ces tableaux gastronomiques étaient rehaussées par l'éclat de la porcelaine, par des lignes étincelantes d'or, par les découpures des vases. Gracieuse comme les liquides franges de l'Océan, verte et légère, la mousse couronnait les paysages du Poussin, copiés à Sèvres. Le territoire d'un prince [420] allemand n'aurait pas payé cette richesse insolente.

L'argent, la nacre, l'or, les cristaux furent de nouveau prodigués sous de nouvelles formes ; mais les yeux engourdis et la verbeuse fièvre de l'ivresse permirent à peine aux convives d'avoir une intuition vague de cette féerie digne d'un conte oriental. Les vins de dessert apportèrent leurs parfums et leurs flammes, filtres pénétrants [421], vapeurs enchanteresses, qui engendrent une espèce de mirage intellectuel et dont les liens puissants enchaînent les pieds, alourdissent les mains. Les pyramides de fruits furent pillées, les voix grossirent, le tumulte grandit. Il n'y eut plus alors de paroles distinctes, les verres volèrent en éclats, et des rires atroces partirent comme des fusées. Cursy saisit [422] un cor et se mit à sonner une fanfare. Ce fut comme un signal donné par le diable. Cette assemblée en délire hurla, siffla, chanta, cria, rugit, gronda. Vous eussiez souri de voir des gens, naturellement gais, devenus sombres comme les dénoûments de Crébillon [423], ou rêveurs comme des marins en voiture. Les hommes fins disaient leurs secrets à des curieux qui n'écoutaient pas. Les mélancoliques souriaient comme des danseuses qui achèvent leurs pirouettes. Claude Vignon [424] se dandinait à la manière des ours en cage. Des amis intimes se battaient. Les ressemblances animales inscrites sur les figures humaines, et si curieusement démontrées par les physiologistes, reparaissaient vaguement dans les gestes, dans les habitudes du corps. Il y avait un livre tout fait pour quelque Bichat [425] qui se serait trouvé là froid et à jeun. Le maître du logis, se sentant ivre, n'osait se lever, mais il approuvait les extravagances de ses convives par une grimace fixe, en tâchant de conserver un air décent et hospitalier. Sa large figure, devenue rouge et bleue, presque violacée, terrible à voir, s'associait au mouvement général par des efforts semblables au roulis et au tangage d'un brick.

— Les avez-vous assassinés ? lui demanda Émile.

— La peine de mort va, dit-on, être abolie en faveur de la révolution de juillet, répondit Taillefer, qui haussa [426] les sourcils d'un air tout à la fois plein de finesse et de bêtise.

— Mais ne les voyez-vous pas quelquefois en songe ? insista Raphaël [427].

— Il y a prescription ! dit le meurtrier plein d'or.

— Et sur sa tombe, s'écria Émile d'un ton sardonique, l'entrepreneur du cimetière gravera : *Passants, accordez une larme à sa mémoire !*... Oh ! reprit-il, je donnerais bien cent sous au mathématicien qui me démontrerait par une équation algébrique l'existence de l'enfer.

Il jeta une pièce en l'air [428] en criant :

— Face pour Dieu !

— Ne regardez pas ! dit Raphaël [429] en saisissant la pièce ; que sait-on ? le hasard est si plaisant.

— Hélas ! reprit Émile d'un air tristement bouffon, je ne vois pas où poser les pieds entre la géométrie de l'incrédule et le *Pater noster* du pape. Bah ! buvons ! *Trinc* est, je crois, l'oracle de la dive bouteille et sert de conclusion au Pantagruel [430].

— Nous devons au *Pater noster*, répondit Raphaël, nos arts, nos monuments, nos sciences peut-être, et, bienfait plus grand encore ! nos gouvernements modernes, dans lesquels une société vaste et féconde est merveilleusement représentée par cinq cents intelligences, où les forces opposées les unes aux autres se neutralisent en laissant tout pouvoir à la CIVILISATION, reine gigantesque qui remplace le ROI, cette ancienne et terrible figure, espèce de faux destin créé par l'homme entre le ciel et lui. En présence de tant d'œuvres accomplies, l'athéisme apparaît comme un squelette qui n'engendre pas. Qu'en dis-tu ?

— Je songe aux flots de sang répandus par le catholicisme, dit froidement Émile. Il a pris nos veines et nos cœurs pour faire une contrefaçon du déluge. Mais n'importe ! Tout homme qui pense doit marcher sous la bannière du Christ. Lui seul a consacré le triomphe de l'esprit sur la matière, lui seul nous a poétiquement révélé [431] le monde intermédiaire qui nous sépare de Dieu.

— Tu crois ? reprit Raphaël en lui jetant un indéfinissable sourire d'ivresse. Eh bien, pour ne pas [432] nous compromettre, portons le fameux toast : *Diis ignotis* [433] !

Et ils vidèrent leurs calices de science, de gaz carbonique, de parfums, de poésie et d'incrédulité [434].

— Si ces messieurs veulent passer dans le salon, le café les y attend, dit le maître d'hôtel.

En ce moment [435], presque tous les convives se roulaient au sein de ces limbes délicieux où les lumières de l'esprit s'éteignent, où le corps, délivré de son tyran, s'abandonne aux joies délirantes de la liberté. Les uns, arrivés à l'apogée de l'ivresse, restaient mornes et péniblement occupés à saisir une pensée qui leur attestât leur propre existence ; les autres, plongés dans le marasme produit par une digestion alourdissante, niaient le mouvement. D'intrépides orateurs disaient encore

de vagues paroles dont le sens leur échappait à eux-
mêmes. Quelques [436] refrains retentissaient comme
le bruit d'une mécanique obligée d'accomplir sa vie factice et sans âme. Le silence et le tumulte s'étaient bizarrement accouplés.

Néanmoins, en entendant la voix sonore du valet
qui, à défaut d'un maître, leur annonçait des joies
nouvelles, les convives se levèrent, entraînés, soutenus
ou portés les uns par les autres. La troupe entière resta
pendant un moment immobile et charmée sur le seuil
de la porte. Les jouissances excessives du festin pâlirent
devant le chatouillant spectacle que l'amphitryon
offrait au plus voluptueux de leurs sens. Sous les
étincelantes bougies d'un lustre d'or, autour d'une
table chargée de vermeil, un groupe de femmes se
présenta soudain aux convives hébétés dont les yeux s'al-
lumèrent comme autant de diamants. Riches étaient les
parures, mais plus riches encore étaient ces beautés
éblouissantes devant lesquelles disparaissaient toutes
les merveilles de ce palais. Les yeux passionnés de ces
filles [437], prestigieuses comme des fées, avaient encore
plus de vivacité que les torrents de lumière qui faisaient resplendir les reflets satinés des tentures, la
blancheur des marbres et les saillies délicates des
bronzes. Le cœur brûlait [438] à voir les contrastes de
leurs coiffures agitées [439] et de leurs attitudes, toutes
diverses d'attraits et de caractères. C'était une haie
de fleurs mêlées de rubis, de saphirs et de corail ; une
ceinture de colliers noirs sur des cous de neige, des
écharpes légères flottant comme les flammes des phares,
des turbans orgueilleux, des tuniques modestement
provocantes.

Ce sérail offrait [440] des séductions pour tous les
yeux, des voluptés pour tous les caprices. Posée à
ravir, une danseuse semblait être sans voile sous les
plis onduleux du cachemire. Là une gaze diaphane,
ici la soie chatoyante, cachaient ou révélaient des

perfections mystérieuses. De petits pieds étroits parlaient d'amour, des bouches fraîches et rouges se taisaient. De frêles et décentes jeunes filles, vierges factices, dont [441] les jolies chevelures respiraient une religieuse innocence, se présentaient au regard comme des apparitions qu'un souffle pouvait dissiper [442]. Puis des beautés aristocratiques au regard fier, mais indolentes, mais fluettes, maigres, gracieuses, penchaient la tête comme si elles avaient encore de royales protections à faire acheter. Une Anglaise, blanche et chaste figure aérienne descendue des nuages d'Ossian, ressemblait à un ange de mélancolie, à un remords fuyant le crime. La Parisienne, dont toute la beauté gît dans une grâce indescriptible, vaine de sa toilette et de son esprit, armée de sa toute-puissante faiblesse, souple et dure [443], sirène sans cœur et sans passion, mais qui sait artificieusement créer les trésors de la passion et contrefaire les accents du cœur, ne manquait pas à cette périlleuse assemblée [444], où brillaient encore des Italiennes tranquilles en apparence et consciencieuses dans leur félicité, de riches Normandes aux formes magnifiques, des femmes méridionales aux cheveux noirs, aux yeux bien fendus. Vous eussiez dit des beautés de Versailles convoquées par Lebel [445], ayant dès le matin dressé tous leurs pièges, arrivant comme une troupe d'esclaves orientales réveillées par la voix du marchand pour partir à l'aurore.

Elles restaient interdites, honteuses, et s'empressaient autour de la table comme des abeilles qui bourdonnent dans l'intérieur d'une ruche [446]. Cet embarras craintif, reproche et coquetterie tout ensemble, était ou quelque séduction calculée ou de la pudeur involontaire. Peut-être un sentiment [447] que la femme ne dépouille jamais complètement leur ordonnait-il de s'envelopper dans le manteau de la vertu pour donner plus de charme et de piquant aux prodigalités du vice. Aussi la conspiration ourdie par le vieux Taillefer

sembla-t-elle devoir échouer [448]. Ces hommes sans
frein furent subjugués tout d'abord par la puissance
majestueuse dont est investie la femme. Un murmure
d'admiration résonna comme la plus douce musique.
L'amour n'avait pas voyagé de compagnie avec l'ivresse ;
au lieu d'un ouragan de passions, les convives, surpris
dans un moment de faiblesse, s'abandonnèrent aux
délices d'une voluptueuse extase [449]. A la voix de la
poésie [450] qui les domine toujours, les artistes étudièrent
avec bonheur les nuances délicates qui distinguaient
ces beautés choisies.

Réveillé par une pensée due peut-être à quelque
émanation d'acide carbonique dégagé du vin de Champagne, un philosophe frissonna en songeant aux malheurs qui amenaient là ces femmes, dignes peut-être
jadis [451] des plus purs hommages. Chacune d'elles avait
sans doute un drame sanglant à raconter. Presque
toutes apportaient d'infernales tortures, et traînaient
après elles des hommes sans foi, des promesses trahies,
des joies rançonnées par la misère [452].

Les convives s'approchèrent d'elles avec politesse,
et des conversations aussi diverses que les caractères
s'établirent. Des groupes se formèrent. Vous eussiez
dit un salon de bonne compagnie où [453] les jeunes filles
et les femmes vont offrant aux convives, après le
dîner, les secours que le café, les liqueurs et le sucre
prêtent aux gourmands embarrassés dans les travaux
d'une digestion récalcitrante. Mais bientôt quelques
rires éclatèrent, le murmure augmenta, les voix s'éle-
vèrent. L'orgie, domptée pendant un moment, menaça
par intervalles de se réveiller. Ces alternatives de silence
et de bruit eurent une vague ressemblance avec une
symphonie de Beethoven.

Assis sur un moelleux divan, les deux amis virent
d'abord arriver près d'eux une grande fille bien proportionnée [454], superbe en son maintien, de physionomie assez irrégulière, mais perçante, mais impétueuse,

et qui saisissait l'âme par de vigoureux contrastes. Sa chevelure noire, lascivement bouclée [455], semblait avoir déjà subi les combats de l'amour, et retombait en flocons légers sur ses larges épaules [456], qui offraient des perspectives attrayantes à voir. De longs rouleaux bruns enveloppaient à demi un cou majestueux sur lequel la lumière glissait par intervalles en révélant la finesse des plus jolis contours. La peau, d'un blanc mat, faisait ressortir les tons chauds et animés de ses vives couleurs. L'œil, armé de longs cils, lançait des flammes hardies, étincelles d'amour ! La bouche, rouge, humide, entr'ouverte, appelait le baiser. Cette fille avait une taille forte, mais amoureusement élastique ; son sein [457], ses bras étaient largement développés, comme ceux des belles figures du Carrache ; néanmoins, elle paraissait leste, souple, et sa vigueur supposait l'agilité d'une panthère, comme la mâle élégance de ses formes en promettait les voluptés dévorantes.

Quoique cette fille dût savoir rire et folâtrer, ses yeux et son sourire effrayaient [458] la pensée. Semblable à ces prophétesses agitées par un démon, elle étonnait plutôt qu'elle ne plaisait. Toutes les expressions passaient par masses et comme des éclairs sur sa figure mobile. Peut-être eût-elle ravi des gens blasés, mais un jeune homme l'eût redoutée. C'était une statue colossale tombée du haut de quelque temple grec, sublime à distance, mais grossière à voir de près. Néanmoins, sa foudroyante beauté [459] devait réveiller les impuissants, sa voix charmer les sourds, ses regards ranimer de vieux ossements ; aussi Émile la comparait-il vaguement à une tragédie de Shakespeare, espèce d'arabesque admirable où la joie [460] hurle, où l'amour a je ne sais quoi de sauvage, où la magie de la grâce et le feu du bonheur [461] succèdent aux sanglants tumultes de la colère ; monstre qui sait mordre et caresser, rire comme un démon, pleurer comme les anges, impro-

viser dans une seule étreinte toutes les séductions de
la femme, excepté les soupirs de la mélancolie et les
enchanteresses modesties d'une vierge ; puis en un
moment rugir, se déchirer les flancs, briser sa passion,
son amant ; enfin, se détruire elle-même comme fait
un peuple insurgé.

Vêtue d'une robe en velours rouge, elle foulait d'un
pied insouciant quelques fleurs déjà tombées de la tête
de ses compagnes, et d'une main dédaigneuse tendait
aux deux amis un plateau d'argent. Fière de sa beauté,
fière de ses vices peut-être, elle montrait un bras blanc
qui [462] se détachait vivement sur le velours. Elle était
là comme la reine du plaisir, comme une image de la
joie humaine, de cette joie qui dissipe les trésors amassés par trois générations, qui rit sur des cadavres, se
moque des aïeux, dissout des perles et des trônes [463],
transforme les jeunes gens en vieillards, et souvent les
vieillards en jeunes gens ; de cette joie permise seulement aux géants fatigués du pouvoir, éprouvés par la
pensée, ou pour lesquels la guerre est devenue comme
un jouet.

— Comment te nommes-tu ? lui dit Raphaël.

— Aquilina [464].

— Oh ! oh ! tu viens de *Venise sauvée* [465] ! s'écria
Émile.

— Oui, répondit-elle. De même que les papes se
donnent de nouveaux noms en montant au-dessus des
hommes, j'en ai pris un autre en m'élevant au-dessus
de toutes les femmes.

— As-tu donc, comme ta patronne, un noble et
terrible conspirateur qui t'aime et sache mourir pour
toi ? dit vivement Émile, réveillé par cette apparence
de poésie.

— Je l'ai eu, répondit-elle. Mais la guillotine a été
ma rivale. Aussi metté-je toujours quelques chiffons
rouges dans ma parure pour que ma joie n'aille jamais
trop loin.

— Oh ! si vous lui laissez raconter l'histoire des quatre jeunes gens de la Rochelle [466], elle n'en finira pas. — Tais-toi donc, Aquilina ! Les femmes n'ont-elles pas toutes un amant à pleurer ; mais toutes n'ont pas, comme toi, le bonheur de l'avoir perdu sur un échafaud. Ah ! j'aimerais bien mieux savoir le mien couché dans une fosse, à Clamart, que dans le lit d'une rivale [467] !

Ces phrases furent [468] prononcées d'une voix douce et mélodieuse par la plus innocente, la plus jolie et la plus gentille petite créature qui, sous la baguette d'une fée, fût [469] jamais sortie d'un œuf enchanté. Elle était arrivée [470] à pas muets, et montrait une figure délicate, une taille grêle, des yeux bleus ravissants de modestie, des tempes fraîches et pures. Une naïade ingénue, qui s'échappe de sa source, n'est pas plus timide, plus blanche ni plus naïve que cette jeune fille, qui paraissait [471] avoir seize ans, ignorer le mal, ignorer l'amour, ne pas connaître les orages de la vie, et venir d'une église où elle aurait prié les anges d'obtenir avant le temps son rappel dans les cieux. A Paris seulement se rencontrent ces créatures au visage candide qui cachent la dépravation la plus profonde, les vices les plus raffinés, sous un front aussi doux, aussi tendre que la fleur d'une marguerite.

Trompés d'abord par les célestes promesses écrites dans les suaves attraits de cette jeune fille, Émile et Raphaël acceptèrent le café qu'elle leur versa dans les tasses présentées par Aquilina, et se mirent à la questionner. Elle acheva de transfigurer aux yeux des deux poètes, par une sinistre allégorie, je ne sais quelle face de la vie humaine, en opposant à l'expression rude et passionnée de son imposante compagne le portrait de cette corruption froide, voluptueusement cruelle, assez étourdie pour commettre un crime, assez forte pour en rire ; espèce de démon [472] sans cœur, qui punit les âmes riches et tendres de ressentir les émotions

dont il est privé, qui trouve toujours une grimace
d'amour à vendre, des larmes pour le convoi de sa
victime, et de la joie le soir pour en lire le testament.
Un poète eût admiré la belle Aquilina ; le monde
entier devait fuir la touchante Euphrasie [473] : l'une
était l'âme du vice, l'autre le vice sans âme.

— Je voudrais bien savoir, dit Émile à cette jolie
créature, si parfois tu songes à l'avenir.

— L'avenir ? répondit-elle en riant. Qu'appelez-
vous l'avenir ? Pourquoi penserais-je à ce qui n'existe
pas encore ? Je ne regarde jamais ni en arrière ni en
avant de moi. N'est-ce pas déjà trop que de m'occuper
d'une journée à la fois ? D'ailleurs, l'avenir, nous le
connaissons, c'est l'hôpital.

— Comment peux-tu voir d'ici l'hôpital et ne pas
éviter d'y aller ? s'écria Raphaël.

— Qu'a donc l'hôpital de si effrayant ? demanda la
terrible Aquilina. Quand nous ne sommes ni mères
ni épouses, quand la vieillesse nous met des bas noirs
aux jambes et des rides au front, flétrit tout ce qu'il y
a de femme en nous et sèche la joie dans les regards
de nos amis, de quoi pourrions-nous avoir besoin ?
Vous ne voyez plus alors [474] en nous, de notre parure,
que sa fange primitive qui marche sur deux pattes,
froide, sèche, décomposée, et va produisant un bruissement de feuilles mortes. Les plus jolis chiffons nous
deviennent des haillons, l'ambre qui réjouissait le
boudoir prend une odeur de mort et sent le squelette ;
puis, s'il se trouve un cœur dans cette boue, vous y
insultez tous, vous ne nous permettez même pas un
souvenir. Ainsi, que nous soyons, à cette époque de
la vie, dans un riche hôtel [475] à soigner des chiens, ou
dans un hôpital à trier des guenilles, notre existence
n'est-elle pas exactement la même ? Cacher nos cheveux blancs sous un mouchoir à carreaux rouges et
bleus ou sous des dentelles, balayer les rues avec du
bouleau ou les marches des Tuileries avec du satin,

être assises à des foyers dorés ou nous chauffer à des
cendres dans un pot de terre rouge, assister au spectacle de la Grève ou aller à l'Opéra, y a-t-il donc là
tant de différence [476] ?

— *Aquilina mia*, jamais tu n'as eu tant de raison
au milieu de tes désespoirs, reprit Euphrasie. Oui, les
cachemires, les vélins, les parfums, l'or, la soie, le luxe,
tout ce qui brille, tout ce qui plaît ne va bien qu'à
la jeunesse. Le temps seul pourrait avoir raison contre
nos folies, mais le bonheur nous absout. — Vous riez
de ce que je dis, s'écria-t-elle en lançant un sourire
venimeux aux deux amis ; n'ai-je pas raison ? J'aime
mieux mourir [477] de plaisir que de maladie. Je n'ai
ni la manie de la perpétuité ni grand respect pour
l'espèce humaine, à voir ce que Dieu en fait ! Donnez-
moi des millions, je les mangerai ; je ne voudrais pas
garder un centime pour l'année prochaine. Vivre pour
plaire et régner, tel est l'arrêt que prononce chaque
battement de mon cœur. La société m'approuve ;
ne fournit-elle pas sans cesse à mes dissipations ? Pourquoi le bon Dieu me fait-il tous les matins la rente de
ce que je dépense tous les soirs ? pourquoi nous bâtissez-
vous des hôpitaux ? Comme il [478] ne nous a pas mis entre
le bien et le mal pour choisir ce qui nous blesse ou
nous ennuie, je serais bien sotte de ne pas m'amuser.

— Et les autres ? dit Émile.

— Les autres ? Eh bien, qu'ils s'arrangent ! J'aime
mieux rire de leurs souffrances que d'avoir à pleurer
sur les miennes. Je défie un homme de me causer la
moindre peine.

— Qu'as-tu donc souffert pour penser ainsi [479] ?
demanda Raphaël.

— J'ai été quittée pour un héritage, moi ! dit-elle
en prenant une pose qui fit ressortir toutes ses séductions. Et cependant, j'avais passé les nuits et les jours
à travailler pour nourrir mon amant ! Je ne veux plus
être la dupe d'aucun sourire, d'aucune promesse, et

je prétends faire de mon existence une longue partie de plaisir.

— Mais, s'écria Raphaël, le bonheur ne vient-il donc pas de l'âme ?

— Eh bien, reprit Aquilina, n'est-ce rien que de se voir admirée, flattée, de triompher de toutes les femmes, même des plus vertueuses [480], en les écrasant par notre beauté, par notre richesse ? D'ailleurs, nous vivons plus en un jour qu'une bonne bourgeoise en dix ans, et alors tout est jugé.

— Une femme sans vertu n'est-elle pas odieuse ? dit Émile à Raphaël.

Euphrasie leur lança un regard de vipère, et répondit avec un inimitable accent d'ironie :

— La vertu ! nous la laissons aux laides et aux bossues. Que seraient-elles sans cela, les pauvres femmes ?

— Allons, tais-toi ! s'écria Émile, ne parle point de ce que tu ne connais pas.

— Ah ! je ne la connais pas ! répliqua Euphrasie. Se donner pendant toute la vie à un être détesté, savoir élever des enfants qui vous abandonnent, et leur dire : « Merci ! » quand ils vous frappent au cœur ; voilà les vertus que vous ordonnez à la femme ; et encore, pour la récompenser de son abnégation, venez-vous lui imposer des souffrances en cherchant à la séduire ; si elle résiste, vous la compromettez. Jolie vie ! Autant rester libres, aimer ceux qui nous plaisent et mourir jeunes.

— Ne crains-tu pas de payer tout cela un jour ?

— Eh bien, répondit-elle, au lieu d'entremêler mes plaisirs de chagrins, ma vie sera coupée en deux parts : une jeunesse certainement joyeuse, et je ne sais quelle vieillesse incertaine pendant laquelle je [481] souffrirai à mon aise.

— Elle n'a pas aimé, dit Aquilina d'un son de voix profond. Elle n'a jamais fait cent lieues pour aller dévorer avec mille délices un regard et un refus ; elle n'a point attaché sa vie à un cheveu, ni essayé de poignarder plusieurs hommes [482] pour sauver son souverain, son seigneur, son dieu... Pour elle, l'amour était un joli colonel.

— Eh ! eh ! *la Rochelle*, répondit Euphrasie, l'amour est comme le vent, nous ne savons d'où il vient. D'ailleurs, si tu avais été bien aimée par une bête, tu prendrais les gens d'esprit en horreur.

— Le Code nous défend d'aimer les bêtes, répliqua la grande Aquilina d'un accent ironique.

— Je te croyais plus indulgente pour les militaires ! s'écria Euphrasie en riant.

— Sont-elles heureuses de pouvoir abdiquer ainsi leur raison ! s'écria Raphaël.

— Heureuses ? dit Aquilina souriant de pitié, de terreur, en jetant aux deux amis un horrible regard. Ah ! vous ignorez [483] ce que c'est que d'être condamnée au plaisir avec un mort dans le cœur...

Contempler en ce moment les salons, c'était avoir une vue anticipée du Pandémonium de Milton. Les flammes bleues du punch coloraient d'une teinte infernale les visages de ceux qui pouvaient boire encore. Des danses folles, animées par une sauvage énergie, excitaient des rires et des cris qui éclataient comme les détonations d'un feu d'artifice. Jonchés de morts et de mourants, le boudoir et un petit salon offraient l'image d'un champ de bataille. L'atmosphère était chaude de vin, de plaisirs et de paroles. L'ivresse, l'amour, le délire, l'oubli du monde, étaient dans les cœurs, sur les visages, écrits sur les tapis, exprimés par le désordre, et jetaient sur tous les regards de légers voiles qui faisaient voir dans l'air des vapeurs enivrantes. Il s'était ému, comme [484] dans les bandes lumineuses tracées par un rayon de soleil, une poussière brillante à travers laquelle se jouaient les formes les plus capricieuses, les luttes les plus grotesques. Çà et là, des groupes de figures enlacées se confondaient avec les marbres blancs, nobles chefs-d'œuvre de la sculpture qui ornaient les appartements [485].

Quoique les deux amis conservassent encore une sorte de lucidité trompeuse dans les idées et dans leurs organes, un dernier frémissement, simulacre imparfait de la vie, il leur était impossible de reconnaître ce qu'il y avait de réel dans les fantaisies bizarres, de possible dans les tableaux surnaturels [486] qui passaient incessamment devant leurs yeux lassés. Le ciel étouffant de nos rêves, l'ardente suavité que contractent les figures dans nos visions, surtout je ne sais quelle agilité chargée de chaînes, enfin les phénomènes les plus inaccoutumés du sommeil [487] les assaillaient si vivement, qu'ils prirent les jeux de cette débauche pour les caprices d'un cauchemar où le mouvement est sans bruit, où les cris sont perdus pour l'oreille. En ce moment, le valet de chambre de confiance réussit, non sans peine, à attirer son maître [488] dans l'antichambre, et lui dit à l'oreille :

— Monsieur, tous les voisins sont aux fenêtres et se plaignent du tapage.

— S'ils ont peur du bruit, ne peuvent-ils pas faire mettre de la paille devant leurs portes ? s'écria Taillefer [489].

Raphaël laissa tout à coup échapper un éclat de rire si brusquement intempestif, que son ami lui demanda compte de cette joie brutale [490].

— Tu me comprendrais difficilement, répondit-il. D'abord, il faudrait t'avouer que vous m'avez arrêté sur le quai Voltaire au moment où j'allais me jeter dans la Seine, et tu voudrais sans doute connaître les motifs de ma mort. Mais, quand j'ajouterais que, par un hasard presque fabuleux, les ruines les plus poétiques du monde matériel venaient alors de se résumer à mes yeux par une traduction symbolique de la sagesse humaine ; tandis qu'en ce moment les débris de tous

les trésors intellectuels que nous avons saccagés à
table aboutissent [491] à ces deux femmes, images vives
et originales de la folie, et que notre profonde insouciance des hommes et des choses a servi de transition
aux tableaux fortement colorés de deux systèmes
d'existence si diamétralement opposés, en seras-tu
plus instruit ? Si tu n'étais pas ivre, tu y verrais peut-
être un traité de philosophie.

— Si tu n'avais pas les deux pieds sur cette ravissante Aquilina, dont les ronflements ont je ne sais
quelle analogie avec le rugissement d'un orage près
d'éclater, répondit [492] Émile, qui lui-même s'amusait
à rouler et à dérouler les cheveux d'Euphrasie sans
trop avoir la conscience de cette innocente occupation,
tu rougirais de ton ivresse et de ton bavardage. Tes
deux systèmes peuvent entrer dans une seule phrase
et se réduisent à une pensée. La vie simple et mécanique conduit à quelque sagesse insensée en étouffant
notre intelligence par le travail ; tandis que la vie
passée dans le vide des abstractions ou dans les abîmes
du monde moral mène à quelque folle sagesse. En un
mot, tuer les sentiments pour vivre vieux, ou mourir
jeune en acceptant le martyre des passions, voilà notre
arrêt. Encore, cette sentence lutte-t-elle avec les tem-
péraments que nous a donnés le rude goguenard
à qui nous devons le patron de toutes les créatures.

— Imbécile ! s'écria Raphaël en l'interrompant.
Continue à t'abréger [493] toi-même ainsi, tu feras des
volumes ! Si j'avais eu la prétention de formuler proprement ces deux idées, je t'aurais dit que l'homme se
corrompt par l'exercice de la raison et se purifie par
l'ignorance. C'est faire le procès aux sociétés ! Mais
que nous vivions avec les sages ou que nous périssions
avec les fous, le résultat n'est-il pas, tôt ou tard, le
même ? Aussi le grand abstracteur de quintessence
a-t-il jadis exprimé ces deux systèmes en deux mots :
CARYMARY, CARYMARA [494].

— Tu me fais douter de la puissance de Dieu, car tu es plus bête qu'il n'est puissant, répliqua Émile. Notre cher Rabelais a résolu cette philosophie par un mot plus bref que *Carymary, Carymara ;* c'est *Peut-être,* d'où Montaigne a pris son *Que sais-je* [495] ? Encore, ces derniers mots de la science morale ne sont-ils guère que l'exclamation de Pyrrhon restant entre le bien et le mal, comme l'âne de Buridan entre deux mesures d'avoine. Mais laissons là cette éternelle discussion qui aboutit aujourd'hui à *oui* et *non.* Quelle expérience voulais-tu donc faire en te jetant dans la Seine ? étais-tu jaloux de la machine hydraulique du pont Notre-Dame [496] ?

— Ah ! si tu connaissais ma vie.

— Ah ! s'écria Émile, je ne te croyais pas si vulgaire, la phrase est usée. Ne sais-tu pas que nous avons tous la prétention de souffrir beaucoup plus que les autres ?

— Ah ! soupira [497] Raphaël !...

— Mais tu es bouffon avec ton *Ah !* Voyons [498] : une maladie d'âme ou de corps t'oblige-t-elle de ramener tous les matins, par une contraction de tes muscles, les chevaux qui le soir doivent t'écarteler, comme jadis le fit Damiens [499] ? As-tu mangé ton chien tout cru, sans sel, dans ta mansarde ? Tes enfants t'ont-ils jamais dit : « J'ai faim [500] ? » As-tu vendu les chevaux de ta maîtresse pour aller au jeu ? Es-tu jamais allé payer [501] à un faux domicile une fausse lettre de change, tirée sur un faux oncle [502], avec la crainte d'arriver trop tard ? Voyons, j'écoute ! si tu te jetais à l'eau pour une femme, pour un protêt, ou par ennui, je te renie. Confesse-toi, ne mens pas ; je ne te demande point de mémoires historiques. Surtout, sois aussi bref que ton ivresse te le permettra ; je suis exigeant comme un lecteur, et près de dormir comme une femme qui lit ses vêpres [503].

— Pauvre sot ! dit Raphaël. Depuis quand les douleurs ne sont-elles plus en raison de la sensibilité ? Lorsque nous arriverons au degré de science qui nous permettra de faire une histoire naturelle des cœurs, de les nommer, de les classer en genres, en sous-genres, en familles, en crustacés, en fossiles, en sauriens, en microscopiques, en..., que sais-je ? alors, mon bon ami, ce sera chose prouvée qu'il en existe de tendres, de délicats comme des fleurs, et qui doivent se briser comme elles par de légers froissements auxquels certains cœurs minéraux ne sont même pas sensibles...

— Oh ! de grâce, épargne-moi ta préface, dit Émile d'un air moitié riant, moitié piteux, en prenant la main de Raphaël.

II

LA FEMME SANS CŒUR

Après être resté silencieux pendant un moment,
Raphaël dit en laissant échapper un geste d'insouciance :

— Je ne sais, en vérité, s'il ne faut pas attribuer
aux fumées du vin et du punch l'espèce de lucidité
qui me permet d'embrasser en cet instant toute ma vie
comme un même tableau où les figures, les couleurs,
les ombres, les lumières, les demi-teintes [504] sont
fidèlement rendues. Ce jeu poétique de mon imagination ne m'étonnerait pas, s'il n'était accompagné
d'une sorte de dédain pour mes souffrances et pour mes
joies passées. Vue à distance, ma vie est comme rétrécie
par un phénomène moral. Cette longue [505] et lente
douleur qui a duré dix ans peut aujourd'hui se reproduire par quelques phrases dans lesquelles la douleur
ne sera plus qu'une pensée, et le plaisir une réflexion
philosophique. Je juge au lieu de sentir [506]...

— Tu es ennuyeux comme un amendement qui se
développe [507], s'écria Émile.

— C'est possible, reprit Raphaël sans murmurer.
Aussi pour ne pas abuser de tes oreilles, te ferai-je
grâce des dix-sept premières années de ma vie. Jusque-là,
j'ai vécu comme toi, comme mille autres, de cette
vie de collège ou de lycée dont les malheurs fictifs
et les joies réelles sont les délices de notre souvenir, à

laquelle [508] notre gastronomie blasée redemande les
légumes du vendredi [509], tant que nous ne les avons
pas goûtés de nouveau : belle vie, dont les travaux
nous semblent méprisables et qui cependant [510] nous
ont appris le travail...

— Arrive au drame, dit Émile d'un air moitié comique
et moitié plaintif.

— Quand je sortis du collège, reprit Raphaël en
réclamant par un geste le droit de continuer, mon
père m'astreignit à une discipline sévère, il me logea
dans une chambre contiguë à son cabinet ; je me cou-
chais dès neuf heures du soir et me levais à cinq heures
du matin ; il voulait que je fisse mon droit en conscience ; j'allais en même temps à l'École et chez un
avoué ; mais les lois du temps et de l'espace étaient
si sévèrement appliquées à mes courses, à mes travaux, et mon père me demandait en dînant un compte
si rigoureux de...

— Qu'est-ce que cela me fait ? interrompit [511] Émile.

— Eh ! que le diable t'emporte ! répondit Raphaël.
Comment pourras-tu concevoir mes sentiments, si
je ne te raconte les faits imperceptibles qui influèrent
sur mon âme, la façonnèrent à la crainte et me laissèrent longtemps dans la naïveté primitive du jeune
homme ? Ainsi, jusqu'à vingt et un ans, j'ai été courbé
sous un despotisme aussi froid que celui d'une règle
monacale. Pour te révéler les tristesses de ma vie, il
suffira peut-être de te dépeindre mon père : un homme
grand [512], sec et mince, le visage en lame de couteau,
le teint pâle, à parole brève, taquin comme une vieille
fille, méticuleux comme un chef de bureau. Sa pater-
nité planait au-dessus de mes lutines et joyeuses pensées,
et les enfermait [513] comme sous un dôme de plomb ;
si je voulais lui manifester un sentiment doux et tendre,
il me recevait en enfant qui va dire [514] une sottise ;
je le redoutais bien plus que nous ne craignions naguère
nos maîtres d'étude, j'avais toujours huit ans pour lui.

Je crois encore le voir devant moi. Dans sa redingote
marron, où il se tenait droit comme un cierge pascal,
il avait [515] l'air d'un hareng saur enveloppé dans la
couverture rougeâtre d'un pamphlet. Cependant, j'aimais mon père : au fond, il était juste. Peut-être ne
haïssons-nous pas la sévérité, quand elle est justifiée
par un grand caractère, par des mœurs pures, et qu'elle
est adroitement entremêlée de bonté.

« Si mon père ne me quitta jamais, si, jusqu'à l'âge
de vingt ans, il ne laissa pas dix francs à ma disposition,
dix coquins, dix libertins de francs, trésor immense
dont la possession vainement enviée [516] me faisait rêver
d'ineffables délices, il cherchait du moins à me procurer
quelques distractions. Après m'avoir promis un plaisir
pendant [517] des mois entiers, il me conduisait aux
Bouffons, à un concert, à un bal où j'espérais rencontrer
une maîtresse. Une maîtresse ! c'était pour moi l'indépendance. Mais, honteux et timide, ne sachant point
l'idiome des salons et n'y connaissant personne, j'en
revenais le cœur toujours aussi neuf et tout aussi gonflé [518]
de désirs. Puis, le lendemain, bridé comme un cheval
d'escadron par mon père, dès le matin je retournais
chez mon avoué [519], au droit, au Palais. Vouloir m'écar-
ter de la route uniforme que mon père m'avait tracée,
c'eût été m'exposer à sa colère ; il m'avait menacé de
m'embarquer à ma première faute, en qualité [520] de
mousse, pour les Antilles. Aussi me prenait-il un horrible
frisson quand par hasard j'osais m'aventurer, pendant
une heure ou deux, dans quelque partie de plaisir.

« Figure-toi l'imagination la plus vagabonde, le cœur
le plus amoureux, l'âme la plus tendre, l'esprit le plus
poétique, sans cesse en présence de l'homme le plus
caillouteux, le plus atrabilaire, le plus froid du monde ;
enfin marie une jeune fille à un squelette, et tu com-
prendras l'existence dont les scènes curieuses ne
peuvent que t'être dites : projets [521] de fuite évanouis
à l'aspect de mon père, désespoirs calmés par le som-

meil, désirs comprimés, sombres mélancolies dissipées par la musique. J'exhalais mon malheur en mélodies. Beethoven [522] ou Mozart furent souvent mes discrets confidents. Aujourd'hui, je souris en me souvenant de tous les préjugés qui troublaient [523] ma conscience à cette époque d'innocence et de vertu : si j'avais mis le pied chez un restaurateur, je me serais cru ruiné ; mon imagination me faisait considérer un café comme un lieu de débauche, où les hommes se perdaient d'honneur et engageaient leur fortune ; quant à risquer de l'argent au jeu, il aurait fallu en avoir. Oh ! quand je devrais t'endormir, je veux te raconter l'une des plus terribles joies de ma vie, une de ces joies armées de griffes et qui s'enfoncent dans notre cœur comme un fer chaud sur l'épaule d'un forçat.

« J'étais au bal chez le duc de Navarreins [524], cousin de mon père. Mais, pour que tu puisses parfaitement comprendre ma position, apprends que j'avais [525] un habit râpé, des souliers mal faits, une cravate de cocher et des gants déjà portés. Je me mis dans un coin afin de pouvoir tout à mon aise prendre des glaces et contempler les jolies femmes. Mon père m'aperçut. Par une raison [526] que je n'ai jamais devinée, tant cet acte de confiance m'abasourdit, il me donna sa bourse et ses clefs à garder. A dix pas de moi, quelques hommes jouaient. J'entendais frétiller l'or. J'avais vingt ans, je souhaitais passer une journée entière plongé dans les crimes de mon âge. C'était un libertinage d'esprit dont l'analogue ne se trouverait ni [527] dans les caprices des courtisanes, ni dans les songes des jeunes filles. Depuis un an, je me rêvais bien mis, en voiture, ayant une belle femme à mes côtés, tranchant du seigneur, dînant chez Véry [528], allant le soir au spectacle, décidé à ne revenir que le lendemain chez mon père, mais armé contre lui d'une aventure plus intriguée que ne l'est *le Mariage de Figaro* et de laquelle il [529] lui aurait

été impossible de se dépêtrer. J'avais estimé toute
cette joie cinquante écus. N'étais-je pas encore sous
le charme naïf de l'école buissonnière ? J'allai donc
dans un boudoir où, seul, les yeux cuisants, les doigts
tremblants, je comptai l'argent de mon père : cent
écus ! Évoquées par cette somme, les joies de mon
escapade apparurent devant moi, dansant [530] comme
les sorcières de Macbeth autour de leur chaudière,
mais alléchantes, frémissantes, délicieuses ! Je devins
un coquin déterminé. Sans écouter ni les tintements
de mon oreille, ni les battements précipités de mon
cœur, je pris deux pièces de vingt francs que je vois
encore ! Leurs millésimes étaient effacés et la figure
de Bonaparte y grimaçait. Après avoir mis la bourse
dans ma poche, je revins vers une table de jeu en tenant
les deux pièces d'or dans la paume humide de ma
main, et je rôdai autour [531] des joueurs comme un
émouchet au-dessus d'un poulailler. En proie à des
angoisses inexprimables, je jetai soudain un regard
translucide autour de moi. Certain de n'être aperçu
par aucune personne [532] de connaissance, je pariai
pour un petit homme gras et réjoui, sur la tête duquel
j'accumulai plus de prières et de vœux qu'il ne s'en
fait en mer pendant trois tempêtes. Puis, avec un
instinct de scélératesse ou de machiavélisme surpre-
nant à mon âge, j'allai [533] me planter près d'une porte,
regardant à travers les salons sans y rien voir. Mon âme et
mes yeux voltigeaient autour [534] du fatal tapis vert.

« De cette soirée date la première observation physiologique à laquelle j'ai dû cette espèce de pénétration [535] qui m'a permis de saisir quelques mystères
de notre double nature. Je tournais le dos à la table
où se disputait mon futur bonheur, bonheur d'autant
plus profond peut-être, qu'il était criminel ; entre les
deux joueurs et moi, il se trouvait une haie d'hommes,
épaisse de quatre ou cinq rangées de causeurs ; le bourdonnement des voix empêchait de distinguer le son

de l'or qui se mêlait au bruit de l'orchestre ; malgré
tous ces obstacles, par un privilège accordé aux passions qui leur donne le pouvoir d'anéantir l'espace et
le temps, j'entendais [536] distinctement les paroles des
deux joueurs, je connaissais leurs points, je savais
celui des deux qui retournait le roi comme si j'eusse
vu les cartes ; enfin, à dix pas du jeu, je pâlissais de
ses caprices. Mon père [537] passa devant moi tout à coup,
je compris alors cette parole de l'Écriture : « L'esprit
de Dieu passa devant sa face ! » J'avais gagné. A travers
le tourbillon d'hommes qui gravitait autour des joueurs,
j'accourus à la table en m'y glissant avec la dextérité
d'une anguille qui s'échappe par la maille rompue
d'un filet. De douloureuses, mes fibres [538] devinrent
joyeuses. J'étais comme un condamné qui, marchant
au supplice, a rencontré le roi. Par hasard, un homme
décoré réclama quarante francs qui manquaient. Je
fus soupçonné par des yeux inquiets, je pâlis et des
gouttes de sueur sillonnèrent mon front. Le crime
d'avoir volé mon père me parut bien vengé. Le bon
gros petit homme dit alors d'une voix certainement
angélique : « Tous ces messieurs avaient mis », et il
paya les quarante francs. Je relevai mon front [539] et
jetai des regards triomphants sur les joueurs. Après
avoir réintégré dans la bourse de mon père l'or que j'y
avais pris, je laissai mon gain à ce digne et honnête
monsieur, qui continua de gagner [540]. Dès que je me vis
possesseur de cent soixante francs, je les enveloppai dans
mon mouchoir de manière qu'ils ne pussent ni remuer ni
sonner pendant notre retour au logis, et je ne jouai plus.

« — Que faisiez-vous au jeu ? me dit mon père
en entrant dans le fiacre.

« — Je regardais, répondis-je en tremblant.

« — Mais, reprit mon père, il n'y aurait eu rien
d'extraordinaire à ce que vous eussiez été forcé, par
amour-propre, à mettre quelque argent sur le tapis.
Aux yeux [541] des gens du monde, vous paraissez assez

âgé pour avoir le droit de commettre des sottises. Aussi vous excuserais-je, Raphaël, si vous vous étiez servi de ma bourse...

« Je ne répondis rien. Quand nous fûmes de retour, je rendis à mon père ses clefs et son argent [542]. En rentrant dans sa chambre, il vida la bourse sur sa cheminée, compta l'or, se tourna vers moi d'un air assez gracieux, et me dit en séparant chaque phrase par une pause plus ou moins longue et significative :

« — Mon fils, vous avez bientôt vingt ans. Je suis content de vous. Il vous faut une pension, ne fût-ce que pour [543] vous apprendre à économiser, à connaître les choses de la vie. Dès ce soir, je vous donnerai cent francs par mois. Vous disposerez de votre argent comme il vous plaira. Voici le premier trimestre de cette année, ajouta-t-il en caressant une pile d'or, comme pour vérifier la somme.

« J'avoue que je fus près de me jeter à ses pieds, de lui déclarer que j'étais un brigand, un infâme, et, pis que cela, un menteur ! La honte me retint. J'allais l'embrasser, il me repoussa faiblement.

« — Maintenant, tu es un homme, *mon enfant*, me dit-il. Ce que je fais est une chose simple et juste dont tu ne dois pas me remercier. Si j'ai droit à votre reconnaissance, Raphaël, reprit-il, d'un ton doux, mais plein de dignité, c'est pour avoir préservé [544] votre jeunesse des malheurs qui dévorent tous les jeunes gens, à Paris. Désormais, nous serons deux amis. Vous deviendrez, dans un an, docteur en droit. Vous avez, non sans quelques déplaisirs et certaines privations, acquis les connaissances solides et l'amour du travail, si nécessaires [545] aux hommes appelés à manier les affaires. Apprenez, Raphaël, à me connaître. Je ne veux faire de vous ni un avocat, ni un notaire, mais un homme d'État qui puisse devenir la gloire de notre pauvre maison... A demain ! ajouta-t-il en me renvoyant par un geste mystérieux.

« Dès ce jour, mon père m'initia franchement à ses projets. J'étais fils unique et j'avais perdu ma mère depuis dix ans. Autrefois, peu flatté d'avoir le droit de labourer la terre l'épée au côté, mon père, chef d'une maison historique à peu près oubliée en Auvergne, vint à Paris pour y lutter avec le diable [546]. Doué de cette finesse qui rend les hommes du midi de la France si supérieurs, quand elle se trouve accompagnée d'énergie, il était parvenu sans grand appui à prendre position au cœur même du pouvoir. La Révolution renversa bientôt sa fortune ; mais il avait su épouser l'héritière d'une grande maison, et s'était vu, sous l'Empire, au moment de restituer à notre famille son ancienne splendeur. La Restauration, qui rendit à ma mère des biens considérables, ruina mon père. Ayant jadis acheté plusieurs terres données par l'empereur à ses généraux et situées en pays étranger, il se battait depuis dix ans [547] avec des liquidateurs et des diplomates, avec les tribunaux prussiens et bavarois pour maintenir dans la possession contestée de ces malheureuses dotations. Mon père me jeta dans le labyrinthe inextricable de ce vaste procès d'où dépendait notre avenir. Nous pouvions être condamnés à restituer les revenus, ainsi [548] que le prix de certaines coupes de bois faites de 1814 à 1817 ; dans ce cas, le bien de ma mère eût à peine suffi pour sauver l'honneur de notre nom. Ainsi, le jour où mon père parut en quelque sorte m'avoir émancipé, je tombai sous le joug le plus odieux. Je dus combattre [549] comme sur un champ de bataille, travailler nuit et jour, aller voir des hommes d'État, tâcher de surprendre leur religion, tenter de les intéresser à notre affaire, les séduire, eux, leurs femmes, leurs valets, leurs chiens, et déguiser cet horrible métier sous des formes élégantes, sous d'agréables plaisanteries. Je compris tous les chagrins dont l'empreinte flétrissait la figure de mon père [550].

« Pendant une année environ, je menai donc en appa-

rence la vie d'un homme du monde, mais cette dissipation et mon empressement à me lier avec des parents
en faveur ou avec des gens qui pouvaient nous être
utiles cachaient d'immenses travaux. Mes divertisse-
ments étaient encore des plaidoiries et mes conversations des mémoires. Jusque-là, j'avais été vertueux
par l'impossibilité de me livrer à mes passions de jeune
homme [551] ; mais, craignant alors de causer [552] la ruine
de mon père ou la mienne par une négligence, je devins [553] mon propre despote, et n'osai me permettre
ni un plaisir, ni une dépense. Lorsque nous sommes
jeunes, quand, à force de froissements, les hommes
et les choses ne nous ont point encore enlevé cette
délicate fleur de sentiment, cette verdeur de pensée,
cette noble pureté de conscience qui ne nous laisse
jamais transiger avec le mal [554], nous sentons vivement nos devoirs ; notre honneur parle haut et se fait
écouter ; nous sommes francs et sans détour : ainsi
étais-je alors. Je voulus justifier [555] la confiance de
mon père ; naguère, je lui aurais dérobé délicieusement une chétive somme ; mais, portant avec lui le
fardeau de ses affaires, de son nom, de sa maison, je
lui eusse donné secrètement mes biens, mes espérances, comme je lui sacrifiais mes plaisirs, heureux
même de mon sacrifice ! Aussi, quand M. de Villèle
exhuma, tout exprès pour nous, un décret impérial
sur les déchéances, et nous eut ruinés, signai-je la
vente de mes propriétés, n'en gardant qu'une île sans
valeur, située au milieu de la Loire, et où se trouvait le tombeau de ma mère.

« Aujourd'hui, peut-être, les arguments, les détours,
les discussions philosophiques, philanthropiques et
politiques ne me manqueraient pas pour me dispenser
de faire ce que mon avoué nommait une *bêtise* ; mais, à
vingt et un ans, nous sommes, je le répète, tout générosité, tout chaleur, tout amour. Les larmes que je
vis dans les yeux de mon père furent alors pour moi

la plus belle des fortunes, et le souvenir de ces larmes
a souvent consolé ma misère [556]. Dix mois après avoir
payé ses créanciers, mon père mourut de chagrin ; il
m'adorait et m'avait ruiné ! cette idée le tua. En 1826,
à l'âge de vingt-deux ans, vers la fin de l'automne,
je suivis seul le convoi de mon premier ami, de mon
père. Peu de jeunes gens se sont trouvés, seuls avec
leurs pensées, derrière un corbillard, perdus dans Paris,
sans avenir, sans fortune. Les orphelins recueillis par
la charité publique ont au moins pour avenir le champ
de bataille, pour père le gouvernement ou le procureur du roi, pour refuge un hospice. Moi je n'avais
rien [557] ! Trois mois après, un commissaire-priseur me
remit onze cent douze francs, produit net et liquide
de la succession paternelle. Des créanciers m'avaient
obligé à vendre notre mobilier. Accoutumé dès ma
jeunesse à donner une grande valeur aux objets [558]
de luxe dont j'étais entouré, je ne pus m'empêcher de
marquer une sorte d'étonnement à l'aspect de ce reli-
quat exigu.

« — Oh ! me dit le commissaire-priseur, tout cela
était bien *rococo* !

« Mot épouvantable, qui flétrissait [559] toutes les religions de mon enfance et me dépouillait de mes premières
illusions, les plus chères de toutes. Ma fortune se
résumait par un bordereau de vente, mon avenir
gisait dans un sac de toile qui contenait [560] onze cent
douze francs, la société m'apparaissait en la personne
d'un huissier-priseur qui me parlait le chapeau sur
la tête... Un valet de chambre qui me chérissait, et
à qui ma mère avait jadis constitué quatre cents francs
de rente viagère, Jonathas [561], me dit en quittant la
maison d'où j'étais si souvent sorti joyeusement en
voiture pendant mon enfance :

« — Soyez bien économe, monsieur Raphaël !

« Il pleurait, le bonhomme.

« Tels sont, mon cher Émile, les événements qui

maîtrisèrent ma destinée, modifièrent mon âme, et
me placèrent jeune encore dans la plus fausse de toutes
les situations sociales [562], dit Raphaël après avoir fait
une pause. Des liens de famille, mais faibles, m'atta-
chaient à quelques maisons riches dont l'accès m'eût
été interdit par ma fierté [563], si le mépris et l'indifférence ne m'en eussent déjà fermé les portes. Quoique
parent de personnes très influentes et prodigues de
leur protection pour des étrangers [564], je n'avais ni
parents ni protecteurs. Sans cesse arrêtée dans ses
expansions, mon âme s'était repliée sur elle-même.
Plein de franchise et de naturel, je devais paraître
froid, dissimulé ; le despotisme de mon père m'avait
ôté toute confiance en moi ; j'étais timide et gauche,
je ne croyais pas que ma voix pût exercer le moindre
empire, je me déplaisais, je me trouvais laid, j'avais
honte de mon regard.

« Malgré la voix intérieure qui doit soutenir les
hommes de talent dans leurs luttes et qui me criait :
« Courage ! marche ! » malgré les révélations soudaines
de ma puissance dans la solitude, malgré l'espoir dont
j'étais animé en comparant les ouvrages nouveaux
admirés du public à ceux qui voltigeaient dans ma
pensée, je doutais de moi comme un enfant [565]. J'étais
la proie d'une excessive ambition, je me croyais destiné
à de grandes choses, et je me sentais dans le néant.
J'avais besoin des hommes, et je me trouvais sans amis.
Je devais me frayer une route dans le monde, et j'y
restais seul, moins craintif que honteux [566]. Pendant
l'année où je fus jeté par mon père dans le tourbillon
de la grande société [567], j'y vins avec un cœur neuf,
avec une âme fraîche. Comme tous les grands enfants,
j'aspirai secrètement [568] à de belles amours. Je rencontrai parmi les jeunes gens de mon âge une secte
de fanfarons qui allaient tête levée, disant des riens,
s'asseyant sans trembler près des femmes qui me semblaient les plus imposantes, débitant des impertinences,

mâchant le bout de leur canne, minaudant, se prosti-
tuant à eux-mêmes les plus jolies personnes, mettant
ou prétendant avoir mis leur tête sur tous les oreillers,
ayant l'air d'être au refus du plaisir, considérant les
plus vertueuses, les plus prudes comme de prise facile
et pouvant être conquises à la simple parole, au moindre
geste hardi, par le premier regard insolent ! Je te le déclare
en mon âme et conscience, la conquête du pouvoir ou
d'une grande renommée littéraire me paraissait un
triomphe moins difficile à obtenir qu'un succès auprès
d'une femme de haut rang, jeune, spirituelle et gracieuse. Je trouvai donc les troubles de mon cœur,
mes sentiments, mes cultes en désaccord avec les maximes
de la société. J'avais de la hardiesse, mais dans l'âme
seulement, et non dans les manières. J'ai su plus tard
que les femmes ne voulaient pas être mendiées ; j'en
ai beaucoup vu que j'adorais de loin, auxquelles je
livrais un cœur à toute épreuve, une âme à déchirer,
une énergie qui ne s'effrayait ni des sacrifices, ni des
tortures : elles appartenaient à des sots de qui je n'aurais
pas voulu pour portiers. Combien de fois, muet, immobile, n'ai-je pas admiré la femme de mes rêves, surgissant
dans un bal ; dévouant alors en pensée mon existence [569]
à des caresses éternelles, j'imprimais toutes mes espérances en un regard, et lui offrais dans mon extase un
amour de jeune homme qui courait au-devant des
tromperies. En certains moments, j'aurais donné [570]
ma vie pour une seule nuit.

« Eh bien, n'ayant jamais trouvé d'oreilles où jeter [571]
mes propos passionnés, de regards où reposer les miens,
de cœur pour mon cœur, j'ai vécu dans tous les tour-
ments d'une impuissante énergie qui se dévorait elle-
même, soit faute de hardiesse ou d'occasions, soit
inexpérience. Peut-être ai-je désespéré de me faire
comprendre, ou tremblé d'être trop compris. Et cependant, j'avais un orage tout prêt à chaque regard poli
que l'on pouvait m'adresser. Malgré [572] ma prompti-

tude à prendre ce regard ou des mots en apparence
affectueux comme de tendres engagements, je n'ai
jamais osé ni parler ni me taire à propos. A force de
sentiment, ma parole était insignifiante et mon silence
devenait stupide [573]. J'avais, sans doute, trop de naïveté
pour une société factice qui vit aux lumières, qui rend
toutes ses pensées par des phrases convenues, ou par
des mots que dicte la mode. Puis je ne savais point
parler en me taisant, ni me taire en parlant. Enfin,
gardant en moi des feux qui me brûlaient [574], ayant
une âme semblable à celles que les femmes sou-
haitent de [575] rencontrer, en proie à cette exaltation
dont elles sont avides, possédant l'énergie dont se
vantent les sots, toutes les femmes m'ont été traîtreusement [576] cruelles. Aussi, admirais-je naïvement les
héros de coterie quand ils célébraient leurs triomphes,
sans les soupçonner de mensonge. J'avais sans doute
le tort de désirer un amour sur parole, de vouloir
trouver grande et forte, dans un cœur de femme frivole et légère, affamée de luxe, ivre de vanité, cette
passion large, cet océan qui battait tempêtueusement
dans mon cœur. Oh ! se sentir né pour aimer, pour
rendre une femme bien heureuse, et n'avoir trouvé
personne, pas même une courageuse et noble Marceline ou quelque vieille marquise [577] ! Porter des trésors dans une besace, et ne pouvoir rencontrer une
enfant, quelque jeune fille curieuse pour les lui faire
admirer ! J'ai souvent voulu me tuer de désespoir.

— Joliment tragique ce soir ! s'écria Émile.

— Eh ! laisse-moi condamner ma vie, répondit
Raphaël. Si ton amitié n'a pas [578] la force d'écouter
mes élégies, si tu ne peux me faire crédit d'une demi-
heure d'ennui, dors ! Mais ne me demande plus alors
compte de mon suicide qui gronde, qui se dresse, qui
m'appelle et que je salue. Pour juger un homme, au
moins faut-il être dans le secret de sa pensée, de ses
malheurs, de ses émotions [579] ; ne vouloir connaître

de sa vie que les événements matériels, c'est faire de la chronologie, l'histoire des sots [580] !

Le ton amer avec lequel ces paroles furent prononcées frappa si vivement Émile, que, dès ce moment, il prêta toute son attention à Raphaël en le regardant d'un air hébété.

— Mais, reprit le narrateur, maintenant la lueur qui colore ces accidents leur prête un nouvel aspect. L'ordre des choses que je considérais jadis comme un malheur a peut-être engendré les belles facultés dont [581] plus tard je me suis enorgueilli. La curiosité philosophique, les travaux excessifs, l'amour de la lecture qui, depuis l'âge de sept ans jusqu'à mon entrée dans le monde, ont constamment occupé ma vie ne m'auraient-ils pas doué de la facile puissance avec laquelle, s'il faut vous en croire, je sais rendre mes idées et marcher [582] en avant dans le vaste champ des connaissances humaines ? L'abandon auquel j'étais condamné, l'habitude de refouler mes sentiments et de vivre dans mon cœur ne m'ont-ils pas investi du pouvoir de comparer, de méditer ? En ne se perdant pas au service des irritations mondaines, qui rapetissent la plus belle âme et la réduisent à l'état de guenille, ma sensibilité ne s'est-elle pas concentrée pour devenir l'organe perfectionné d'une volonté plus haute que le vouloir de la passion [583] ?

« Méconnu par les femmes, je me souviens de les avoir observées avec la sagacité de l'amour dédaigné. Maintenant, je le vois, la sincérité de mon caractère a dû déplaire ! Peut-être les femmes veulent-elles un peu d'hypocrisie ? Moi qui suis tour à tour, dans la même heure, homme et enfant, futile et penseur [584], sans préjugés et plein de superstitions, souvent femme comme elles, n'ont-elles pas dû prendre ma naïveté pour du cynisme, et la pureté même de ma pensée pour du libertinage ? La science leur était ennui, la langueur féminine, faiblesse. Cette excessive mobilité d'imagination, le malheur des poètes, me faisait sans doute juger comme un être incapable d'amour, sans constance dans les idées, sans énergie. Idiot quand je me taisais, je les effarouchais peut-être quand j'essayais de leur plaire, et les femmes m'ont condamné. J'ai accepté, dans les larmes et le chagrin, l'arrêt porté par le monde. Cette peine a produit son fruit. Je voulus me venger de la société, je voulus posséder l'âme de toutes les femmes en me soumettant les intelligences, et voir tous les regards fixés sur moi quand mon nom serait prononcé par un valet à la porte d'un salon. Je m'instituai grand homme dès mon enfance, je m'étais frappé le front en me disant comme André Chénier : « Il y a quelque chose là [585] ! » Je croyais sentir en moi une pensée à exprimer, un système à établir, une science à expliquer.

« O mon cher Émile, aujourd'hui que j'ai vingt-six ans à peine, que je suis sûr de mourir inconnu, sans avoir jamais été l'amant de la femme que j'ai rêvé de posséder, laisse-moi [586] te conter mes folies ! N'avons-nous pas tous, plus ou moins, pris nos désirs pour des réalités ? Ah ! je ne voudrais point pour ami un jeune homme qui dans ses rêves ne se serait pas tressé des couronnes, construit quelque piédestal ou donné de complaisantes maîtresses [587]. Moi, j'ai souvent été général, empereur ; j'ai été Byron, puis rien. Après avoir joué sur le faîte des choses humaines je m'apercevais que toutes les montagnes, toutes les difficultés restaient à gravir [588].

« Cet immense amour-propre qui bouillonnait en moi, cette croyance sublime à une destinée, et qui devient du génie, peut-être, quand un homme ne se laisse pas déchiqueter l'âme par le contact des affaires aussi facilement qu'un mouton abandonne sa laine aux épines des halliers où il passe, tout cela [589] me sauva. Je voulus me couvrir de gloire et travailler dans le silence pour la maîtresse que j'espérais avoir un jour [590]. Toutes les femmes se résumaient par une seule, et

cette femme, je croyais la rencontrer dans la première
qui s'offrait à mes regards ; mais, voyant une reine
dans chacune d'elles, toutes devaient [591], comme les
reines qui sont obligées de faire des avances à leurs
amants, venir au-devant de moi, souffreteux, pauvre
et timide. Ah ! pour celle qui m'eût plaint, j'avais [592]
dans le cœur tant de reconnaissance, outre l'amour,
que je l'eusse adorée pendant toute sa vie.

« Plus tard, mes observations m'ont appris de cruelles
vérités. Ainsi, mon cher Émile, je risquais de vivre
éternellement seul. Les femmes sont habituées, par
je ne sais quelle pente de leur esprit, à ne voir dans
un homme de talent que ses défauts, et dans un sot
que ses qualités ; elles éprouvent de grandes sympathies pour les qualités du sot, qui sont une flatterie
perpétuelle de leurs propres défauts, tandis que l'homme
supérieur ne leur offre pas assez de jouissances pour
compenser ses imperfections [593]. Le talent est une
fièvre intermittente, nulle femme n'est jalouse d'en
partager seulement les malaises ; toutes, elles veulent
trouver dans leurs amants des motifs de satisfaire
leur vanité. C'est elles encore qu'elles aiment en nous !
Un homme pauvre, fier, artiste, doué du pouvoir de
créer, n'est-il pas armé d'un blessant égoïsme [594] ?
Il existe autour de lui je ne sais quel tourbillon de pensées
dans lequel il enveloppe tout, même sa maîtresse,
qui doit en suivre [595] le mouvement.

« Une femme adulée peut-elle croire à l'amour d'un
tel homme ? ira-t-elle le chercher ? Cet amant n'a pas
le loisir de s'abandonner autour [596] d'un divan à ces
petites singeries de sensibilité auxquelles les femmes
tiennent tant et qui sont le triomphe des gens faux et
insensibles. Le temps manque à ses travaux [597], comment en dépenserait-il à se rapetisser, à se chamarrer ?
Prêt à donner ma vie d'un coup, je ne l'aurais pas avilie
en détail [598]. Enfin il existe, dans le manège d'un agent
de change qui fait les commissions d'une femme pâle

et minaudière, je ne sais quoi de mesquin dont a horreur l'artiste. L'amour abstrait ne suffit pas à un homme pauvre et grand, il en veut tous les dévouements. Les petites créatures qui passent leur vie à essayer des cachemires ou qui [599] se font les portemanteaux de la mode n'ont pas de dévouement, elles en exigent, et voient dans l'amour le plaisir de commander, non celui d'obéir [600]. La véritable épouse en cœur, en chair et en os se laisse traîner là où va celui en qui résident sa vie, sa force, sa gloire, son bonheur. Aux hommes supérieurs, il faut des femmes orientales dont l'unique pensée soit l'étude de leurs besoins ; car, pour eux, le malheur est dans le désaccord de leurs désirs et des moyens [601]. Moi, qui me croyais homme de génie, j'aimais précisément ces petites-maîtresses. Nourrissant des idées si contraires aux idées reçues, ayant la prétention d'escalader le ciel sans échelle, possédant des trésors qui n'avaient pas cours, armé de connaissances étendues qui surchargeaient ma mémoire et que [602] je n'avais pas encore classées, que je ne m'étais point assimilées [603] ; me trouvant sans parents, sans amis, seul au milieu du plus affreux désert, un désert pavé, un désert animé, pensant, vivant, où tout vous est bien plus qu'ennemi, indifférent ! la résolution que je pris était naturelle, quoique folle ; elle comportait je ne sais quoi d'impossible qui me donna du courage. Ce fut comme un pari fait avec moi-même, et où j'étais le joueur et l'enjeu. Voici mon plan.

« Mes onze cents francs devaient suffire à ma vie pendant trois ans, et je m'accordais ce temps [604] pour mettre au jour un ouvrage qui pût attirer l'attention publique sur moi, me faire une fortune ou un nom. Je me réjouissais en pensant que j'allais vivre de pain et de lait, comme un solitaire de la Thébaïde, plongé dans le monde des livres et des idées, dans une sphère inaccessible au milieu de ce Paris si tumultueux, sphère de travail et de silence où, comme des chrysalides,

je me bâtissais une tombe pour renaître brillant et
glorieux. J'allais risquer de mourir pour vivre. En
réduisant l'existence à ses vrais besoins, au strict nécessaire, je trouvais que trois cent soixante-cinq francs
par an devaient suffire à ma pauvreté [605]. En effet,
cette maigre somme a satisfait à ma vie, tant que j'ai
voulu subir ma propre discipline claustrale.

— C'est impossible ! s'écria Émile.

— J'ai vécu près de trois ans ainsi, répondit Raphaël
avec une sorte de fierté. Comptons ! reprit-il. Trois
sous de pain, deux sous de lait, trois sous de charcuterie
m'empêchaient de mourir de faim et tenaient mon
esprit, dans un état de lucidité singulière. J'ai observé,
tu le sais, de merveilleux effets produits par la diète
sur l'imagination. Mon logement me coûtait trois sous
par jour, je brûlais trois sous d'huile par nuit, je faisais moi-même ma chambre, je portais des chemises
de flanelle pour ne dépenser que deux sous de blan-
chissage par jour. Je me chauffais avec du charbon
de terre, dont le prix divisé par les jours de l'année
n'a jamais donné plus de deux sous pour chacun.
J'avais des habits, du linge, des chaussures pour trois
années, je ne voulais [606] m'habiller que pour aller à
certains cours publics et aux bibliothèques. Ces dépenses
réunies ne faisaient que dix-huit sous, il me restait
deux sous pour les choses imprévues. Je ne me souviens
pas d'avoir, pendant cette longue période de travail,
passé le pont des Arts [607], ni d'avoir jamais acheté
d'eau ; j'allais en chercher le matin à la fontaine de
la place Saint-Michel, au coin de la rue des Grès [608].
Oh ! je portais ma pauvreté fièrement. Un homme qui
pressent un bel avenir marche dans sa vie de misère
comme un innocent conduit au supplice, il n'a point honte.
Je n'avais pas voulu prévoir la maladie. Comme Aquilina,
j'envisageais l'hôpital sans terreur. Je n'ai pas douté
un moment de ma bonne santé. D'ailleurs, le pauvre
ne doit se coucher que pour mourir. Je me coupai

les cheveux jusqu'au moment où un ange [609] d'amour
ou de bonté... Mais je ne veux pas anticiper sur la situation à laquelle j'arrive.

« Apprends seulement, mon cher ami, qu'à défaut
de maîtresse, je vécus avec une grande pensée, avec un
rêve, un mensonge auquel nous commençons tous par
croire plus ou moins. Aujourd'hui, je ris de moi, de
ce *moi*, peut-être saint et sublime, qui n'existe plus.
La société, le monde, nos usages, nos mœurs, vus
de près, m'ont révélé le danger de ma croyance innocente et la superfluité de mes fervents travaux. Ces
approvisionnements sont inutiles à l'ambitieux. Que
léger soit le bagage de qui poursuit la fortune [610] ! La
faute des hommes supérieurs est de dépenser leurs jeunes
années à se rendre dignes de la faveur. Pendant que
les pauvres gens thésaurisent [611] et leur force et la
science pour porter sans effort [612] le poids d'une puissance qui les fuit, les intrigants, riches de mots et
dépourvus d'idées, vont et viennent, surprennent les
sots, et se logent dans la confiance des demi-niais :
les uns étudient, les autres marchent ; les uns sont
modestes, les autres hardis ; l'homme de génie tait
son orgueil, l'intrigant arbore le sien, il doit [613] arriver
nécessairement. Les hommes du pouvoir ont si fort
besoin de croire au mérite tout fait, au talent effronté,
qu'il y a chez le vrai savant de l'enfantillage à espérer
les récompenses humaines. Je ne cherche certes pas à
paraphraser les lieux communs de la vertu, le Cantique
des cantiques éternellement chanté par les génies
méconnus : je veux déduire [614] logiquement la raison
des fréquents succès obtenus par les hommes médiocres.

« Hélas ! l'étude [615] est si maternellement bonne,
qu'il y a peut-être crime à lui demander des récompenses
autres que les pures et douces joies dont elle nourrit
ses enfants. Je me souviens d'avoir quelquefois trempé
gaiement mon pain dans mon lait, assis auprès de ma
fenêtre en y respirant l'air [616], en laissant planer mes

yeux sur un paysage de toits bruns, grisâtres, rouges,
en ardoises, en tuiles, couverts de mousses jaunes
ou vertes. Si d'abord cette vue me parut monotone,
j'y découvris bientôt de singulières beautés. Tantôt, le
soir, des raies lumineuses, parties des volets mal fermés,
nuançaient et animaient les noires profondeurs de
ce pays original. Tantôt, les lueurs pâles des réverbères
projetaient d'en bas des reflets jaunâtres à travers le
brouillard et accusaient faiblement dans les rues les
ondulations de ces toits pressés, océan de vagues
immobiles. Enfin, parfois, de rares figures apparaissaient au milieu [617] de ce morne désert ; parmi les
fleurs de quelque jardin aérien, j'entrevoyais le profil [618]
anguleux et crochu d'une vieille femme arrosant des
capucines, ou dans le cadre d'une lucarne pourrie
quelque jeune fille faisant sa toilette, se croyant seule,
et de qui je ne pouvais apercevoir que le beau front et
les longs cheveux élevés en l'air par un joli bras blanc [619].
J'admirais dans les gouttières quelques végétations
éphémères, pauvres herbes bientôt emportées [620] par
un orage ! J'étudiais les mousses, leurs couleurs ravi-
vées par la pluie, et qui sous le soleil se changeaient
en un velours sec et brun à reflets capricieux. Enfin,
les poétiques et fugitifs effets [621] du jour, les tristesses
du brouillard, les soudains pétillements du soleil, le
silence et les magies de la nuit, les mystères de l'aurore,
les fumées de chaque cheminée, tous les accidents
de cette singulière nature, devenus familiers pour
moi, me divertissaient. J'aimais ma prison, elle était
volontaire [622]. Ces savanes de Paris formées par des
toits nivelés comme une plaine, mais qui couvraient
des abîmes peuplés, allaient à mon âme et s'harmoniaient
avec mes pensées. Il est fatigant de retrouver brusquement le monde quand nous descendons des hauteurs
célestes où nous entraînent les méditations scientifiques ; aussi ai-je alors parfaitement conçu la nudité
des monastères.

« Quand je fus bien résolu à suivre mon nouveau
plan de vie, je cherchai [623] mon logis dans les quartiers
les plus déserts de Paris. Un soir, en revenant de
l'Estrapade, je passais par la rue des Cordiers [624] pour
retourner chez moi. A l'angle de la rue de Cluny, je
vis [625] une petite fille d'environ quatorze ans qui jouait
au volant avec une de ses camarades, et dont les rires
et les espiègleries amusaient les voisins. Il faisait beau,
la soirée était chaude, le mois de septembre durait
encore. Devant chaque porte, des femmes assises
devisaient comme dans une ville de province par un
jour de fête. J'observai [626] d'abord la jeune fille, dont
la physionomie était d'une admirable expression,
et le corps tout posé pour un peintre. C'était une scène
ravissante. Je cherchai la cause de cette bonhomie
au milieu de Paris, je remarquai que la rue n'aboutis-
sait à rien et ne devait pas être très passante. En me
rappelant le séjour de Jean-Jacques Rousseau dans ce
lieu, je trouvai l'hôtel de *Saint-Quentin* ; le délabrement
dans lequel il était me fit espérer d'y rencontrer un
gîte peu coûteux, et je voulus le visiter [627].

« En entrant dans une chambre basse [628], je vis les
classiques flambeaux de cuivre garnis de leurs chan-
delles méthodiquement rangés au-dessus de chaque
clef, et je fus frappé de la propreté qui régnait dans
cette salle, ordinairement assez mal tenue dans les
autres hôtels, et que je trouvai là peignée comme un
tableau de genre ; son lit bleu, les ustensiles, les meubles
avaient [629] la coquetterie d'une nature de convention.
La maîtresse de l'hôtel, femme de quarante ans environ, dont les traits exprimaient des malheurs, dont le
regard était comme terni par des pleurs, se leva, vint
à moi ; je lui soumis humblement le tarif de mon
loyer ; alors, sans en paraître étonnée, elle chercha
une clé parmi toutes les autres, et me conduisit dans
les mansardes, où elle me montra une chambre qui avait
vue sur les toits, sur les cours des maisons voisines,

par les fenêtres [630] desquelles passaient de longues
perches chargées de linge. Rien n'était plus horrible
que cette mansarde aux murs jaunes et sales, qui sentait la misère et appelait son savant. La toiture s'y
abaissait régulièrement et les tuiles disjointes laissaient voir le ciel. Il y avait place pour un lit, une
table, quelques chaises, et sous l'angle aigu [631] du
toit je pouvais loger mon piano. N'étant pas assez
riche pour meubler cette cage digne des *Plombs* de
Venise, la pauvre femme n'avait jamais pu la louer.
Ayant précisément excepté de la vente mobilière que
je venais de faire les objets qui m'étaient en quelque
sorte personnels, je fus bientôt d'accord avec mon
hôtesse, et m'installai le lendemain chez elle.

« Je vécus dans ce sépulcre aérien pendant près de
trois ans, travaillant nuit et jour sans relâche, avec
tant de plaisir, que l'étude me semblait être le plus beau
thème, la plus heureuse solution de la vie humaine.
Le calme et le silence nécessaires au savant ont je ne
sais quoi de doux, d'enivrant comme l'amour. L'exercice de la pensée, la recherche des idées, les contemplations tranquilles de la science nous prodiguent
d'ineffables [632] délices, indescriptibles comme tout ce
qui participe de l'intelligence, dont les phénomènes
sont invisibles à nos sens extérieurs. Aussi, sommes-
nous toujours forcés d'expliquer les mystères de l'esprit
par des comparaisons matérielles. Le plaisir [633] de
nager dans un lac d'eau pure, au milieu des rochers,
des bois et des fleurs, seul et caressé par une brise tiède,
donnerait aux ignorants une bien faible image du
bonheur que j'éprouvais quand mon âme se baignait
dans les lueurs de je ne sais quelle lumière, quand
j'écoutais les voix terribles et confuses de l'inspiration,
quand d'une source inconnue les images ruisselaient
dans mon cerveau palpitant. Voir une idée qui poind
dans le champ des abstractions humaines comme le
soleil au matin et s'élève comme lui, qui, mieux encore,

grandit comme un enfant, arrive à la puberté, se fait
lentement virile, est une joie supérieure aux autres
joies terrestres, ou plutôt c'est un divin plaisir [634].
L'étude prête une sorte de magie à tout [635] ce qui nous
environne.

« Le bureau chétif sur lequel j'écrivais et la basane
brune qui le couvrait, mon piano, mon lit, mon fauteuil, les bizarreries de mon papier de tenture, mes
meubles, toutes ces choses s'animèrent et devinrent [636]
pour moi d'humbles amis, les complices silencieux
de mon avenir ; combien de fois ne leur ai-je pas communiqué mon âme, en les regardant ! Souvent, en
laissant voyager mes yeux sur une moulure déjetée, je
rencontrais des développements nouveaux, une preuve
frappante de mon système ou des mots que je croyais
heureux pour rendre des pensées presque intraduisibles.
A force de contempler les objets qui m'entouraient,
je trouvais à chacun sa physionomie, son caractère ;
souvent ils me parlaient ; si, par-dessus les toits, le
soleil couchant jetait à travers mon étroite fenêtre
quelque lueur furtive, ils se coloraient, pâlissaient,
brillaient, s'attristaient ou s'égayaient, en me sur-
prenant toujours par des effets nouveaux [637]. Ces
menus accidents de la vie solitaire, qui échappent
aux préoccupations du monde, sont la consolation
des prisonniers. N'étais-je pas captivé par une idée,
emprisonné dans un système [638], mais soutenu par
la perspective d'une vie glorieuse ! A chaque diffi-
culté vaincue, je baisais les mains douces de la femme
aux beaux yeux, élégante et riche, qui devait un jour
caresser mes cheveux en me disant avec attendrissement :

« — Tu as bien souffert, pauvre ange !

« J'avais entrepris deux grandes œuvres. Une comédie devait en peu de jours me donner une renommée, une fortune, et l'entrée de ce monde où je voulais
reparaître en y exerçant les droits régaliens de l'homme
de génie. Vous avez tous vu dans ce chef-d'œuvre la

première erreur d'un jeune homme qui sort du collège
une véritable niaiserie d'enfant [639]. Vos plaisanteries
ont coupé les ailes à de fécondes [640] illusions, qui
depuis ne se sont plus réveillées. Toi seul, mon cher
Émile, as calmé la plaie profonde que d'autres firent
à mon cœur ! Toi seul admiras ma *Théorie de la volonté* [641],
ce long ouvrage pour lequel j'avais appris les langues
orientales, l'anatomie, la physiologie, auquel [642] j'avais
consacré la plus grande partie de mon temps. Cette
œuvre, si je ne me trompe, complétera les travaux
de Mesmer [643], de Lavater [644], de Gall [645], de Bichat [646],
en ouvrant une nouvelle route à la science humaine.
Là s'arrête ma belle vie, ce sacrifice [647] de tous les jours,
ce travail de ver à soie inconnu au monde et dont la
seule récompense est peut-être dans le travail même.
Depuis l'âge de raison jusqu'au jour où j'eus terminé
ma *Théorie*, j'ai observé, appris, écrit, lu sans relâche,
et ma vie fut comme un long pensum.

« Amant efféminé de la paresse orientale, amoureux
de mes rêves, sensuel, j'ai toujours travaillé, me refusant à goûter les jouissances de la vie parisienne. Gourmand [648], j'ai été sobre ; aimant et la marche et les
voyages maritimes, désirant visiter plusieurs pays,
trouvant encore du plaisir à faire, comme un enfant,
ricocher des cailloux sur l'eau, je suis resté constamment assis, une plume à la main ; bavard, j'allais écouter
en silence les professeurs aux cours publics de la Bibliothèque et du Muséum ; j'ai dormi sur mon grabat
solitaire comme un religieux de l'ordre de Saint-
Benoît [649], et la femme était cependant ma seule chimère,
une chimère que je caressais et qui me fuyait toujours !
Enfin ma vie a été une cruelle antithèse, un perpétuel
mensonge. Puis jugez donc les hommes !

« Parfois, mes goûts naturels se réveillaient comme
un incendie longtemps couvé. Par une sorte de mirage
ou de calenture [650], moi, veuf de toutes les femmes
que je désirais, dénué de tout et logé dans une man-

sarde d'artiste, je me voyais alors entouré de maîtresses ravissantes [651] ! Je courais à travers les rues
de Paris, couché sur les moelleux coussins d'un brillant
équipage ! J'étais rongé de vices, plongé dans la débauche, voulant tout, ayant tout ; enfin ivre à jeun,
comme saint Antoine dans sa tentation. Heureusement,
le sommeil finissait par éteindre ces visions dévorantes [652] ; le lendemain, la science m'appelait en
souriant, et je lui étais fidèle. J'imagine que les femmes
dites vertueuses doivent être souvent la proie de ces
tourbillons de folie, de désirs et de passions qui s'élèvent en nous, malgré nous. De tels rêves ne sont pas
sans charme : ne ressemblent-ils pas à ces causeries
du soir, en hiver, où l'on part de son foyer pour aller
en Chine ? Mais que devient la vertu, pendant [653] ces
délicieux voyages où la pensée a franchi tous les obstacles ?

« Pendant les dix premiers mois de ma reclusion, je
menai la vie pauvre et solitaire que je t'ai dépeinte ;
j'allais chercher moi-même, dès le matin et sans être
vu, mes provisions pour la journée ; je faisais ma
chambre, j'étais tout ensemble le maître et le serviteur,
je diogénisais avec une incroyable fierté. Mais, après
ce temps, pendant lequel l'hôtesse et sa fille espionnèrent
mes mœurs et mes habitudes, examinèrent ma personne
et comprirent ma misère, peut-être parce qu'elles
étaient elles-mêmes fort malheureuses, il s'établit
d'inévitables liens entre elles et moi. Pauline, cette
charmante créature dont les grâces naïves et secrètes
m'avaient en quelque sorte amené là, me rendit plusieurs services [654] qu'il me fut impossible de refuser.
Toutes les infortunes sont sœurs, elles ont le même
langage, la même générosité, la générosité de ceux qui,
ne possédant rien, sont prodigues de sentiment, payent
de leur temps et de leur personne.

« Insensiblement, Pauline s'impatronisa chez moi,
voulut me servir, et sa mère ne s'y opposa point. Je vis

la mère elle-même raccommodant mon linge et rougissant d'être surprise à cette charitable occupation.
Devenu malgré moi leur protégé, j'acceptai leurs
services. Pour comprendre cette singulière affection [655],
il faut connaître l'emportement du travail, la tyrannie des idées et cette répugnance instinctive qu'éprouve
pour les détails de la vie matérielle l'homme qui vit
par la pensée. Pouvais-je [656] résister à la délicate attention
avec laquelle Pauline m'apportait à pas muets mon
repas frugal, quand elle s'apercevait que, depuis sept
ou huit heures, je n'avais rien pris ? Avec les grâces
de la femme et l'ingénuité de l'enfance, elle me souriait
en faisant un signe [657] pour me dire que je ne devais
pas la voir. C'était Ariel [658] se glissant comme un
sylphe sous mon toit, et prévoyant mes besoins.

« Un soir, Pauline me raconta son histoire avec une
touchante naïveté [659]. Son père était chef d'escadron
dans les grenadiers à cheval de la garde impériale.
Au passage de la Bérésina, il avait été fait prisonnier
par les cosaques [660] ; plus tard, quand Napoléon proposa de l'échanger, les autorités russes le firent vainement chercher en Sibérie ; au dire des autres prisonniers, il s'était échappé avec le projet d'aller aux
Indes. Depuis ce temps, Mme Gaudin, mon hôtesse,
n'avait pu obtenir aucune nouvelle de son mari. Les
désastres de 1814 et 1815 étaient arrivés ; seule, sans
ressource et sans secours, elle avait pris le parti de
tenir un hôtel garni pour faire vivre sa fille. Elle espé-
rait toujours revoir son mari. Son plus cruel chagrin
était de laisser Pauline sans éducation, sa Pauline,
filleule de la princesse Borghèse, et qui n'aurait pas
dû mentir aux belles destinées promises par son impériale [661] protectrice. Quand Mme Gaudin me confia
cette amère douleur qui la tuait, et me dit avec un
accent déchirant : « Je donnerais bien et le chiffon de
papier qui crée Gaudin baron de l'Empire, et le droit
que nous avons à la dotation de Wistchnau, pour

savoir Pauline élevée à Saint-Denis ! » tout à coup
je tressaillis, et, pour reconnaître les soins que me
prodiguaient ces deux femmes, j'eus l'idée de m'offrir
à finir l'éducation de Pauline. La candeur avec laquelle
ces deux femmes acceptèrent ma proposition fut égale
à la naïveté qui la dictait [662].

« J'eus ainsi des heures de récréation. La petite avait
les plus heureuses dispositions, elle apprit avec tant
de facilité, qu'elle devint bientôt plus forte que je ne
l'étais sur le piano. En s'accoutumant à penser tout
haut près de moi, elle déployait les mille gentillesses
d'un cœur qui s'ouvre à la vie comme le calice d'une
fleur lentement dépliée par le soleil, elle m'écoutait
avec recueillement et plaisir en arrêtant [663] sur moi
ses yeux noirs et veloutés qui semblaient sourire ;
elle répétait ses leçons d'un accent doux et caressant,
en témoignant une joie enfantine quand j'étais content
d'elle [664]. Sa mère, chaque jour plus inquiète d'avoir
à préserver de tout danger une jeune fille qui dévelop-
pait en croissant toutes les promesses faites par les
grâces de son enfance, la vit avec plaisir s'enfermant
pendant toute la journée pour étudier [665]. Mon piano
étant le seul dont elle pût se servir, elle profitait de mes
absences pour s'exercer [666].

« Quand je rentrais, je trouvais Pauline chez moi,
dans la toilette la plus modeste ; mais, au moindre
mouvement, sa taille souple et les attraits [667] de sa
personne se révélaient sous l'étoffe grossière. Comme
l'héroïne du conte de *Peau-d'Ane*, elle laissait voir
un pied mignon dans d'ignobles souliers.

« Mais ces jolis trésors, cette richesse [668] de jeune fille,
tout ce luxe de beauté fut comme perdu pour moi.
Je m'étais ordonné à moi-même de ne voir qu'une
sœur en Pauline, j'aurais eu horreur de tromper la
confiance de sa mère ; j'admirais cette charmante fille
comme un tableau, comme le portrait d'une maîtresse morte ; enfin, c'était mon enfant, ma statue.

Pygmalion nouveau, je voulais faire d'une vierge
vivante et colorée, sensible et parlante, un marbre ;
j'étais très sévère avec elle, mais plus je lui faisais
éprouver les effets de mon despotisme magistral, plus
elle devenait douce et soumise.

« Si je fus encouragé dans ma retenue et dans ma
continence par des sentiments nobles, néanmoins les
raisons de procureur ne me manquèrent pas. Je ne
comprends point la probité des écus sans la probité
de la pensée. Tromper une femme ou faire faillite a
toujours été même chose pour moi. Aimer une jeune
fille ou se laisser aimer par elle constitue un vrai contrat
dont les conditions doivent être bien entendues. Nous
sommes maîtres d'abandonner la femme qui se vend,
mais non pas la jeune fille qui se donne, car elle ignore
l'étendue de son sacrifice. J'aurais donc épousé Pauline,
et c'eût été une folie. N'était-ce pas livrer une âme douce
et vierge à d'effroyables malheurs ? Mon indigence parlait
son langage égoïste, et venait toujours mettre sa main
de fer entre cette bonne créature [669] et moi. Puis, je
l'avoue à ma honte, je ne conçois pas l'amour dans
la misère. Peut-être est-ce en moi une dépravation
due à cette maladie humaine que nous nommons la
civilisation ; mais une femme, fût-elle attrayante autant
que [670] la belle Hélène, la Galatée d'Homère, n'a plus
aucun pouvoir sur mes sens pour peu qu'elle soit crottée.
Ah ! vive l'amour dans la soie, sur le cachemire, entouré
des merveilles du luxe qui le parent merveilleusement
bien, parce que lui-même est un luxe peut-être [671].
J'aime à froisser sous mes désirs de pimpantes toilettes,
à briser des fleurs, à porter une main dévastatrice dans
les élégants édifices d'une coiffure embaumée. Des
yeux brûlants, cachés par un voile de dentelle que les
regards percent comme la flamme déchire la fumée
du canon, m'offrent de fantastiques attraits. Mon
amour veut des échelles de soie escaladées en silence [672],
par une nuit d'hiver. Quel plaisir d'arriver couvert

de neige dans une chambre éclairée par des parfums, tapissée de soies peintes, et d'y trouver une femme qui, elle aussi, secoue de la neige, car quel autre nom donner à ces voiles de voluptueuses mousselines [673] à travers lesquels elle se dessine vaguement comme un ange dans son nuage, et d'où elle va sortir ? Puis il me faut [674] encore un craintif bonheur, une audacieuse sécurité. Enfin, je veux revoir cette mystérieuse femme, mais éclatante, mais au milieu du monde, mais vertueuse, environnée d'hommages, vêtue de dentelles, étincelante [675] de diamants, donnant ses ordres à la ville, et si haut placée et si imposante que nul n'ose lui adresser des vœux. Au milieu de sa cour, elle me jette un regard à la dérobée, un regard qui dément ces artifices, un regard [676] qui me sacrifie le monde et les hommes !

« Certes, je me suis cent fois [677] trouvé ridicule d'aimer quelques aunes de blonde, du velours, de fines batistes, les tours de force d'un coiffeur, des bougies, un carrosse, un titre, d'héraldiques couronnes peintes par des vitriers ou fabriquées par un orfèvre, enfin tout ce qu'il y a de factice et de moins femme dans la femme ; je me suis moqué de moi, je me suis arraisonné [678], tout a été vain. Une femme aristocratique et son sourire fin, la distinction de ses manières et son respect d'elle-même m'enchantent ; quand elle met une barrière entre elle et le monde, elle flatte en moi toutes les vanités, qui sont la moitié de l'amour. Enviée par tous, ma félicité me paraît avoir plus de saveur [679]. En ne faisant rien de ce que font les autres femmes, en ne marchant pas, ne vivant pas comme elles, en s'enveloppant dans un manteau qu'elles ne peuvent avoir, en respirant des parfums à elle, ma maîtresse me semble être bien mieux à moi ; plus elle s'éloigne de la terre, même dans ce que l'amour a de terrestre, plus elle s'embellit à mes yeux. En France, heureusement pour moi, nous sommes depuis vingt ans sans reine, j'eusse aimé la reine !

« Pour avoir les façons d'une princesse, une femme doit être riche. En présence de mes romanesques fantaisies, qu'était Pauline ? Pouvait-elle me vendre des nuits qui coûtent la vie, un amour qui tue et met en jeu toutes les facultés humaines ? Nous ne mourons [680] guère pour de pauvres filles qui se donnent ! Je n'ai jamais pu détruire ces sentiments ni ces rêveries de poète. J'étais né pour l'amour impossible, et le hasard a voulu que je fusse servi par delà mes souhaits. Combien de fois n'ai-je pas vêtu de satin les pieds mignons de Pauline, emprisonné sa taille svelte comme un jeune peuplier dans une robe de gaze, jeté sur son sein une légère écharpe en lui faisant fouler les tapis de son hôtel et la conduisant à une voiture élégante ! Je l'eusse adorée ainsi. Je lui donnais une fierté qu'elle n'avait pas, je la dépouillais de toutes ses vertus, de ses grâces naïves, de son charmant naturel [681], de son sourire ingénu, pour la plonger dans le Styx de nos vices et lui rendre le cœur invulnérable, pour la farder de nos crimes, pour en faire la poupée fantasque de nos salons, une femme fluette qui se couche au matin pour renaître le soir, à l'aurore des bougies. Pauline était tout sentiment, tout fraîcheur, je la voulais sèche et froide.

« Dans les derniers jours de ma folie [682], le souvenir m'a montré Pauline, comme il nous peint les scènes de notre enfance. Plus d'une fois, je suis resté attendri, songeant à de délicieux moments : soit que je revisse cette adorable fille assise [683] près de ma table, occupée à coudre, paisible, silencieuse, recueillie et faiblement éclairée par le jour qui, descendant de ma lucarne, dessinait de légers reflets argentés sur sa belle chevelure noire ; soit que j'entendisse son rire jeune, ou sa voix au timbre riche chanter les gracieuses cantilènes qu'elle composait sans effort. Souvent, ma Pauline s'exaltait en faisant de la musique, sa figure ressemblait alors d'une manière frappante à la noble tête par laquelle Carlo Dolci a voulu représenter l'Italie [684]. Ma cruelle

mémoire me jetait cette jeune fille à travers les excès [685]
de mon existence comme un remords, comme une
image de la vertu ! Mais laissons la pauvre enfant à
sa destinée ! Quelque malheureuse qu'elle puisse être,
au moins l'aurai-je mise à l'abri d'un effroyable orage,
en évitant de la traîner dans mon enfer.

« Jusqu'à l'hiver dernier, ma vie fut la vie tranquille et studieuse de laquelle j'ai tâché de te donner
une faible image. Dans les premiers jours du mois de
décembre 1829, je rencontrai Rastignac, qui, malgré
le misérable état de mes vêtements, me donna le bras
et s'enquit de ma fortune avec un intérêt vraiment
fraternel. Pris à la glu de ses manières, je lui racontai [686]
brièvement et ma vie et mes espérances ; il se mit à
rire, me traita tout à la fois d'homme de génie et de
sot [687]. Sa voix gasconne, son expérience du monde,
l'opulence qu'il devait à son savoir-faire, agirent sur
moi d'une manière irrésistible. Rastignac me fit mourir à l'hôpital, méconnu comme un niais, conduisit
mon propre convoi, me jeta dans le trou des pauvres.
Il me parla de charlatanisme. Avec cette verve aimable
qui le rend si séduisant, il me montra [688] tous les hommes
de génie comme des charlatans. Il me déclara que j'avais
un sens de moins, une cause de mort, si je restais seul,
rue des Cordiers. Selon lui, je devais aller dans le monde,
habituer [689] les gens à prononcer mon nom et me dépouiller moi-même de l'humble *monsieur* qui messeyait à
un grand homme de son vivant.

« — Les imbéciles, s'écria-t-il, nomment ce métier-là
intriguer, les gens à morale le proscrivent sous le mot
de *vie dissipée* ; ne nous arrêtons pas aux hommes,
interrogeons les résultats. Toi, tu travailles ? eh bien,
tu ne feras jamais rien [690]. Moi, je suis propre à tout
et bon à rien, paresseux comme un homard ? eh bien,
j'arriverai à tout. Je me répands, je me pousse, on
me fait place ; je me vante, on me croit ; je fais des
dettes, on les paye [691] ! La dissipation, mon cher, est

un système politique. La vie d'un homme occupé à
manger sa fortune devient souvent une spéculation ;
il place ses capitaux en amis, en plaisirs, en protecteurs,
en connaissances. Un négociant risque-t-il un million ?
pendant vingt ans, il ne dort, ni ne boit, ni ne s'amuse ;
il couve son million, il le fait trotter par toute l'Europe ;
il s'ennuie, se donne à tous les démons que l'homme
a inventés ; puis une liquidation, comme j'en ai vu
faire, le laisse souvent sans un sou [692], sans un nom,
sans un ami. Le dissipateur, lui, s'amuse à vivre, à
faire courir ses chevaux. Si par hasard il perd ses capitaux, il a la chance d'être nommé receveur général,
de se bien marier, d'être attaché à un ministre, à un
ambassadeur. Il a encore des amis, une réputation
et toujours de l'argent. Connaissant les ressorts du monde,
il les manœuvre à son profit. Ce système est-il logique,
ou ne suis-je qu'un fou [693] ? N'est-ce pas là la moralité
de la comédie qui se joue tous les jours dans le monde ?

« — Ton ouvrage est achevé, reprit-il après une
pause, tu as un talent immense ! Eh bien, tu arrives
à mon point [694] de départ. Il faut maintenant faire
ton succès toi-même, c'est plus sûr. Tu iras conclure
des alliances avec les coteries, conquérir des prôneurs.
Moi, je veux me mettre de moitié dans ta gloire, je
serai le bijoutier qui aura monté les diamants de ta
couronne...

« — Pour commencer, sois ici [695] demain soir. Je te
présenterai dans une maison où va tout Paris, notre
Paris à nous, celui des beaux, des gens à millions,
des célébrités, enfin des hommes qui parlent d'or comme
Chrysostome. Quand ces gens ont [696] adopté un livre,
le livre devient à la mode ; s'il est réellement bon,
ils ont donné quelque brevet de génie sans le savoir.
Si tu as de l'esprit, mon cher enfant, tu feras toi-même
la fortune de ta *Théorie* en comprenant mieux la théorie
de la fortune. Demain soir, tu verras la belle comtesse
Fœdora [697], la femme à la mode.

« — Je n'en ai jamais entendu parler...

« — Tu es un Cafre, répliqua [698] Rastignac en riant.
Ne pas connaître Fœdora ! Une femme à marier qui
possède près de quatre-vingt mille livres de rente,
qui ne veut de personne ou de qui personne ne veut !
Espèce de problème féminin, une Parisienne à moitié
Russe, une Russe à moitié Parisienne ! Une femme
chez laquelle s'éditent toutes les productions romantiques qui ne paraissent pas, la plus belle femme de
Paris, la plus gracieuse ! Tu n'es même pas un Cafre,
tu es la bête intermédiaire qui joint le Cafre à l'animal [699]... Adieu, à demain.

« Il fit une pirouette et disparut sans attendre ma
réponse, n'admettant pas qu'un homme raisonnable
pût refuser d'être présenté à Fœdora. Comment expliquer la fascination d'un nom ? FŒDORA me poursuivit [700] comme une mauvaise pensée avec laquelle
on cherche à transiger. Une voix me disait : « Tu iras
chez Fœdora. » J'avais beau me débattre avec cette
voix et lui crier qu'elle mentait, elle écrasait tous mes
raisonnements avec ce nom : Fœdora. Mais ce nom,
cette femme, n'étaient-ils pas le symbole de tous mes
désirs et le thème de ma vie ? Le nom réveillait les
poésies artificielles du monde, faisait briller les fêtes
du haut Paris et les clinquants de la vanité [701]. La femme
m'apparaissait avec tous les problèmes de passion
dont je m'étais affolé. Ce n'était peut-être ni la femme
ni le nom, mais tous mes vices qui se dressaient debout
dans mon âme pour me tenter de nouveau.

« La comtesse Fœdora, riche et sans amant, résis-
tant à des séductions parisiennes, n'était-ce pas l'incarnation de mes espérances, de mes visions ? Je me créai
une femme, je la dessinai dans ma pensée, je la rêvai.
Pendant la nuit, je ne dormis pas, je devins son amant,
je fis tenir en peu d'heures une vie entière, une vie
d'amour, et j'en savourai les fécondes, les brûlantes
délices [702]. Le lendemain, incapable de soutenir le

supplice d'attendre longuement la soirée, j'allai louer
un roman, et passai la journée à le lire, me mettant
ainsi dans l'impossibilité de penser ni de mesurer
le temps. Pendant ma lecture, le nom de Fœdora retentissait en moi comme un son que l'on entend dans le
lointain, qui ne vous trouble pas, mais qui se fait écouter.
Je possédais heureusement encore un habit noir et un
gilet blanc assez honorables ; puis, de toute ma fortune,
il me restait environ trente francs que j'avais semés
dans mes hardes, dans mes tiroirs, afin de mettre entre
une pièce de cent sous et mes fantaisies la barrière
épineuse [703] d'une recherche et les hasards d'une cir-
cumnavigation dans ma chambre. Au moment de
m'habiller, je poursuivis mon trésor à travers un
océan de papier. La rareté du numéraire peut te faire
concevoir ce que mes gants et mon fiacre empor-
tèrent de richesses, ils mangèrent le pain de tout un
mois. Hélas ! nous ne manquons jamais d'argent pour
nos caprices, nous ne discutons que le prix des choses
utiles ou nécessaires. Nous jetons l'or avec insouciance à des danseuses, et nous marchandons un ouvrier
dont la famille affamée attend le payement d'un mémoire.
Combien de gens ont un habit de cent francs, un diamant à la pomme de leur canne, et qui dînent à vingt-
cinq sous [704] ! Il semble que nous n'achetions jamais
assez chèrement les plaisirs de la vanité. Rastignac [705],
fidèle au rendez-vous, sourit de ma métamorphose
et m'en plaisanta ; mais, tout en allant chez la comtesse,
il me donna de charitables conseils sur la manière de
me conduire avec elle ; il me la peignit avare, vaine
et défiante ; mais avare avec faste, vaine avec simplicité
défiante avec bonhomie.

« — Tu connais mes engagements, me dit-il, et tu
sais combien je perdrais à changer d'amour. En obser-
vant Fœdora, j'étais désintéressé, de sang-froid, mes
remarques doivent être justes. En pensant à te présenter chez elle, je songeais à ta fortune ; ainsi prends

garde à tout ce que tu lui diras, elle a une mémoire
cruelle, elle est d'une adresse à désespérer un diplomate, elle saurait deviner [706] le moment où il dit vrai ;
entre nous, je crois que son mariage n'est pas reconnu
par l'empereur, car l'ambassadeur [707] de Russie s'est
mis à rire quand je lui ai parlé d'elle. Il ne la reçoit
pas, et la salue fort légèrement quand il la rencontre
au Bois. Néanmoins, elle est de la société de Mme de
Sérizy, va chez Mmes de Nucingen et de Restaud.
En France, sa réputation est intacte; la duchesse de
Carigliano, la maréchale la plus [708] collet monté de
toute la coterie bonapartiste, va souvent passer avec
elle la belle saison [709] à sa terre. Beaucoup de jeunes
fats, le fils d'un pair de France, lui ont offert un nom
en échange de sa fortune ; elle les a tous poliment
éconduits. Peut-être sa sensibilité ne commence-t-elle
qu'au titre de comte ! N'es-tu pas marquis ? marche
en avant, si elle te plaît ! Voilà ce que j'appelle donner
des instructions.

« Cette plaisanterie me fit croire que Rastignac
voulait rire et piquer ma curiosité, en sorte que ma
passion improvisée était arrivée à son paroxysme quand
nous nous arrêtâmes devant un péristyle orné de fleurs.
En montant un vaste escalier à tapis, où je remarquai
toutes les recherches du confort anglais, le cœur me
battit ; j'en rougissais, je démentais mon origine,
mes sentiments, ma fierté, j'étais sottement bourgeois.
Hélas ! je sortais d'une mansarde, après trois années
de pauvreté, sans savoir encore mettre au-dessus des
bagatelles de la vie ces trésors acquis, ces immenses
capitaux intellectuels qui vous enrichissent en un moment
quand le pouvoir tombe entre vos mains sans vous
écraser, parce que l'étude vous a formé d'avance aux
luttes politiques. J'aperçus une femme d'environ
vingt-deux ans, de moyenne taille, vêtue de blanc,
entourée d'un cercle d'hommes, et tenant [710] à la main
un écran de plumes. En voyant entrer Rastignac,

elle se leva, vint à nous, sourit avec grâce, me fit d'une
voix mélodieuse [711] un compliment sans doute apprêté ;
notre ami m'avait annoncé comme un homme de talent,
et son adresse, son emphase gasconne, me procurèrent [712]
un accueil flatteur. Je fus l'objet d'une attention particulière qui me rendit confus [713] ; mais Rastignac
avait heureusement parlé de ma modestie. Je rencontrai
là des savants, des gens de lettres, d'anciens ministres,
des pairs de France. La conversation reprit son cours
quelque temps après mon arrivée, et, sentant que j'avais
une réputation à soutenir, je me rassurai ; puis, sans
abuser de la parole quand elle m'était accordée, je
tâchai de résumer les discussions par des mots plus ou
moins incisifs, profonds ou spirituels. Je produisis
quelque sensation. Pour la millième [714] fois de sa vie,
Rastignac fut prophète. Quand il y eut assez de monde
pour que chacun retrouvât sa liberté, mon introduc-
teur me donna le bras, et nous nous promenâmes dans
les appartements.

« — N'aie pas l'air d'être trop émerveillé de la princesse,
me dit-il, elle devinerait [715] le motif de ta visite.

« Les salons étaient meublés avec un goût exquis,
J'y vis des tableaux de choix. Chaque pièce avait,
comme chez les Anglais les plus opulents, son caractère
particulier, et la tenture de soie, les agréments, la
forme des meubles, le moindre décor s'harmoniaient
avec une pensée première. Dans un boudoir gothique
dont les portes étaient cachées par des rideaux en
tapisserie, les encadrements de l'étoffe, la pendule,
les dessins du tapis étaient gothiques ; le plafond,
formé de solives brunes sculptées, présentait à l'œil
des caissons pleins de grâce et d'originalité ; les boi-
series étaient artistement travaillées ; rien ne détruisait l'ensemble de cette jolie décoration, pas même
les croisées, dont les vitraux étaient coloriés et précieux. Je fus surpris à l'aspect d'un petit salon moderne
où je ne sais quel artiste avait épuisé la science de notre

décor, si léger, si frais, si suave, sans éclat, sobre de
dorures. C'était amoureux et vague comme une ballade
allemande, un vrai réduit [716] taillé pour une passion
de 1827, embaumé par des jardinières pleines de fleurs
rares. Après ce salon, j'aperçus [717] en enfilade une
pièce dorée où revivait le goût du siècle de Louis XIV,
qui, opposé à nos peintures actuelles, produisait un
bizarre mais agréable contraste.

« — Tu seras assez bien logé, me dit Rastignac
avec un sourire où perçait une légère ironie. N'est-ce
pas séduisant ? ajouta-t-il en s'asseyant.

« Tout à coup il se leva, me prit [718] par la main, me
conduisit à la chambre à coucher, et me montra, sous
un dais de mousseline et de moire blanches, un lit
voluptueux doucement éclairé, le vrai lit d'une jeune
fée fiancée à un génie.

« — N'y a-t-il pas, s'écria-t-il à voix basse, de l'impu-
deur, de l'insolence et de la coquetterie outre mesure
à nous laisser contempler ce trône de l'amour ? Ne
se donner à personne, et permettre à tout le monde
de mettre là sa carte ! Si j'étais libre, je voudrais voir
cette femme soumise et pleurant à ma porte...

« — Es-tu donc si certain de sa vertu ?

« — Les plus audacieux de nos maîtres, et même les
plus habiles, avouent avoir échoué près d'elle, l'aiment [719]
encore et sont ses amis dévoués. Cette femme n'est-elle
pas une énigme ?

« Ces paroles excitèrent en moi une sorte d'ivresse,
ma jalousie craignait déjà le passé. Tressaillant d'aise,
je revins précipitamment dans le salon où j'avais laissé
la comtesse, que je rencontrai dans le boudoir gothique.
Elle m'arrêta par un sourire, me fit asseoir près d'elle,
me questionna sur mes travaux, et sembla s'y intéresser vivement, surtout quand je lui traduisis mon
système en plaisanteries, au lieu de prendre le langage d'un professeur pour le lui développer doctora-
lement. Elle parut s'amuser beaucoup en apprenant

que la volonté [720] humaine était une force matérielle
semblable à la vapeur ; que, dans le monde moral,
rien ne résistait à cette puissance quand un homme
s'habituait à la concentrer, à en manier la somme, à
diriger constamment sur les âmes la projection de
cette masse fluide ; que cet homme pouvait [721] à son
gré tout modifier relativement à l'humanité, même
les lois absolues de la nature. Les objections de Fœdora
me révélèrent [722] en elle une certaine finesse d'esprit ;
je me complus à lui donner raison pendant quelques
moments pour la flatter, et je détruisis ses raisonnements
de femme par un mot, en attirant son attention sur un
fait journalier dans la vie, le sommeil, fait vulgaire [723]
en apparence, mais au fond plein de problèmes inso-
lubles pour le savant, et je piquai sa curiosité. La comtesse resta même un instant silencieuse quand je lui dis
que nos idées étaient des êtres organisés, complets,
qui vivaient dans un monde invisible et influaient
sur nos destinées, en lui citant pour preuves [724] les
pensées de Descartes, de Diderot, de Napoléon, qui
avaient conduit, qui conduisaient encore tout un siècle.
J'eus l'honneur d'amuser cette femme ; elle me quitta
en m'invitant à la venir voir : en style de cour, elle
me donna les grandes entrées [725].

« Soit que je prisse, selon ma louable habitude, des
formules polies pour des paroles de cœur, soit que
Fœdora vît en moi quelque célébrité prochaine et
voulût augmenter sa ménagerie de savants, je crus lui
plaire. J'évoquai toutes mes connaissances physiologiques et mes études antérieures sur la femme pour
examiner minutieusement pendant cette soirée cette
singulière personne et ses manières ; caché dans l'embrasure d'une fenêtre, j'espionnai ses pensées en les
cherchant dans son maintien, en étudiant ce manège
d'une maîtresse de maison qui va et vient, s'assied et
cause, appelle un homme, l'interroge, et s'appuie pour
l'écouter sur un chambranle de porte ; je remarquai

dans [726] sa démarche un mouvement brisé si doux,
une ondulation de robe si gracieuse, elle excitait si
puissamment le désir, que je devins alors très incrédule
sur sa vertu. Si Fœdora méconnaissait aujourd'hui
l'amour, elle avait dû jadis être fort passionnée ; car
une volupté savante se peignait jusque dans la manière
dont elle se posait devant son interlocuteur [727] ; elle
se soutenait sur la boiserie avec coquetterie, comme une
femme près de tomber, mais aussi près de s'enfuir
si quelque regard trop vif l'intimide. Les bras mollement croisés, paraissant [728] respirer les paroles, les
écoutant même du regard et avec bienveillance, elle
exhalait le sentiment. Ses lèvres fraîches et rouges
tranchaient sur un teint d'une vive blancheur. Ses cheveux bruns faisaient assez bien valoir la couleur [729]
orangée de ses yeux mêlés de veines comme une pierre
de Florence, et dont l'expression semblait ajouter [730]
de la finesse à ses paroles. Enfin, son corsage était paré
des grâces les plus attrayantes. Une rivale aurait peut-
être accusé de dureté d'épais sourcils qui paraissaient
se rejoindre, et blâmé l'imperceptible duvet qui ornait
les contours du visage. Je trouvai la passion empreinte
en tout. L'amour était écrit sur les paupières italiennes
de cette femme, sur ses belles épaules [731], dignes de la
Vénus de Milo, dans ses traits, sur sa lèvre inférieure [732]
un peu forte et légèrement ombragée. C'était plus qu'une
femme, c'était un roman. Oui, ces richesses féminines, l'ensemble harmonieux des lignes, les promesses
que cette riche structure faisait à la passion, étaient
tempérés par [733] une réserve constante, par une modestie
extraordinaire, qui contrastaient avec l'expression
de toute la personne. Il fallait une observation aussi
sagace que la mienne pour découvrir dans cette nature
les signes d'une destinée de volupté. Pour expliquer
plus clairement ma pensée, il y avait en Fœdora deux
femmes, séparées par le buste peut-être : l'une était
froide, la tête seule semblait être amoureuse [734] ; avant

d'arrêter ses yeux sur un homme [735], elle préparait son regard, comme s'il se passait je ne sais quoi de mystérieux en elle-même, vous eussiez dit une convulsion dans ses yeux si brillants [736]. Enfin, ou ma science était imparfaite et j'avais encore bien des secrets à découvrir dans le monde moral, ou la comtesse [737] possédait une belle âme, dont les sentiments et les émanations communiquaient à sa physionomie ce charme qui nous subjugue et nous fascine, ascendant tout moral et d'autant plus puissant, qu'il s'accorde avec les sympathies du désir.

« Je sortis ravi, séduit par cette femme, enivré par son luxe, chatouillé dans tout ce que mon cœur avait de noble, de vicieux, de bon, de mauvais. En me sentant si ému, si vivant, si exalté, je crus comprendre l'attrait qui amenait là ces artistes, ces diplomates, ces hommes du pouvoir, ces agioteurs doublés de tôle comme leurs caisses : sans doute [738], ils venaient chercher près d'elle l'émotion délirante qui faisait vibrer en moi toutes les forces de mon être, fouettait mon sang dans la moindre veine, agaçait le plus petit nerf et tressaillait dans mon cerveau ! Elle ne s'était donnée à aucun pour les garder tous. Une femme est coquette tant qu'elle n'aime pas [739].

« — Puis, dis-je à Rastignac, elle a peut-être été mariée ou vendue à quelque vieillard, et le souvenir de ses premières noces lui donne de l'horreur pour l'amour.

« Je revins à pied du faubourg Saint-Honoré, où Fœdora demeure. Entre son hôtel et la rue des Cordiers, il y a presque tout Paris ; le chemin me parut court, et cependant il faisait froid. Entreprendre la conquête de Fœdora dans l'hiver, un rude hiver, quand je n'avais pas trente francs en ma possession, quand la distance qui nous séparait était si grande ! Un jeune homme pauvre peut seul savoir ce qu'une passion coûte en voitures, en gants, en habits, linge, etc. Si l'amour reste un peu trop de temps platonique, il devient ruineux. Vraiment, il y a des Lauzuns [740] de l'École de droit auxquels il est impossible d'approcher d'une passion logée à un premier étage. Et comment pouvais-je lutter, moi faible, grêle, mis simplement, pâle et hâve comme un artiste en convalescence d'un ouvrage, avec des jeunes gens bien frisés, jolis, pimpants, cravatés à désespérer toute la Croatie, riches, armés de tilburys et vêtus d'impertinence [741] ?

« — Bah ! Fœdora ou la mort !... criai-je au détour d'un pont : Fœdora, c'est la fortune !

« Le beau boudoir gothique et le salon à la Louis XIV passèrent devant mes yeux, je revis la comtesse avec sa robe blanche, ses grandes manches gracieuses, et sa séduisante démarche, et son corsage tentateur. Quand j'arrivai dans ma mansarde nue, froide, aussi mal peignée que la perruque d'un naturaliste, j'étais encore environné par les images du luxe [742] de Fœdora. Ce contraste était un mauvais conseiller, les crimes doivent naître ainsi. Je maudis alors [743], en frissonnant de rage, ma décente et honnête misère, ma mansarde féconde où tant de pensées avaient surgi. Je demandai compte à Dieu, au diable, à l'état social, à mon père, à l'univers entier de ma destinée, de mon malheur ; je me couchai tout affamé, grommelant de risibles imprécations, mais bien résolu à séduire Fœdora. Ce cœur de femme était un dernier billet de loterie chargé de ma fortune. Je te ferai grâce de mes premières visites chez Fœdora, pour arriver promptement au drame.

« Tout en tâchant de m'adresser à l'âme de cette femme [744], j'essayai de gagner son esprit, d'avoir sa vanité pour moi ; afin d'être sûrement aimé, je lui donnai mille raisons de mieux s'aimer elle-même ; jamais je ne la laissai dans un état d'indifférence ; les femmes veulent des émotions à tout prix, je les lui prodiguai ; je l'eusse mise en colère plutôt que de la voir insouciante avec moi. Si d'abord, animé d'une volonté ferme et du désir de me faire aimer, je pris un peu d'ascendant sur elle, bientôt ma passion grandit,

je ne fus plus maître de moi, je tombai dans le vrai, je
me perdis et devins éperdument amoureux. Je ne sais
pas bien ce que nous appelons, en poésie ou dans la
conversation, *amour* ; mais le sentiment qui se développa tout à coup dans ma double nature, je ne l'ai
trouvé peint nulle part, ni dans les phrases rhétoriques
et apprêtées de Jean-Jacques Rousseau, de qui j'occupais [745] peut-être le logis, ni dans les froides conceptions de nos deux siècles littéraires, ni dans les tableaux
de l'Italie. La vue du lac de Brienne [746], quelques motifs
de Rossini, *la Madone* de Murillo [747] que possède le
maréchal Soult, les lettres de la Lescombat [748], certains
mots épars dans les recueils d'anecdotes, mais surtout
les prières des extatiques et quelques passages de nos
fabliaux, ont pu seuls me transporter dans les divines
régions de mon premier amour [749].

« Rien dans les langages humains, aucune traduction,
de la pensée faite à l'aide des couleurs, des marbres,
des mots ou des sons, ne saurait rendre le nerf, la
vérité, le fini, la soudaineté du sentiment dans l'âme !
Oui ! qui dit art, dit mensonge. L'amour passe par des
transformations infinies avant de se mêler pour toujours à notre vie et de la teindre à jamais [750] de sa
couleur de flamme. Le secret de cette infusion imperceptible échappe à l'analyse de l'artiste. La vraie passion s'exprime par des cris, par des soupirs ennuyeux
pour un homme froid. Il faut aimer sincèrement pour
être de moitié dans les rugissements de Lovelace, en
lisant *Clarisse Harlowe*. L'amour [751] est une source
naïve, partie de son lit de cresson, de fleurs, de gravier,
qui, rivière, qui, fleuve, change de nature et d'aspect
à chaque flot, et se jette dans un incommensurable
océan où les esprits incomplets voient la monotonie,
où les grandes âmes s'abîment en de perpétuelles
contemplations. Comment oser décrire ces teintes
transitoires du sentiment, ces riens qui ont tant de
prix, ces mots dont l'accent épuise les trésors du lan-

gage, ces regards plus féconds que les plus riches
poèmes [752] ? Dans chacune des scènes mystiques par
lesquelles nous nous éprenons insensiblement d'une
femme s'ouvre un abîme [753] à engloutir toutes les poésies
humaines. Eh ! comment pourrions-nous reproduire
par des gloses les vives et mystérieuses agitations
de l'âme, quand les paroles nous manquent pour
peindre les mystères visibles de la beauté ? Quelles
fascinations ! Combien d'heures ne suis-je pas resté
plongé dans une extase ineffable occupé à *la voir* ! Heureux, de quoi ? je ne sais. Dans ces moments, si son
visage était inondé de lumière, il s'y opérait une sorte de
phénomène qui le faisait resplendir ; l'imperceptible
duvet qui dore sa peau délicate et fine en dessinait [754]
mollement les contours avec la grâce que nous admirons
dans les lignes lointaines de l'horizon quand elles se
perdent dans le soleil. Il semblait que le jour la caressât en s'unissant à elle, ou qu'il s'échappât de sa rayonnante figure une lumière plus vive que la lumière
même ; puis une ombre, passant sur cette douce figure,
y produisait une sorte de couleur qui en variait les
expressions en en changeant les teintes. Souvent,
une pensée semblait se peindre sur son front de marbre ;
son œil paraissait rougir, sa paupière vacillait, ses
traits ondulaient agités par un sourire ; le corail intelligent de ses lèvres s'animait, se dépliait, se repliait ;
je ne sais quel reflet de ses cheveux jetait des tons
bruns sur ses tempes fraîches [755] ; à chaque accident [756],
elle avait parlé. Chaque nuance de beauté donnait
des fêtes nouvelles à mes yeux, révélait des grâces
inconnues à mon cœur [757]. Je voulais lire un sentiment,
un espoir, dans toutes ces phases du visage. Ces discours
muets pénétraient d'âme à âme comme un son dans
l'écho, et me prodiguaient des joies passagères qui me
laissaient des impressions profondes. Sa voix me causait
un délire que j'avais peine à comprimer. Imitant je
ne me rappelle plus quel prince [758] de Lorraine, j'aurais

pu ne pas sentir un charbon ardent au creux de ma
main pendant qu'elle aurait passé dans ma chevelure
ses doigts chatouilleux. Ce n'était plus une admiration,
un désir, mais un charme, une fatalité. Souvent, rentré
sous mon toit, je voyais indistinctement Fœdora chez
elle, et participais vaguement à sa vie ; si elle souffrait,
je souffrais, et je lui disais le lendemain :

« — Vous avez souffert.

« Combien de fois n'est-elle pas venue au milieu
des silences de la nuit, évoquée par la puissance de
mon extase ! Tantôt, soudaine comme une lumière
qui jaillit, elle abattait ma plume [759], elle effarouchait
la science et l'étude, qui s'enfuyaient désolées ; elle me
forçait à l'admirer en reprenant la pose [760] attrayante
où je l'avais vue naguère. Tantôt, j'allais moi-même
au-devant d'elle dans le monde des apparitions, et la
saluais comme une espérance en lui demandant de me
faire entendre sa voix argentine ; puis je me réveillais
en pleurant.

« Un jour, après m'avoir promis de venir au spectacle avec moi, tout à coup elle refusa capricieusement
de sortir, et me pria de la laisser seule. Désespéré
d'une contradiction qui me coûtait une journée de
travail, et, le dirai-je ? mon dernier écu, je me rendis
là où elle aurait dû être, voulant voir la pièce qu'elle
avait désiré voir. A peine placé, je reçus un coup électrique dans le cœur. Une voix me dit : « Elle est là ! »
Je me retourne, j'aperçois la comtesse au fond de sa
loge, cachée dans l'ombre, au rez-de-chaussée. Mon
regard n'hésita pas, mes yeux la trouvèrent tout d'abord
avec une lucidité fabuleuse, mon âme avait volé vers
sa vie comme un insecte vole [761] à sa fleur. Par quoi
mes sens avaient-ils été avertis ? Il est de ces tressaillements intimes qui peuvent surprendre les gens
superficiels, mais ces effets de notre nature intérieure
sont aussi simples que les phénomènes habituels de
notre vision extérieure ; aussi ne fus-je pas étonné,

mais fâché. Mes études sur notre puissance morale, si
peu connue, servaient [762] au moins à me faire rencontrer dans ma passion quelques preuves vivantes de
mon système. Cette alliance du savant et de l'amoureux,
d'une véritable idolâtrie [763] et d'un amour scientifique,
avait je ne sais quoi de bizarre. La science était souvent contente de ce qui désespérait l'amant, et, quand
il croyait triompher, l'amant chassait loin de lui la
science avec bonheur. Fœdora me vit et devint sérieuse,
je la gênais. Au premier entr'acte, j'allai lui faire une
visite ; elle était seule, je restai. Quoique nous n'eussions jamais parlé d'amour, je pressentis une explication. Je ne lui avais point encore dit mon secret, et
cependant il existait entre nous une sorte d'attente :
elle me confiait ses projets d'amusements, et me demandait la veille, avec une sorte d'inquiétude amicale,
si je viendrais le lendemain ; elle me consultait par un
regard quand elle disait un mot spirituel, comme si
elle eût voulu me plaire exclusivement ; si je boudais,
elle devenait caressante ; si elle faisait la fâchée, j'avais
en quelque sorte le droit de l'interroger ; si je me rendais
coupable [764] d'une faute, elle se laissait longtemps
supplier avant de me pardonner. Ces querelles, auxquelles
nous avions pris goût, étaient pleines d'amour. Elle [765]
y déployait tant de grâce et de coquetterie, et moi,
j'y trouvais tant de bonheur ! En ce moment, notre
intimité fut tout à fait suspendue, et nous restâmes
l'un devant l'autre comme deux étrangers. La comtesse
était glaciale ; moi, j'appréhendais un malheur [766].

« — Vous allez m'accompagner, me dit-elle quand
la pièce fut finie.

« Le temps avait changé subitement. Lorsque nous
sortîmes, il tombait une neige mêlée de pluie. La voiture de Fœdora ne put arriver jusqu'à la porte du
théâtre. En voyant une femme bien mise obligée de
traverser le boulevard, un commissionnaire étendit
son parapluie au-dessus de nos têtes, et réclama le prix

de son service quand nous fûmes montés. Je n'avais
rien, j'eusse alors vendu dix ans de ma vie pour avoir
deux sous [767]. Tout ce qui fait l'homme et ses mille
vanités fut écrasé en moi par une douleur infernale.
Ces mots : « Je n'ai pas de monnaie, mon cher ! »
furent dits d'un ton dur qui parut venir de ma passion
contrariée, dits par moi, frère de cet homme, moi qui
connaissais si bien le malheur ! moi qui jadis [768] avait
donné sept cent mille francs avec tant de facilité ! Le
valet repoussa le commissionnaire, et les chevaux
fendirent l'air. En revenant à son hôtel, Fœdora, dis-
traite, ou affectant d'être préoccupée, répondit par de
dédaigneux monosyllabes à mes questions. Je gardai [769]
le silence. Ce fut un horrible moment. Arrivés chez
elle, nous nous assîmes devant la cheminée. Quand
le valet de chambre se fut retiré après avoir attisé le
feu [770], la comtesse se tourna vers moi d'un air indéfinissable et me dit avec une sorte de solennité :

« — Depuis mon retour en France, ma fortune a
tenté quelques jeunes gens ; j'ai reçu des déclarations
d'amour qui auraient pu satisfaire mon orgueil ; j'ai
rencontré des hommes dont l'attachement était si
sincère et si profond, qu'ils m'eussent encore épousée,
même quand ils n'auraient trouvé en moi qu'une fille
pauvre comme je l'étais jadis. Enfin, sachez [771], monsieur de Valentin, que de nouvelles richesses et des
titres nouveaux m'ont été offerts ; mais apprenez
aussi que je n'ai jamais revu les personnes assez mal
inspirées pour m'avoir parlé d'amour. Si mon affection
pour vous était légère, je ne vous donnerais pas un
avertissement dans lequel il entre plus d'amitié que
d'orgueil. Une femme s'expose à recevoir une sorte
d'affront lorsque [772], en se supposant aimée, elle se
refuse par avance à un sentiment toujours flatteur. Je
connais les scènes d'Arsinoé, d'Araminte, ainsi je me
suis familiarisée avec les réponses que je puis entendre
en pareille circonstance ; mais j'espère aujourd'hui

ne pas être [773] mal jugée par un homme supérieur pour lui avoir montré franchement mon âme [774].

« Elle s'exprimait avec le sang-froid d'un avoué, d'un notaire, expliquant à leurs clients les moyens d'un procès ou les articles d'un contrat. Le timbre clair et séducteur de sa voix n'accusait pas la moindre émotion ; seulement, sa figure et son maintien, toujours nobles et décents, me semblèrent avoir une froideur, une sécheresse diplomatiques. Elle avait sans doute médité ses paroles et fait le programme de cette scène. Oh ! mon cher ami, quand certaines femmes trouvent du plaisir à nous déchirer le cœur, quand elles se sont promis d'y enfoncer un poignard et de le retourner dans la plaie, ces femmes-là sont adorables, elles aiment ou veulent être aimées ! Un jour, elles nous récompenseront de nos douleurs, comme Dieu doit, dit-on, rémunérer nos bonnes œuvres ; elles nous rendront en plaisir le centuple du mal dont la violence est appréciée par elles : leur méchanceté n'est-elle pas pleine de passion ? Mais être torturé par une femme qui nous tue avec indifférence, n'est-ce pas un atroce supplice [775] ? En ce moment, Fœdora marchait, sans le savoir, sur toutes mes espérances, brisait ma vie et détruisait mon avenir avec la froide insouciance et l'innocente cruauté d'un enfant qui, par curiosité, déchire les ailes d'un papillon.

« — Plus tard, ajouta Fœdora, vous reconnaîtrez, je l'espère, la solidité de l'affection que j'offre à mes amis. Pour eux, vous me trouverez toujours bonne et dévouée. Je saurais leur donner ma vie, mais vous me mépriseriez si je subissais leur amour sans le partager. Je m'arrête. Vous êtes le seul homme auquel j'aie encore dit ces derniers mots.

« D'abord les paroles me manquèrent, et j'eus peine à maîtriser l'ouragan qui s'élevait en moi ; mais bientôt je refoulai mes sensations au fond de mon âme et me mis à sourire :

« — Si je vous dis que je vous aime, répondis-je,
vous me bannirez ; si je m'accuse d'indifférence, vous
m'en punirez. Les prêtres, les magistrats et les femmes
ne dépouillent jamais leur robe entièrement. Le silence
ne préjuge rien ; trouvez bon, madame, que je me
taise. Pour m'avoir adressé de si fraternels avertissements, il faut que vous ayez craint [776] de me perdre,
et cette pensée pourrait satisfaire mon orgueil. Mais
laissons la personnalité loin de nous. Vous êtes peut-
être la seule femme avec laquelle je puisse discuter
en philosophe une résolution si contraire aux lois de
la nature. Relativement aux autres objets de votre
espèce, vous êtes un phénomène. Eh bien, cherchons
ensemble, de bonne foi, la cause de cette anomalie
psychologique. Existe-t-il [777] en vous, comme chez
beaucoup de femmes fières d'elles-mêmes, amoureuses
de leurs perfections, un sentiment d'égoïsme raffiné
qui vous fasse prendre en horreur l'idée d'appartenir
à un homme, d'abdiquer votre vouloir et d'être soumise à une supériorité de convention qui vous offense ?
vous me sembleriez mille fois plus belle ! Auriez-vous
été maltraitée une première fois par l'amour ? Peut-
être le prix que vous devez attacher à l'élégance de
votre taille, à votre délicieux corsage, vous fait-il
craindre les dégâts de la maternité : ne serait-ce pas
une de vos meilleures raisons [778] secrètes pour vous
refuser à être trop bien aimée ? Avez-vous des imperfections qui vous rendent vertueuse malgré vous [779] ?...
Ne vous fâchez pas, je discute, j'étudie, je suis à mille
lieues de la passion. La nature, qui fait des aveugles
de naissance, peut bien créer des femmes sourdes,
muettes et aveugles en amour. Vraiment, vous êtes
un sujet précieux pour l'observation médicale ! Vous
ne savez pas tout ce que vous valez. Vous pouvez
avoir un dégoût fort légitime pour les hommes ; je
vous approuve, ils me paraissent tous laids et odieux.
Mais vous avez raison, ajoutai-je en sentant mon

cœur se gonfler, vous devez nous mépriser ; il n'existe pas d'homme qui soit digne de vous !

« Je ne te dirai pas tous les sarcasmes que je lui débitai en riant. Eh bien, la parole la plus acérée, l'ironie la plus aiguë, ne lui arrachèrent ni un mouvement ni un geste [780] de dépit. Elle m'écoutait en gardant sur ses lèvres, dans ses yeux, son sourire d'habitude, ce sourire qu'elle prenait comme un vêtement, et toujours le même pour ses amis, pour ses simples connaissances, pour les étrangers.

« — Ne suis-je pas bien bonne de me laisser mettre ainsi sur un amphithéâtre ? dit-elle en saisissant un moment pendant lequel je la regardais en silence. Vous le voyez, continua-t-elle en riant, je n'ai pas de sottes susceptibilités en amitié. Beaucoup de femmes puniraient votre impertinence en vous faisant fermer leur porte.

« — Vous pouvez me bannir de chez vous sans être [781] tenue de donner la raison de vos sévérités.

« En disant cela, je me sentais prêt à la tuer si elle m'avait congédié.

« — Vous êtes fou, s'écria-t-elle en souriant.

« — Avez-vous jamais songé, repris-je, aux effets d'un violent amour ? Un homme au désespoir a souvent assassiné sa maîtresse.

« — Il vaut mieux être morte que malheureuse, répondit-elle froidement. Un homme si passionné doit, un jour, abandonner sa femme et la laisser sur la paille après lui avoir mangé sa fortune.

« Cette arithmétique m'abasourdit. Je vis clairement un abîme entre cette femme et moi. Nous ne pouvions jamais nous comprendre.

« — Adieu, lui dis-je froidement.

« — Adieu, répondit-elle en inclinant la tête d'un air amical. A demain.

« Je la regardai pendant un moment en lui dardant tout l'amour auquel je renonçais. Elle était debout, et me jetait son sourire banal, le détestable sourire d'une statue de marbre, paraissant [782] exprimer l'amour, mais froid. Concevras-tu bien, mon cher, toutes les douleurs qui m'assaillirent [783] en revenant chez moi par la pluie et la neige, en marchant sur le verglas des quais pendant une lieue, ayant tout perdu ? Oh ! savoir qu'elle ne pensait seulement pas à ma misère et me croyait, comme elle, riche et doucement voituré ! Combien de ruines et de déceptions ! Il ne s'agissait plus d'argent, mais de toutes les fortunes de mon âme. J'allais au hasard, en discutant avec moi-même les mots de cette étrange conversation, je m'égarais si bien dans mes commentaires [784], que je finissais par douter de la valeur nominale des paroles et des idées ! Et j'aimais toujours, j'aimais cette femme froide dont le cœur voulait être conquis à tout moment, et qui, en effaçant toujours les promesses [785] de la veille, se produisait le lendemain comme une maîtresse nouvelle [786]. En tournant sous les guichets de l'Institut, un mouvement fiévreux me saisit. Je me souvins alors que j'étais à jeun. Je ne possédais pas un denier. Pour comble de malheur, la pluie déformait mon chapeau [787]. Comment pouvoir aborder désormais une femme élégante et me présenter dans un salon sans un chapeau mettable ! Grâce à des soins extrêmes, et tout en maudissant la mode niaise et sotte qui nous condamne à exhiber la coiffe de nos chapeaux en les gardant constamment à la main, j'avais maintenu le mien jusque-là dans un état [788] douteux. Sans être curieusement neuf ou sèchement vieux, dénué de barbe ou très soyeux, il pouvait passer pour le chapeau d'un [789] homme soigneux ; mais son existence artificielle arrivait à son dernier période, il était blessé, déjeté, fini, véritable haillon, digne représentant de son maître. Faute de trente sous, je perdais mon industrieuse élégance.

« Ah ! combien de sacrifices ignorés n'avais-je pas

faits [790] à Fœdora depuis trois mois ! Souvent, je
consacrais l'argent nécessaire au pain d'une semaine
pour aller la voir un moment. Quitter mes travaux et
jeûner, ce n'était rien ! mais traverser les rues de Paris
sans se laisser éclabousser, courir pour éviter la pluie,
arriver chez elle aussi bien mis que les fats qui l'entouraient [791], ah ! pour un poète amoureux et distrait,
cette tâche avait d'innombrables difficultés. Mon
bonheur, mon amour, dépendaient d'une moucheture
de fange [792] sur mon seul gilet blanc ! Renoncer à la
voir si je me crottais, si je me mouillais ! Ne pas posséder cinq sous pour faire effacer par un décrotteur la
plus légère tache de boue [793] sur ma botte ! Ma passion
s'était augmentée de tous ces petits supplices inconnus,
immenses chez un homme irritable. Les malheureux
ont des dévouements desquels il ne leur est point
permis de parler aux femmes qui vivent dans une
sphère de luxe et d'élégance ; elles voient le monde à
travers un prisme qui teint en or les hommes et les
choses. Optimistes par égoïsme, cruelles par bon ton,
ces femmes s'exemptent de réfléchir au nom de leurs
jouissances, et s'absolvent de leur indifférence au
malheur par l'entraînement du plaisir. Pour elles, un
denier n'est jamais un million, c'est le million qui
leur semble être un denier. Si l'amour doit plaider sa
cause par de grands sacrifices, il doit aussi les couvrir
délicatement d'un voile, les ensevelir dans le silence ;
mais, en prodiguant leur fortune et leur vie, en se
dévouant, les hommes riches profitent des préjugés
mondains qui donnent toujours un certain éclat à
leurs amoureuses folies ; pour eux, le silence parle
et le voile est une grâce, tandis que mon affreuse détresse me condamnait à d'épouvantables souffrances
sans qu'il me fût permis de dire : « J'aime ! » ou : « Je
meurs ! » [794] Était-ce du dévouement, après tout ?
N'étais-je pas richement récompensé par le plaisir
que j'éprouvais à tout immoler pour elle ? La com-

tesse avait donné d'extrêmes valeurs, attaché d'excessives jouissances aux accidents les plus vulgaires de
ma vie. Naguère insouciant en fait de toilette, je res-
pectais maintenant mon habit comme un autre moi-
même. Entre une blessure à recevoir et la déchirure
de mon frac, je n'aurais pas hésité ! Tu dois alors
épouser ma situation et comprendre les rages de pensée, la frénésie croissante qui m'agitaient en marchant [795],
et que peut-être la marche animait encore ! J'éprouvais
je ne sais quelle joie infernale à me trouver au faîte
du malheur. Je voulais voir un présage de fortune
dans cette dernière crise ; mais le mal a des trésors
sans fond. La porte de mon hôtel était entr'ouverte.
A travers les découpures en forme de cœur pratiquées
dans le volet, j'aperçus une lumière projetée dans la
rue. Pauline et sa mère causaient en m'attendant.
J'entendis prononcer mon nom, j'écoutai.

« — Raphaël, disait Pauline, est bien mieux que
l'étudiant du numéro sept ! Ses cheveux blonds sont
d'une si jolie couleur ! Ne trouves-tu pas quelque
chose dans sa voix, je ne sais, mais quelque chose
qui vous remue le cœur ? Et puis, quoiqu'il ait l'air
un peu fier, il est si bon, il a des manières si distinguées !
Oh ! il est vraiment très bien ! Je suis sûre que toutes
les femmes doivent être folles de lui.

« — Tu en parles comme si tu l'aimais, observa
Mme Gaudin [796].

« — Oh ! je l'aime comme un frère, répondit-elle
en riant. Je serais joliment ingrate si je n'avais pas
de l'amitié pour lui ! Ne m'a-t-il pas appris la musique,
le dessin, la grammaire, enfin tout ce que je sais ?
Tu ne fais pas grande attention à mes progrès, ma
bonne mère ; mais je deviens si instruite, que, dans [797]
quelque temps, je serai assez forte pour donner des
leçons, et alors nous pourrons avoir une domestique.

« Je me retirai doucement ; et, après avoir fait
quelque bruit, j'entrai dans la salle pour y prendre

ma lampe, que Pauline voulut allumer. La pauvre enfant venait de jeter un baume délicieux sur mes plaies.
Ce naïf éloge de ma personne me rendit un peu de
courage. J'avais besoin de croire en moi-même et de
recueillir un jugement impartial sur la véritable valeur
de mes avantages. Mes espérances, ainsi ranimées,
se reflétèrent peut-être sur les choses que je voyais.
Peut-être [798] aussi n'avais-je point encore bien
sérieusement examiné la scène assez souvent offerte
à mes regards par ces deux femmes au milieu de cette
salle ; mais alors j'admirai dans sa réalité le plus délicieux tableau de cette nature modeste, si naïvement [799]
reproduite par les peintres flamands. La mère, assise
au coin d'un foyer à demi éteint, tricotait des bas, et
laissait errer sur ses lèvres un bon sourire. Pauline
coloriait des écrans ; ses couleurs, ses pinceaux étalés
sur une petite table parlaient aux yeux par de piquants
effets ; mais, ayant quitté sa place et se tenant debout
pour allumer ma lampe, sa blanche figure en recevait
toute la lumière, il fallait être subjugué par une bien
terrible passion pour ne pas admirer ses mains trans-
parentes et roses, l'idéal de sa tête et sa virginale attitude ! La nuit et le silence prêtaient leur charme à
cette laborieuse veillée, à ce paisible intérieur. Ces
travaux continus et gaiement supportés attestaient
une résignation religieuse pleine de sentiments élevés.
Une [800] indéfinissable harmonie existait là entre les
choses et les personnes. Chez Fœdora, le luxe était
sec, il éveillait en moi de mauvaises pensées ; tandis
que cette humble misère et ce bon naturel [801] me
rafraîchissaient l'âme. Peut-être étais-je humilié en
présence du luxe ; près de ces deux femmes, au milieu
de cette salle brune où la vie simplifiée semblait se réfugier dans les émotions du cœur, peut-être me récon-
ciliai-je avec moi-même en trouvant à exercer la protection que l'homme est si jaloux de faire sentir. Quand
je fus près de Pauline, elle me jeta un regard presque

maternel, et s'écria, les mains tremblantes, en posant
vivement la lampe :

« — Dieu ! comme vous êtes pâle ! — Ah ! il est tout
mouillé ! — Ma mère va vous essuyer... Monsieur
Raphaël, reprit-elle après une légère pause, vous êtes
friand [802] de lait : nous avons eu ce soir de la crème,
tenez, voulez-vous y goûter ?

« Elle sauta comme un petit chat sur un bol de porcelaine plein de lait, et me le présenta si vivement,
me le mit sous le nez d'une si gentille façon, que j'hési-
tai.

« — Vous me refuseriez ? dit-elle d'une voix altérée.

« Nos deux fiertés se comprenaient : Pauline paraissait souffrir de sa pauvreté, et me reprocher ma hauteur.
Je fus attendri. Cette crème était peut-être son déjeuner
du lendemain, j'acceptai cependant. La pauvre [803]
fille essaya de cacher sa joie, mais elle pétillait dans ses
yeux.

« — J'en avais besoin, lui dis-je en m'asseyant.
(Une expression soucieuse passa sur son front.) Vous
souvenez-vous, Pauline, de ce passage où Bossuet nous
peint Dieu récompensant un verre d'eau plus richement
qu'une victoire ?

« — Oui, répondit-elle [804].

« Et son sein battait comme celui d'une jeune fauvette entre [805] les mains d'un enfant.

« — Eh bien, comme nous nous quitterons bientôt,
ajoutai-je d'une voix mal assurée, laissez-moi vous
témoigner ma reconnaissance pour tous les soins que,
vous et votre mère, vous avez eus de moi.

« — Oh ! ne comptons pas, dit-elle en riant.

« Son rire cachait une émotion qui me fit mal.

« — Mon piano, repris-je sans paraître avoir entendu
ses paroles, est un des meilleurs instruments d'Érard [806] :
acceptez-le. Prenez-le sans scrupule, je ne saurais vraiment l'emporter dans le voyage que je compte entreprendre [807].

« Éclairées peut-être par l'accent de mélancolie avec lequel je prononçai ces mots, les deux femmes semblèrent m'avoir compris et me regardèrent avec une curiosité mêlée d'effroi. L'affection que je cherchais au milieu des froides régions du grand monde était donc là, vraie, sans faste, mais onctueuse et peut-être durable.

« — Il ne faut pas prendre tant de souci, me dit la mère. Restez ici. Mon mari est en route à cette heure, reprit-elle. Ce soir, j'ai lu l'Évangile de saint Jean pendant que Pauline tenait suspendue entre ses doigts notre clef attachée dans une Bible, la clef a tourné. Ce présage annonce [808] que Gaudin se porte bien et prospère. Pauline a recommencé pour vous et pour le jeune homme du numéro sept ; mais la clef n'a tourné que pour vous. Nous serons tous riches. Gaudin reviendra millionnaire : je l'ai vu en rêve sur un vaisseau plein de serpents ; heureusement, l'eau était trouble, ce qui signifie or et pierreries d'outre-mer.

« Ces paroles amicales et vides, semblables aux vagues chansons avec lesquelles une mère endort les douleurs de son enfant, me rendirent une sorte de calme. L'accent et le regard de la bonne femme exhalaient cette douce [809] cordialité qui n'efface pas le chagrin, mais qui l'apaise, qui le berce et l'émousse. Plus perspicace que sa mère, Pauline m'examinait avec inquiétude, ses yeux intelligents semblaient deviner ma vie et mon avenir. Je remerciai par une inclination de tête la mère et la fille ; puis je me sauvai, craignant de m'attendrir. Quand je me trouvai seul sous mon toit, je me couchai dans mon malheur. Ma fatale imagination me dessina mille projets sans base et me dicta des résolutions impossibles. Quand un homme se traîne dans les décombres de sa fortune, il y rencontre encore quelques ressources ; mais j'étais dans le néant. Ah ! mon cher, nous accusons trop facilement la misère. Soyons indulgents pour les effets du plus actif de tous les

dissolvants sociaux. Là où règne la misère, il n'existe [810]
plus ni pudeur, ni crimes, ni vertus, ni esprit. J'étais
alors sans idées, sans force, comme une jeune fille tombée à genoux devant un tigre. Un homme sans passion
et sans argent reste maître de sa personne ; mais un
malheureux qui aime ne s'appartient plus et ne peut
pas se tuer [811]. L'amour nous donne une sorte de religion pour nous-mêmes, nous respectons en nous une
autre vie ; il devient alors le plus [812] horrible des malheurs, le malheur avec une espérance, une espérance
qui vous fait accepter des tortures [813]. Je m'endormis
avec l'idée d'aller le lendemain confier à Rastignac la
singulière détermination de Fœdora.

« — Ah ! ah ! me dit Rastignac en me voyant entrer
chez lui dès neuf heures du matin, je sais ce qui t'amène,
tu dois être congédié par Fœdora. Quelques bonnes
âmes, jalouses de ton empire sur la comtesse, ont annoncé
votre mariage. Dieu sait les folies que tes rivaux t'ont
prêtées et les calomnies [814] dont tu as été l'objet !

« — Tout s'explique ! m'écriai-je.

« Je me souvins [815] de toutes mes impertinences et
trouvai la comtesse sublime. A mon gré, j'étais un
infâme qui n'avait pas encore assez souffert, et je ne
vis plus dans son indulgence que la patiente charité de
l'amour.

« — N'allons pas si vite, me dit le prudent Gascon.
Fœdora possède la pénétration naturelle aux femmes
profondément égoïstes, elle t'aura jugé [816] peut-être
au moment où tu ne voyais encore en elle que sa fortune
et son luxe ; en dépit de ton adresse, elle aura lu dans
ton âme. Elle est assez dissimulée pour qu'aucune
dissimulation ne trouve grâce devant elle. Je crois,
ajouta-t-il, t'avoir mis dans une mauvaise voie. Malgré
la finesse de son esprit et de ses manières, cette créature me semble impérieuse, comme toutes les femmes
qui ne prennent de plaisir que par la tête [817]. Pour elle,
le bonheur gît tout entier dans le bien-être de la vie,

dans les jouissances sociales ; chez elle, le sentiment est un rôle ; elle te rendrait malheureux, et ferait de toi son premier valet [818]...

« Rastignac parlait à un sourd. Je l'interrompis, en lui exposant avec une apparente gaieté ma situation financière.

« — Hier au soir, me répondit-il, une veine contraire m'a emporté tout l'argent dont je pouvais disposer. Sans cette [819] vulgaire infortune, j'eusse partagé volontiers ma bourse avec toi. Mais allons déjeuner au cabaret, les huîtres nous donneront peut-être un bon conseil.

« Il s'habilla, fit atteler son tilbury ; puis, semblables à deux millionnaires, nous arrivâmes au café de *Paris* [820] avec l'impertinence de ces audacieux spéculateurs qui vivent sur des capitaux imaginaires. Ce diable de Gascon me confondait par l'aisance de ses manières et par son aplomb imperturbable. Au moment où nous prenions le café, après avoir fini un repas fort délicat et très bien entendu, Rastignac, qui distribuait des coups de tête à une foule de jeunes gens également recommandables par les grâces de leur personne et par l'élégance de leur mise, me dit en voyant entrer un de ces dandys :

« — Voici ton affaire.

« Et il fit signe à un gentilhomme bien cravaté, qui [821] semblait chercher une table à sa convenance, de venir lui parler.

« — Ce gaillard-là, me dit Rastignac à l'oreille, est décoré pour avoir publié des ouvrages qu'il ne comprend pas ; il est chimiste, historien, romancier, publiciste ; il possède des quarts, des tiers, des moitiés dans je ne sais combien de pièces de théâtre, et il est ignorant comme la mule de dom Miguel. Ce n'est pas un homme, c'est un nom, une étiquette familière au public. Aussi se garderait-il bien d'entrer dans ces cabinets sur lesquels il y a cette inscription : *Ici l'on peut écrire soi-même*. Il est fin à jouer tout un congrès. En deux mots, c'est un métis en morale, ni tout à fait probe, ni complètement fripon. Mais chut ! il s'est déjà battu, le monde n'en demande pas davantage et dit de lui : « C'est un homme honorable. »

« — Eh bien, mon excellent ami, mon honorable ami, comment se porte Votre Intelligence ? lui dit Rastignac au moment où l'inconnu s'assit à la table voisine.

« — Mais ni bien, ni mal... Je suis accablé de travail. J'ai entre les mains tous les matériaux nécessaires pour faire des mémoires historiques très curieux, et je ne sais à qui les attribuer. Cela me tourmente ; il faut se hâter, les mémoires [822] vont passer de mode.

« — Sont-ce des mémoires contemporains, anciens, sur la cour [823] ?... sur quoi ?

« — Sur l'affaire du Collier.

« — N'est-ce pas un miracle ? me dit Rastignac en riant.

« Puis, se retournant vers le spéculateur :

« — M. de Valentin, reprit-il en me désignant, est un de mes amis, que je vous présente comme l'une de nos futures célébrités littéraires. Il avait jadis une tante fort bien en cour, marquise, et [824], depuis deux ans, il travaille à une histoire royaliste de la Révolution.

« Alors, se penchant à l'oreille de ce singulier négociant, il lui dit :

« — C'est un homme de talent, mais un niais qui peut vous faire vos mémoires, au nom de sa tante, pour cent écus par volume.

« — Le marché me va, répondit l'autre en haussant sa cravate.

« — Garçon, mes huîtres, donc !

« — Oui, mais vous me donnerez vingt-cinq louis de commission et lui payerez un volume d'avance, reprit Rastignac.

« — Non, non. Je n'avancerai que cinquante écus

pour être plus sûr d'avoir promptement mon manuscrit.

« Rastignac me répéta cette conversation mercantile à voix basse. Puis, sans me consulter :

« — Nous sommes d'accord, lui répondit-il. Quand pouvons-nous aller vous voir pour terminer cette affaire ?

« — Eh bien, venez dîner ici, demain soir, à sept heures.

« Nous nous levâmes. Rastignac jeta de la monnaie au garçon, mit la carte à payer dans sa poche, et nous sortîmes. J'étais stupéfait de la légèreté, de l'insouciance avec laquelle il avait vendu ma respectable tante, la marquise de Montbauron.

« — J'aime mieux [825] m'embarquer pour le Brésil, et y enseigner aux Indiens l'algèbre, dont je ne sais pas un mot, que de salir le nom de ma famille [826] !

« Rastignac m'interrompit par un éclat de rire.

« — Es-tu bête ! Prends d'abord les cinquante écus et fais les mémoires. Quand ils seront achevés, tu refuseras de les mettre sous le nom de ta tante, imbécile ! Madame de Montbauron, morte sur l'échafaud, ses paniers, sa considération, sa beauté, son fard, ses mules valent bien plus de six cents francs. Si le libraire ne veut pas alors payer ta tante ce qu'elle vaut, il trouvera quelque vieux chevalier d'industrie [827] ou je ne sais quelle fangeuse comtesse pour signer les mémoires.

« — Oh ! m'écriai-je, pourquoi suis-je sorti de ma vertueuse mansarde ? Le monde a des envers bien salement ignobles !

« — Bon, répondit Rastignac, voilà de la poésie, et il s'agit d'affaires ! Tu es un enfant. Écoute : quant aux mémoires, le public les jugera ; quant à mon proxénète littéraire, n'a-t-il pas dépensé huit ans de sa vie et payé ses relations avec la librairie par de cruelles expériences ? En partageant inégalement avec lui le travail du livre, ta part d'argent n'est-elle pas aussi la plus belle ? Vingt-cinq louis sont une bien plus

grande somme pour toi que mille francs pour lui. Va,
tu peux écrire des mémoires historiques, œuvre d'art
si jamais il en fut, quand Diderot a fait six sermons
pour cent écus [828].

« — Enfin, lui dis-je tout ému, c'est pour moi une
nécessité : aussi, mon pauvre [829] ami, je te dois des
remercîments. Vingt-cinq louis me rendront bien riche...

« — Et plus riche que tu ne penses, répliqua-t-il
en riant. Si Finot [830] me donne une commission dans
l'affaire, ne devines-tu pas qu'elle sera pour toi [831] ?
Allons au bois de Boulogne, dit-il ; nous y verrons ta
comtesse, et je te montrerai la jolie petite veuve que
je dois épouser, une charmante personne, Alsacienne
un peu grasse. Elle lit Kant, Schiller, Jean-Paul [832],
et une foule de livres hydrauliques. Elle a la manie
de toujours me demander mon opinion : il faut que
j'aie l'air de comprendre cette sensiblerie allemande,
de connaître un tas de ballades [833], toutes drogues qui
me sont défendues par le médecin. Je n'ai pas encore
pu la déshabituer de son enthousiasme littéraire, elle
pleure des averses à la lecture de Gœthe, et je suis
obligé de pleurer un peu, par complaisance, car il y
a cinquante mille livres de rente, mon cher, et le plus
joli petit pied, la plus jolie petite main [834] de la terre !...
Ah ! si elle ne disait pas *mon anche* et *proulier* pour mon
ange et *brouiller*, ce serait une femme accomplie !

« Nous vîmes la comtesse, brillante dans un brillant
équipage. La coquette nous salua fort affectueusement
en me jetant un sourire qui me parut alors divin et
plein d'amour. Ah ! j'étais bien heureux, je me croyais
aimé, j'avais de l'argent et des trésors de passion, plus
de misère ! Léger, gai, content de tout, je trouvai
la maîtresse de mon ami charmante. Les arbres, l'air,
le ciel, toute la nature semblait me répéter le sourire
de Fœdora. En revenant des Champs-Élysées, nous
allâmes chez le chapelier et chez le tailleur de Rastignac.
L'affaire du Collier me permit [835] de quitter mon

misérable pied de paix pour passer à un formidable
pied de guerre. Désormais, je pouvais sans crainte lutter
de grâce et d'élégance avec les jeunes gens qui tourbillonnaient autour de Fœdora. Je revins chez moi ;
je m'y enfermai, restant tranquille en apparence, près
de ma lucarne ; mais disant d'éternels adieux à mes toits,
vivant dans l'avenir, dramatisant ma vie, escomptant
l'amour et ses joies. Ah ! comme une existence peut
devenir orageuse entre les quatre murs d'une mansarde !
L'âme humaine est une fée, elle métamorphose une
paille en diamants ; sous sa baguette, les palais enchantés
éclosent comme les fleurs des champs sous [836] les chaudes
inspirations du soleil... Le lendemain, vers midi,
Pauline frappa doucement à ma porte et m'apporta,
devine quoi ? une lettre de Fœdora. La comtesse me
priait de venir la prendre au Luxembourg pour aller,
de là, voir ensemble le Muséum et le Jardin des plantes.

« — Le commissionnaire attend la réponse, me dit-
elle après un moment de silence.

« Je griffonnai promptement une lettre de remer-
cîment, que Pauline emporta. Je m'habillai. Au moment
où, assez content de moi-même, j'achevais ma toilette,
un frisson glacial me saisit à cette pensée :

« — Fœdora est-elle venue en voiture ou à pied ?
Pleuvra-t-il, fera-t-il beau ?... Mais, me dis-je, qu'elle
soit à pied ou en voiture, est-on jamais certain de l'esprit
fantasque d'une femme ? Elle sera sans argent et voudra
donner cent sous à un petit Savoyard parce qu'il aura
de jolies guenilles.

« J'étais sans un rouge liard et ne devais avoir [837] de
l'argent que le soir. Oh ! combien, dans ces crises de notre
jeunesse, un poète paye cher la puissance intellectuelle
dont il est investi par le régime et par le travail ! En
un instant [838], mille pensées vives et douloureuses me
piquèrent comme autant de dards. Je regardai le ciel
par ma lucarne, le temps était fort incertain. En cas
de malheur [839], je pouvais bien prendre une voiture

pour la journée ; mais aussi, ne tremblerais-je pas à tout moment, au milieu de mon bonheur, de ne pas rencontrer Finot le soir [840] ? Je ne me sentis pas assez fort pour supporter tant de craintes au sein de ma joie. Malgré la certitude de ne rien trouver, j'entrepris une grande exploration à travers ma chambre, je cherchai des écus imaginaires jusque dans la profondeur de ma paillasse, je fouillai tout, je secouai même de vieilles bottes. En proie à une fièvre nerveuse, je regardais mes meubles d'un œil hagard après les avoir renversés tous. Comprendras-tu le délire qui m'anima, lorsqu'en ouvrant pour la septième fois le tiroir [841] de ma table à écrire que je visitais avec cette espèce d'indolence dans laquelle nous plonge le désespoir, j'aperçus, collée contre une planche latérale, tapie sournoisement, mais propre, brillante, lucide comme une étoile à son lever, une belle et noble pièce de cent sous ? Ne lui demandant compte ni de son silence ni de la cruauté dont elle était coupable en se tenant ainsi cachée, je la baisai comme un ami fidèle au malheur et la saluai par un cri qui trouva de l'écho. Je me retournai brusquement et vis Pauline devenue pâle [842].

« — J'ai cru, dit-elle d'une voix émue, que vous vous faisiez mal ! Le commissionnaire... (Elle s'interrompit comme si elle étouffait.) Mais ma mère l'a payé, ajouta-t-elle.

« Puis elle s'enfuit, enfantine et follette comme un caprice. Pauvre petite ! je lui souhaitai mon bonheur. En ce moment, il me semblait avoir dans l'âme tout le plaisir de la terre, et j'aurais voulu restituer aux malheureux la part que je croyais leur voler [843]. Nous avons presque toujours raison dans nos pressentiments d'adversité, la comtesse avait renvoyé sa voiture. Par un de ces caprices que les jolies femmes ne s'expliquent pas toujours à elles-mêmes, elle voulait aller au Jardin des plantes par les boulevards et à pied.

« — Mais il va pleuvoir, lui dis-je.

« Elle prit plaisir à me contredire. Par hasard, il fit beau pendant tout le temps que nous mîmes à traverser le Luxembourg. Quand nous en sortîmes, un gros nuage dont la marche excitait mon inquiétude ayant laissé tomber quelques gouttes d'eau, nous montâmes dans un fiacre. Lorsque nous eûmes atteint les boulevards, la pluie cessa, le ciel reprit sa sérénité. En arrivant au Muséum, je voulus renvoyer la voiture, Fœdora me pria de la garder. Que de tortures ! Mais causer avec elle en comprimant un secret délire qui sans doute se formulait sur mon visage par quelque sourire niais et arrêté ; errer dans le Jardin des plantes, parcourir les allées bocagères et sentir son bras appuyé sur le mien, il y eut dans tout cela je ne sais quoi de fantastique : c'était un rêve en plein jour. Cependant, ses mouvements, soit en marchant, soit en nous arrêtant, n'avaient rien de doux ni d'amoureux, malgré leur apparente volupté. Quand je cherchais à m'associer en quelque sorte à l'action de sa vie, je rencontrais en elle une intime et secrète vivacité, je ne sais quoi de saccadé, d'excentrique. Les femmes sans âme n'ont rien de moelleux dans leurs gestes. Aussi, n'étions-nous unis ni par une même volonté ni par un même pas. Il n'existe point de mots pour rendre ce désaccord matériel de deux êtres, car nous ne sommes pas encore habitués à reconnaître une pensée dans le mouvement. Ce phénomène de notre nature se sent instinctivement, il ne s'exprime pas.

« Pendant ces violents paroxysmes de ma passion, reprit Raphaël après un moment de silence, et comme s'il répondait à une objection qu'il se fût adressée [844] à lui-même, je n'ai pas disséqué mes sensations, analysé mes plaisirs, ni supputé les battements de mon cœur, comme un avare examine et pèse ses pièces d'or. Oh non ! l'expérience jette aujourd'hui sa triste lumière [845] sur les événements passés, et le souvenir m'apporte ces images, comme par un beau temps les flots de la mer amènent brin à brin les débris d'un naufrage sur la grève [846].

« — Vous pouvez me rendre un service assez important, me dit la comtesse en me regardant d'un air confus. Après vous avoir confié mon antipathie pour l'amour, je me sens plus libre en réclamant de vous un bon office au nom de l'amitié. N'aurez-vous pas, reprit-elle en riant, beaucoup plus de mérite à m'obliger aujourd'hui ?

« Je la regardais avec douleur. N'éprouvant rien près de moi, elle était pateline et non pas affectueuse ; elle me paraissait jouer un rôle en actrice consommée ; puis tout à coup son accent, un regard, un mot, réveillaient mes espérances ; mais, si mon amour ranimé se peignait alors dans mes yeux, elle en soutenait les rayons sans que la clarté des siens s'en altérât, car ils semblaient, comme ceux des tigres, être doublés par une feuille de métal. En ces moments-là, je la détestais.

« — La protection du duc de Navarreins [847], dit-elle en continuant avec des inflexions de voix pleines de câlinerie, me serait très utile auprès d'une personne toute-puissante en Russie, et dont l'intervention est nécessaire pour me faire rendre justice dans une affaire qui concerne à la fois ma fortune et mon état dans le monde, la reconnaissance de mon mariage par l'empereur. Le duc de Navarreins n'est-il pas votre cousin ? Une lettre de lui déciderait tout.

« — Je vous appartiens, lui répondis-je, ordonnez.

« — Vous êtes bien aimable, reprit-elle en me serrant la main. Venez dîner avec moi, je vous dirai tout, comme à un confesseur.

« Cette femme si méfiante, si discrète, et à laquelle personne n'avait entendu dire un mot sur ses intérêts, allait donc me consulter.

« — Oh ! combien j'aime maintenant le silence [848]

que vous m'avez imposé ! m'écriai-je. Mais j'aurais
voulu quelque épreuve plus rude encore.

« En ce moment, elle accueillit l'ivresse de mes
regards et ne se refusa point à mon admiration, elle
m'aimait donc ! Nous arrivâmes chez elle. Fort heureusement [849], le fond de ma bourse put satisfaire le
cocher. Je passai délicieusement la journée, seul avec
elle, chez elle ; c'était [850] la première fois que je pouvais la voir ainsi. Jusqu'à ce jour, le monde, sa gênante
politesse et ses façons froides nous avaient toujours
séparés, même pendant ses somptueux dîners ; mais
alors j'étais chez elle comme si j'eusse vécu sous son
toit, je la possédais, pour ainsi dire. Ma vagabonde
imagination brisait les entraves, arrangeait les événements de la vie à ma guise [851], et me plongeait dans les
délices d'un amour heureux. Me croyant son mari [852],
je l'admirais occupée de petits détails ; j'éprouvais
même du bonheur à lui voir ôter son châle et son chapeau [853]. Elle me laissa seul un moment, et revint les
cheveux arrangés, charmante. Cette jolie toilette avait
été faite pour moi ! Pendant le dîner, elle me prodigua
ses attentions et déploya des grâces [854] infinies dans
mille choses qui semblent des riens et qui cependant
sont la moitié de la vie. Quand nous fûmes tous deux
devant un feu pétillant, assis sur la soie, environnés
des plus désirables créations d'un luxe oriental ; quand
je vis si près de moi cette femme dont la beauté célèbre
faisait palpiter tant de cœurs, cette femme si difficile
à conquérir, me parlant, me rendant l'objet de toutes
ses coquetteries, ma voluptueuse félicité devint presque
de la souffrance. Pour mon malheur, je me souvins
de l'importante affaire que je devais conclure, et voulus
aller au rendez-vous qui m'avait été donné la veille.

« — Quoi ! déjà ? dit-elle en me voyant prendre
mon chapeau.

« Elle m'aimait ! Je le crus du moins, en l'entendant
prononcer ces deux mots d'une voix caressante. Pour

prolonger mon extase, j'aurais alors volontiers troqué deux années de ma vie contre chacune des heures qu'elle voulait bien m'accorder. Mon bonheur [855] s'augmenta de tout l'argent que je perdais ! Il était minuit quand elle me renvoya. Néanmoins, le lendemain, mon héroïsme me coûta bien des remords, je craignais d'avoir manqué l'affaire des mémoires, devenue si capitale pour moi ; je courus chez Rastignac, et nous allâmes surprendre à son lever le titulaire de mes travaux futurs. Finot me lut un petit acte où il n'était point question de ma tante, et après la signature duquel il me compta cinquante écus. Nous déjeunâmes tous les trois. Quand j'eus payé mon nouveau chapeau, soixante cachets à [856] trente sous et mes dettes, il ne me resta plus que trente francs ; mais toutes les difficultés de la vie s'étaient aplanies pour quelques jours. Si j'avais voulu écouter Rastignac, je pouvais avoir des trésors en adoptant avec franchise le *système anglais*. Il voulait absolument m'établir un crédit et me faire faire des emprunts, en prétendant que les emprunts soutiendraient le crédit. Selon lui, l'avenir était de tous les capitaux du monde le plus considérable et le plus solide. En hypothéquant ainsi mes dettes sur de futurs contingents, il donna ma pratique à son tailleur, un artiste qui comprenait *le jeune homme* et devait me laisser tranquille jusqu'à mon mariage.

Dès ce jour, je rompis avec la vie monastique et studieuse que j'avais menée pendant trois ans. J'allai fort assidûment chez Fœdora, où je tâchai de surpasser en apparence les impertinents [857] ou les héros de coterie qui s'y trouvaient. En croyant avoir échappé pour toujours à la misère, je recouvrai ma liberté d'esprit, j'écrasai mes rivaux, et passai pour un homme plein de séductions, prestigieux, irrésistible. Cependant, les gens habiles disaient en parlant de moi : « Un garçon aussi spirituel ne doit avoir de passions que dans la tête ! » Ils vantaient charitablement mon esprit aux dépens de ma sensibilité. « Est-il heureux de ne pas aimer ! s'écriaient-ils. S'il aimait, aurait-il autant de gaieté, de verve ? » J'étais cependant bien amoureusement stupide en présence de Fœdora ! Seul avec elle, je ne savais rien lui dire, ou, si je parlais, je médisais de l'amour ; j'étais tristement gai, comme un courtisan qui veut cacher un cruel dépit.

Enfin, j'essayai de me rendre indispensable à sa vie, à son bonheur, à sa vanité : tous les jours près d'elle, j'étais un esclave, un jouet sans cesse à ses ordres. Après avoir ainsi dissipé ma journée, je revenais chez moi pour y travailler pendant les nuits [858], ne dormant guère que deux ou trois heures de la matinée. Mais n'ayant pas, comme Rastignac, l'habitude du *système anglais*, je me vis bientôt sans un sou. Dès lors, mon cher ami, fat sans bonnes fortunes, élégant sans argent, amoureux anonyme, je retombai dans cette vie précaire, dans ce froid et profond malheur soigneusement caché sous les trompeuses apparences du luxe. Je ressentis alors mes souffrances premières, mais moins aiguës : je m'étais familiarisé sans doute avec leurs terribles crises. Souvent, les gâteaux et le thé, si parcimonieusement offerts dans les salons, étaient ma seule nourriture. Quelquefois, les somptueux dîners de la comtesse me sustentaient pendant deux jours. J'employai tout mon temps, mes efforts et ma science d'observation à pénétrer plus avant dans l'impénétrable caractère de Fœdora.

Jusqu'alors, l'espérance ou le désespoir avait influencé mon opinion, je voyais en elle tour à tour la femme la plus aimante ou la plus insensible de son sexe ; mais ces alternatives de joie et de tristesse devinrent intolérables : je voulus chercher un dénoûment à cette lutte affreuse en tuant mon amour. De sinistres lueurs brillaient parfois dans mon âme et me faisaient entrevoir des abîmes entre nous. La comtesse [859] justifiait toutes mes craintes ; je n'avais pas encore surpris de larmes dans ses yeux ; au théâtre, une scène atten-

drissante la trouvait froide et rieuse. Elle réservait
toute sa finesse pour elle, et ne devinait ni le malheur
ni le bonheur d'autrui. Enfin elle m'avait joué ! Heureux de lui faire un sacrifice, je m'étais presque avili
pour elle en allant voir mon parent le duc de Navarreins, homme égoïste qui rougissait de ma misère et
qui avait [860] de trop grands torts envers moi pour ne
pas me haïr ; il me reçut donc avec cette froide politesse qui donne aux gestes et aux paroles l'apparence
de l'insulte ; son regard inquiet excita ma pitié. J'eus
honte pour lui de sa petitesse au milieu de tant de
grandeur, de sa pauvreté au milieu de tant de luxe.
Il me parla des pertes considérables que lui occasion-
nait le trois pour cent ; je lui dis alors quel était l'objet
de ma visite. Le changement de ses manières, qui de
glaciales devinrent insensiblement affectueuses, me
dégoûta. Eh bien, mon ami, il vint chez la comtesse,
il m'y écrasa. Fœdora trouva pour lui des enchantements, des prestiges inconnus ; elle le séduisit, traita
sans moi cette affaire mystérieuse de laquelle je ne
sus pas un mot : j'avais été pour elle un moyen !...
Elle paraissait ne plus m'apercevoir quand mon cousin était chez elle, elle m'acceptait [861] alors avec moins
de plaisir peut-être que le jour où je lui fus présenté.
Un soir, elle m'humilia devant le duc [862] par un de
ces gestes et par un de ces regards qu'aucune parole
ne saurait peindre. Je sortis pleurant, formant mille
projets de vengeance, combinant d'épouvantables
viols...

Souvent, je l'accompagnais aux Bouffons [863] : là,
près d'elle, tout entier à mon amour, je la contemplais en me livrant au charme d'écouter la musique,
épuisant mon âme dans la double jouissance d'aimer
et de retrouver les mouvements de mon cœur bien
rendus par les phrases du musicien [864]. Ma passion
était dans l'air, sur la scène ; elle triomphait partout,
excepté chez ma maîtresse. Je prenais alors la main

de Fœdora, j'étudiais [865] ses traits et ses yeux en solli-
citant une fusion de nos sentiments, une de ces soudaines
harmonies qui, réveillées par les notes [866], fait vibrer
les âmes à l'unisson ; mais sa main était muette et ses
yeux ne disaient rien. Quand le feu de mon cœur émané
de tous mes traits la frappait trop fortement au visage,
elle me jetait ce sourire cherché, phrase convenue qui
se reproduit au salon sur les lèvres de tous les portraits [867]. Elle n'écoutait pas la musique. Les divines
pages de Rossini [868], de Cimarosa [869], de Zingarelli [870],
ne lui rappelaient aucun sentiment, ne lui traduisaient
aucune poésie de sa vie ; son âme était aride. Fœdora
se produisait là comme un spectacle dans le spectacle.
Sa lorgnette voyageait incessamment de loge en loge ;
inquiète, quoique tranquille, elle était victime de la
mode : sa loge, son bonnet, sa voiture, sa personne
étaient tout pour elle. Vous rencontrez souvent des gens
de colossale apparence de qui le cœur est tendre et
délicat sous un corps de bronze ; mais elle cachait
un cœur de bronze sous sa frêle et gracieuse enveloppe.
Ma fatale science me déchirait bien des voiles. Si le bon
ton consiste à s'oublier pour autrui, à mettre dans
sa voix et dans ses gestes une constante douceur, à
plaire aux autres en les rendant contents d'eux-mêmes,
malgré sa finesse, Fœdora n'avait pas effacé tout vestige
de sa plébéienne origine : son oubli d'elle-même était
fausseté ; ses manières, au lieu d'être innées, avaient
été laborieusement conquises ; enfin sa politesse sentait la servitude. Eh bien, ses paroles emmiellées étaient
pour ses favoris l'expression de la bonté, sa préten-
tieuse exagération était un noble enthousiasme. Moi
seul, j'avais étudié ses grimaces, j'avais dépouillé son
être intérieur de la mince écorce qui suffit au monde,
et je n'étais plus la dupe de ses singeries ; je connaissais
à fond son âme de chatte. Quand [871] un niais la com-
plimentait, la vantait, j'avais honte pour elle. Et je
l'aimais toujours ! j'espérais fondre ses glaces sous les

ailes d'un amour de poète. Si je pouvais une fois ouvrir
son cœur aux tendresses de la femme, si je l'initiais
à la sublimité [872] des dévouements, je la voyais alors
parfaite, elle devenait un ange. Je l'aimais en homme,
en amant, en artiste, quand il aurait fallu ne pas l'aimer
pour l'obtenir ; un fat bien gourmé, un froid calculateur,
en auraient triomphé [873] peut-être. Vaine, artificieuse,
elle eût sans doute entendu le langage de la vanité, se
serait laissé entortiller dans les pièges d'une intrigue ;
elle eût été dominée par un homme sec et glacé [874].
Des douleurs acérées entraient jusqu'au vif dans mon
âme quand elle me révélait naïvement son égoïsme. Je
l'apercevais avec douleur [875] seule, un jour, dans la
vie et ne sachant à qui tendre la main, ne rencontrant
pas de regards amis où reposer les siens. Un soir,
j'eus le courage de lui peindre, sous des couleurs animées [876], sa vieillesse déserte, vide et triste. A l'aspect
de cette épouvantable vengeance de la nature trompée,
elle dit un mot atroce.

« — J'aurai toujours de la fortune, me répondit-elle.
Eh bien [877], avec de l'or, nous pouvons toujours créer
autour de nous les sentiments qui sont nécessaires à
notre bien-être. »

Je sortis foudroyé par la logique de ce luxe, de
cette femme, de ce monde, en me blâmant d'en être
si sottement [878] idolâtre. Je n'aimais pas Pauline pauvre,
Fœdora riche n'avait-elle pas le droit de repousser
Raphaël ? Notre conscience est un juge infaillible,
quand nous ne l'avons pas encore assassinée. « Fœdora,
me criait une voix [879] sophistique, n'aime ni ne repousse
personne ; elle est libre, mais elle s'est autrefois
donnée [880] pour de l'or. Amant ou époux, le comte
russe l'a possédée. Elle aura bien une tentation dans sa
vie ! Attends-la. » Ni vertueuse ni fautive, cette femme
vivait [881] loin de l'humanité, dans une sphère à elle,
enfer ou paradis. Ce mystère femelle vêtu de cachemire
et de broderies mettait en jeu dans mon cœur tous les

sentiments humains, orgueil [882], ambition, amour,
curiosité... Un caprice de la mode ou cette envie de
paraître original qui nous poursuit tous avait amené
la manie de vanter un petit spectacle du boulevard.
La comtesse témoigna le désir de voir la figure enfarinée
d'un acteur qui faisait les délices de quelques gens d'esprit
et j'obtins l'honneur de la conduire à la première représentation de je ne sais quelle mauvaise farce. La loge
coûtait à peine cent sous [883], je ne possédais pas un
traître liard. Ayant encore un demi-volume de mémoires
à écrire, je n'osais pas aller mendier un secours à Finot [884],
et Rastignac, ma providence, était absent. Cette gêne
constante maléficiait toute ma vie.

Une fois [885], au sortir des Bouffons, par une horrible
pluie, Fœdora m'avait fait avancer une voiture sans
que je pusse me soustraire à son obligeance de parade :
elle n'admit aucune de mes excuses, ni mon goût pour
la pluie, ni mon envie d'aller au jeu. Elle ne devinait
mon indigence ni dans l'embarras de mon maintien,
ni dans mes paroles tristement plaisantes. Mes yeux
rougissaient, mais comprenait-elle un regard ? La vie
des jeunes gens est soumise à de singuliers caprices !
Pendant le voyage, chaque tour de roue réveilla des
pensées qui me brûlèrent le cœur ; j'essayai de détacher
une planche du fond de la voiture en espérant glisser
sur le pavé ; mais, rencontrant des obstacles invincibles,
je me pris à rire [886] convulsivement et demeurai dans
un calme morne, hébété comme un homme au carcan.
A mon arrivée [887] au logis, aux premiers mots que je
balbutiai, Pauline m'interrompit en disant :

« — Si vous n'avez pas de monnaie...

« Ah ! la musique de Rossini n'était rien auprès de
ces paroles. Mais revenons aux Funambules. Pour
pouvoir y conduire la comtesse, je pensai à mettre
en gage le cercle d'or qui entourait le portrait de ma
mère. Quoique le mont-de-piété se fût toujours [888]
dessiné dans ma pensée comme une des portes du

bagne, il valait encore mieux y porter mon lit moi-
même que de solliciter une aumône. Le regard d'un
homme à qui vous demandez de l'argent fait tant de
mal ! Certains emprunts nous coûtent notre honneur,
comme certains refus prononcés par une bouche
amie nous enlèvent une dernière illusion. Pauline travaillait, sa mère était couchée. Jetant un regard furtif
sur le lit, dont les rideaux étaient légèrement relevés [889],
je crus Mme Gaudin profondément endormie en apercevant [890] au milieu de l'ombre son profil calme et
jaune imprimé sur l'oreiller.

« — Vous avez du chagrin ? me dit Pauline, qui
posa son pinceau sur son coloriage.

« — Ma pauvre enfant, vous pouvez me rendre
un grand service, lui répondis-je.

« Elle me regarda d'un air si heureux, que je tressaillis.

« — M'aimerait-elle ? pensai-je. — Pauline..., repris-je.

« Et je m'assis près d'elle pour la bien étudier. Elle
me devina, tant mon accent était interrogateur ; elle
baissa les yeux, et je l'examinai, croyant pouvoir lire
dans son cœur comme dans le mien, tant sa physionomie
était naïve et pure.

« — Vous m'aimez ? lui dis-je.

« — Un peu..., passionnément..., pas du tout !
s'écria-t-elle [891].

« Elle ne m'aimait pas. Son accent moqueur et la
gentillesse du geste qui lui échappa peignaient seulement une folâtre reconnaissance de jeune fille. Je lui
avouai donc ma détresse, l'embarras dans lequel je
me trouvais, et la priai de m'aider [892].

« — Comment, monsieur Raphaël, dit-elle, vous ne
voulez pas aller au mont-de-piété, et vous m'y envoyez.

« Je rougis, confondu par la logique d'une enfant.
Elle me prit alors la main, comme si elle eût voulu
compenser par une caresse la vérité de son exclamation.

« — Oh ! j'irais bien, dit-elle, mais la course est

inutile. Ce matin, j'ai trouvé [893] derrière le piano deux
pièces de cent sous qui s'étaient glissées à votre insu
entre le mur et la barre, et je les ai mises sur votre table.

« — Vous devez bientôt recevoir de l'argent, monsieur Raphaël, me dit la bonne mère, qui montra sa
tête entre les rideaux ; je puis bien vous prêter quelques écus en attendant.

« — O Pauline, m'écriai-je en lui serrant la main,
je voudrais être riche !

« — Bah ! pourquoi ? dit-elle d'un air mutin [894].

« Sa main, tremblant dans la mienne, répondait à
tous les battements de mon cœur ; elle retira vivement ses doigts, examina les miens :

« — Vous épouserez une femme riche, dit-elle, mais
elle vous donnera bien du chagrin... Ah Dieu ! elle
vous tuera !.. J'en suis sûre.

« Il y avait dans son cri une sorte de croyance aux
folles superstitions de sa mère [895].

« — Vous êtes bien crédule, Pauline !

« — Oh ! bien certainement, dit-elle en me regardant avec terreur, la femme que vous aimerez vous
tuera !

« Elle reprit [896] son pinceau, le trempa dans la couleur en laissant paraître une vive émotion, et ne me
regarda plus. En ce moment, j'aurais [897] bien voulu
croire à des chimères. Un homme n'est pas tout à fait
misérable quand il est superstitieux. Une superstition
est souvent une espérance [898]. Retiré dans ma chambre,
je vis en effet deux nobles écus dont la présence me
parut inexplicable. Au sein des pensées confuses du
premier sommeil, je tâchai de vérifier mes dépenses
pour me justifier cette trouvaille inespérée, mais je
m'endormis perdu dans d'inutiles calculs. Le lendemain, Pauline vint me voir au moment où je sortais
pour aller louer une loge.

« — Vous n'avez peut-être pas assez de dix francs,
me dit en rougissant cette bonne et aimable fille,

ma mère m'a chargée de vous offrir cet argent... Prenez,
prenez !

« Elle mit trois écus sur ma table, et voulut se sauver ; mais je la retins. L'admiration sécha les larmes [899]
qui roulaient dans mes yeux.

« — Pauline, lui dis-je, vous êtes un ange ! Ce prêt
me touche bien moins que la pudeur [900] de sentiment
avec laquelle vous me l'offrez. Je désirais une femme
riche, élégante, titrée ; hélas ! maintenant, je voudrais
posséder des millions et rencontrer une jeune fille
pauvre comme vous et comme vous riche de cœur,
je renoncerais à une passion fatale qui me tuera. Vous
aurez peut-être raison.

« — Assez ! dit-elle.

« Elle s'enfuit, et sa voix [901] de rossignol, ses roulades fraîches retentirent dans l'escalier.

« — Elle est bien heureuse [902] de ne pas aimer
encore ! me dis-je en pensant aux tortures que je
souffrais depuis plusieurs mois [903].

« Les quinze francs de Pauline me furent bien précieux. Fœdora [904], songeant aux émanations popula-
cières de la salle où nous devions rester pendant quelques
heures, regretta de ne pas avoir un bouquet ; j'allai
lui chercher des fleurs, je lui apportai ma vie et ma
fortune. J'eus à la fois des remords et des plaisirs
en lui donnant un bouquet dont le prix me révéla
tout ce que la galanterie superficielle en usage dans le
monde avait de dispendieux. Bientôt, elle se plaignit [905] de l'odeur un peu trop forte d'un jasmin du
Mexique, elle éprouva un intolérable dégoût en voyant
la salle, en se trouvant assise sur une dure banquette ;
elle me reprocha de l'avoir amenée là. Quoiqu'elle fût
près de moi [906], elle voulut s'en aller ; elle s'en alla.
M'imposer des nuits sans sommeil, avoir dissipé deux
mois de mon existence, et ne pas lui plaire ! Jamais ce
démon ne fut ni plus gracieux ni plus insensible. Pendant la route, assis près d'elle dans un étroit coupé,

je respirais son souffle, je touchais son gant parfumé,
je voyais distinctement les trésors de sa beauté, je
sentais une vapeur douce comme l'iris : toute la femme
et point de femme. En ce moment, un trait de lumière
me permit de voir les profondeurs de cette vie mystérieuse. Je pensai tout à coup au livre récemment publié
par un poète, une vraie conception d'artiste taillée
dans la statue de Polyclès [907]. Je croyais voir ce monstre
qui, tantôt officier, dompte un cheval fougueux ;
tantôt jeune fille, se met à sa toilette et désespère ses
amants ; amant, désespère une vierge douce et modeste.
Ne pouvant plus résoudre autrement Fœdora, je lui
racontai cette histoire fantastique ; mais rien [908] ne
décela sa ressemblance avec cette poésie de l'impossible, elle s'en amusa de bonne foi, comme un enfant
d'une fable prise aux *Mille et une Nuits*.

« — Pour résister à l'amour d'un homme de mon âge,
à la chaleur communicative de cette [909] belle conta-
gion de l'âme, Fœdora doit être gardée par quelque
mystère ! me dis-je en revenant chez moi. Peut-être,
semblable à lady Delacour [910], est-elle dévorée par un
cancer ? Sa vie est sans doute une vie artificielle.

« A cette pensée, j'eus froid. Puis je formai le projet
le plus extravagant et le plus raisonnable en même
temps auquel un amant puisse jamais songer. Pour
examiner cette femme corporellement comme je l'avais
étudiée intellectuellement, pour la connaître enfin
tout entière, je résolus de passer une nuit chez elle,
dans sa chambre, à son insu. Voici comment j'exécutai
cette entreprise, qui me dévorait l'âme comme un
désir de vengeance mord le cœur d'un moine corse.
Aux jours de réception, Fœdora réunissait une assemblée [911] trop nombreuse pour qu'il fût possible au
portier d'établir une balance exacte entre les entrées
et les sorties. Sûr de pouvoir rester dans la maison
sans y causer de scandale, j'attendis impatiemment la
prochaine [912] soirée de la comtesse. En m'habillant,

je mis dans la poche de mon gilet un petit canif anglais,
à défaut de poignard. Trouvé sur moi, cet instrument
littéraire n'avait rien de suspect, et, ne sachant jusqu'où me conduirait ma résolution romanesque, je
voulais être armé.

« Lorsque les salons [913] commencèrent à se remplir,
j'allai dans la chambre à coucher y examiner les choses,
et trouvai les persiennes et les volets fermés, ce fut
un premier bonheur ; comme la femme de chambre
pourrait venir pour détacher les rideaux drapés aux
fenêtres, je lâchai leurs embrasses [914] ; je risquais beaucoup en me hasardant ainsi à faire le ménage par avance,
mais j'étais soumis aux périls de ma situation et les
avais froidement calculés. Vers minuit, je vins me cacher dans l'embrasure d'une fenêtre. Afin de ne pas
laisser voir mes pieds, j'essayai de grimper sur la
plinthe de la boiserie, le dos appuyé contre le mur
en me cramponnant à l'espagnolette. Après avoir
étudié mon équilibre, mes points d'appui, mesuré
l'espace qui me séparait des rideaux, je parvins à me
familiariser avec les difficultés de ma position, de manière à demeurer là [915] sans être découvert, si les crampes,
la toux et les éternuements me laissaient tranquille. Pour
ne pas me fatiguer inutilement, je me tins debout en
attendant le moment critique pendant lequel je devais
rester suspendu comme une araignée dans sa toile. La
moire blanche et la mousseline des rideaux formaient
devant moi de gros plis semblables à des tuyaux d'orgue,
où je pratiquai des trous avec mon canif afin de tout
voir [916] par ces espèces de meurtrières. J'entendis vaguement le murmure des salons, les rires des causeurs, leurs
éclats de voix. Ce tumulte vaporeux, cette sourde agita-
tion diminua par degrés. Quelques hommes vinrent
prendre leurs chapeaux placés près de moi, sur la
commode de la comtesse. Quand ils froissaient les
rideaux, je frissonnais en pensant aux distractions,
aux hasards de ces recherches faites par des gens pres-

sés de partir et qui furettent alors partout. J'augurai bien de mon entreprise en n'éprouvant aucun de ces malheurs [917]. Le dernier chapeau fut emporté par un vieil amoureux de Fœdora, qui, se croyant seul, regarda le lit et poussa un gros soupir suivi de je ne sais quelle exclamation assez énergique. La comtesse, qui n'avait plus [918] autour d'elle, dans le boudoir voisin de sa chambre, que cinq ou six personnes intimes, leur proposa d'y prendre le thé. Les calomnies, pour lesquelles la société actuelle a réservé le peu de croyance qui lui reste, se mêlèrent alors à des épigrammes, à des jugements spirituels, au bruit des tasses et des cuillers. Sans pitié pour mes rivaux, Rastignac excitait un rire fou par de mordantes saillies [919].

« — M. de Rastignac est un homme avec lequel il ne faut pas se brouiller, dit la comtesse en riant.

« — Je le crois, répondit-il naïvement. J'ai toujours eu raison dans mes haines... Et dans mes amitiés, ajouta-t-il. Mes ennemis me servent autant que mes amis, peut-être. J'ai fait une étude assez spéciale de l'idiome moderne et des artifices naturels dont on se sert pour tout attaquer ou pour tout défendre [920]. L'éloquence ministérielle est un perfectionnement social. Un de vos amis est-il sans esprit, vous parlez de sa probité, de sa franchise. L'ouvrage d'un autre est-il lourd, vous le présentez comme un travail [921] consciencieux. Si le livre est mal écrit, vous en vantez les idées. Tel homme est sans foi, sans constance, vous échappe à tout moment : bah ! il est séduisant, prestigieux, il charme. S'agit-il de vos ennemis, vous leur jetez à la tête les morts et les vivants ; vous renversez pour eux les termes [922] de votre langage, et vous êtes aussi perspicace à découvrir leurs défauts que vous étiez habile à mettre en relief les vertus de vos amis. Cette application de la lorgnette à la vue morale est le secret de nos conversations et tout l'art [923] du courtisan. N'en pas user, c'est vouloir combattre sans armes des gens

bardés de fer comme des chevaliers bannerets. Et j'en
use ! j'en abuse même quelquefois. Aussi me respecte-
t-on, moi et mes amis, car, d'ailleurs, mon épée vaut
ma langue.

« Un des plus [924] fervents admirateurs de Fœdora,
jeune homme dont l'impertinence était célèbre, et qui
s'en faisait même un moyen de parvenir, releva le
gant si dédaigneusement jeté par Rastignac. Il se
mit, en parlant de moi, à vanter outre mesure mes
talents et ma personne. Rastignac avait oublié ce genre
de médisance. Cet éloge sardonique trompa la comtesse,
qui m'immola sans pitié ; pour amuser ses amis, elle
abusa de mes secrets, de [925] mes prétentions et de mes
espérances.

« — Il a de l'avenir, dit Rastignac. Peut-être sera-
t-il, un jour, homme à prendre de cruelles revanches ;
ses talents égalent au moins son courage ; aussi regardé-
je comme bien hardis ceux qui s'attaquent à lui, car il a
de la mémoire...

« — Et fait des mémoires, ajouta la comtesse, à
qui parut déplaire le profond silence qui régna.

« — Des mémoires de fausse comtesse, madame,
répliqua Rastignac. Pour les écrire, il faut avoir une
autre sorte de courage.

« — Je lui crois beaucoup de courage, répliqua-
t-elle [926], il m'est fidèle.

« Il me prit une vive tentation de me montrer soudain aux rieurs, comme l'ombre de Banquo dans
Macbeth. Je perdais une maîtresse, mais j'avais un ami !
Cependant, l'amour me souffla tout à coup un de ces
lâches et subtils paradoxes avec lesquels il sait endormir toutes nos douleurs.

« — Si Fœdora m'aime, pensé-je, ne doit-elle pas
dissimuler son affection sous une plaisanterie malicieuse ? Combien de fois le cœur n'a-t-il pas démenti
les mensonges de la bouche !

« Enfin, bientôt mon impertinent rival, resté seul avec la comtesse, voulut partir.

« — Eh quoi ! déjà ? lui dit-elle avec un son de voix plein de câlinerie et qui me fit palpiter. Ne me donnerez-vous pas encore un moment ? N'avez-vous donc plus rien à me dire, et ne me sacrifierez-vous point quelques-uns de vos plaisirs ?

« Il s'en alla.

« — Ah ! s'écria-t-elle en bâillant, ils sont tous bien ennuyeux !

« Et, tirant avec force un cordon, le bruit d'une sonnette retentit dans les appartements. La comtesse rentra dans sa chambre en fredonnant une phrase du *Pria che spunti* [927]. Jamais personne ne l'avait entendue chanter, et ce mutisme donnait lieu à de bizarres interprétations. Elle avait, dit-on, promis à son premier amant, charmé de ses talents et jaloux d'elle par delà le tombeau, de ne donner à personne un bonheur qu'il voulait avoir goûté seul. Je tendis les forces de mon âme pour aspirer les sons. De note en note, la voix s'éleva ; Fœdora sembla s'animer, les richesses de son gosier se déployèrent, et cette mélodie prit alors quelque chose [928] de divin. La comtesse avait dans l'organe une clarté vive, une justesse de ton, je ne sais quoi d'harmonique et de vibrant qui pénétrait, remuait et chatouillait le cœur. Les musiciennes sont presque toujours amoureuses. Celle qui chantait ainsi devait savoir bien aimer [929]. La beauté de cette voix fut donc un mystère de plus dans une femme déjà si mystérieuse. Je la voyais alors comme je te vois, elle paraissait s'écouter elle-même et ressentir une volupté qui lui fût particulière ; elle éprouvait comme une jouissance d'amour. Elle vint devant la cheminée en achevant le principal motif de ce *rondo* ; mais, quand elle se tut, sa physionomie changea, ses traits se décomposèrent et sa figure exprima la fatigue. Elle venait d'ôter un masque ; actrice, son rôle était fini. Cependant, l'espèce de flétrissure imprimée à sa beauté par son travail d'artiste, ou par [930] la lassitude de la soirée, n'était pas sans charme.

« — La voilà vraie ! me dis-je.

« Elle mit, comme pour se chauffer, un pied sur la barre de bronze qui surmontait le garde-cendre, ôta ses gants, détacha ses bracelets, et enleva par-dessus sa tête une chaîne d'or au bout de laquelle était suspendue sa cassolette ornée de pierres précieuses. J'éprouvais un plaisir indicible à voir ses mouvements empreints de la gentillesse [931] dont les chattes font preuve en se toilettant au soleil. Elle se regarda dans la glace et dit tout haut, d'un air de mauvaise humeur :

« — Je n'étais pas jolie ce soir,... mon teint se fane avec une effrayante rapidité... Je devrais peut-être [932] me coucher plus tôt, renoncer à cette vie dissipée... Mais Justine se moque-t-elle de moi ?

« Elle sonna de nouveau ; la femme de chambre accourut. Où logeait-elle ? je ne sais. Elle arriva par un escalier dérobé. J'étais curieux de l'examiner. Mon imagination de poète avait souvent incriminé cette invisible servante, grande fille brune, bien faite [933].

« — Madame a sonné ?

« — Deux fois ! répondit Fœdora. Vas-tu donc maintenant devenir sourde ?

« — J'étais à faire le lait d'amandes de madame.

« Justine s'agenouilla, défit les cothurnes des souliers, déchaussa sa maîtresse, qui, nonchalamment étendue sur un fauteuil à ressorts, au coin du feu, bâillait en se grattant la tête. Il n'y avait rien que de très naturel dans tous ses mouvements, et nul symptôme ne me révéla ni les souffrances secrètes ni les passions que [934] j'avais supposées.

« — Georges est amoureux, dit-elle, je le renverrai. N'a-t-il pas encore défait les rideaux ce soir ? A quoi pense-t-il ?

« A cette observation, tout mon sang reflua vers

mon cœur ; mais il ne fut plus question des rideaux.

« — L'existence est bien vide [935], reprit la comtesse.
— Ah çà ! prends garde de m'égratigner comme hier.
Tiens, vois-tu, dit-elle en lui montrant un petit genou
satiné, je [936] porte encore la marque de tes griffes.

« Elle mit ses pieds nus dans des pantoufles de velours
fourrées de cygne, et détacha sa robe pendant que Justine prit un peigne pour lui arranger les cheveux.

« — Il faut vous marier, madame, avoir des enfants.

« — Des enfants ! il ne me manquerait plus que
cela pour m'achever ! s'écria-t-elle. Un mari ! Quel est
l'homme à qui je pourrais me... ? Étais-je bien coiffée
ce soir ?

« — Mais pas très bien.

« — Tu es une sotte.

« — Rien ne vous va plus mal que de trop crêper
vos cheveux, reprit Justine. Les grosses boucles bien
lisses vous sont plus avantageuses.

« — Vraiment ?

« — Mais oui, madame, les cheveux crêpés clair ne
vont bien qu'aux blondes.

« — Me marier ? non, non ! Le mariage est un trafic
pour lequel je ne suis pas née.

« Quelle épouvantable scène pour un amant ! Cette
femme solitaire, sans parents, sans amis, athée en
amour, ne croyant à aucun sentiment ; et, quelque
faible que fût en elle ce besoin d'épanchement cordial,
naturel à une créature humaine, réduite pour le satisfaire à causer avec sa femme de chambre [937], à dire des
phrases sèches ou des riens !... J'en eus pitié. Justine
la délaça. Je la contemplai curieusement au moment
où le dernier voile s'enleva. Elle avait un corsage de
vierge qui m'éblouit ; à travers sa chemise et à la
lueur des bougies, son corps blanc et rose étincela
comme une statue d'argent qui brille sous son enveloppe de gaze. Non, nulle imperfection ne devait lui
faire redouter les yeux furtifs de l'amour. Hélas ! un

beau corps triomphera toujours des résolutions les
plus martiales. La maîtresse s'assit [938] devant le feu,
muette et pensive, pendant que la femme de chambre
allumait la bougie de la lampe d'albâtre suspendue
devant le lit. Justine alla chercher une bassinoire,
prépara le lit, aida sa maîtresse à se coucher ; puis,
après un temps assez long employé par de minutieux
services qui accusaient [939] la profonde vénération de
Fœdora pour elle-même, cette fille partit. La comtesse se retourna plusieurs fois ; elle était agitée, elle
soupirait ; ses lèvres laissaient échapper un léger bruit
perceptible à l'ouïe et qui indiquait des mouvements
d'impatience ; elle avança la main vers la table, y
prit une fiole, versa dans son lait avant de le boire
quatre ou cinq gouttes d'une liqueur brune ; enfin,
après quelques soupirs pénibles, elle s'écria :

« — Mon Dieu !

« Cette exclamation et surtout l'accent qu'elle y mit
me brisèrent le cœur [940]. Insensiblement, elle resta
sans mouvement. J'eus peur ; mais bientôt j'entendis
retentir la respiration égale et forte d'une personne
endormie ; j'écartai la soie criarde des rideaux, quittai [941] ma position et vins me placer au pied de son lit,
en la regardant avec un sentiment indéfinissable. Elle
était ravissante ainsi. Elle avait la tête sous le bras,
comme un enfant ; son tranquille et joli visage enveloppé de dentelles exprimait une suavité [942] qui m'en-
flamma. Présumant trop de moi-même, je n'avais pas
compris mon supplice ; être si près et si loin d'elle !
Je fus obligé de subir toutes les tortures que je m'étais
préparées. *Mon Dieu* ! ce lambeau d'une pensée inconnue, que je devais remporter pour toute lumière,
avait tout à coup changé mes idées sur Fœdora [943].

« Ce mot, insignifiant ou profond, sans substance
ou plein de réalités [944], pouvait s'interpréter également par le bonheur ou par la souffrance [945], par une
douleur de corps ou par des peines. Était-ce impré-

cation ou prière, souvenir ou avenir, regret ou crainte ?
Il y avait toute une vie dans cette parole, vie d'indigence ou de richesse ; il y tenait même un crime !
L'énigme [946] cachée dans ce beau semblant de femme
renaissait, Fœdora pouvait être expliquée de tant de
manières, qu'elle devenait inexplicable [947]. Les fantaisies du souffle qui passait entre ses dents, tantôt
faible, tantôt accentué, grave ou léger, formaient une
sorte de langage auquel j'attachais des pensées et des
sentiments. Je rêvais avec elle, j'espérais m'initier
à ses secrets en pénétrant dans son sommeil, je flot-
tais entre mille partis contraires, entre mille jugements.
A voir ce beau visage, calme et pur, il me fut impossible de refuser un cœur à cette femme. Je résolus de
faire encore une tentative. En lui racontant ma vie, mon
amour, mes sacrifices, peut-être pourrais-je éveiller
en elle la pitié, lui arracher une larme à elle qui ne
pleurait jamais. J'avais placé toutes mes espérances
dans cette dernière épreuve, quand le tapage de la rue
m'annonça le jour [948].

« Il y eut un moment où je me représentai Fœdora
se réveillant dans mes bras. Je pouvais me mettre tout
doucement à ses côtés, m'y glisser [949] et l'étreindre.
Cette idée me tyrannisa si cruellement que, voulant
y résister [950], je me sauvai dans le salon sans prendre
aucune précaution pour éviter le buit ; mais j'arrivai
heureusement à une porte dérobée qui donnait sur
un petit escalier. Ainsi que je le présumai, la clef se
trouvait à la serrure ; je tirai la porte [951] avec force, je
descendis hardiment dans la cour, et, sans regarder
si j'étais vu, je sautai vers la rue en trois bonds. Deux
jours après, un auteur devait lire une comédie chez la
comtesse, j'y allai dans l'intention de rester le dernier
pour lui présenter une requête assez singulière ; je
voulais la prier de m'accorder la soirée du lendemain,
et de me la consacrer tout entière, en faisant fermer
sa porte. Quand je me trouvai seul avec elle, le cœur

me faillit. Chaque battement de la pendule m'épou-
vantait. Il était minuit moins un quart.

« — Si je ne lui parle pas, me dis-je, il faut me briser
le crâne sur l'angle de la cheminée.

« Je m'accordai trois minutes de délai ; les trois
minutes se passèrent, je ne me brisai pas le crâne sur
le marbre, mon cœur s'était alourdi comme [952] une
éponge dans l'eau.

« — Vous êtes extrêmement aimable, me dit-elle.

« — Ah ! madame, répondis-je, si vous pouviez me
comprendre !

« — Qu'avez-vous ? reprit-elle, vous pâlissez.

« — J'hésite à réclamer de vous une grâce.

« Elle m'encouragea par un geste, et je lui demandai [953] le rendez-vous.

« — Volontiers, dit-elle. Mais pourquoi ne me par-
leriez-vous pas en ce moment ?

« — Pour ne pas vous tromper, je dois vous montrer
l'étendue [954] de votre engagement : je désire passer
cette soirée près de vous, comme si nous étions frère
et sœur. Soyez sans crainte, je connais vos antipathies ;
vous avez [955] pu m'apprécier assez pour être certaine
que je ne veux rien de vous qui puisse vous déplaire ;
d'ailleurs, les audacieux ne procèdent pas ainsi. Vous
m'avez témoigné de l'amitié, vous êtes bonne, pleine
d'indulgence. Eh bien, sachez que je dois vous dire
adieu demain... Ne vous rétractez pas ! m'écriai-je en
la voyant près de [956] parler.

« Et je disparus.

« En mai [957] dernier, vers huit heures du soir, je
me trouvai seul avec Fœdora, dans son boudoir
gothique. Je ne tremblai pas alors, j'étais sûr d'être
heureux. Ma maîtresse devait m'appartenir, ou je me
réfugiais [958] dans les bras de la mort. J'avais condamné
mon lâche amour. Un homme est bien fort quand il
s'avoue sa faiblesse. Vêtue d'une robe de cachemire
bleu, la comtesse était étendue sur un divan, les pieds

sur un coussin. Un béret oriental, coiffure que les peintres attribuent aux premiers Hébreux, avait [959] ajouté je ne sais quel piquant attrait d'étrangeté à ses séductions. Sa figure était empreinte d'un charme fugitif, qui semblait prouver que nous sommes à chaque instant des êtres nouveaux, uniques, sans aucune similitude avec le *nous* de l'avenir et le *nous* du passé. Je ne l'avais jamais vue aussi éclatante [960].

« — Savez-vous, dit-elle en riant, que vous avez piqué ma curiosité ?

« — Je ne la tromperai pas, répondis-je froidement en m'asseyant près d'elle et lui prenant une main qu'elle m'abandonna. Vous avez une bien belle voix !

« — Vous ne m'avez jamais entendue, s'écria-t-elle en laissant échapper un mouvement de surprise.

« — Je vous prouverai [961] le contraire quand cela sera nécessaire. Votre chant délicieux serait-il donc encore un mystère ? Rassurez-vous, je ne veux pas le pénétrer.

« Nous restâmes environ une heure à causer familièrement. Si je pris le ton, les manières et les gestes d'un homme auquel Fœdora ne devait rien refuser, j'eus aussi tout le respect d'un amant. En jouant ainsi, j'obtins la faveur de lui baiser la main ; elle se déganta par un mouvement mignon, et j'étais alors si voluptueusement enfoncé dans l'illusion à laquelle j'essayais de croire, que mon âme se fondit et s'épancha dans ce baiser [962]. Fœdora se laissa flatter, caresser avec un incroyable abandon. Mais ne m'accuse pas de niaiserie : si j'avais voulu faire un pas de plus au-delà de cette câlinerie fraternelle, j'eusse senti les griffes de la chatte [963]. Nous restâmes dix minutes environ plongés dans un profond silence. Je l'admirais, lui prêtant des charmes auxquels elle mentait. En ce moment, elle était à moi, à moi seul... Je possédais cette ravissante créature, comme il était permis de la posséder, intuitivement ;

je l'enveloppai dans mon désir, la tins, la serrai, mon imagination l'épousa. Je vainquis alors la comtesse [964] par la puissance d'une fascination magnétique. Aussi ai-je toujours regretté de ne pas m'être entièrement soumis cette femme ; mais en ce moment, je n'en voulais pas à son corps, je souhaitais une âme [965], une vie, ce bonheur idéal et complet, beau rêve auquel nous ne croyons pas longtemps [966].

« — Madame, lui dis-je [967] enfin, sentant que la dernière heure de mon ivresse était arrivée, écoutez-moi. Je vous aime, vous le savez, je vous l'ai dit mille fois, vous auriez dû m'entendre. Ne voulant devoir votre amour ni à des grâces de fat, ni à des flatteries ou à des importunités de niais, je n'ai pas été compris [968]. Combien de maux n'ai-je pas soufferts pour vous, et dont cependant vous êtes innocente ! Mais, dans quelques instants [969], vous me jugerez. Il y a deux misères, madame. Celle qui va par les rues effrontément en haillons, qui, sans le savoir, recommence Diogène [970], se nourrissant de peu, réduisant la vie au simple ; heureuse plus que la richesse peut-être, insouciante du moins, elle prend le monde là où les puissants n'en veulent plus. Puis la misère du luxe, une misère espagnole, qui cache la mendicité sous un titre ; fière, emplumée, cette misère en gilet blanc, en gants jaunes, a des carrosses, et perd [971] une fortune faute d'un centime [972]. L'une est la misère du peuple ; l'autre, celle des escrocs, des rois et des gens de talent. Je ne suis ni peuple, ni roi, ni escroc ; peut-être n'ai-je pas de talent : je suis une exception. Mon nom m'ordonne [973] de mourir plutôt que de mendier... Rassurez-vous, madame, je suis riche aujourd'hui, je possède de la terre tout ce qu'il m'en faut, lui dis-je en voyant sa physionomie prendre la froide expression qui se peint dans nos traits quand nous sommes surpris par des quêteuses de bonne compagnie. Vous souvenez-vous du jour où vous avez voulu venir au Gymnase [974] sans moi, croyant que je ne m'y trouverais point ?

« Elle fit un signe de tête affirmatif.

« — J'avais employé mon dernier écu pour aller vous y voir... Vous rappelez-vous la promenade que nous fîmes au Jardin [975] des plantes ? Votre voiture me coûta toute ma fortune.

« Je lui racontai mes sacrifices, je lui peignis ma vie, non pas comme je te la raconte aujourd'hui, dans l'ivresse du vin, mais dans la noble ivresse du cœur [976]. Ma passion déborda par des mots flamboyants, par des traits de sentiment oubliés depuis et que ni l'art ni le souvenir ne sauraient reproduire [977]. Ce ne fut pas la narration sans chaleur d'un amour détesté : mon amour, dans sa force et dans la beauté de son espérance, m'inspira ces paroles [978] qui projettent toute une vie en répétant les cris [979] d'une âme déchirée. Mon accent fut celui des dernières prières faites par un mourant sur le champ de bataille. Elle pleura. Je m'arrêtai. Grand Dieu ! ses larmes étaient le fruit de cette émotion factice achetée cent sous à la porte d'un théâtre [980], j'avais eu le succès d'un bon acteur.

« — Si j'avais su..., dit-elle.

« — N'achevez pas, m'écriai-je. Je vous aime encore assez en ce moment pour vous tuer...

« Elle voulut saisir le cordon de la sonnette. J'éclatai de rire.

« — N'appelez pas, repris-je. Je vous laisserai paisiblement achever votre vie. Ce serait mal entendre la haine que de vous tuer ! Ne craignez aucune violence : j'ai passé toute une nuit au pied de votre lit, sans [981]...

« — Monsieur..., dit-elle en rougissant.

« Mais, après ce premier mouvement donné à la pudeur que doit posséder toute femme, même la plus insensible, elle me jeta un regard méprisant et me dit [982] :

« — Vous avez dû avoir bien froid !

« — Croyez-vous, madame, que votre beauté me

soit si précieuse ? lui répondis-je en devinant les pensées qui l'agitaient. Votre figure est pour moi [983] la promesse d'une âme plus belle encore que vous n'êtes belle. Eh ! madame, les hommes qui ne voient que la femme dans une femme peuvent acheter tous les soirs des odalisques [984] dignes du sérail et se rendre heureux à bas prix... Mais j'étais ambitieux, je voulais vivre cœur à cœur avec vous, avec vous qui n'avez pas de cœur. Je le sais maintenant. Si vous deviez être à un homme, je l'assassinerais. Mais non, vous l'aimeriez, et sa mort vous ferait peut-être de la peine... Combien je souffre ! m'écriai-je [985].

« — Si cette promesse peut vous consoler, dit-elle gaiement, je puis vous assurer que je n'appartiendrai à personne [986]...

« — Eh bien, repris-je en l'interrompant, vous insultez à Dieu même, et vous en serez punie ! Un jour, couchée sur un divan [987], ne pouvant supporter ni le bruit ni la lumière, condamnée à vivre dans une sorte de tombe, vous souffrirez des maux inouïs. Quand vous chercherez la cause de ces lentes et vengeresses douleurs, souvenez-vous alors des malheurs que vous avez si largement jetés sur votre passage ! Ayant semé partout des imprécations, vous trouverez la haine en retour. Nous sommes les propres juges, les bourreaux d'une justice qui règne ici-bas, et marche au-dessus de celle des hommes, au-dessous de celle de Dieu.

« — Ah ! dit-elle en riant, je suis sans doute bien criminelle de ne pas vous aimer ? Est-ce ma faute ? Non, je ne vous aime pas ; vous êtes un homme, cela suffit. Je me trouve heureuse d'être seule, pourquoi changerais-je ma vie, égoïste si vous voulez, contre les caprices d'un maître ? Le mariage est un sacrement en vertu duquel nous ne nous communiquons que des chagrins [988]. D'ailleurs, les enfants m'ennuient. Ne vous ai-je pas loyalement prévenu de mon caractère ? Pourquoi ne vous êtes-vous pas contenté de mon

amitié ? Je voudrais pouvoir consoler les peines que
je vous ai causées en ne devinant pas le compte de
vos petits écus ; j'apprécie l'étendue de vos sacrifices ;
mais l'amour peut seul payer votre dévouement, vos
délicatesses, et je vous aime si peu, que cette scène
m'affecte désagréablement.

« — Je sens combien je suis ridicule, pardonnez-
moi, lui dis-je avec douceur sans pouvoir retenir mes
larmes. Je vous aime assez, repris-je, pour écouter [989]
avec délices les cruelles paroles que vous prononcez.
Oh ! je voudrais pouvoir signer mon amour de tout
mon sang.

« — Tous les hommes nous disent plus ou moins
bien ces phrases classiques, répliqua-t-elle en riant
toujours [990]. Mais il paraît qu'il est très difficile de
mourir à nos pieds, car je rencontre ces morts-là partout... Il est minuit, permettez-moi de me coucher [991].

« — Et dans deux heures, vous vous écrierez :
Mon Dieu ! lui dis-je.

« — Avant-hier ! Oui, dit-elle, je pensais [992] à mon
agent de change, j'avais oublié de lui faire convertir
mes rentes de *cinq* en *trois*, et, dans la journée, le *trois*
avait baissé.

« Je la contemplais d'un œil étincelant de rage.
Ah ! quelquefois un crime doit être tout un poème,
je l'ai compris. Familiarisée [993] sans doute avec les
déclarations les plus passionnées, elle avait déjà oublié
mes larmes et mes paroles.

« — Épouseriez-vous un pair de France ? lui deman-
dai-je froidement.

« — Peut-être, s'il était duc.

« Je pris mon chapeau, je la saluai.

« — Permettez-moi [994] de vous accompagner jusqu'à la porte de mon appartement, dit-elle en mettant
une ironie [995] perçante dans son geste, dans la pose de
sa tête et dans son accent.

« — Madame [996]...

« — Monsieur ?

« — Je ne vous reverrai plus.

« — Je l'espère, répondit-elle en inclinant la tête avec une impertinente expression.

« — Vous voulez être duchesse ? repris-je, animé par une sorte de frénésie que son geste alluma dans mon cœur. Vous êtes folle de titres et d'honneurs ? Eh bien, laissez-vous seulement aimer par moi, dites à ma plume [997] de ne parler, à ma voix de ne retentir que pour vous, soyez le principe secret de ma vie, soyez mon étoile ! Puis ne m'acceptez pour époux que ministre, pair de France, duc... Je me ferai tout ce que vous voudrez que je sois !

« — Vous avez, dit-elle en souriant, assez bien employé votre temps chez l'avoué : vos plaidoyers ont de la chaleur.

« — Tu as le présent, m'écriai-je, et moi l'avenir ! Je ne perds qu'une femme, et tu perds un nom, une famille. Le temps est gros de ma vengeance : il t'apportera la laideur et une mort solitaire ; à moi la gloire [998] !

« — Merci de la péroraison ! dit-elle en retenant un bâillement et témoignant par son attitude le désir de ne plus me voir.

« Ce mot m'imposa silence. Je lui jetai ma haine dans un regard et je m'enfuis. Il fallait [999] oublier Fœdora, me guérir de ma folie, reprendre ma studieuse solitude, ou mourir. Je m'imposai donc des travaux exorbitants, je voulus achever mes ouvrages. Pendant quinze jours, je ne sortis pas de ma mansarde, et consumai toutes mes nuits en de pâles études. Malgré [1000] mon courage et les inspirations de mon désespoir, je travaillais difficilement et par saccades. La muse avait fui. Je ne pouvais chasser le fantôme brillant et moqueur de Fœdora. Chacune de mes pensées couvait une autre pensée maladive, je ne sais quel désir, terrible comme un remords. J'imitai les anachorètes de la Thébaïde. Sans prier [1001] comme eux, comme eux je vivais dans un désert, creusant mon âme au lieu de creuser des rochers. Je me serais au besoin serré les reins avec une ceinture armée de pointes, pour dompter la douleur morale par la douleur physique.

« Un soir, Pauline pénétra dans ma chambre.

« — Vous vous tuez, me dit-elle d'une voix suppliante ; vous devriez sortir, aller voir vos amis...

« — Ah ! Pauline, votre prédiction était vraie. Fœdora [1002] me tue, je veux mourir. La vie m'est insupportable.

« — Il n'y a donc qu'une femme dans le monde ? dit-elle en souriant. Pourquoi mettez-vous des peines infinies dans une vie si courte ?

« Je regardai Pauline avec stupeur. Elle me laissa seul. Je ne m'étais pas aperçu de sa retraite, j'avais entendu sa voix sans comprendre le sens de ses paroles. Bientôt, je fus obligé de porter le manuscrit de mes mémoires à mon entrepreneur de littérature. Préoccupé par ma passion, j'ignorais comment j'avais pu vivre sans argent, je savais seulement que les quatre cent cinquante francs qui m'étaient dus suffiraient à payer mes dettes ; j'allai donc chercher mon salaire, et je rencontrai Rastignac, qui me trouva [1003] changé, maigri.

« — De quel hôpital sors-tu ? me dit-il.

« — Cette femme me tue, répliquai-je [1004]. Je ne puis ni la mépriser, ni l'oublier.

« — Il vaut mieux la tuer, tu n'y songeras peut-être plus, s'écria-t-il en riant.

« — J'y ai bien pensé, répondis-je. Mais, si parfois je rafraîchis mon âme par l'idée d'un crime, viol ou assassinat, et les deux ensemble, je me trouve incapable de le commettre en réalité. La comtesse est un admirable monstre qui demanderait grâce, et n'est pas Othello qui veut [1005] !

« — Elle est comme toutes les femmes que nous ne pouvons pas avoir, dit Rastignac en m'interrompant.

« — Je suis fou ! m'écriai-je. Je sens la folie rugir par moments dans mon cerveau. Mes idées sont comme des fantômes, elles dansent devant moi sans que je puisse les saisir. Je préfère la mort à cette vie. Aussi cherché-je avec conscience [1006] le meilleur moyen de terminer cette lutte. Il ne s'agit plus de la Fœdora vivante, de la Fœdora du faubourg Saint-Honoré [1007], mais de ma Fœdora, de celle qui est là ! dis-je en me frappant le front. Que penses-tu de l'opium ?

« — Bah ! des souffrances atroces, répondit Rastignac.

« — L'asphyxie ?

« — Canaille !

« — La Seine ?

« — Les filets et la Morgue sont bien sales [1008].

« — Un coup de pistolet ?

« — Et si tu te manques, tu restes défiguré. Écoute, ajouta-t-il, j'ai, comme tous les jeunes gens, médité sur le suicide. Qui de nous, à trente ans, ne s'est pas tué deux ou trois fois [1009] ? Je n'ai rien trouvé de mieux que d'user l'existence par le plaisir. Plonge-toi dans une dissolution profonde, ta passion ou toi, vous y périrez. L'intempérance, mon cher, est la reine de toutes les morts. Ne commande-t-elle pas à l'apoplexie foudroyante ? L'apoplexie est un coup de pistolet qui ne nous manque point. Les orgies nous prodiguent tous les plaisirs physiques ; n'est-ce pas l'opium en petite monnaie ? En nous forçant [1010] de boire à outrance, la débauche porte de mortels défis au vin. Le tonneau de malvoisie du duc de Clarence [1011] n'a-t-il pas meilleur goût que les bourbes de la Seine ? Quand nous tombons noblement sous la table, n'est-ce pas une petite asphyxie périodique ? Si la patrouille nous ramasse, en restant étendus sur les lits froids des corps de garde, ne jouissons-nous pas des plaisirs de la Morgue, moins les ventres enflés, turgides, bleus, verts, plus l'intelligence de la crise ? Ah ! reprit-il [1012], ce long suicide n'est pas une mort d'épicier en faillite.

Les négociants ont déshonoré la rivière, ils se jettent
à l'eau pour attendrir leurs créanciers. A ta place, je
tâcherais [1013] de mourir avec élégance. Si tu veux créer
un nouveau genre de mort en te débattant ainsi contre
la vie, je suis ton second. Je m'ennuie, je suis désappointé. L'Alsacienne qu'on m'a proposée pour femme
a six doigts [1014] au pied gauche, je ne puis pas vivre avec
une femme qui a six doigts ! cela se saurait, je devien-
drais ridicule. Elle n'a que dix-huit mille francs de
rente [1015], sa fortune diminue et ses doigts augmentent.
Au diable !... En menant une vie enragée, peut-être
trouverons-nous le bonheur [1016] par hasard !

« Rastignac m'entraîna. Ce projet faisait briller
de trop fortes séductions, il rallumait trop d'espérances, enfin il avait [1017] une couleur trop poétique
pour ne pas plaire à un poète.

« — Et de l'argent ? lui dis-je.

« — N'as-tu pas quatre cent cinquante francs ?

« — Oui, mais je dois à mon tailleur, à mon hôtesse...

« — Tu payes ton tailleur ? Tu ne seras jamais rien,
pas même ministre.

« — Mais que pouvons-nous avec [1018] vingt louis ?

« — Aller au jeu.

« Je frissonnai.

« — Ah ! reprit-il en s'apercevant de ma pruderie,
tu veux te lancer dans ce que je nomme le *système dissi-
pationnel*, et tu as peur [1019] d'un tapis vert !

« — Écoute, lui répondis-je, j'ai promis à mon père
de ne jamais mettre le pied dans une maison de jeu.
Non seulement cette promesse est sacrée, mais encore
j'éprouve une horreur invincible en passant devant
un tripot ; prends ces cent écus, et vas-y seul. Pendant que tu risqueras notre fortune [1020], j'irai mettre
mes affaires en ordre et reviendrai t'attendre chez toi.

« Voilà, mon cher, comment je me perdis. Il suffit à
un jeune homme de rencontrer une femme qui ne
l'aime pas, ou une femme qui l'aime trop, pour que

toute sa vie soit dérangée. Le bonheur engloutit nos
forces, comme le malheur éteint nos vertus [1021]. Revenu
à mon hôtel de *Saint-Quentin*, je contemplai longtemps la mansarde où j'avais mené la chaste vie d'un
savant, une vie qui peut-être aurait été honorable,
longue, et que je n'aurais pas dû quitter pour la vie
passionnée qui m'entraînait dans un gouffre. Pauline
me surprit dans une attitude mélancolique.

« — Eh bien, qu'avez-vous ? dit-elle [1022].

« Je me levai froidement et comptai l'argent que
je devais à sa mère en y ajoutant le prix de mon loyer
pour six mois. Elle m'examina avec une sorte de terreur.

« — Je vous quitte, ma chère Pauline [1023].

« — Je l'ai deviné ! s'écria-t-elle.

« — Écoutez, mon enfant [1024], je ne renonce pas
à revenir ici. Gardez-moi ma cellule pendant une demi-
année. Si je ne suis pas de retour vers le 15 novembre,
vous hériterez de moi. Ce manuscrit cacheté, dis-je en
lui montrant un paquet de papiers, est la copie de
mon grand ouvrage sur *la Volonté* : vous le déposerez
à la Bibliothèque du roi. Quant à tout ce que je laisse
ici, vous en ferez ce que vous voudrez.

« Elle me jetait des regards qui pesaient sur mon
cœur. Pauline était là comme une conscience vivante.

« — Je n'aurai plus de leçons ? dit-elle en me
montrant le piano.

« Je ne répondis pas.

« — M'écrirez-vous ?

« — Adieu, Pauline.

« Je l'attirai doucement à moi, puis sur son front
d'amour, vierge comme la neige qui n'a pas touché
terre, je mis un baiser de frère, un baiser de vieillard.
Elle se sauva. Je ne voulus pas voir Mme Gaudin.
Je mis ma clef à sa place habituelle et partis. En quittant
la rue de Cluny, j'entendis derrière moi le pas léger d'une
femme.

« — Je vous avais brodé cette bourse, la refuserez-vous aussi ? me dit Pauline.

« Je crus apercevoir [1025] à la lueur du réverbère une larme dans les yeux de Pauline, et je soupirai. Poussés tous deux par la même pensée peut-être, nous nous séparâmes avec l'empressement de gens qui auraient voulu fuir la peste. La [1026] vie de dissipation à laquelle je me vouais apparut devant moi bizarrement exprimée par la chambre où j'attendais avec une noble insouciance le retour de Rastignac. Au milieu de la cheminée s'élevait une pendule surmontée d'une Vénus accroupie sur sa tortue, et qui tenait [1027] entre ses bras un cigare à demi consumé. Des meubles élégants, présents de l'amour, étaient épars. De vieilles chaussettes [1028] traînaient sur un voluptueux divan. Le confortable fauteuil [1029] à ressorts dans lequel j'étais plongé portait des cicatrices comme un vieux soldat, il offrait aux regards ses bras déchirés, et montrait incrustées sur son dossier la pommade et l'huile antique apportées par toutes les têtes d'amis. L'opulence et la misère [1030] s'accouplaient naïvement dans le lit, sur les murs, partout. Vous eussiez dit les palais de Naples bordés de lazzaroni. C'était une chambre de joueur ou de mauvais sujet dont le luxe est tout personnel, qui vit de sensations, et des incohérences ne se soucie guère. Ce tableau ne manquait pas d'ailleurs de poésie [1031]. La vie s'y dressait avec ses paillettes et ses haillons, soudaine [1032], incomplète comme elle est réellement, mais vive, mais fantasque comme dans une halte où le maraudeur a pillé tout ce qui fait sa joie [1033]. Un Byron, auquel manquaient des pages, avait allumé la falourde du jeune homme qui risque au jeu mille francs [1034] et n'a pas une bûche, qui court en tilbury sans posséder une chemise saine et valide. Le lendemain, une comtesse, une actrice ou l'écarté [1035] lui donnent un trousseau de roi. Ici, la bougie était fichée dans le fourreau vert d'un briquet phosphorique ; là, gisait un portrait de femme dépouillé de sa monture d'or ciselé. Comment un jeune homme naturellement avide d'émotions renoncerait-il aux attraits d'une vie aussi riche d'oppositions et qui lui donne les plaisirs de la guerre en temps de paix [1036] ? J'étais presque assoupi quand, d'un coup de pied, Rastignac enfonça la porte de ma chambre, et s'écria :

« — Victoire ! nous pourrons mourir à notre aise...

« Il me montra son chapeau plein d'or, le mit sur la table, et nous dansâmes autour comme deux cannibales ayant une proie à manger, hurlant [1037], trépignant, sautant, nous donnant des coups de poing à tuer un rhinocéros, et chantant à l'aspect de tous les plaisirs du monde contenus pour nous dans [1038] ce chapeau.

« — Vingt-sept mille [1039] francs, répétait Rastignac en ajoutant quelques billets de banque au tas d'or. A d'autres, cet argent suffirait pour vivre, mais nous suffira-t-il pour mourir ? Oh oui ! nous expirerons dans un bain d'or... Hourra [1040] !

« Et nous cabriolâmes derechef. Nous partageâmes en héritiers, pièce à pièce [1041], commençant par les doubles napoléons, allant des grosses pièces aux petites, et distillant notre joie en disant longtemps : « A toi !... A moi !... »

« — Nous ne dormirons pas, s'écria Rastignac. — Joseph, du punch !

« Il jeta de l'or à son fidèle domestique :

« — Voilà ta part, dit-il [1042] ; enterre-toi si tu peux.

« Le lendemain, j'achetai des meubles chez Lesage [1043], je louai l'appartement où tu m'as connu, rue Taitbout, et chargeai le meilleur tapissier de le décorer. J'eus des chevaux. Je me lançai [1044] dans un tourbillon de plaisirs creux et réels tout à la fois. Je jouais, gagnais et perdais tour à tour d'énormes sommes, mais au bal [1045], chez nos amis ; jamais dans les maisons de jeu, pour lesquelles je conservai ma sainte et primitive

horreur. Insensiblement, je me fis des amis. Je dus leur
attachement à des querelles ou à cette facilité confiante
avec laquelle nous nous livrons nos secrets en nous avilissant de compagnie ; mais peut-être aussi [1046] ne nous
accrochons-nous bien que par nos vices. Je hasardai
quelques compositions littéraires qui me valurent des
compliments. Les grands hommes [1047] de la littérature
marchande, ne voyant point en moi de rival à craindre,
me vantèrent, moins sans doute pour mon mérite
personnel que pour chagriner celui de leurs camarades.
Je devins un *viveur*, pour me servir de l'expression
pittoresque consacrée par votre langage d'orgie. Je
mettais de l'amour-propre à me tuer promptement,
à écraser les plus gais compagnons par ma verve et ma
puissance. J'étais toujours frais, élégant. Je passais
pour spirituel. Rien [1048] ne trahissait en moi cette épouvantable existence qui fait d'un homme un entonnoir,
un appareil à chyle, un cheval de luxe. Bientôt, la débauche m'apparut dans toute la majesté de son horreur,
et je la compris ! Certes, les hommes sages et rangés qui
étiquètent des bouteilles pour leurs héritiers ne peuvent
guère concevoir ni la théorie de cette large vie, ni son état
normal ; en inculquerez-vous la poésie aux gens de
province pour qui l'opium et le thé, si prodigues de
délices, ne sont encore que deux médicaments ? A Paris
même, dans cette capitale de la pensée, ne se rencontre-t-il pas des sybarites incomplets ? Inhabiles à
supporter l'excès du plaisir, ne s'en vont-ils pas fatigués après une orgie, comme le sont ces bons bourgeois
qui, après avoir entendu quelque nouvel opéra de
Rossini, condamnent la musique ? Ne renoncent-ils
pas à cette vie, comme un homme sobre ne veut [1049]
plus manger de pâtés de Ruffec, parce que le premier
lui a donné une indigestion ? La débauche est certainement un art comme la poésie, et veut des âmes fortes.
Pour en saisir les mystères, pour en savourer les beautés,
un homme doit en quelque sorte s'adonner à de [1050]

consciencieuses études. Comme toutes les sciences, elle est d'abord repoussante, épineuse. D'immenses obstacles environnent les grands plaisirs [1051] de l'homme, non ses jouissances de détail, mais les systèmes qui érigent en habitude les sensations les plus rares, les résument, les lui fertilisent en lui créant une vie dramatique dans sa vie, en nécessitant une exorbitante, une prompte dissipation de ses forces.

« La guerre [1052], le pouvoir, les arts sont des corruptions mises aussi loin de la portée humaine, aussi profondes que l'est la débauche, et toutes sont de difficile accès. Mais, quand une fois l'homme est monté à l'assaut de ces grands mystères, ne marche-t-il pas dans [1053] un monde nouveau ? Les généraux, les ministres, les artistes sont tous plus ou moins portés vers la dissolution [1054] par le besoin d'opposer de violentes distractions à leur existence, si fort en dehors de la vie commune. Après tout, la guerre est la débauche du sang, comme la politique est celle des intérêts. Tous les excès sont frères. Ces monstruosités sociales possèdent la puissance des abîmes, elles nous attirent comme Sainte-Hélène appelait [1055] Napoléon ; elles donnent des vertiges, elles fascinent, et nous voulons en voir le fond sans savoir pourquoi. La pensée de l'infini existe peut-être dans ces précipices, peut-être renferment-ils quelque grande flatterie pour l'homme ; n'intéresse-t-il pas alors tout à lui-même ? Pour contraster avec le paradis de ses heures studieuses, avec les délices de la conception, l'artiste fatigué demande soit, comme Dieu, le repos du dimanche, soit, comme le diable, les voluptés de l'enfer, afin d'opposer le travail des sens au travail de ses facultés. Le délassement de lord Byron ne pouvait pas être le boston babillard qui charme un rentier ; poète, il voulait la Grèce à jouer contre Mahmoud. En guerre, l'homme ne devient-il pas un ange exterminateur, une espèce de bourreau, mais gigantesque ? Ne faut-il [1056] pas des enchantements

bien extraordinaires pour nous faire accepter ces atroces
douleurs, ennemies de notre frêle enveloppe, qui
entourent les passions [1057] comme d'une enceinte
épineuse ? S'il se roule convulsivement et souffre [1058]
une sorte d'agonie après avoir abusé du tabac, le fu-
meur n'a-t-il pas assisté, je ne sais en quelles régions,
à de délicieuses fêtes ? Sans se donner le temps d'essuyer
ses pieds, qui trempent dans le sang jusqu'à la cheville,
l'Europe n'a-t-elle pas sans cesse recommencé la guerre ?
L'homme en masse a-t-il donc aussi son ivresse, comme
la nature a ses accès d'amour ? Pour l'homme privé,
pour le Mirabeau qui végète sous un règne paisible et
rêve des tempêtes [1059], la débauche comprend tout, elle
est une perpétuelle étreinte de toute la vie, ou mieux,
un duel avec une puissance inconnue, avec un monstre :
d'abord le monstre épouvante, il faut l'attaquer par
les cornes ; c'est des fatigues inouïes. La nature vous
a donné je ne sais quel estomac étroit ou paresseux ;
vous le domptez, vous l'élargissez, vous apprenez à
porter le vin, vous apprivoisez l'ivresse, vous passez
les nuits sans sommeil, vous vous faites enfin un tempérament de colonel de cuirassiers, en vous créant
vous-même une seconde fois, comme pour fronder
Dieu ! Quand l'homme s'est ainsi métamorphosé,
quand, vieux soldat, le néophyte a façonné son âme
à l'artillerie, ses jambes à la marche, sans encore appartenir au monstre, mais sans savoir entre eux quel est
le maître, ils se roulent l'un sur l'autre [1060], tantôt
vainqueurs, tantôt vaincus, dans une sphère où tout est
merveilleux, où s'endorment les douleurs de l'âme,
où revivent seulement des fantômes d'idées. Déjà cette
lutte atroce est devenue nécessaire.

« Réalisant ces fabuleux [1061] personnages qui, selon
les légendes, ont vendu leur âme au diable pour en
obtenir la puissance de mal faire, le dissipateur a troqué
sa mort contre [1062] toutes les jouissances de la vie,
mais abondantes, mais fécondes ! Au lieu de couler

longtemps entre deux rives monotones, au fond d'un comptoir ou d'une étude, l'existence bouillonne et fuit comme un torrent [1063]. Enfin, la débauche est sans doute au corps ce que sont à l'âme les plaisirs mystiques. L'ivresse vous plonge en des rêves dont les fantasmagories sont aussi curieuses que peuvent l'être celles de l'extase [1064]. Vous avez des heures ravissantes comme les caprices d'une jeune fille, des causeries délicieuses avec des amis, des mots qui peignent toute une vie, des joies franches et sans arrière-pensée, des voyages sans fatigue, des poèmes déroulés en quelques phrases. La brutale satisfaction de la bête, au fond de laquelle la science a été chercher une âme, est suivie de torpeurs enchanteresses après lesquelles soupirent les hommes ennuyés de leur intelligence. Ne sentent-ils pas tous la nécessité d'un repos complet, et la débauche n'est-elle pas une sorte d'impôt que le génie paye au mal ? Vois tous les grands hommes : s'ils ne sont [1065] pas voluptueux, la nature les crée chétifs. Moqueuse ou jalouse, une puissance leur vicie l'âme ou le corps pour neutraliser les efforts de leurs talents. Pendant ces heures avinées, les hommes et les choses comparaissent devant vous, vêtus de vos livrées. Roi de la création, vous la transformez à vos souhaits. A travers ce délire perpétuel, le jeu vous verse, à votre gré, son plomb fondu dans les veines. Un jour, vous appartenez au monstre ; vous avez alors, comme je l'eus, un réveil enragé : l'impuissance est assise à votre chevet [1066]. Vieux guerrier, une phtisie vous dévore ; diplomate, un anévrisme suspend dans votre cœur la mort à un fil ; moi, peut-être une pulmonie va me dire : « Partons ! » comme elle a dit jadis à Raphaël d'Urbin, tué par un excès d'amour [1067]. Voilà comment j'ai vécu ! J'arrivais ou trop tôt ou trop tard dans la vie du monde ; sans doute [1068], ma force y eût été dangereuse si je ne l'avais amortie ainsi ; l'univers n'a-t-il pas été guéri d'Alexandre par la coupe d'Hercule [1069], à la fin d'une orgie ! Enfin, à

certaines destinées trompées il faut le ciel ou l'enfer,
la débauche ou l'hospice du mont Saint-Bernard.
Tout à l'heure [1070], je n'avais pas le courage de mora-
liser ces deux créatures, dit-il en montrant Euphrasie
et Aquilina. N'étaient-elles pas mon histoire personni-
fiée, une image de ma vie ! Je ne pouvais guère les
accuser, elles m'apparaissaient comme des juges. Au
milieu de ce poème vivant, au sein de cette étourdis-
sante maladie, j'eus cependant deux crises bien fer-
tiles en âcres douleurs. D'abord, quelques jours après
m'être jeté, comme Sardanapale, dans mon bûcher,
je rencontrai Fœdora sous le péristyle des Bouffons.
Nous attendions nos voitures.

« — Ah ! je vous retrouve encore en vie.

« Ce mot était la traduction de son sourire, des
malicieuses et sourdes paroles qu'elle dit à son sigisbée
en lui racontant [1071] sans doute mon histoire, et jugeant
mon amour comme un amour vulgaire. Elle applau-
dissait à sa fausse perspicacité. Oh ! mourir pour elle,
l'adorer encore, la voir dans mes excès, dans mes
ivresses, dans le lit des courtisanes, et me sentir victime de sa plaisanterie ! Ne pouvoir [1072] déchirer ma
poitrine et y fouiller mon amour pour le jeter à ses
pieds ! Enfin, j'épuisai facilement mon trésor ; mais
trois années de régime m'avaient constitué la plus
robuste de toutes les santés, et, le jour où je me trouvai
sans argent, je me portais à merveille. Pour continuer
de mourir, je signai des lettres de change à courte
échéance, et le jour du payement arriva. Cruelles émotions ! et comme elles font vivre de jeunes cœurs ! Je
n'étais pas fait pour vieillir encore ; mon âme était
toujours jeune, vivace et verte. Ma première dette
ranima toutes mes vertus, qui vinrent à pas lents et
m'apparurent désolées. Je sus transiger avec elles,
comme avec ces vieilles [1073] tantes qui commencent
par nous gronder et finissent en nous donnant des
larmes et de l'argent. Plus sévère [1074], mon imagina-

tion me montrait mon nom voyageant, de ville en ville, dans les places de l'Europe. *Notre nom, c'est nous-mêmes*, a dit Eusèbe Salverte [1075]. Après des courses vagabondes, j'allais, comme le double d'un Allemand, revenir à mon logis d'où je n'étais pas sorti, pour me réveiller moi-même en sursaut.

« Ces hommes [1076] de la Banque, ces remords commerciaux, vêtus de gris, portant la livrée de leur maître, une plaque d'argent, jadis je les voyais avec indifférence quand ils allaient par les rues de Paris ; mais, aujourd'hui, je les haïssais par avance. Un matin [1077], l'un deux ne viendrait-il pas me demander raison des onze lettres de change [1078] que j'avais griffonnées ? Ma signature valait trois mille francs, je ne les valais pas moi-même ! Les huissiers, aux faces insouciantes à tous les désespoirs, même à la mort [1079], se levaient devant moi, comme les bourreaux qui disent à un condamné : « Voici trois heures et demie qui sonnent. » Leurs clercs avaient le droit de s'emparer de moi, de griffonner mon nom, de le salir, de s'en moquer. JE DEVAIS ! Devoir, est-ce donc s'appartenir [1080] ? D'autres hommes ne pouvaient-ils pas me demander compte de ma vie ? pourquoi j'avais mangé des puddings à la *chipolata* [1081] ? pourquoi je buvais à la glace ? pourquoi je dormais, marchais, pensais, m'amusais sans les payer ? Au milieu d'une poésie, au sein d'une idée, ou à déjeuner, entouré d'amis, de joie, de douces railleries, je pouvais voir entrer un monsieur en habit marron, tenant à la main un chapeau râpé. Ce monsieur sera ma dette [1082], ce sera ma lettre de change, un spectre qui flétrira ma joie, me forcera de quitter [1083] la table pour lui parler ; il m'enlèvera ma gaieté, ma maîtresse, tout, jusqu'à mon lit. Le remords est plus tolérable, il ne nous met ni dans la rue ni à Sainte-Pélagie [1084], il ne nous plonge pas dans cette exécrable sentine du vice [1085] ; il ne nous jette qu'à l'échafaud, où le bourreau ennoblit : au moment de notre supplice,

tout le monde croit à notre innocence ; tandis que la
société ne laisse [1086] pas une vertu au débauché sans
argent. Puis ces dettes à deux pattes, habillées de
drap vert, portant des lunettes bleues ou des parapluies multicolores ; ces dettes incarnées avec lesquelles [1087] nous nous trouvons face à face au coin
d'une rue, au moment où nous sourions, ces gens allaient
avoir l'horrible privilège de dire : « M. de Valentin me
doit et ne me paye pas. Je le tiens. Ah ! qu'il n'ait
pas l'air de me faire mauvaise mine ! » Il faut saluer
nos créanciers, les saluer avec grâce. « Quand me payerez-
vous ? » disent-ils. Et nous sommes dans [1088] l'obli-
gation de mentir, d'implorer un autre homme pour de
l'argent, de nous courber devant un sot assis sur sa
caisse, de recevoir son froid regard, son regard de
sangsue plus odieux [1089] qu'un soufflet, de subir sa
morale de Barrême et sa crasse ignorance. Une dette
est une œuvre d'imagination qu'ils ne comprennent
pas. Des élans de l'âme entraînent, subjuguent souvent
un emprunteur, tandis que rien de grand ne subjugue,
rien de généreux ne guide ceux qui vivent dans l'argent
et ne connaissent que l'argent. J'avais horreur de l'argent.

« Enfin [1090] la lettre de change peut se métamorphoser
en vieillard chargé de famille, flanqué de vertus. Je
devrais peut-être à un vivant tableau de Greuze, à un
paralytique environné d'enfants, à la veuve d'un soldat,
qui tous me tendront des mains suppliantes. Terribles
créanciers avec lesquels il faut pleurer, et [1091], quand
nous les avons payés, nous leur devons encore des
secours [1092]. La veille de l'échéance, je m'étais couché
dans ce calme faux des gens qui dorment avant leur
exécution, avant un duel : ils se laissent toujours bercer
par une menteuse espérance [1093]. Mais, en me réveillant, quand je fus de sang-froid, quand je sentis mon
âme emprisonnée dans le portefeuille d'un banquier,
couchée sur des états, écrite à l'encre rouge, mes dettes
jaillirent partout comme des sauterelles ; elles étaient

dans ma pendule, sur mes fauteuils, ou incrustées dans les meubles desquels je me servais avec le plus de plaisir. Devenus la proie des harpies du Châtelet, ces doux esclaves matériels allaient donc être enlevés [1094] par des recors, et brutalement jetés sur la place. Ah ! ma dépouille était encore moi-même. La sonnette de mon apparte-ment retentissait dans mon cœur, elle me frappait où l'on doit frapper les rois, à la tête. C'était un martyre, sans le ciel pour récompense. Oui, pour un homme généreux, une dette est l'enfer [1095], mais l'enfer avec des huissiers et des agents d'affaires. Une dette impayée est la bassesse, un commencement de friponnerie, et, pis que tout cela, un mensonge, elle ébauche des crimes, elle assemble les madriers de l'échafaud [1096].

« Mes lettres de change furent protestées. Trois jours après, je les payai ; voici comment. Un spéculateur vint me proposer de lui vendre l'île que je possédais dans la Loire et où était le tombeau de ma mère. J'accep-tai. En signant le contrat chez le notaire de mon acqué-reur, je sentis au fond de l'étude obscure une fraîcheur semblable à celle d'une cave. Je frissonnai en recon-naissant le même froid humide qui m'avait saisi sur le bord de la fosse où gisait mon père. J'accueillis ce hasard [1097] comme un funeste présage. Il me semblait entendre la voix de ma mère et voir son ombre ; je ne sais quelle puissance faisait retentir vaguement mon propre nom dans mon oreille, au milieu d'un bruit de cloches ! Le prix de mon île me laissa, toutes dettes payées, deux mille francs. Certes, j'eusse pu revenir à la paisible existence du savant, retourner à ma man-sarde après avoir expérimenté la vie, y revenir [1098] la tête pleine d'observations immenses et jouissant déjà d'une espèce de réputation. Mais Fœdora n'avait pas lâché sa proie. Nous nous étions souvent trouvés en présence. Je lui faisais corner [1099] mon nom aux oreilles par ses amants, étonnés de mon esprit, de mes chevaux, de mes succès, de mes équipages. Elle restait

froide et insensible à tout, même à [1100] cette horrible
phrase : « Il se tue pour vous ! » dite par Rastignac.

« Je chargeais le monde entier de ma vengeance, mais
je n'étais pas heureux ! En creusant ainsi ma vie jusqu'à la fange, j'avais toujours senti davantage les
délices d'un amour partagé, j'en poursuivais le fantôme à travers les hasards de mes dissipations, au
sein des orgies. Pour mon malheur, j'étais trompé dans
mes belles croyances, j'étais puni de mes bienfaits par
l'ingratitude, récompensé [1101] de mes fautes par mille
plaisirs. Sinistre philosophie, mais vraie pour le débauché ! Enfin Fœdora m'avait communiqué la lèpre de
sa vanité. En sondant mon âme, je la trouvai gan-
grenée, pourrie. Le démon m'avait imprimé son ergot
au front. Il m'était désormais impossible de me passer
des tressaillements continuels d'une vie à tout moment
risquée, et des exécrables [1102] raffinements de la richesse.
Riche à millions, j'aurais toujours joué, mangé, couru.
Je ne voulais plus rester seul [1103] avec moi-même.
J'avais besoin de courtisanes, de faux amis, de vin,
de bonne chère pour m'étourdir. Les liens qui attachent
un homme à la famille étaient brisés en moi pour toujours. Galérien du plaisir, je devais accomplir ma destinée de suicide. Pendant les derniers jours de ma
fortune, je fis chaque soir [1104] des excès incroyables ;
mais, chaque matin, la mort me rejetait dans la vie.
Semblable à un rentier viager, j'aurais pu passer tranquillement dans un incendie. Enfin je me trouvai seul
avec une pièce de vingt francs, je me souvins alors
du bonheur de Rastignac...

« — Eh ! eh !... s'écria Raphaël en pensant tout
à coup à son talisman, qu'il tira de sa poche [1105].

Soit que, fatigué des luttes de cette longue journée,
il n'eût plus la force de gouverner son intelligence dans
les flots de vin et de punch ; soit que, exaspéré par
l'image de sa vie, il se fût insensiblement enivré par

le torrent de ses paroles, Raphaël s'anima, s'exalta comme un homme complètement privé de raison.

— Au diable la mort ! s'écria-t-il en brandissant la peau. Je veux vivre maintenant ! Je suis riche, j'ai toutes les vertus. Rien ne me résistera. Qui ne serait pas bon, quand il peut tout ? — Hé ! hé ! ohé ! J'ai souhaité deux cent mille livres de rente, je les aurai. Saluez-moi, pourceaux qui vous vautrez sur ces tapis, comme sur du fumier ! Vous m'appartenez, fameuse propriété ! Je suis riche, je peux vous acheter tous, même le député [1106] qui ronfle là. Allons, canaille de la haute société, bénissez-moi ! Je suis pape.

En ce moment, les exclamations de Raphaël, jusque-là couvertes par la basse continue des ronflements, furent entendues soudain. La plupart des dormeurs se réveillèrent en criant, ils virent l'interrupteur mal assuré sur ses jambes, et maudirent sa bruyante ivresse par un concert de jurements [1107].

— Taisez-vous ! s'écria Raphaël [1108]. Chiens, à vos niches ! — Émile, j'ai des trésors, je te donnerai des cigares de la Havane.

— Je t'entends, répondit le poète, *Fœdora ou la mort !* Va ton train ! Cette sucrée de Fœdora t'a trompé. Toutes les femmes sont filles d'Ève. Ton histoire n'est pas du tout dramatique.

— Ah ! tu dormais, sournois ?

— Non... Fœdora ou la mort ! j'y suis.

— Réveille-toi, s'écria Raphaël en frappant Émile avec la peau de chagrin comme s'il voulait en tirer du fluide électrique.

— Tonnerre ! dit Émile en se levant et en saisissant Raphaël à bras-le-corps, mon ami, songe donc que tu es avec des femmes [1109] de mauvaise vie.

— Je suis millionnaire !

— Si tu n'es pas millionnaire, tu es bien certainement ivre.

— Ivre du pouvoir. Je peux te tuer !... Silence, je
suis Néron ! je suis Nabuchodonosor !

— Mais, Raphaël, nous sommes en méchante [1110]
compagnie, tu devrais rester silencieux, par dignité.

— Ma vie a été un trop long silence [1111]. Maintenant, je vais me venger du monde entier. Je ne m'amu-
serai pas à dissiper de vils écus, j'imiterai, je résumerai
mon époque en consommant des vies [1112] humaines, et
des intelligences, des âmes. Voilà un luxe qui n'est pas
mesquin, n'est-ce pas ? l'opulence de la peste ! Je
lutterai avec [1113] la fièvre jaune, bleue, verte, avec les
armées, avec les échafauds. Je puis avoir Fœdora...
Mais non, je ne veux pas de Fœdora, c'est ma maladie,
je meurs de Fœdora ! Je veux oublier Fœdora [1114].

— Si tu continues à crier, je t'emporte dans la salle
à manger.

— Vois-tu cette peau ? c'est le testament de Salomon.
Il est à moi, Salomon, ce petit cuistre de roi ! J'ai
l'Arabie, Pétrée encore. L'univers est à moi [1115]. Tu
es à moi, si je veux. Ah ! si je veux, prends garde !
Je peux acheter toute ta boutique de journaliste, tu
seras mon valet. Tu me feras des couplets, tu régleras [1116] mon papier. Valet ! *valet*, cela veut dire : « Il se
porte bien [1117], parce qu'il ne pense à rien. »

A ce mot, Émile emporta Raphaël dans la salle à
manger.

— Eh bien, oui, mon ami, lui dit-il, je suis ton
valet. Mais tu vas être rédacteur en chef d'un journal,
tais-toi ! sois décent, par considération pour moi !
M'aimes-tu ?

— Si je t'aime ! Tu auras des cigares de la Havane,
avec cette peau. Toujours la peau, mon ami, la peau
souveraine ! Excellent topique, je peux guérir les cors.
As-tu des cors ? Je te les ôte.

— Jamais je ne t'ai vu si stupide...

— Stupide, mon ami ? Non. Cette peau se rétrécit
quand j'ai un désir... c'est une antiphrase. Le brah-

mane, — il se trouve un brahmane là-dessous ! — le
brahmane donc était un goguenard, parce que les
désirs, vois-tu, doivent étendre...

— Eh bien, oui.

— Je te dis...

— Oui, cela est très vrai, je pense comme toi [1118].
Le désir étend...

— Je te dis, la peau !

— Oui.

— Tu ne me crois pas. Je te connais, mon ami, tu
es menteur comme un nouveau roi [1119].

— Comment veux-tu que j'adopte les divagations
de ton ivresse !

— Je te parie, je peux [1120] te le prouver. Prenons
la mesure...

— Allons, il ne s'endormira pas, s'écria Émile en
voyant Raphaël occupé à fureter dans la salle à manger.

Valentin, animé [1121] d'une adresse de singe, grâce
à cette singulière lucidité dont les phénomènes contrastent parfois chez les ivrognes avec les obtuses
visions de l'ivresse, sut trouver une écritoire et une
serviette, en répétant toujours [1122] :

— Prenons la mesure ! prenons la mesure !

— Eh bien, oui, dit Émile, prenons la mesure [1123] !

Les deux amis étendirent la serviette et y superposèrent la peau de chagrin. Émile, dont la main semblait être plus assurée [1124] que celle de Raphaël, décrivit
à la plume, par une ligne d'encre, les contours du
talisman, pendant que son ami lui disait :

— J'ai souhaité deux cent mille livres de rente,
n'est-il pas vrai [1125] ? Eh bien, quand je les aurai, tu
verras la diminution de tout mon chagrin.

— Oui... Maintenant, dors. Veux-tu que je t'arrange
sur ce canapé ? Allons, es-tu bien ?

— Oui, mon nourrisson de la presse. Tu m'amuseras, tu chasseras mes mouches. L'ami du malheur

a droit [1126] d'être l'ami du pouvoir. Aussi te donnerai-
je des ci...ga...res de la Hav...

— Allons, cuve ton or, millionnaire.

— Toi, cuve tes articles [1127]. Bonsoir. Dis donc
bonsoir à Nabuchodonosor !... Amour ! A boire !
France..., gloire et riche..., riche...

Bientôt les deux amis unirent leurs ronflements à
la musique qui retentissait dans les salons. Concert
inutile ! Les bougies [1128] s'éteignirent une à une en
faisant éclater leurs bobèches de cristal. La nuit enve-
loppa d'un crêpe cette longue orgie dans laquelle le
récit de Raphaël avait été comme une orgie de paroles,
de mots sans idées, et d'idées auxquelles les expressions avaient souvent manqué.

Le lendemain, vers midi, la belle Aquilina se leva,
bâillant, fatiguée, et les joues marbrées par les empreintes du tabouret en velours peint sur lequel sa
tête avait reposé. Euphrasie, réveillée par le mouvement
de sa compagne, se dressa tout à coup en jetant un
cri rauque ; sa jolie figure, si blanche, si fraîche la
veille, était jaune et pâle comme celle d'une fille allant
à l'hôpital. Insensiblement, les convives se remuèrent
en poussant des gémissements sinistres, ils se sentirent
les bras et les jambes raidis, mille fatigues diverses
les accablèrent à leur réveil [1129]. Un valet vint ouvrir
les persiennes et les fenêtres des salons. L'assemblée
se trouva sur pied, rappelée à la vie par les chauds
rayons du soleil qui pétilla sur les têtes des dormeurs.
Les mouvements du sommeil ayant brisé l'élégant
édifice de leurs coiffures et fané leurs toilettes [1130], les
femmes, frappées par l'éclat du jour, présentèrent un
hideux spectacle : leurs cheveux pendaient sans grâce,
leurs physionomies avaient changé d'expression, leurs
yeux si brillants étaient ternis par la lassitude. Les teints
bilieux, qui jettent tant d'éclat aux lumières, faisaient
horreur ; les figures lymphatiques, si blanches, si
molles quand elles sont reposées, étaient devenues

vertes ; les bouches [1131], naguère délicieuses et rouges, maintenant sèches et blanches, portaient les honteux stigmates de l'ivresse.

Les hommes reniaient leurs maîtresses nocturnes, à les voir ainsi décolorées, cadavéreuses comme des fleurs écrasées dans une rue après le passage des processions. Ces hommes dédaigneux étaient plus horribles encore. Vous eussiez frémi de voir ces faces humaines, aux yeux caves et cernés qui semblaient ne rien voir, engourdies par le vin, hébétées par un sommeil gêné, plus fatigant que réparateur. Ces visages hâves, où paraissaient à nu les appétits physiques sans la poésie dont les décore notre âme, avaient je ne sais quoi de féroce et de froidement bestial. Ce réveil du vice sans vêtements ni fard, ce squelette du mal déguenillé [1132], froid, vide et privé des sophismes de l'esprit ou des enchantements du luxe, épouvanta ces intrépides athlètes, quelque habitués [1133] qu'ils fussent à lutter avec la débauche. Artistes et courtisanes gardèrent le silence en examinant d'un œil hagard le désordre de l'appartement, où tout avait été dévasté, ravagé par le feu des passions. Un rire satanique s'éleva tout à coup lorsque Taillefer [1134], entendant le râle sourd de ses hôtes, essaya de les saluer par une grimace ; son visage en sueur et sanguinolent fit planer sur cette scène infernale l'image du crime sans remords. (Voir l'*Auberge rouge* [1135].) Le tableau fut complet. C'était la vie fangeuse au sein du luxe, un horrible mélange des pompes et des misères humaines, le réveil de la débauche, quand de ses mains fortes elle a pressé tous les fruits de la vie, pour ne laisser autour d'elle que d'ignobles débris ou des mensonges auxquels elle ne croit plus. Vous eussiez dit la Mort souriant au milieu d'une famille pestiférée : plus de parfums ni de lumières étourdissantes, plus de gaieté ni de désirs ; mais le dégoût avec ses odeurs nauséabondes et sa poignante philosophie, mais le soleil éclatant comme la vérité, mais un air pur comme la vertu, qui contrastaient avec une atmosphère chaude, chargée de miasmes, les miasmes d'une orgie !

Malgré leur habitude du vice, plusieurs de [1136] ces jeunes filles pensèrent à leur réveil d'autrefois, quand, innocentes et pures, elles entrevoyaient par leurs croisées champêtres, ornées de chèvrefeuilles et de roses, un frais paysage enchanté par les joyeuses roulades de l'alouette, vaporeusement illuminé par les lueurs de l'aurore et paré des fantaisies de la rosée. D'autres se peignirent le déjeuner de la famille, la table autour de laquelle riaient innocemment les enfants et le père, où tout respirait un charme indéfinissable, où les mets étaient simples comme les cœurs. Un artiste songeait à la paix de son atelier, à sa chaste statue, au gracieux modèle qui l'attendait. Un jeune homme, se souvenant du procès d'où dépendait le sort d'une famille, pensait à la transaction importante qui réclamait sa présence. Le savant regrettait son cabinet où l'appelait un noble ouvrage. Presque tous se plaignaient d'eux-mêmes. En ce moment, Émile, frais et rose comme le plus joli des commis marchands d'une boutique en vogue, apparut en riant.

— Vous êtes plus laids que des recors ! s'écria-t-il. Vous ne pourrez rien faire aujourd'hui, la journée est perdue ; m'est avis de déjeuner.

A ces mots, Taillefer sortit [1137] pour donner des ordres. Les femmes allèrent languissamment rétablir le désordre de leurs toilettes devant les glaces. Chacun se secoua. Les plus vicieux prêchèrent les plus sages. Les courtisanes se moquèrent de ceux qui paraissaient ne pas se trouver de force à continuer ce rude festin. En un moment, ces spectres s'animèrent, formèrent des groupes, s'interrogèrent et sourirent. Quelques valets, habiles et lestes, remirent promptement les meubles et chaque chose en leur place. Un déjeuner splendide fut servi. Les convives se ruèrent alors dans

la salle à manger. Là, si tout porta l'empreinte inef-
façable des excès de la veille, au moins y eut-il trace
d'existence et de pensée, comme dans les dernières
convulsions d'un mourant. Semblable au convoi du
mardi gras, la saturnale était enterrée [1138] par des
masques fatigués de leurs danses, ivres de l'ivresse,
et voulant convaincre le plaisir d'impuissance pour
ne pas s'avouer [1139] la leur. Au moment où cette intrépide assemblée borda la table du capitaliste, Cardot,
qui, la veille, avait disparu prudemment après le dîner
pour finir son orgie dans le lit conjugal, montra sa
figure [1140] officieuse sur laquelle errait un doux sourire. Il semblait avoir deviné quelque succession
à déguster, à partager, à inventorier, à grossoyer, une
succession pleine [1141] d'actes à faire, grosse d'hono-
raires, aussi juteuse que le filet tremblant dans lequel
l'amphitryon plongeait alors son couteau.

— Oh ! oh ! nous allons déjeuner par-devant notaire,
s'écria de Cursy [1142].

— Vous arrivez à propos pour coter et parafer toutes
ces pièces, lui dit le banquier en lui montrant le festin.

— Il n'y a pas de testament à faire, mais pour des
contrats de mariage, peut-être [1143] ! dit le savant, qui
pour la première fois depuis un an s'était supérieurement marié.

— Oh ! oh !

— Ah ! ah !

— Un instant, répliqua Cardot [1144], assourdi par
un chœur de mauvaises plaisanteries, je viens ici pour
affaire sérieuse. J'apporte six millions à l'un de vous.
(Silence profond.) — Monsieur, dit-il en s'adressant
à Raphaël, qui, dans ce moment, s'occupait sans cérémonie à s'essuyer les yeux avec un coin de sa serviette, madame votre mère n'était-elle pas une demoiselle O'Flaharty ?

— Oui, répondit Raphaël assez machinalement ;
Barbe-Marie [1145].

— Avez-vous ici, reprit Cardot [1146], votre acte de naissance et celui de Mme de Valentin ?

— Je le crois.

— Eh bien, monsieur, vous êtes seul et unique héritier du major O'Flaharty [1147], décédé en août 1828, à Calcutta.

— C'est une fortune *incalcuttable*! s'écria le jugeur [1148].

— Le major ayant disposé par son testament de plusieurs sommes en faveur de quelques établissements publics, sa succession a été réclamée à la Compagnie des Indes par le gouvernement français, reprit le notaire. Elle est en ce moment liquide et palpable. Depuis [1149] quinze jours, je cherchais infructueusement les ayants cause de la demoiselle Barbe-Marie O'Flaharty, lorsque, hier, à table...

En ce moment, Raphaël se leva soudain en laissant échapper le mouvement brusque d'un homme qui reçoit une blessure. Il se fit comme une acclamation silencieuse ; le premier sentiment des convives fut dicté par une sourde envie [1150], tous les yeux se tournèrent vers lui comme autant de flammes. Puis un murmure, semblable à celui d'un parterre qui se courrouce, une rumeur d'émeute commença [1151], grossit, et chacun dit un mot pour saluer cette fortune immense apportée par le notaire. Rendu à toute sa raison par la brusque obéissance du sort, Raphaël étendit promptement sur la table la serviette avec laquelle il avait mesuré naguère la peau de chagrin. Sans rien écouter, il y superposa le talisman, et frissonna involontairement en voyant une petite distance [1152] entre le contour tracé sur le linge et celui de la peau.

— Eh bien, qu'a-t-il donc ? s'écria Taillefer [1153], il a sa fortune à bon compte.

— *Soutiens-le, Châtillon!* dit Bixiou [1154] à Émile, la joie va le tuer.

Une horrible pâleur dessina tous les muscles de la figure flétrie de cet héritier, ses traits se contractèrent,

les saillies de son visage blanchirent, les creux devinrent
sombres, le masque fut livide, et les yeux se fixèrent [1155].
Il voyait la MORT. Ce banquier splendide entouré de
courtisanes fanées, de visages rassasiés, cette agonie
de la joie était une vivante image de sa vie. Raphaël
regarda trois fois le talisman, qui jouait à l'aise dans
les impitoyables lignes imprimées [1156] sur la serviette :
il essayait de douter, mais un clair pressentiment anéan-
tissait son incrédulité. Le monde lui appartenait, il
pouvait tout et ne voulait plus rien. Comme un voyageur
au milieu du désert, il avait un peu d'eau pour la soif
et devait mesurer sa vie au nombre des gorgées. Il
voyait ce que [1157] chaque désir devait lui coûter de jours.
Puis il croyait à la peau de chagrin, il s'écoutait respirer,
il se sentait déjà malade, il se demandait :

— Ne suis-je pas pulmonique ? Ma mère n'est-elle
pas morte de la poitrine ?

— Ah ! ah ! Raphaël, vous allez bien vous amuser !
Que me donnerez-vous ? disait Aquilina.

— Buvons à la mort de son oncle, le major O'Flaharty [1158] ! Voilà un homme !

— Il sera pair de France.

— Bah ! qu'est-ce qu'un pair de France après juillet !
dit le jugeur [1159].

— Auras-tu loge aux Bouffons ?

— J'espère que vous nous régalerez tous [1160] ? dit
Bixiou.

— Un homme [1161] comme lui sait faire grandement
les choses, dit Émile.

Le hourra de cette assemblée rieuse résonnait aux
oreilles de Valentin sans [1162] qu'il pût saisir le sens
d'un seul mot ; il pensait vaguement à l'existence
mécanique et sans désirs d'un paysan de la Bretagne,
chargé d'enfants, labourant son champ, mangeant du
sarrasin, buvant du cidre à même son *pichet*, croyant
à la Vierge et au roi, communiant à Pâques, dansant
le dimanche sur une pelouse verte, et ne comprenant

pas le sermon de son *recteur*. Le spectacle offert en
ce moment [1163] à ses regards, ces lambris dorés, ces
courtisanes, ce repas, ce luxe, le prenaient à la gorge
et le faisaient tousser.

— Désirez-vous des asperges ? lui cria le banquier.

— *Je ne désire rien !* lui répondit Raphaël d'une voix
tonnante.

— Bravo ! répliqua Taillefer. Vous comprenez la
fortune, elle est un brevet d'impertinence [1164]. Vous
êtes des nôtres ! — Messieurs, buvons à la puissance
de l'or. M. de Valentin devenu six fois millionnaire
arrive au pouvoir. Il est roi, il peut tout, il est au-dessus de tout, comme sont tous les riches. Pour lui,
désormais, LES FRANÇAIS SONT ÉGAUX DEVANT LA LOI
est un mensonge inscrit en tête de la Charte [1165]. Il
n'obéira pas aux lois, les lois lui obéiront. Il n'y a pas
d'échafaud, pas de bourreaux pour les millionnaires !

— Oui, répliqua Raphaël, ils sont eux-mêmes leurs
bourreaux !

— Encore un préjugé ! cria le banquier [1166].

— Buvons ! dit [1167] Raphaël en mettant le talisman
dans sa poche.

— Que fais-tu là ? dit Émile en lui arrêtant la main. —
Messieurs, ajouta-t-il en s'adressant à l'assemblée,
assez surprise des manières de Raphaël, apprenez que
notre ami de Valentin, que dis-je ? M. LE MARQUIS DE
VALENTIN, possède un secret pour faire fortune. Ses
souhaits sont accomplis au moment même où il les
forme. A moins de passer pour un laquais [1168], pour
un homme sans cœur, il va nous enrichir tous.

— Ah ! mon petit Raphaël [1169], je veux une parure
de perles, s'écria Euphrasie.

— S'il est reconnaissant, il me donnera deux voitures attelées de beaux chevaux et qui [1170] aillent vite !
dit Aquilina.

— Souhaitez cent mille livres de rente pour moi !

— Des cachemires !

— Payez mes dettes !

— Envoie une apoplexie à mon oncle, le grand sec !

— Raphaël, je te tiens quitte à dix mille livres de rente.

— Voilà bien des donations ! s'écria le notaire.

— Il devrait bien me guérir de la goutte !

— Faites baisser les rentes ! s'écria le banquier.

Toutes ces phrases partirent comme les gerbes du bouquet qui termine un feu d'artifice. Ces furieux désirs étaient peut-être plus sérieux que plaisants.

— Mon cher ami, dit Émile d'un air grave, je me contenterai de deux cent mille livres de rente ; exécute-toi de bonne grâce, allons !

— Émile, dit Raphaël, tu ne sais donc pas à quel prix ?

— Belle excuse ! s'écria le poète. Ne devons-nous pas nous sacrifier pour nos amis ?

— J'ai presque envie de souhaiter votre mort à tous, répondit Valentin en jetant un regard sombre et profond sur les convives.

— Les mourants sont furieusement cruels, dit Émile en riant. Te voilà riche, ajouta-t-il sérieusement, eh bien, je ne te donne pas deux mois pour devenir fangeusement égoïste. Tu es déjà stupide, tu ne comprends pas une plaisanterie. Il ne te manque plus que de croire à ta peau de chagrin...

Raphaël, qui craignit les moqueries de cette assemblée, garda le silence, but outre mesure et s'enivra pour oublier un moment sa funeste puissance.

III

L'AGONIE

Dans les premiers jours du mois de décembre, un
vieillard septuagénaire [1171] allait, malgré la pluie, par
la rue de Varenne en levant le nez à la porte de chaque
hôtel, et cherchant l'adresse de M. le marquis Raphaël
de Valentin avec la naïveté d'un enfant et l'air absorbé
des philosophes. L'empreinte d'un violent chagrin aux
prises avec un caractère despotique éclatait sur cette
figure accompagnée de longs cheveux gris en désordre,
desséchée comme un vieux parchemin qui se tord
dans le feu [1172]. Si quelque peintre eût rencontré ce
singulier personnage, vêtu de noir, maigre et ossu,
sans doute il l'aurait, de retour à l'atelier, transfiguré
sur son album, en inscrivant au-dessous du portrait :
Poète classique en quête d'une rime. Après avoir vérifié
le numéro qui lui avait été indiqué, cette vivante palingénésie de Rollin [1173] frappa doucement à la porte
d'un magnifique hôtel.

— M. Raphaël y est-il ? demanda le bonhomme à
un suisse en livrée.

— M. le marquis ne reçoit personne, répondit le
valet en avalant une énorme mouillette qu'il retirait
d'un large bol de café.

— Sa voiture est là, répondit le vieil inconnu en
montrant un brillant équipage arrêté sous le dais de

bois qui représentait une tente de coutil et par lequel les marches du perron étaient abritées [1174]. Il va sortir, je l'attendrai.

— Ah ! mon ancien, vous pourriez bien rester ici jusqu'à demain matin, reprit le suisse. Il y a toujours une voiture prête pour monsieur. Mais sortez, je vous prie ; je perdrais six cents francs de rente viagère si je laissais une seule fois entrer sans ordre une personne étrangère à l'hôtel.

En ce moment un grand vieillard dont [1175] le costume ressemblait assez à celui d'un huissier ministériel sortit du vestibule et descendit précipitamment quelques marches en examinant le vieux solliciteur ébahi [1176].

— Au surplus, voici M. Jonathas, dit le suisse ; parlez-lui.

Les deux vieillards, attirés l'un vers l'autre par une sympathie ou par une curiosité mutuelle, se rencontrèrent au milieu de la vaste cour d'honneur, à un rond-point où croissaient quelques touffes d'herbe entre les pavés. Un silence effrayant régnait dans cet hôtel. En voyant Jonathas, vous eussiez voulu pénétrer le mystère qui planait sur sa figure, et dont parlaient les moindres choses dans [1177] cette maison morne.

Le premier soin de Raphaël, en recueillant l'immense succession de son oncle, avait été de découvrir où vivait le vieux serviteur dévoué sur l'affection [1178] duquel il pouvait compter. Jonathas pleura de joie en revoyant son jeune maître, auquel il croyait avoir dit un éternel adieu ; mais rien n'égala son bonheur quand le marquis le promut aux éminentes fonctions d'intendant. Le vieux Jonathas devint une puissance intermédiaire placée entre Raphaël et le monde entier. Ordonnateur suprême de la fortune de son maître, exécuteur aveugle d'une pensée inconnue, il était comme un sixième sens à travers lequel les émotions de la vie arrivaient à Raphaël.

— Monsieur, je désirerais parler à M. Raphaël, dit le vieillard à Jonathas en montant quelques marches du perron pour se mettre à l'abri de la pluie.

— Parler à M. le marquis ?... s'écria l'intendant. A peine m'adresse-t-il la parole, à moi, son père nourricier !

— Mais je suis aussi son père nourricier, s'écria le vieil homme. Si votre femme l'a jadis allaité, je lui ai fait sucer moi-même le sein des Muses. Il est mon nourrisson, mon enfant, *carus alumnus* ! J'ai façonné sa cervelle, cultivé son entendement [1179], développé son génie, et j'ose le dire à mon honneur et gloire. N'est-il pas un des hommes les plus remarquables de notre époque ? Je l'ai eu, sous moi, en sixième, en troisième et en rhétorique. Je suis son professeur.

— Ah ! monsieur est M. Porriquet [1180] ?

— Précisément. Mais, monsieur...

— Chut ! chut ! fit Jonathas à deux marmitons dont les voix rompaient [1181] le silence claustral dans lequel la maison était ensevelie.

— Mais, monsieur, reprit le professeur, M. le marquis serait-il malade ?

— Mon cher monsieur, répondit Jonathas, Dieu seul sait ce qui tient mon maître. Voyez-vous, il n'existe pas [1182] à Paris deux maisons semblables à la nôtre. Entendez-vous ? deux maisons. Ma foi, non. M. le marquis a fait acheter cet hôtel, qui appartenait précédemment à un duc et pair. Il a dépensé trois cent mille francs pour le meubler. Voyez-vous, c'est une somme, trois cent mille francs ! Mais chaque pièce de notre maison est un vrai miracle. « Bon ! me suis-je dit en voyant cette magnificence, c'est comme chez défunt monsieur son grand-père : le jeune marquis [1183] va recevoir la ville et la cour ! » Point. Monsieur n'a voulu voir personne. Il mène une drôle de vie, monsieur Porriquet, entendez-vous ? une vie *inconciliable*. Monsieur se lève tous les jours à la même heure. Il n'y a que moi, moi

seul, voyez-vous, qui puisse entrer dans sa chambre.
J'ouvre à sept heures, été comme hiver. Cela est convenu singulièrement. Étant entré, je lui dis :

« — Monsieur le marquis, il faut vous réveiller et
vous habiller.

« Il se réveille et s'habille. Je dois lui donner sa robe
de chambre, toujours faite de la même façon et de la
même étoffe. Je suis obligé de la remplacer quand [1184]
elle ne pourra plus servir, rien que pour lui éviter
la peine d'en demander une neuve. C'te imagination !
Au fait, il a mille francs à manger par jour, il fait ce
qu'il veut, ce cher enfant. D'ailleurs, je l'aime tant,
qu'il me donnerait un soufflet sur la joue droite, je lui
tendrais la gauche ! Il me dirait de faire des choses
plus difficiles, je les ferais [1185] encore, entendez-vous ?
Au reste, il m'a chargé de tant de vétilles, que j'ai de
quoi m'occuper. Il lit [1186] les journaux, pas vrai ?
Ordre de les mettre au même endroit, sur la même table.
Je viens aussi, à la même heure, lui faire moi-même
la barbe et je ne tremble pas [1187]. Le cuisinier perdrait
mille écus de rente viagère qui l'attendent après la
mort de monsieur, si le déjeuner [1188] ne se trouvait pas
inconciliablement servi devant monsieur, à dix heures,
tous les matins, et le dîner à cinq heures précises. Le
menu est dressé pour l'année entière, jour par jour.
M. le marquis n'a rien à souhaiter. Il a des fraises quand
il y a des fraises, et le premier maquereau qui arrive
à Paris, il le mange. Le programme est imprimé, il
sait le matin son dîner par cœur. Pour lors, il s'habille
à la même heure, avec les mêmes habits, le même linge,
posés toujours par moi, entendez-vous ? sur le même
fauteuil. Je dois encore veiller à ce qu'il ait toujours
le même drap ; en cas de besoin, si sa redingote s'abîme,
une supposition, la remplacer par une autre sans lui
en dire un mot [1189]. S'il fait beau, j'entre et je dis à
mon maître :

« — Vous devriez sortir, monsieur ?

« Il me répond oui, ou non. S'il a l'idée de se promener, il n'attend pas ses chevaux, ils sont toujours
attelés : le cocher reste *inconciliablement*, fouet en main,
comme vous le voyez là. Le soir, après le dîner, monsieur va un jour à l'Opéra [1190] et l'autre jour aux Ital...,
mais non, il n'est pas encore allé [1191] aux Italiens,
je n'ai pu me procurer une loge qu'hier. Puis il rentre
à onze heures précises pour se coucher. Pendant les
intervalles de la journée où il ne fait rien, il lit, il lit
toujours, voyez-vous ! une idée qu'il a. J'ai ordre
de lire avant lui le *Journal de la Librairie*, afin d'acheter
les livres nouveaux, pour qu'il les trouve [1192] le jour
même de leur vente sur sa cheminée. J'ai la consigne
d'entrer d'heure en heure chez lui, pour veiller au feu,
à tout, pour voir à ce que rien ne lui manque. Il m'a
donné, monsieur, un petit livre à apprendre par cœur,
et où sont écrits tous mes devoirs, un vrai catéchisme !
En été, je dois, avec des tas de glace, maintenir la température au même degré de fraîcheur, et mettre en tout
temps des fleurs nouvelles partout. Il est riche ! il
a mille francs à manger par jour, il peut satisfaire ses
fantaisies. Il a été privé assez longtemps du nécessaire,
le pauvre enfant ! Il ne tourmente personne, il est bon
comme le bon pain, jamais il ne dit mot, mais, par
exemple, silence complet à l'hôtel et dans le jardin !
Enfin, mon maître n'a pas un seul désir à former, tout
marche au doigt et à l'œil, et *recta* ! Et il a raison : si
l'on ne tient pas les domestiques, tout va à la débandade.
Je lui dis tout ce [1193] qu'il doit faire, et il m'écoute.
Vous ne sauriez croire à quel point il a poussé la chose.
Ses appartements sont en..., en... comment donc ? ah !
en enfilade. Eh bien, il ouvre, une supposition, la
porte de sa chambre ou de son cabinet, crac ! toutes
les portes s'ouvrent d'elles-mêmes par un mécanisme [1194].
Pour lors, il peut aller d'un bout à l'autre de sa maison
sans trouver une seule porte fermée. C'est gentil et
commode, et agréable pour nous autres ! Ça nous

a coûté gros, par exemple !... Enfin, finalement, monsieur Porriquet, il m'a dit :

« — Jonathas, tu auras soin de moi comme d'un enfant au maillot.

« Au maillot, oui, monsieur, au maillot qu'il a dit !

« — Tu penseras à mes besoins pour moi...

« Je suis le maître, entendez-vous ? et il est quasiment le domestique. Le pourquoi ? Ah ! par exemple, voilà ce que personne au monde ne sait, que lui et le bon Dieu. C'est *inconciliable* !

— Il fait un poème, s'écria le vieux professeur.

— Vous croyez, monsieur, qu'il fait un poème ? C'est donc bien assujettissant, ça ! Mais, voyez-vous, je ne crois pas. Il me répète souvent qu'il veut vivre comme une *vergétation*, en *vergétant*. Et pas plus tard qu'hier, monsieur Porriquet, il regardait une tulipe, et il disait en s'habillant :

« — Voilà ma vie... Je *vergète*, mon pauvre Jonathas !

« A cette heure, d'autres prétendent qu'il est *monomane*. C'est *inconciliable* !

— Tout me prouve, Jonathas, reprit le professeur avec une gravité magistrale qui imprima un profond respect au vieux valet de chambre, que votre maître s'occupe [1195] d'un grand ouvrage. Il est plongé dans de vastes méditations, et ne veut pas en être distrait par les préoccupations de la vie vulgaire. Au milieu de ses travaux intellectuels, un homme de génie oublie tout. Un jour, le célèbre Newton...

— Ah ! Newton, bien..., dit Jonathas. Je ne le connais pas.

— Newton, un grand géomètre, poursuivit [1196] Porriquet, passa vingt-quatre heures, le coude appuyé sur une table ; quand il sortit de sa rêverie, il croyait le lendemain être encore à la veille, comme s'il eût dormi... Je vais aller le voir, ce cher enfant, je peux lui être utile.

— Minute ! s'écria Jonathas. Vous seriez le roi de

France, l'ancien, s'entend ! [1197] que vous n'entreriez pas, à moins de forcer les portes et de me marcher sur le corps. Mais, monsieur Porriquet, je cours lui dire que vous êtes là, et je lui demanderai comme ça : « Faut-il [1198] le faire monter ? « Il répondra oui, ou non. Jamais je ne lui dis : *Souhaitez-vous ? voulez-vous ? désirez-vous ?* Ces mots-là sont rayés [1199] de la conversation. Une fois il m'en est échappé un : « Veux-tu me faire mourir ? » m'a-t-il dit tout en colère.

Jonathas laissa le vieux professeur dans le vestibule, en lui faisant signe de ne pas avancer ; mais il revint promptement [1200] avec une réponse favorable, et conduisit le vieil émérite à travers de somptueux appartements dont toutes les portes étaient ouvertes. Porriquet aperçut de loin son élève au coin d'une cheminée. Enveloppé d'une robe de chambre à grands dessins, et plongé dans un fauteuil à ressorts, Raphaël lisait le journal. L'extrême mélancolie à laquelle il paraissait être en proie était exprimée par l'attitude maladive de son corps affaissé ; elle était peinte sur son front, sur son visage pâle comme une fleur étiolée. Une sorte de grâce efféminée et les bizarreries particulières aux malades riches distinguaient sa personne. Ses mains [1201], semblables à celles d'une jolie femme, avaient une blancheur molle et délicate. Ses cheveux blonds, devenus rares, se bouclaient autour de ses tempes par une coquetterie recherchée. Une calotte grecque, entraînée par un gland trop lourd pour le léger cachemire dont elle était faite, pendait sur un côté de sa tête. Il avait laissé tomber à ses pieds le couteau de malachite enrichi d'or dont il s'était servi pour couper les feuillets d'un livre. Sur ses genoux était le bec d'ambre d'un magnifique houka de l'Inde dont les spirales émaillées gisaient comme un serpent dans sa chambre, et il oubliait d'en sucer les frais parfums. Cependant, la faiblesse générale [1202] de son jeune corps était démentie par des yeux bleus où toute la vie semblait s'être retirée, où brillait un sentiment extraordinaire qui saisissait [1203] tout d'abord. Ce regard faisait mal à voir.

Les uns pouvaient y lire du désespoir ; d'autres y deviner un combat intérieur, aussi terrible qu'un remords. C'était le coup d'œil profond de l'impuissant qui refoule ses désirs au fond de son cœur, ou celui de l'avare jouissant par la pensée de tous les plaisirs que son argent pourrait lui procurer, et s'y refusant pour ne pas amoindrir son trésor ; ou le regard du Prométhée enchaîné, de Napoléon déchu qui apprend à l'Élysée, en 1815, la faute stratégique commise par ses ennemis, qui demande le commandement pour vingt-quatre heures et ne l'obtient pas. Véritable regard [1204] de conquérant et de damné ! et, mieux encore, le regard que, plusieurs mois auparavant [1205], Raphaël avait jeté sur la Seine ou sur sa dernière pièce d'or mise au jeu. Il soumettait sa volonté, son intelligence au grossier bon sens d'un vieux paysan à peine civilisé par une domesticité de cinquante années. Presque joyeux de devenir une sorte d'automate, il abdiquait la vie pour vivre et dépouillait son âme de toutes les poésies du désir. Pour mieux lutter avec la cruelle puissance [1206] dont il avait accepté le défi, il s'était fait chaste à la manière d'Origène, en châtrant son imagination [1207].

Le lendemain du jour où, soudainement enrichi par un testament, il avait vu décroître la peau de chagrin, il s'était trouvé chez son notaire. Là [1208], un médecin assez en vogue avait raconté sérieusement, au dessert, la manière dont un Suisse attaqué de pulmonie s'en était guéri. Cet homme n'avait pas dit un mot pendant dix ans, et s'était soumis à ne respirer que six fois par minute dans l'air épais d'une vacherie en suivant un régime alimentaire extrêmement doux. « Je serai cet homme ! » se dit en lui-même Raphaël, qui voulait vivre à tout prix. Au sein du luxe, il mena la vie [1209] d'une machine à vapeur. Quand le vieux professeur envisagea ce jeune cadavre, il tressaillit ; tout lui semblait artificiel dans ce corps fluet et débile. En apercevant [1210] le marquis à l'œil dévorant, au front chargé de pensées, il ne put reconnaître l'élève au teint frais et rose, aux membres juvéniles, dont il avait gardé le souvenir. Si le classique bonhomme, critique sagace et conservateur du bon goût, avait lu lord Byron, il aurait cru voir Manfred là où il eût voulu voir Childe-Harold [1211].

— Bonjour, père [1212] Porriquet, dit Raphaël à son professeur en pressant les doigts glacés du vieillard dans une main brûlante et moite. Comment vous portez-vous ?

— Mais, moi, je vais bien, répondit le vieillard effrayé par le contact de cette main fiévreuse. Et vous ?

— Oh ! j'espère me maintenir en bonne santé.

— Vous travaillez sans doute à quelque bel ouvrage ?

— Non, répondit Raphaël. *Exegi monumentum* [1213], père Porriquet, j'ai achevé une grande page, et j'ai dit adieu pour toujours à la science. A peine sais-je où se trouve mon manuscrit.

— Le style en est pur, sans doute ? demanda le professeur. Vous n'aurez pas, j'espère, adopté le langage barbare de cette nouvelle école qui croit faire merveilles en inventant Ronsard !

— Mon ouvrage est une œuvre purement physiologique.

— Oh ! tout est dit, reprit le professeur. Dans les sciences, la grammaire doit se prêter aux exigences des découvertes. Néanmoins, mon enfant, un style clair, harmonieux, la langue de Massillon, de M. de Buffon, du grand Racine [1214], un style classique, enfin, ne gâte jamais rien.. Mais, mon ami [1215], reprit le professeur en s'interrompant, j'oubliais l'objet de ma visite. C'est une visite intéressée.

Se rappelant trop tard la verbeuse élégance et les éloquentes périphrases auxquelles un long professorat avait habitué son maître, Raphaël se repentit presque

de l'avoir reçu ; mais, au moment où il allait souhaiter
de le voir dehors, il comprima promptement son secret
désir en jetant un furtif coup d'œil à la peau de chagrin, suspendue devant lui et appliquée sur une étoffe
blanche où ses contours fatidiques [1216] étaient soigneusement dessinés par une ligne rouge qui l'encadrait exactement. Depuis la fatale orgie, Raphaël
étouffait le plus léger de ses caprices, et vivait [1217] de
manière à ne pas causer le moindre tressaillement à ce
terrible talisman. La peau de chagrin était comme
un tigre avec lequel il lui fallait vivre, sans en réveiller
la férocité. Il écouta donc patiemment les amplifi-
cations du vieux professeur. Le père Porriquet mit
une heure à lui raconter les persécutions dont il était
devenu l'objet depuis la révolution de juillet. Le bonhomme, voulant un gouvernement fort, avait émis
le vœu patriotique de laisser les épiciers à leurs comp-
toirs, les hommes d'État au maniement des affaires
publiques, les avocats au Palais, les pairs de France
au Luxembourg ; mais un des ministres populaires du
roi-citoyen l'avait banni de sa chaire en l'accusant
de carlisme. Le vieillard [1218] se trouvait sans place,
sans retraite et sans pain. Étant la providence d'un
pauvre neveu dont il payait la pension au séminaire
de Saint-Sulpice, il venait, moins pour lui-même que
pour son enfant adoptif, prier son ancien élève de
réclamer auprès du nouveau ministre, non sa réinté-
gration, mais l'emploi de proviseur dans quelque
collège de province. Raphaël était en proie à une
somnolence invincible, lorsque la voix monotone du
bonhomme cessa de retentir à ses oreilles. Obligé par
politesse de regarder les yeux blancs et presque immobiles de ce vieillard au débit lent et lourd, il avait
été stupéfié, magnétisé par une inexplicable force
d'inertie.

— Eh bien, mon bon père Porriquet, répliqua-t-il
sans savoir précisément à quelle interrogation il répon-

dait, je n'y puis rien, rien du tout. *Je souhaite bien vivement que vous réussissiez* [1219]...

En ce moment, sans apercevoir l'effet que produisirent sur le front jaune et ridé du vieillard ces banales paroles, pleines d'égoïsme et d'insouciance, Raphaël se dressa comme un jeune chevreuil effrayé. Il vit [1220] une légère ligne blanche entre le bord de la peau noire et le dessin rouge ; il poussa un cri si terrible, que le pauvre professeur en fut épouvanté.

— Allez, vieille bête ! s'écria-t-il, vous serez nommé proviseur ! Ne pouviez-vous pas me demander une rente viagère de mille écus, plutôt qu'un souhait homicide ? Votre visite [1221] ne m'aurait rien coûté. Il y a cent mille emplois en France, et je n'ai qu'une vie ! Une vie d'homme vaut plus que tous les emplois du monde... — Jonathas !

Jonathas parut.

— Voilà de tes œuvres, triple sot ! Pourquoi m'as-tu proposé de recevoir monsieur ? dit-il en lui montrant le vieillard pétrifié. T'ai-je remis mon âme entre les mains pour la déchirer ? Tu m'arraches en ce moment dix années d'existence ! Encore une faute comme celle-ci, et tu me conduiras à la demeure où j'ai conduit [1222] mon père. N'aurais-je pas mieux aimé posséder la belle Fœdora [1223] que d'obliger cette vieille carcasse, espèce de haillon humain ? J'ai de l'or pour lui... D'ailleurs, quand tous les Porriquets du monde mourraient de faim, qu'est-ce que cela me ferait ?

La colère avait blanchi le visage de Raphaël ; une légère écume sillonnait ses lèvres tremblantes, et l'expression de ses yeux était sanguinaire [1224]. A cet aspect, les deux vieillards furent saisis d'un tressaillement convulsif, comme deux enfants en présence d'un serpent. Le jeune homme tomba sur son fauteuil ; il se fit une sorte de réaction dans son âme, des larmes coulèrent abondamment de ses yeux flamboyants.

— Oh ! ma vie ! ma belle vie !... dit-il. Plus de
bienfaisantes pensées ! plus d'amour ! plus rien !

Il se tourna vers le professeur.

— Le mal est fait, mon vieil ami, reprit-il d'une voix
douce. Je vous aurai largement récompensé de vos
soins ; et mon malheur aura, du moins, produit le bien
d'un bon et digne homme.

Il y avait tant d'âme dans l'accent qui nuança [1225]
ces paroles presque inintelligibles, que les deux vieillards pleurèrent comme on pleure en entendant un
air attendrissant chanté dans une langue étrangère.

— Il est épileptique ! dit Porriquet à voix basse.

— Je reconnais votre bonté, mon ami, reprit doucement Raphaël, vous voulez m'excuser. La maladie
est un accident, l'inhumanité serait un vice. Laissez-
moi [1226] maintenant, ajouta-t-il. Vous recevrez demain
ou après-demain, peut-être même ce soir, votre nomination, car la *résistance* a triomphé du *mouvement...*
Adieu [1227].

Le vieillard se retira, pénétré d'horreur et en proie
à de vives inquiétudes sur la santé morale de Valentin.
Cette scène avait eu pour lui quelque chose de surnaturel. Il doutait de lui-même et s'interrogeait comme
s'il se fût réveillé après un songe pénible.

— Écoute, Jonathas, dit [1228] le jeune homme en
s'adressant à son vieux serviteur. Tâche de comprendre
la mission [1229] que je t'ai confiée !

— Oui, monsieur le marquis.

— Je suis comme un homme mis hors la loi commune.

— Oui, monsieur le marquis.

— Toutes les jouissances de la vie se jouent autour
de mon lit de mort et dansent comme de belles femmes
devant moi ; si je les appelle, je meurs. Toujours la
mort ! Tu dois être une barrière entre le monde et moi.

— Oui, monsieur le marquis, dit le vieux valet en
essuyant les gouttes de sueur qui chargeaient son front
ridé. Mais, si vous ne voulez pas voir de belles femmes,

comment ferez-vous ce soir aux Italiens ? Une famille anglaise qui repart pour Londres m'a cédé le reste de son abonnement, et vous avez une belle loge..., oh ! une loge superbe, aux premières.

Tombé dans une profonde rêverie, Raphaël n'écoutait plus.

Voyez-vous cette fastueuse voiture, ce coupé simple en dehors, de couleur brune, mais sur les panneaux duquel brille l'écusson d'une antique et noble famille ? Quand ce coupé passe rapidement, les grisettes l'admirent, en convoitent le satin jaune, le tapis [1230] de la Savonnerie, la passementerie fraîche comme une paille de riz, les moelleux coussins et les glaces muettes. Deux laquais en livrée se tiennent derrière [1231] cette voiture aristocratique ; mais au fond, sur la soie, gît une tête brûlante aux yeux cernés, la tête de Raphaël, triste et pensif. Fatale image de la richesse ! Il court à travers Paris comme une fusée, arrive au péristyle du théâtre Favart [1232], le marchepied se déploie, ses deux valets le soutiennent, une foule envieuse le regarde.

— Qu'a-t-il fait, celui-là, pour être si riche ? dit un pauvre étudiant en droit qui, faute d'un écu, ne pouvait entendre les magiques accords de Rossini.

Raphaël marchait lentement dans les corridors de la salle ; il ne se promettait aucune jouissance de ces plaisirs si fort enviés jadis. En attendant le second acte de la *Semiramide* [1233], il se promenait au foyer, errait à travers les galeries, insouciant de sa loge, dans laquelle il n'était pas encore entré. Le sentiment de la propriété n'existait déjà plus au fond de son cœur. Semblable à tous les malades, il ne songeait qu'à son mal. Appuyé sur le manteau de la cheminée, autour de laquelle abondaient, au milieu du foyer, les jeunes et les vieux élégants, d'anciens [1234] et de nouveaux ministres, des pairs sans pairies, et des pairies sans pairs, telles que les a faites la révolution de juillet, enfin tout un monde de spéculateurs et de journalistes,

Raphaël vit à quelques pas de lui, parmi toutes les têtes, une figure étrange et surnaturelle. Il s'avança en clignant les yeux fort insolemment vers cet être bizarre, afin de le contempler de plus près. « Quelle admirable peinture ! » se dit-il. Les sourcils, les cheveux, la virgule à la Mazarin que montrait vaniteusement l'inconnu, étaient [1235] teints en noir ; mais, appliqué sur une chevelure sans doute trop blanche, le cosmétique avait produit une couleur violâtre et fausse dont les teintes changeaient suivant les reflets plus ou moins vifs des lumières. Son visage étroit et plat, dont les rides étaient comblées par d'épaisses couches de rouge et de blanc, exprimait à la fois la ruse et l'inquiétude. Cette enluminure manquait à quelques endroits de la face et faisait singulièrement ressortir sa décrépitude et son teint plombé ; aussi était-il impossible de ne pas rire en voyant cette tête au menton pointu, au front proéminent, assez semblable à ces grotesques figures de bois sculptées en Allemagne par les bergers pendant leurs loisirs.

En examinant tour à tour ce vieil Adonis et Raphaël, un observateur aurait cru reconnaître dans le marquis les yeux d'un jeune homme sous le masque d'un vieillard, et dans l'inconnu les yeux ternes d'un vieillard sous le masque d'un jeune homme. Valentin cherchait à se rappeler en quelle circonstance il avait vu ce petit vieux, sec, bien cravaté, botté en adulte, qui faisait sonner [1236] ses éperons et se croisait les bras comme s'il avait toutes les forces d'une pétulante jeunesse à dépenser [1237]. Sa démarche n'accusait rien de gêné ni d'artificiel. Son élégant habit, soigneusement boutonné, déguisait une antique [1238] et forte charpente, en lui donnant la tournure d'un vieux fat qui suit encore les modes. Cette espèce de poupée pleine de vie avait [1239] pour Raphaël tous les charmes d'une apparition, et il la contemplait comme un vieux Rembrandt enfumé, récemment restauré, verni, mis dans

un cadre neuf. Cette comparaison lui fit retrouver la
trace de la vérité dans ses confus souvenirs : il reconnut le marchand de curiosités, l'homme auquel il
devait son malheur. En ce moment, un rire muet [1240]
échappait à ce fantastique personnage et se dessinait
sur ses lèvres froides, tendues par un faux râtelier.
A ce rire, la vive imagination de Raphaël lui montra
dans cet homme de frappantes ressemblances avec la
tête idéale que les peintres ont donnée au Méphistophélès de Gœthe.

Mille superstitions s'emparèrent de l'âme forte de
Raphaël, il crut alors à la puissance du démon, à tous
les sortilèges rapportés dans les légendes du moyen
âge et mis en œuvre [1241] par les poètes. Se refusant
avec horreur au sort de Faust, il invoqua soudain le
ciel, ayant comme les mourants, une foi fervente en
Dieu, en la Vierge Marie. Une radieuse et fraîche
lumière lui permit d'apercevoir le ciel de Michel-
Ange [1242] et de Sanzio d'Urbin : des nuages, un vieillard
à barbe blanche, des têtes ailées, une belle femme
assise dans une auréole. Maintenant, il comprenait,
il adoptait ces admirables créations dont les fantaisies,
presque humaines, lui expliquaient son aventure et
lui permettaient encore un espoir. Mais, quand ses
yeux retombèrent sur le foyer des Italiens, au lieu de
la Vierge, il vit une ravissante fille, la détestable
Euphrasie [1243], cette danseuse au corps souple et léger,
qui, vêtue d'une robe éclatante, couverte de perles
orientales, arrivait impatiente de son vieillard impatient, et venait se montrer, insolente, le front hardi,
les yeux pétillants, à ce monde envieux et spéculateur
pour témoigner de la richesse sans bornes du marchand
dont elle dissipait les trésors. Raphaël se souvint du
souhait goguenard par lequel il avait accueilli le fatal
présent du vieux homme, et savoura tous les plaisirs
de la vengeance en contemplant l'humiliation profonde
de cette sagesse sublime, dont naguère la chute sem-

blait impossible. Le funèbre sourire du centenaire
s'adressait à Euphrasie, qui répondit par un mot d'a-
mour ; il lui offrit son bras desséché, fit deux [1244]
ou trois fois le tour du foyer, recueillit avec délices
les regards de passion et les compliments jetés par la
foule à sa maîtresse, sans voir les rires dédaigneux,
sans entendre les railleries mordantes dont il était
l'objet.

— Dans quel cimetière cette jeune goule a-t-elle
déterré ce cadavre ? s'écria le plus élégant de tous
les romantiques.

Euphrasie se prit à sourire. Le railleur était un [1245]
jeune homme aux cheveux blonds, aux yeux bleus et
brillants, svelte, portant moustache, ayant [1246] un frac
écourté, le chapeau sur l'oreille, la repartie vive [1247],
tout le langage du genre.

— Combien de vieillards, se dit Raphaël en lui-
même, couronnent une vie de probité, de travail, de
vertu par une folie ! Celui-ci a les pieds froids et fait
l'amour... — Eh bien, monsieur, s'écria Valentin en
arrêtant le marchand [1248] et lançant une œillade à
Euphrasie, ne vous souvenez-vous plus des sévères
maximes de votre philosophie ?

— Ah ! répondit le marchand d'une voix déjà
cassée, je suis maintenant heureux [1249] comme un
jeune homme. J'avais pris l'existence au rebours. Il
y a toute une vie dans une heure d'amour.

En ce moment, les spectateurs entendirent la sonnette de rappel et quittèrent le foyer pour se rendre
à leurs places. Le vieillard et Raphaël se séparèrent.
En entrant dans sa loge, le marquis aperçut Fœdora,
placée [1250] à l'autre côté de la salle, précisément en
face de lui. Sans doute arrivée depuis peu, la comtesse
rejetait son écharpe en arrière, se découvrait le cou,
faisait les petits [1251] mouvements indescriptibles d'une
coquette occupée à se poser : tous les regards étaient
concentrés sur elle. Un jeune pair de France l'accom-

pagnait, elle lui demanda la lorgnette qu'elle lui avait
donnée à porter. A son geste, à la manière [1252] dont
elle regarda ce nouveau partenaire [1253], Raphaël devina
la tyrannie à laquelle son successeur était soumis.
Fasciné sans doute comme il l'avait été jadis, dupé
comme lui, comme lui luttant avec toute la puissance
d'un amour vrai contre les froids calculs de cette
femme, ce jeune homme devait [1254] souffrir les tour-
ments auxquels Valentin avait heureusement renoncé.

Une joie inexprimable anima la figure de Fœdora
quand, après avoir braqué sa lorgnette sur toutes les
loges, et rapidement examiné les toilettes, elle eut la
conscience d'écraser par sa parure et par sa beauté
les plus jolies, les plus élégantes femmes de Paris ;
elle se mit à rire pour montrer ses dents blanches,
agita sa tête ornée de fleurs pour se faire admirer,
son regard alla de loge en loge, se moquant d'un béret
gauchement posé [1255] sur le front d'une princesse russe,
ou d'un chapeau manqué qui coiffait horriblement
mal la fille d'un banquier. Tout à coup, elle pâlit en
rencontrant les yeux fixes de Raphaël ; son amant
dédaigné la foudroya par un intolérable coup d'œil
de mépris. Quand aucun de ses amants bannis ne
méconnaissait sa puissance, Valentin, seul dans le
monde, était à l'abri de ses séductions. Un pouvoir
impunément bravé touche à sa ruine. Cette maxime
est gravée plus profondément au cœur d'une femme
que dans la tête des rois. Aussi Fœdora voyait-elle
en Raphaël la mort de ses prestiges et de sa coquetterie.
Un mot, dit par lui la veille à l'Opéra, était déjà devenu
célèbre dans les salons de Paris. Le tranchant de cette
terrible épigramme avait fait à la comtesse une blessure
incurable. En France, nous savons cautériser une plaie,
mais nous n'y connaissons pas encore de remède au
mal que produit une phrase.

Au moment où toutes les femmes regardèrent alternativement le marquis et la comtesse, Fœdora aurait

voulu l'abîmer dans les oubliettes de quelque Bastille,
car, malgré son talent pour la dissimulation, ses rivales
devinèrent sa souffrance. Enfin sa dernière consolation
lui échappa. Ces mots délicieux : « Je suis la plus
belle ! » cette phrase éternelle qui calmait tous les
chagrins de sa vanité devint un mensonge. A l'ouverture du second acte[1256], une femme vint se placer près
de Raphaël, dans une loge qui jusqu'alors était restée
vide. Le parterre entier laissa échapper un murmure
d'admiration. Cette mer de faces humaines agita ses
lames intelligentes et tous les yeux regardèrent[1257]
l'inconnue. Jeunes et vieux firent un tumulte si pro-
longé, que, pendant le lever du rideau, les musiciens
de l'orchestre se tournèrent d'abord pour réclamer le
silence ; mais ils s'unirent aux applaudissements et
en accrurent les confuses rumeurs[1258]. Des conversations animées s'établirent dans chaque loge. Les
femmes s'étaient toutes armées de leurs jumelles, les
vieillards rajeunis nettoyaient avec la peau de leurs
gants le verre de leurs lorgnettes. L'enthousiasme se
calma par degrés, les chants retentirent sur la scène,
tout entra dans l'ordre. La bonne compagnie, honteuse
d'avoir cédé à un mouvement naturel, reprit la froideur[1259] aristocratique de ses manières polies. Les
riches veulent ne s'étonner de rien, ils doivent reconnaître au premier aspect d'une belle œuvre le défaut
qui les dispensera de l'admiration, sentiment vulgaire.

Cependant, quelques hommes restèrent immobiles
sans écouter la musique, perdus dans un ravissement
naïf, occupés à contempler la voisine de Raphaël.
Valentin aperçut dans une baignoire, et près d'Aquilina, l'ignoble et sanglante figure de Taillefer, qui lui
adressait[1260] une grimace approbative. Puis il vit
Émile, qui, debout à l'orchestre, semblait lui dire :
« Mais regarde donc la belle créature qui est près de
toi ! » Enfin Rastignac, assis près de madame de Nucingen et de sa fille, tortillait[1261] ses gants comme un

homme au désespoir d'être enchaîné là, sans pouvoir aller près de la divine inconnue.

La vie de Raphaël dépendait d'un pacte encore inviolé qu'il avait fait avec lui-même, il s'était promis de ne jamais regarder attentivement aucune femme, et, pour se mettre à l'abri d'une tentation, il portait un lorgnon dont le verre microscopique, artistement disposé, détruisait l'harmonie des plus beaux traits en leur donnant un hideux aspect. Encore en proie à la terreur qui l'avait saisi le matin quand, pour un simple vœu de politesse, le talisman s'était si promptement resserré, Raphaël résolut fermement de ne pas se retourner vers sa voisine. Assis comme une duchesse, il présentait le dos [1262] au coin de sa loge, et dérobait avec impertinence la moitié de la scène à l'inconnue, ayant l'air de la mépriser, d'ignorer même qu'une jolie [1263] femme se trouvât derrière lui. La voisine copiait avec exactitude la posture de Valentin : elle avait appuyé son coude sur le bord de la loge, et se mettait la tête de trois quarts, en regardant les chanteurs, comme si elle se fût posée devant un peintre. Ces deux personnes ressemblaient à deux amants brouillés qui se boudent, se tournent le dos et vont s'embrasser au premier mot d'amour. Par moments, les légers marabouts ou les cheveux de l'inconnue effleuraient la tête de Raphaël et lui causaient une sensation voluptueuse contre laquelle il luttait courageusement ; bientôt, il sentit le doux contact des ruches de blonde qui garnissaient [1264] le tour de la robe, la robe elle-même fit entendre le murmure efféminé de ses plis, frissonnement plein de molles sorcelleries ; enfin, le mouvement imperceptible imprimé par la respiration à la poitrine, au dos, aux vêtements de cette jolie femme, toute sa vie suave se communiqua [1265] soudain à Raphaël comme une étincelle électrique ; le tulle et la dentelle transmirent fidèlement à son épaule chatouillée la délicieuse chaleur de ce dos blanc [1266] et nu. Par un caprice de la nature, ces deux êtres, désunis par le bon ton, séparés par les abîmes de la mort, respirèrent ensemble et pensèrent peut-être l'un à l'autre. Les pénétrants parfums de l'aloès [1267] achevèrent d'enivrer Raphaël. Son imagination, irritée par un obstacle et que les entraves rendaient encore plus fantasque, lui dessina rapidement une femme en traits de feu. Il se retourna brusquement. Choquée [1268] sans doute de se trouver en contact avec un étranger, l'inconnue fit un mouvement semblable ; leurs visages, animés par la même pensée, restèrent en présence.

— Pauline !

— Monsieur Raphaël !

Pétrifiés l'un et l'autre, ils se regardèrent un instant en silence. Raphaël voyait Pauline dans une toilette simple et de bon goût. A travers la gaze qui couvrait chastement son corsage, des yeux habiles pouvaient apercevoir [1269] une blancheur de lys et deviner des formes qu'une femme eût admirées. Puis c'était toujours sa modestie virginale, sa céleste candeur, sa gracieuse attitude. L'étoffe de sa manche accusait le tremblement qui faisait palpiter le corps comme palpitait le cœur [1270].

— Oh ! venez demain, dit-elle, venez à l'hôtel de *Saint-Quentin*, y reprendre vos papiers. J'y serai à midi. Soyez exact.

Elle se leva précipitamment et disparut. Raphaël voulut suivre Pauline, il craignit de la compromettre, resta, regarda Fœdora, la trouva laide ; mais, ne pouvant comprendre une seule phrase de musique, étouffant dans cette salle, le cœur plein, il sortit et revint chez lui.

— Jonathas, dit-il à son vieux domestique au moment où il fut dans son lit, donne-moi une demi-goutte de laudanum sur un morceau de sucre, et demain ne me réveille qu'à midi moins vingt minutes...

— Je veux être aimé de Pauline! s'écria-t-il le lendemain en regardant le talisman avec une indéfinissable angoisse.

La peau ne fit aucun mouvement, elle semblait avoir
perdu sa force contractile [1271], elle ne pouvait sans
doute pas réaliser un désir accompli déjà.

— Ah! s'écria Raphaël, en se sentant délivré comme
d'un manteau de plomb qu'il aurait porté depuis le
jour où le talisman lui avait été donné, tu mens, tu ne
m'obéis pas, le pacte est rompu! Je suis libre, je vivrai.
C'était donc une mauvaise plaisanterie ?...

En disant ces paroles, il n'osait pas croire à sa propre
pensée. Il se mit aussi simplement qu'il l'était jadis,
et voulut aller à pied à son ancienne demeure, en essayant
de se reporter en idée à ces jours heureux où il se
livrait [1272] sans danger à la furie de ses désirs, où il
n'avait point encore jugé toutes les jouissances humaines. Il marchait, voyant, non plus la Pauline de
l'hôtel de *Saint-Quentin*, mais la Pauline de la veille,
cette maîtresse accomplie, si souvent rêvée, jeune fille
spirituelle, aimante, artiste, comprenant les poètes,
comprenant la poésie [1273] et vivant au sein du luxe ;
en un mot, Fœdora douée d'une belle âme, ou Pauline
comtesse et deux fois millionnaire comme l'était Fœdora.
Quand il se trouva sur le seuil usé, sur la dalle cassée
de cette porte où, tant de fois, il avait eu des pensées
de désespoir, une vieille femme sortit de la salle et lui
dit :

— N'êtes-vous pas M. Raphaël de Valentin?

— Oui, ma bonne mère, répondit-il.

— Vous connaissez votre ancien logement, reprit-
elle, vous y êtes attendu [1274].

— Cet hôtel est-il toujours tenu par madame Gaudin? demanda Raphaël.

— Oh! non, monsieur. Maintenant, madame Gaudin
est baronne. Elle est dans une belle maison à elle,
de l'autre côté de l'eau. Son mari est revenu. Dame, il a

rapporté des mille et des cents... On dit qu'elle pourrait
acheter tout le quartier Saint-Jacques, si elle voulait.
Elle m'a donné *gratis* [1275] son fonds et son restant de
bail. Ah ! c'est une bonne femme tout de même !
Elle n'est pas plus fière aujourd'hui qu'elle ne l'était
hier.

Raphaël monta lestement à sa mansarde, et, quand
il atteignit les dernières marches de l'escalier, il entendit les sons du piano. Pauline était là modestement
vêtue [1276] d'une robe de percaline ; mais la façon de la
robe, les gants, le chapeau, le châle [1277], négligemment
jetés sur le lit, révélaient toute une fortune.

— Ah ! vous voilà donc ! s'écria Pauline en tournant la tête et se levant par un naïf mouvement de
joie [1278].

Raphaël vint s'asseoir près d'elle, rougissant, honteux, heureux ; il la regarda sans rien dire.

— Pourquoi nous avez-vous donc quittées ? reprit-
elle en baissant les yeux au moment où son visage
s'empourpra. Qu'êtes-vous devenu ?

— Ah ! Pauline, j'ai été, je suis bien malheureux
encore !

— Là ! s'écria-t-elle tout attendrie. J'ai deviné
votre sort [1279] hier en vous voyant bien mis, riche en
apparence, mais, en réalité, hein ! monsieur Raphaël,
est-ce toujours comme autrefois ?

Valentin ne put retenir quelques larmes, elles roulèrent dans ses yeux, il s'écria :

— Pauline !... je...

Il n'acheva pas, ses yeux étincelèrent d'amour et
son cœur déborda dans son regard.

— Oh ! il m'aime ! il m'aime ! s'écria Pauline.

Raphaël fit un signe de tête, car il se sentit hors
d'état de prononcer une seule parole. A ce geste, la
jeune fille lui prit la main, la serra et lui dit [1280], tantôt
riant, tantôt sanglotant :

— Riches, riches, heureux, riches ! ta Pauline est

riche... Mais, moi, je devrais être bien pauvre aujour-
d'hui. J'ai mille fois dit que je payerais ce mot : *Il
m'aime!* de tous les trésors de la terre. O mon Raphaël!
j'ai des millions. Tu aimes le luxe, tu seras content ;
mais tu dois [1281] aimer mon cœur aussi, il y a tant
d'amour pour toi dans ce cœur! Tu ne sais pas? mon
père est revenu. Je suis une riche héritière. Ma mère
et lui me laissent entièrement maîtresse de mon sort ;
je suis libre [1282], comprends-tu ?

En proie à une sorte de délire, Raphaël tenait les
mains de Pauline et les baisait si ardemment, si avi-
dement, que son baiser semblait être une sorte de
convulsion. Pauline se dégagea les mains, les jeta sur
les épaules de Raphaël et le saisit ; ils se comprirent,
se serrèrent et s'embrassèrent avec cette sainte et
délicieuse ferveur, dégagée de toute arrière-pensée,
dont se trouve empreint un seul baiser, le premier [1283]
baiser par lequel deux âmes prennent possession d'elles-
mêmes.

— Ah ! s'écria Pauline en retombant sur la chaise,
je ne veux plus te quitter... Je ne sais d'où me vient
tant de hardiesse ! reprit-elle en rougissant.

— De la hardiesse, ma Pauline ? Oh ! ne crains rien,
c'est de l'amour, de l'amour vrai, profond, éternel
comme le mien, n'est-ce pas ?

— Oh ! parle, parle, parle ! dit-elle. Ta bouche a
été si longtemps muette pour moi...

— Tu m'aimais donc ?

— Oh ! Dieu, si je t'aimais ! Combien de fois j'ai
pleuré, là, tiens, en faisant ta chambre, déplorant ta
misère et la mienne. Je me serais vendue au démon
pour t'épargner [1284] un chagrin ! Aujourd'hui, *mon*
Raphaël, car tu es bien à moi : à moi cette belle tête,
à moi ton cœur ! oh oui ! ton cœur surtout, éternelle
richesse !... Eh bien, où en suis-je ? reprit-elle après
une pause [1285]. Ah ! m'y voici : Nous avons trois,
quatre, cinq millions, je crois. Si j'étais pauvre, je

tiendrais peut-être à porter ton nom, à être nommée
ta femme ; mais, en ce moment, je voudrais te sacrifier
le monde entier, je voudrais être encore et toujours [1286]
ta servante. Va, Raphaël, en t'offrant mon cœur, ma
personne, ma fortune, je ne te donnerai rien de plus
aujourd'hui que le jour où j'ai mis là, dit-elle en montrant le tiroir de la table, certaine pièce de cent sous.
Oh ! comme alors ta joie m'a fait mal !

— Pourquoi es-tu riche ? s'écria Raphaël, pourquoi n'as-tu pas de vanité ? je ne puis rien pour toi !

Il se tordit les mains de bonheur, de désespoir,
d'amour.

— Quand tu seras madame la marquise de Valentin,
je te connais, âme céleste, ce titre et ma fortune ne
vaudront pas...

— Un seul de tes cheveux ! s'écria-t-elle.

— Moi aussi, j'ai des millions ; mais que sont [1287]
maintenant les richesses pour nous ? Ah ! j'ai ma vie,
je puis te l'offrir, prends-la.

— Oh ! ton amour, Raphaël, ton amour vaut le
monde. Comment ! ta pensée est à moi ? mais je suis
la plus heureuse des heureuses.

— On va nous entendre, dit Raphaël.

— Eh ! il n'y a personne, répondit-elle en laissant
échapper un geste mutin.

— Eh bien, viens ! s'écria Valentin en lui tendant
les bras.

Elle sauta sur ses genoux et joignit ses mains autour
du cou de Raphaël :

— Embrassez-moi, dit-elle, pour tous les chagrins
que vous m'avez donnés, pour effacer la peine que
vos joies m'ont faite, pour toutes les nuits que j'ai
passées à peindre mes écrans...

— Tes écrans ?

— Puisque nous sommes riches, mon trésor, je
puis te dire tout. Pauvre enfant ! combien il est facile
de tromper les hommes d'esprit ! Est-ce que tu pou-

vais avoir des gilets blancs et des chemises propres
deux fois par semaine, pour trois francs de blanchis-
sage par mois ? Mais tu buvais deux fois plus de lait
qu'il ne t'en revenait pour ton argent ! Je t'attrapais
sur tout : le feu, l'huile, et l'argent donc ! O mon
Raphaël, ne me prends pas pour femme, dit-elle en
riant, je suis une personne trop astucieuse.

— Mais comment faisais-tu donc ?

— Je travaillais jusqu'à deux heures du matin, et
je donnais [1288] à ma mère une moitié du prix de mes
écrans, à toi l'autre.

Ils se regardèrent pendant un moment, tous deux
hébétés de joie et d'amour.

— Oh ! s'écria Raphaël, nous payerons sans doute,
un jour, ce bonheur par quelque effroyable chagrin.

— Serais-tu marié ? s'écria Pauline. Ah ! je ne veux
te céder à aucune femme.

— Je suis libre, ma chérie.

— Libre ! répéta-t-elle. Libre, et à moi !

Elle se laissa glisser sur ses genoux, joignit les mains
et regarda Raphaël avec une dévotieuse ardeur.

— J'ai peur de devenir folle. Combien tu es gentil [1289] ! reprit-elle en passant une main dans la blonde
chevelure de son amant. Est-elle bête, ta comtesse
Fœdora ! Quel plaisir j'ai ressenti hier en me voyant
saluée par tous ces hommes ! Elle n'a jamais été applau-
die, elle ! Dis, cher, quand mon dos a touché ton bras,
j'ai entendu en moi je ne sais quelle voix qui m'a crié :
« Il est là ! » Je me suis retournée et je t'ai vu. Oh !
je me suis sauvée, je me sentais l'envie de te sauter
au cou devant tout le monde.

— Tu es bien heureuse de pouvoir parler ! s'écria
Raphaël. Moi, j'ai le cœur serré. Je voudrais pleurer,
je ne puis. Ne me retire pas ta main. Il me semble
que je resterais pendant toute ma vie à te regarder
ainsi, heureux, content.

— Oh ! répète-moi cela, mon amour !

— Eh ! que sont les paroles ? répondit [1290] Valentin en laissant tomber une larme chaude sur les mains de Pauline. Plus tard, j'essayerai de te dire mon [1291] amour ; en ce moment, je ne puis que le sentir...

— Oh ! s'écria-t-elle, cette belle âme, ce beau génie, ce cœur que je connais si bien, tout est à moi, comme je suis à toi [1292] ?

— Pour toujours, ma douce créature, dit Raphaël d'une voix émue. Tu seras ma femme, mon bon génie. Ta présence a toujours dissipé mes chagrins et rafraîchi mon âme ; en ce moment, ton sourire angélique m'a pour ainsi dire purifié [1293]. Je crois commencer une nouvelle vie. Le passé cruel et mes tristes folies me semblent n'être plus que de mauvais songes. Je suis pur, près de toi. Je sens l'air du bonheur. Oh ! sois là toujours, ajouta-t-il en la pressant saintement sur son cœur palpitant.

— Vienne la mort quand elle voudra, s'écria Pauline en extase, j'ai vécu.

Heureux qui devinera leurs joies, il les aura connues [1294] !

— O mon Raphaël, dit Pauline après deux heures de silence, je voudrais qu'à l'avenir personne n'entrât dans [1295] cette chère mansarde.

— Il faut murer la porte, mettre une grille à la lucarne et acheter la maison, répondit le marquis.

— C'est cela, dit-elle.

Puis, un instant après [1296] :

— Nous avons un peu oublié de chercher tes manuscrits !

Ils se prirent à rire avec une douce innocence.

— Bah ! je me moque de toutes les sciences ! s'écria Raphaël.

— Ah ! monsieur, et la gloire ?

— Tu es ma seule gloire.

— Tu étais bien malheureux [1297] en faisant ces petits pieds de mouche, dit-elle en feuilletant les papiers.

— Ma Pauline...

— Oh ! oui, je suis ta Pauline... Eh bien ?

— Où demeures-tu donc ?

— Rue Saint-Lazare. Et toi ?

— Rue de Varenne.

— Comme nous serons loin l'un de l'autre, jusqu'à ce que...

Elle s'arrêta en regardant son ami d'un air coquet et malicieux.

— Mais, répondit Raphaël, nous avons tout au plus une [1298] quinzaine de jours à rester séparés.

— Vrai ! dans quinze jours, nous serons mariés [1299] !

Elle sauta comme un enfant.

— Oh ! je suis une fille dénaturée, reprit-elle, je ne pense plus ni à père, ni à mère, ni à rien dans le monde ! Tu ne sais pas, pauvre chéri ! mon père est bien malade. Il est revenu des Indes, bien souffrant. Il a manqué mourir au Havre, où nous l'avons été chercher. Ah ! Dieu, s'écria-t-elle en regardant l'heure à sa montre [1300], déjà trois heures ! Je dois me trouver à son réveil, à quatre heures. Je suis la maîtresse au logis : ma mère fait toutes mes volontés, mon père m'adore, mais je ne veux pas abuser de leur bonté, ce serait mal ! Le pauvre père, c'est lui qui m'a envoyée aux Italiens hier... Tu viendras le voir demain, n'est-ce pas ?

— Madame la marquise de Valentin veut-elle me faire l'honneur d'accepter mon bras ?

— Ah ! je vais emporter [1301] la clef de cette chambre, reprit-elle. N'est-ce pas un palais, notre trésor ?

— Pauline, encore un baiser ?

— Mille ! Mon Dieu, dit-elle en regardant Raphaël, ce sera toujours ainsi ? je crois rêver.

Ils descendirent lentement l'escalier ; puis, bien unis, marchant du même pas, tressaillant ensemble sous le poids du même bonheur, se serrant comme deux colombes, ils arrivèrent sur la place de la Sorbonne, où la voiture [1302] de Pauline attendait.

— Je veux aller chez toi, s'écria-t-elle. Je veux
voir ta chambre, ton cabinet, et m'asseoir à la table
sur laquelle tu travailles. Ce sera comme autrefois,
ajouta-t-elle en rougissant. — Joseph, dit-elle à [1303]
un valet, je vais rue de Varenne avant de retourner
à la maison. Il est trois heures un quart, et je dois
être revenue à quatre. Georges pressera les chevaux.

Et les deux amants furent [1304] en peu d'instants
menés à l'hôtel de Valentin.

— Oh ! que je suis contente d'avoir examiné tout
cela, s'écria Pauline en chiffonnant la soie des rideaux
qui drapaient le lit de Raphaël. Quand je m'endor-
mirai, je serai là [1305], en pensée. Je me figurerai ta chère
tête sur cet oreiller. Dis-moi, Raphaël, tu n'as pris
conseil de personne pour meubler ton hôtel ?

— De personne.

— Bien vrai ? Ce n'est pas une femme qui... ?

— Pauline !

— Oh ! je me sens une affreuse jalousie ! Tu as bon
goût. Je veux avoir demain un lit pareil au tien.

Raphaël, ivre de bonheur, saisit Pauline.

— Oh ! mon père..., mon père !... dit-elle.

— Je vais donc te reconduire, car je veux te quitter
le moins possible, s'écria Valentin.

— Combien tu es aimant [1306] ! je n'osais pas te le
proposer...

— N'es-tu donc pas ma vie [1307] ?

Il serait fastidieux de consigner fidèlement ces adorables bavardages de l'amour auxquels l'accent, le
regard, un geste intraduisible, donnent seuls du prix.
Valentin reconduisit Pauline jusque chez elle, et revint
ayant au cœur autant de plaisir que l'homme peut
en ressentir et en porter ici-bas. Quand il fut assis
dans son fauteuil, près de son feu, pensant à la soudaine et complète réalisation de toutes ses espérances,
une idée froide lui traversa l'âme comme l'acier d'un
poignard perce une poitrine : il regarda la peau de cha-

grin, elle s'était légèrement rétrécie. Il prononça le
grand juron [1308] français, sans y mettre les jésuitiques
réticences de l'abbesse des Andouillettes [1309], pencha
la tête sur son fauteuil et resta sans mouvement, les
yeux arrêtés sur une patère, sans la voir.

— Grand Dieu ! s'écria-t-il, quoi ! tous mes désirs,
tous ! Pauvre Pauline !...

Il prit un compas, mesura ce que la matinée lui
avait coûté d'existence.

— Je n'en ai pas pour deux mois ! dit-il.

Une sueur glacée sortit de ses pores ; tout à coup,
il obéit à [1310] un inexprimable mouvement de rage, et
saisit la peau de chagrin en s'écriant :

— Je suis bien bête !

Il sortit, courut, traversa les jardins, et jeta le talisman
au fond d'un puits [1311].

— Vogue la galère !... dit-il [1312]. Au diable toutes
ces sottises !

Raphaël se laissa donc aller au bonheur d'aimer,
et vécut cœur à cœur avec Pauline. Leur mariage [1313],
retardé par des difficultés peu intéressantes à raconter, devait se célébrer dans les premiers jours de mars.
Ils s'étaient éprouvés [1314], ne doutaient point d'eux-
mêmes, et, le bonheur leur ayant révélé toute la puissance de leur affection, jamais deux âmes, deux caractères ne s'étaient aussi parfaitement unis [1315] qu'ils
le furent par la passion. En s'étudiant, ils s'aimèrent
davantage : de part et d'autre, même délicatesse, même
pudeur, même volupté, la plus douce de toutes les
voluptés, celle des anges ; point de nuages dans leur
ciel ; tour à tour [1316], les désirs de l'un faisaient la loi
de l'autre. Riches tous deux, ils ne connaissaient point
de caprices qu'ils ne pussent satisfaire, et partant n'a-
vaient point de caprices. Un goût exquis, le sentiment
du beau, une vraie poésie animait l'âme de l'épouse ;
dédaignant les colifichets de la femme [1317], un sourire
de son ami lui semblait plus beau que toutes les perles

d'Ormus [1318], la mousseline ou les fleurs formaient
ses plus riches parures. Pauline et Raphaël fuyaient
d'ailleurs le monde, la solitude leur était si belle, si
féconde ! Les oisifs [1319] voyaient exactement tous les
soirs ce joli ménage de contrebande aux Italiens ou à
l'Opéra. Si d'abord quelques médisances égayèrent les
salons, bientôt le torrent d'événements qui passa sur
Paris fit oublier deux amants inoffensifs ; enfin, espèce
d'excuse [1320] auprès des prudes, leur mariage était
annoncé, et par hasard leurs gens se trouvaient discrets ;
donc, aucune méchanceté trop vive ne les punit de leur
bonheur.

Vers la fin du mois de février, époque à laquelle
d'assez beaux jours firent croire aux joies du printemps, un matin, Pauline et Raphaël déjeunaient
ensemble dans une petite serre, espèce de salon rempli
de fleurs, et de plain-pied avec le jardin. Le doux et
pâle soleil de l'hiver, dont les rayons se brisaient à
travers des arbustes rares, tiédissait alors la température. Les yeux étaient égayés par les vigoureux contrastes des divers feuillages, par les couleurs des touffes
fleuries et par toutes les fantaisies de la lumière et de
l'ombre. Quand tout Paris se chauffait encore devant
les tristes foyers, les deux jeunes époux riaient sous
un berceau de camellias, de lilas, de bruyères. Leurs
têtes joyeuses s'élevaient au-dessus des narcisses,
des muguets et des roses du Bengale.

Dans cette serre voluptueuse et riche, les pieds
foulaient une natte africaine colorée comme un tapis.
Les parois [1321] tendues en coutil vert n'offraient pas
la moindre trace d'humidité. L'ameublement était de
bois en apparence grossier, mais dont l'écorce polie
brillait de propreté. Un jeune chat accroupi sur la
table où l'avait attiré l'odeur du lait se laissait barbouiller
de café par Pauline ; elle folâtrait avec lui, défendait
la crème qu'elle lui permettait à peine de flairer afin
d'exercer sa patience et d'entretenir le combat [1322] ;

elle éclatait de rire à chacune de ses grimaces, et débitait mille plaisanteries pour empêcher Raphaël de lire le journal, qui dix fois déjà lui était tombé des mains. Il abondait dans [1323] cette scène matinale un bonheur inexprimable, comme tout ce qui est naturel [1324] et vrai. Raphaël feignait toujours de lire sa feuille, et contemplait à la dérobée Pauline aux prises avec le chat, sa Pauline enveloppée d'un long peignoir qui la lui voilait imparfaitement, sa Pauline les cheveux [1325] en désordre et montrant un petit pied blanc veiné de bleu dans une pantoufle de velours noir. Charmante à voir en déshabillé, délicieuse comme les fantastiques figures de Westhall [1326], elle semblait être tout à la fois jeune fille et femme ; peut-être plus jeune fille que femme, elle jouissait [1327] d'une félicité sans mélange, et ne connaissait de l'amour que ses premières joies. Au moment où, tout à fait absorbé par sa douce rêverie, Raphaël avait oublié son journal, Pauline le saisit, le chiffonna, en fit une boule, le lança dans le jardin, et le chat courut après la politique qui tournait, comme toujours, sur elle-même. Quand Raphaël, distrait par cette scène enfantine, voulut continuer à lire et fit le geste de lever la feuille qu'il n'avait plus, éclatèrent des rires [1328] francs, joyeux, renaissant d'eux-mêmes comme les chants d'un oiseau.

— Je suis jalouse du journal, dit-elle en essuyant les larmes que son rire d'enfant avait fait couler. N'est-ce pas une félonie [1329], reprit-elle, redevenant femme tout à coup, que de lire des proclamations russes en ma présence, et de préférer la prose de l'empereur Nicolas [1330] à des paroles, à des regards d'amour ?

— Je ne lisais pas, mon ange aimé, je te regardais.

En ce moment, le pas lourd du jardinier, dont les souliers ferrés faisaient crier le sable des allées, retentit près de la serre.

— Excusez, monsieur le marquis, si je vous interromps, ainsi que madame, mais je vous apporte une

curiosité comme je n'en ai jamais vu. En tirant tout
à l'heure, sous votre respect, un seau d'eau, j'ai amené
cette singulière plante marine ! La voilà ! Faut, tout
de même, que ce soit bien accoutumé à l'eau, car ce
n'était point mouillé, ni humide. C'était sec comme
du bois et point gras du tout. Comme M. le marquis
est plus savant que moi certainement, j'ai pensé qu'il
fallait la lui apporter [1331], et que ça l'intéresserait.

Et le jardinier montrait à Raphaël l'inexorable peau
de chagrin, qui n'avait pas six pouces carrés [1332] de
superficie.

— Merci, Vanière, dit Raphaël. Cette chose est
très curieuse.

— Qu'as-tu, mon ange ? tu pâlis ! s'écria Pauline.

— Laissez-nous, Vanière [1333].

— Ta voix m'effraye, reprit la jeune fille, elle est
singulièrement altérée... Qu'as-tu ? que te sens-tu ?
où as-tu mal ? Tu as mal ! — Un médecin ! cria-t-elle.
Jonathas, au secours !

— Ma Pauline, tais-toi, répondit Raphaël, qui
recouvra son sang-froid. Sortons. Il y a près de moi
une fleur dont le parfum m'incommode. Peut-être
est-ce cette verveine ?

Pauline s'élança sur l'innocent arbuste, le saisit
par la tige et le jeta dans le jardin.

— O ange ! s'écria-t-elle en serrant Raphaël par
une étreinte aussi forte [1334] que leur amour et en lui
apportant avec une langoureuse coquetterie ses lèvres
vermeilles à baiser, en te voyant pâlir, j'ai compris
que je ne te survivrais pas : ta vie est ma vie. Mon
Raphaël, passe-moi ta main sur le dos ! J'y sens encore
la petite mort, j'y ai froid. Tes lèvres [1335] sont brûlantes.
Et ta main ?... elle est glacée, ajouta-t-elle.

— Folle [1336] ! s'écria Raphaël.

— Pourquoi cette larme ? Laisse-la [1337]-moi boire.

— O Pauline, Pauline, tu m'aimes trop !

— Il se passe en toi quelque chose d'extraordinaire,

Raphaël... Sois vrai, je saurai bientôt ton secret. Donne-moi cela, dit-elle en prenant la peau [1338] de chagrin.

— Tu es mon bourreau ! cria le jeune homme en jetant un regard d'horreur sur le talisman.

— Quel changement de voix ! fit Pauline, qui laissa tomber le fatal symbole du destin [1339].

— M'aimes-tu ? reprit-il [1340].

— Si je t'aime, est-ce une question ?

— Eh bien, laisse-moi, va-t'en !

La pauvre petite sortit [1341].

— Quoi ! s'écria Raphaël quand il fut seul, dans un siècle de lumières où nous avons appris que les diamants sont les cristaux du carbone [1342], à une époque où tout s'explique, où la police traduirait un nouveau Messie devant les tribunaux et soumettrait ses miracles à l'Académie des sciences, dans un temps où nous ne croyons plus qu'aux parafes des notaires, je croirais, moi ! à une espèce de *Mané, Thecel, Pharès* ?... Non, de par Dieu ! je ne penserai pas que l'Être suprême puisse trouver du plaisir à tourmenter une honnête créature... Allons voir les savants.

Il arriva bientôt, entre la Halle aux vins, immense recueil de tonneaux, et la Salpêtrière, immense séminaire d'ivrognerie, devant une petite mare où s'ébaudissaient des canards remarquables par la rareté des espèces et dont les ondoyantes [1343] couleurs, semblables aux vitraux d'une cathédrale, pétillaient sous les rayons du soleil. Tous les canards du monde étaient là, criant, barbotant, grouillant, et formant une espèce de chambre canarde rassemblée contre son gré, mais heureusement sans charte ni principes politiques, et vivant [1344], sans rencontrer de chasseurs, sous l'œil des naturalistes qui les regardaient par hasard.

— Voilà M. Lavrille, dit un porte-clefs à Raphaël, qui avait demandé ce grand pontife de la zoologie.

Le marquis vit un petit homme profondément

enfoncé dans quelques sages méditations à l'aspect
de deux canards. Ce savant, entre deux âges, avait
une physionomie douce, encore adoucie par un air [1345]
obligeant ; mais il régnait dans toute sa personne une
préoccupation scientifique : sa perruque, incessamment grattée et fantasquement retroussée, laissait [1346]
voir une ligne de cheveux blancs et accusait la fureur
des découvertes qui, semblables à toutes les passions,
nous arrache si puissamment aux choses de ce monde [1347],
que nous perdons la conscience du *moi*. Raphaël,
homme de science et d'étude, admira ce naturaliste [1348],
dont les veilles étaient consacrées à l'agrandissement
des connaissances humaines, dont les erreurs servaient [1349] encore la gloire de la France ; mais une
petite-maîtresse aurait ri, sans doute, de la solution [1350]
de continuité qui se trouvait entre la culotte et le gilet
rayé du savant, interstice d'ailleurs chastement rempli
par une chemise qu'il avait copieusement froncée [1351]
en se baissant et se levant tour à tour, au gré de ses
observations zoogénésiques.

Après quelques premières phrases de politesse,
Raphaël crut nécessaire d'adresser à M. Lavrille [1352]
un compliment banal sur ses canards.

— Oh ! nous sommes riches en canards, répondit
le naturaliste. Ce genre est d'ailleurs, comme vous le
savez sans doute, le plus [1353] fécond de l'ordre des
palmipèdes. Il commence au *cygne* et finit au *canard
zinzin*, en comprenant cent trente-sept variétés d'indi-
vidus bien distincts, ayant leur nom, leurs mœurs,
leur patrie, leur physionomie, et qui ne se ressemblent
pas plus entre eux qu'un blanc ne ressemble à un nègre.
En vérité, Monsieur, quand nous mangeons un canard,
la plupart du temps, nous ne nous doutons guère
de l'étendue...

Il s'interrompit à l'aspect d'un joli petit canard qui
remontait le talus de la mare.

— Vous voyez là le cygne à cravate [1354], pauvre

enfant du Canada, venu de bien loin pour nous montrer son plumage brun et gris, sa petite cravate noire !
Tenez, il se gratte... Voici la fameuse oie à duvet ou
canard *eider*, sous l'édredon de laquelle dorment nos
petites-maîtresses ; est-elle jolie ! qui n'admirerait ce
petit ventre d'un blanc rougeâtre, ce bec vert ? Je
viens, monsieur, reprit-il, d'être témoin d'un accouplement dont j'avais jusqu'alors désespéré. Le mariage
s'est fait assez heureusement, et j'en attendrai fort
impatiemment le résultat. Je me flatte d'obtenir une
cent trente-huitième [1355] espèce, à laquelle peut-être
mon nom sera donné ! Voici les nouveaux époux,
dit-il en montrant deux canards. C'est d'une part une
oie rieuse *(anas albifrons)*, de l'autre le grand canard
siffleur *(anas ruffina* de Buffon). J'avais longtemps
hésité entre le canard siffleur [1356], le canard à sourcils
blancs et le canard souchet *(anas clypeata)* : tenez,
voici le souchet, ce gros scélérat brun noir [1357] dont
le col est verdâtre et si coquettement irisé. Mais, monsieur, le canard siffleur était huppé, vous comprenez
alors que je n'ai plus balancé. Il ne nous manque ici
que le canard varié à calotte noire. Ces messieurs prétendent unanimement que ce canard fait double emploi
avec le canard sarcelle à bec recourbé ; quant à moi...

Il fit un geste admirable qui peignit à la fois la modestie
et l'orgueil des savants, orgueil plein d'entêtement,
modestie pleine de suffisance.

— Je ne le pense pas, ajouta-t-il. Vous voyez, mon
cher monsieur, que nous ne nous amusons pas ici.
Je m'occupe en ce moment de la monographie du
genre canard.... Mais je suis à vos ordres.

En se dirigeant vers une assez jolie maison [1358] de
la rue Buffon, Raphaël soumit la peau de chagrin
aux investigations de M. Lavrille [1359].

— Je connais ce produit, dit enfin le savant après
avoir braqué sa loupe sur le talisman ; il a servi à quelque [1360] dessus de boîte. Le chagrin est fort ancien !

Aujourd'hui, les gainiers préfèrent se servir de galuchat. Le galuchat est, comme vous le savez sans doute,
la dépouille du *raja sephen*, un poisson de la mer Rouge.

— Mais ceci, monsieur, puisque vous avez l'extrême
bonté...?

— Ceci, reprit le savant en interrompant, est autre
chose : entre [1361] le galuchat et le chagrin, il y a, monsieur, toute la différence de l'Océan à la terre, du poisson
à un quadrupède. Cependant, la peau du poisson est
plus dure que la peau de l'animal terrestre. Ceci, dit-il
en montrant le talisman, est, comme vous le savez
sans doute, un des produits les plus curieux de la zoologie.

— Voyons ? s'écria Raphaël.

— Monsieur, répondit le savant en s'enfonçant
dans son fauteuil, ceci est une peau d'âne.

— Je le sais, dit le jeune homme [1362].

— Il existe en Perse, reprit le naturaliste, un âne
extrêmement rare, l'onagre des anciens, *equus asinus*,
le *koulan* des Tartars [1363] ; Pallas est allé l'observer, et
l'a rendu à la science. En effet, cet animal avait longtemps passé pour fantastique. Il est, comme vous le
savez, célèbre dans l'Écriture sainte ; Moïse avait
défendu de l'accoupler avec ses congénères. Mais
l'onagre est encore plus fameux par les prostitutions
dont il a été l'objet, et dont parlent souvent les prophètes bibliques. Pallas [1364], comme vous le savez
sans doute, déclare, dans ses *Act. Petrop.*, tome II,
que ces excès bizarres sont encore religieusement
accrédités chez les Persans et les Nogaïs comme un
remède souverain contre les maux de reins et la goutte
sciatique. Nous ne nous doutons guère de cela, nous
autres, pauvres Parisiens ! Le Muséum ne possède pas
d'onagre. Quel superbe animal ! continua le savant.
Il est plein de mystères ; son œil est muni d'une espèce
de tapis réflecteur auquel les Orientaux attribuent
le pouvoir de la fascination ; sa robe est plus élégante
et plus polie que ne l'est celle de nos plus beaux che-

vaux : elle est sillonnée de bandes plus ou moins fauves,
et ressemble beaucoup à la peau du zèbre. Son lainage
a quelque chose de moelleux, d'ondoyant, de gras
au toucher ; sa vue égale en justesse et en précision
la vue de l'homme ; un peu plus grand que nos plus
beaux ânes domestiques, il est doué d'un courage
extraordinaire. Si, par hasard, il est surpris, il se défend
avec une supériorité remarquable contre les bêtes les
plus féroces ; quant à la rapidité de sa marche, elle ne
peut se comparer qu'au vol des oiseaux ; un onagre,
monsieur, tuerait à la course les meilleurs chevaux
arabes ou persans.

« D'après le père du consciencieux docteur Niebuhr,
de qui, vous le savez sans doute, nous déplorons la
perte [1365] récente, le terme moyen du pas ordinaire de
ces admirables créatures est de sept mille pas géomé-
triques par heure. Nos ânes dégénérés ne sauraient
donner une idée de cet âne indépendant et fier. Il a le
port leste, animé, l'air spirituel, fin, une physionomie
gracieuse, des mouvements pleins de coquetterie !
C'est le roi zoologique de l'Orient. Les superstitions
turques et persanes lui donnent même une mystérieuse origine, et le nom de Salomon se mêle aux récits
que les conteurs du Thibet et de la Tartarie font sur
les prouesses attribuées à ces nobles animaux. Enfin
un onagre apprivoisé vaut des sommes immenses ; il
est presque impossible de le saisir dans les montagnes,
où il bondit comme un chevreuil et semble voler comme
un oiseau. La fable des chevaux ailés, notre Pégase,
a sans doute pris naissance dans ces pays, où les bergers ont pu voir souvent un onagre sautant d'un
rocher à un autre. Les ânes de selle, obtenus en Perse
par l'accouplement d'une ânesse avec un onagre apprivoisé, sont peints en rouge, suivant une immémo-
riale tradition. Cet usage a donné lieu peut-être à notre
proverbe : « Méchant comme un âne rouge [1366]. »
A une époque où l'histoire naturelle était très négligée

en France, un voyageur aura, je pense, amené un de ces animaux curieux qui supportent fort impatiemment l'esclavage. De là le dicton ! La peau que vous me présentez, reprit le savant, est la peau d'un onagre. Nous varions sur l'origine du nom. Les uns prétendent que *Chagri* est un mot turc, d'autres veulent que *Chagri* soit la ville où cette dépouille zoologique subit une préparation chimique assez bien décrite par Pallas, et qui lui donne le grain particulier que nous admirons ; Martellens m'a écrit que *Châagri* est un ruisseau...

— Monsieur, je vous remercie de m'avoir donné des renseignements qui fourniraient une admirable note à quelque dom Calmet [1367], si les bénédictins existaient encore ; mais j'ai eu l'honneur de vous faire observer que ce fragment était primitivement d'un volume égal... à cette carte géographique, dit Raphaël en montrant à Lavrille [1368] un atlas ouvert : or, depuis trois mois, elle s'est sensiblement [1369] contractée...

— Bien, répondit [1370] le savant, je comprends. Monsieur, toutes les dépouilles d'êtres primitivement organisés sont sujettes à un dépérissement naturel, facile à concevoir, et dont les progrès sont soumis aux influences atmosphériques. Les métaux eux-mêmes se dilatent ou se resserrent d'une manière sensible, car les ingénieurs ont observé des espaces assez considérables entre de grandes pierres primitivement maintenues par des barres de fer. La science est vaste, la vie [1371] humaine est bien courte. Aussi n'avons-nous pas la prétention de connaître tous les phénomènes de la nature.

— Monsieur, reprit Raphaël presque confus, excusez la demande que je vais vous faire. Êtes-vous bien sûr que cette peau soit soumise aux lois ordinaires de la zoologie, qu'elle puisse s'étendre ?

— Oh certes !... Ah peste !... dit M. Lavrille en essayant de tirer le talisman. Mais, monsieur, ajouta-t-il [1372], si vous voulez aller voir Planchette, le célèbre professeur de mécanique, il trouvera certainement un moyen d'agir sur cette peau, de l'amollir, de la distendre.

— Ah ! monsieur, vous me sauvez la vie !

Raphaël salua le savant naturaliste, et courut chez Planchette en laissant le bon Lavrille au milieu de son cabinet rempli de bocaux et de plantes [1373] séchées. Il remportait de cette visite, sans le savoir, toute la science humaine : une nomenclature ! Le bonhomme Lavrille ressemblait [1374] à Sancho Pança racontant à don Quichotte l'histoire des chèvres [1375], il s'amusait à compter des animaux et à les numéroter. Arrivé [1376] sur le bord de la tombe, il connaissait à peine une petite fraction des incommensurables nombres du grand troupeau jeté par Dieu à travers l'océan des mondes, dans un but ignoré. Raphaël était content.

— Je vais tenir mon âne en bride, s'écriait-il.

Sterne avait dit avant lui : « Ménageons notre âne, si nous voulons vivre vieux. » Mais la bête est si fantasque !

Planchette était un grand homme sec, véritable poète perdu dans une perpétuelle contemplation, occupé à regarder [1377] toujours un abîme sans fond, LE MOUVEMENT. Le vulgaire taxe de folie ces esprits sublimes, gens incompris qui vivent dans une admirable insouciance du luxe et du monde, restant des journées entières à fumer un cigare éteint, ou venant dans un salon sans avoir toujours bien exactement marié les boutons de leurs vêtements avec les boutonnières. Un jour, après avoir longtemps mesuré le vide, ou entassé des X sous des Aa-Gg, ils ont analysé quelque loi naturelle et décomposé le plus simple des principes ; tout à coup la foule admire une nouvelle machine ou quelque haquet dont la facile structure nous étonne et nous confond ! Le savant modeste sourit en disant à ses admirateurs : « Qu'ai-je donc créé ? rien. L'homme n'invente pas une force, il la dirige, et la science consiste à imiter la nature [1378]. »

Raphaël surprit le mécanicien planté sur [1379] ses deux jambes, comme un pendu tombé droit sous sa potence. Planchette examinait une bille d'agate qui roulait sur un cadran solaire, en attendant qu'elle s'y arrêtât. Le pauvre homme n'était ni décoré, ni pensionné, car il ne savait pas enluminer ses calculs. Heureux de vivre [1380] à l'affût d'une découverte, il ne pensait ni à la gloire, ni au monde, ni à lui-même et vivait dans la science pour la science.

— Cela est [1381] indéfinissable, s'écria-t-il. — Ah ! monsieur, reprit-il en apercevant Raphaël, je suis votre serviteur. Comment va la maman ?... Allez voir ma femme.

— J'aurais cependant pu vivre ainsi ! pensa Raphaël, qui tira le savant de sa rêverie en lui demandant le moyen d'agir sur le talisman qu'il lui présenta.

— Dussiez-vous rire de ma crédulité, monsieur, dit le marquis en terminant, je ne vous cacherai rien. Cette peau me semble posséder une force de résistance contre laquelle rien ne peut prévaloir.

— Monsieur, dit Planchette, les gens [1382] du monde traitent toujours la science assez cavalièrement, tous nous disent à peu près ce qu'un incroyable disait à Lalande [1383] en lui amenant des dames après l'éclipse : « Ayez la bonté de recommencer. » Quel effet [1384] voulez-vous produire ? La mécanique a pour but d'appliquer les lois du mouvement ou de les neutraliser. Quant au mouvement en lui-même, je vous le déclare avec humilité, nous sommes impuissants à [1385] le définir. Cela posé, nous avons remarqué quelques phénomènes [1386] constants qui régissent l'action des solides et des fluides. En reproduisant les causes génératrices de ces phénomènes, nous pouvons transporter [1387] les corps, leur transmettre une force locomotive dans des rapports de vitesse déterminée, les lancer, les diviser simplement ou à l'infini, soit que nous les cassions ou les pulvérisions ; puis les tordre, leur imprimer une rotation, les modifier, les comprimer, les dilater, les étendre. Cette science [1388], monsieur, repose sur un seul fait. Vous voyez cette bille, reprit-il. Elle est [1389] ici sur cette pierre. La voici maintenant là. De quel nom appellerons-nous cet acte si physiquement naturel et si moralement extraordinaire ? Mouvement, locomotion, changement de lieu ? Quelle immense vanité cachée sous les mots [1390] ! Un nom, est-ce donc une solution ? Voilà pourtant toute la science. Nos machines emploient ou décomposent cet acte, ce fait. Ce léger phénomène adapté à des masses va faire sauter Paris [1391]. Nous pouvons augmenter la vitesse aux dépens de la force, et la force aux dépens de la vitesse. Qu'est-ce que la force et la vitesse ? Notre science est inhabile [1392] à le dire, comme elle l'est à créer un mouvement. Un mouvement, quel qu'il soit, est un immense pouvoir, et l'homme n'invente pas de pouvoirs. Le pouvoir est un, comme le mouvement, l'essence même du pouvoir. Tout est mouvement. La pensée est un mouvement. La nature est établie sur le mouvement. La mort est un mouvement dont les fins nous sont peu connues. Si Dieu est éternel, croyez qu'il est [1393] toujours en mouvement. Dieu est le mouvement, peut-être. Voilà pourquoi le mouvement est inexplicable comme lui ; comme lui profond, sans bornes, incompréhensible, intangible. Qui jamais a touché, compris, mesuré le mouvement ? Nous en sentons les effets sans les voir. Nous pouvons même les nier comme nous nions Dieu. Où est-il ? où n'est-il pas ? D'où part-il ? Où en est le principe ? où en est la fin ? Il nous enveloppe, nous presse et nous échappe. Il est évident comme un fait, obscur comme une abstraction, tout à la fois effet et cause. Il lui faut, comme à nous, l'espace, et qu'est-ce que l'espace ? Le mouvement seul nous le révèle ; sans le mouvement, il n'est plus qu'un mot [1394] vide de sens. Problème insoluble, semblable au vide, semblable à la création, à l'infini, le mouvement confond

la pensée humaine, et tout ce qu'il est permis à l'homme
de concevoir, c'est qu'il ne le concevra jamais. Entre
chacun des points successivement occupés par cette
bille dans l'espace, continua le savant, il se rencontre
un abîme [1395] pour la raison humaine, un abîme où
est tombé Pascal. Pour agir sur la substance inconnue,
que vous voulez soumettre à une force inconnue, nous
devons d'abord [1396] étudier cette substance ; d'après
sa nature, ou elle se brisera sous un choc, ou elle y
résistera ; si elle se divise et que votre intention ne soit
pas de la partager, nous n'atteindrons pas le but proposé. Voulez-vous la comprimer, il faut transmettre
un mouvement égal à toutes les parties de la substance,
de manière à diminuer uniformément l'intervalle qui les
sépare. Désirez-vous l'étendre, nous devrons tâcher
d'imprimer à chaque molécule une force excentrique
égale ; car, sans l'observation exacte de cette loi, nous y
produirions des solutions de continuité. Il existe, monsieur, des modes infinis, des combinaisons sans bornes
dans le mouvement. A quel effet vous arrêtez-vous [1397]?

— Monsieur, dit Raphaël impatienté, je désire une
pression quelconque assez forte pour étendre indéfiniment cette peau...

— La substance étant finie, répondit le mathématicien, ne saurait être indéfiniment distendue, mais
la compression multipliera nécessairement l'étendue
de sa surface aux dépens de l'épaisseur ; elle s'amincira
jusqu'à ce que la matière manque...

— Obtenez ce résultat, monsieur, s'écria Raphaël,
et vous aurez gagné des millions.

— Je vous volerais votre argent, répondit le professeur avec le flegme d'un Hollandais. Je vais vous
démontrer en deux mots l'existence d'une machine
sous laquelle Dieu lui-même serait écrasé comme une
mouche. Elle réduirait un homme à l'état de papier
brouillard, un homme botté, éperonné, cravaté, chapeau, or, bijoux, tout...

— Quelle horrible machine !

— Au lieu de jeter leurs enfants à l'eau, les Chinois devraient les utiliser ainsi, reprit le savant, sans penser au respect de l'homme pour sa progéniture.

Tout entier à son idée, Planchette prit un pot à fleurs vide, troué dans le fond, et l'apporta sur la dalle du gnomon ; puis il alla chercher un peu de terre glaise dans un coin du jardin. Raphaël resta charmé comme un enfant auquel sa nourrice conte une histoire merveilleuse. Après avoir posé sa terre glaise sur la dalle, Planchette tira de sa poche une serpette, coupa deux branches de sureau, et se mit à les vider en sifflant comme si Raphaël n'eût pas été là.

— Voilà les éléments de la machine, dit-il [1398].

Il attacha par un coude en terre glaise un de ces tuyaux de bois au fond du pot, de manière que [1399] le trou du sureau correspondît à celui du vase. Vous eussiez dit une énorme pipe. Il étala sur la dalle un lit de glaise en lui donnant la forme [1400] d'une pelle, assit le pot à fleurs dans la partie la plus large, et fixa la branche de sureau sur la portion qui représentait le manche. Enfin il mit un pâté de terre glaise à l'extrémité du tube en sureau, il y planta l'autre branche creuse, tout droit, en pratiquant un autre coude pour la joindre à la branche horizontale, en sorte que l'air, ou tel fluide ambiant donné, pût circuler dans cette machine improvisée, et courir depuis l'embouchure du tube vertical, à travers le canal intermédiaire, jusque dans le pot à fleurs [1401] vide.

— Monsieur, cet appareil, dit-il à Raphaël avec le sérieux d'un académicien prononçant son discours de réception, est un des plus beaux titres du grand Pascal [1402] à notre admiration.

— Je ne comprends pas...

Le savant sourit. Il alla détacher d'un arbre fruitier une petite bouteille dans laquelle son pharmacien lui avait envoyé une liqueur où se prenaient les fourmis ;

il en cassa le fond, se fit un entonnoir, l'adapta soigneusement au trou de la branche creuse qu'il avait fixée
verticalement dans l'argile, en opposition au grand
réservoir figuré par le pot à fleurs ; puis, au moyen
d'un arrosoir, il y versa la quantité d'eau nécessaire
pour qu'elle se trouvât également bord à bord et dans
le grand vase et dans la petite embouchure circulaire
du sureau... Raphaël pensait à sa peau de chagrin.

— Monsieur, dit le mécanicien, l'eau passe encore
aujourd'hui pour un corps incompressible, n'oubliez
pas ce principe fondamental ; néanmoins, elle se comprime, mais si légèrement, que nous devons compter
sa faculté contractile comme zéro. Vous voyez la surface
que présente l'eau arrivée à la superficie du pot à fleurs ?

— Oui, monsieur.

— Eh bien, supposez cette surface mille fois plus
étendue que ne l'est l'orifice du bâton de sureau par
lequel j'ai versé le liquide. Tenez, j'ôte l'entonnoir...

— D'accord.

— Eh bien, monsieur, si par un moyen quelconque
j'augmente le volume de cette masse en introduisant
encore de l'eau par l'orifice du petit tuyau, le fluide,
contraint d'y descendre, montera dans le réservoir
figuré par le pot à fleurs jusqu'à ce que le liquide arrive
à un même niveau dans l'un et dans l'autre...

— Cela est évident, s'écria Raphaël.

— Mais il y a cette différence, reprit le savant, que,
si la mince colonne d'eau ajoutée dans le petit tube
vertical y présente une force égale au poids d'une
livre par exemple, comme son action se transmettra
fidèlement à la masse liquide et viendra réagir sur
tous les points de la surface qu'elle présente dans
le pot [1403] à fleurs, il s'y trouvera mille colonnes d'eau
qui, tendant toutes à s'élever comme si elles étaient
poussées par une force égale à celle qui fait descendre
le liquide dans le bâton de sureau vertical, produiront
nécessairement ici, dit Planchette, en montrant à Raphaël

l'ouverture du pot à fleurs, une puissance mille fois plus considérable que la puissance introduite là.

Et le savant indiquait du doigt au marquis le tuyau de bois planté droit [1404] dans la glaise.

— Cela est tout simple, dit Raphaël.

Planchette sourit.

— En d'autres termes, reprit-il avec cette ténacité de logique naturelle aux mathématiciens [1405], il faudrait, pour repousser l'irruption de l'eau, déployer, sur chaque partie de la grande surface, une force égale à la force agissant dans le conduit vertical ; mais, à cette différence près, que si la colonne liquide y est haute d'un pied, les mille petites colonnes de la grande surface n'y auront qu'une très faible élévation. Maintenant, dit Planchette en donnant une chiquenaude à ses bâtons, remplaçons ce petit appareil grotesque par des tubes métalliques d'une force et d'une dimension convenables, si vous couvrez d'une forte platine mobile la surface fluide du grand réservoir, et qu'à cette platine vous en opposiez une autre dont la résistance et la solidité soient à toute épreuve, si de plus vous m'accordez la puissance d'ajouter sans cesse de l'eau par le petit tube vertical à la masse liquide, l'objet, pris entre les deux plans solides, doit nécessairement céder à l'immense action qui le comprime indéfiniment. Le moyen d'introduire constamment de l'eau par le petit tube est une niaiserie en mécanique, ainsi que le mode de transmettre la puissance de la masse liquide à une platine. Deux pistons et quelques soupapes suffisent. Concevez-vous alors, mon cher monsieur, dit-il en prenant le bras de Valentin, qu'il n'existe guère de substance qui, mise entre ces deux résistances indéfinies, ne soit contrainte [1406] à s'étaler ?

— Quoi ! l'auteur des *Lettres provinciales* a inventé... ? s'écria Raphaël.

— Lui seul, monsieur. La mécanique ne connaît rien de plus simple ni de plus beau. Le principe contraire, l'expansibilité de l'eau, a créé la machine à vapeur. Mais l'eau n'est expansible qu'à un certain degré, tandis que son incompressibilité, étant une force en quelque sorte négative, se trouve nécessairement infinie.

— Si cette peau s'étend, dit Raphaël, je vous promets d'élever une statue colossale à Blaise Pascal, de fonder un prix de cent mille francs pour le plus beau problème de mécanique résolu dans chaque période de dix ans, de doter vos cousines, arrière-cousines, enfin de bâtir un hospice [1407] destiné aux mathématiciens devenus fous [1408] ou pauvres.

— Ce serait fort utile, répliqua [1409] Planchette. Monsieur, reprit-il avec le calme d'un homme vivant dans une sphère tout intellectuelle, nous irons demain chez Spieghalter. Ce mécanicien distingué vient de fabriquer [1410], d'après mes plans, une machine perfectionnée avec laquelle un enfant pourrait faire tenir mille bottes de foin dans son chapeau [1411].

— A demain, monsieur.

— A demain.

— Parlez-moi de la mécanique ! s'écria Raphaël. N'est-ce pas la plus belle de toutes les sciences ? L'autre, avec ses onagres, ses classements, ses canards, ses genres et ses bocaux pleins de monstres, est tout au plus bon à marquer les points dans un billard public.

Le lendemain, Raphaël, tout joyeux, vint chercher Planchette, et ils allèrent ensemble dans la rue de la Santé, nom de favorable augure. Chez Spieghalter, le jeune homme se trouva dans un établissement immense, ses regards tombèrent sur une multitude de forges rouges et rugissantes. C'était une pluie de feu, un déluge de clous, un océan de pistons, de vis, de leviers, de traverses, de limes, d'écrous, une mer de fontes, de bois, de soupapes et d'aciers en barres. La limaille prenait à la gorge. Il y avait du fer dans la température, les hommes étaient couverts de fer, tout puait le fer, le fer avait une vie, il était organisé, il se fluidifiait, marchait, pensait en prenant toutes les formes, en obéissant à tous les caprices. A travers les hurlements des soufflets, les *crescendo* des marteaux, les sifflements des tours qui faisaient grogner le fer, Raphaël arriva dans une grande pièce, propre et bien aérée, où il put contempler à son aise la presse immense dont lui avait parlé Planchette. Il admira des espèces de madriers en fonte, et des jumelles en fer unies par un indestructible noyau [1412].

— Si vous tourniez sept fois cette manivelle avec promptitude, lui dit Spieghalter en lui montrant un balancier de fer poli, vous feriez jaillir une planche d'acier en milliers de jets qui vous entreraient dans les jambes comme des aiguilles.

— Peste ! s'écria Raphaël.

Planchette glissa lui-même la peau de chagrin entre les deux platines de la presse souveraine, et, plein de cette sécurité [1413] que donnent les convictions scientifiques, il manœuvra vivement le balancier.

— Couchez-vous tous, nous sommes morts ! cria Spieghalter d'une voix tonnante en se laissant tomber lui-même par terre.

Un sifflement horrible retentit dans les ateliers. L'eau contenue dans la machine brisa la fonte, produisit un jet d'une puissance incommensurable [1414], et se dirigea heureusement sur une vieille forge qu'elle renversa, bouleversa, tordit comme une trombe entortille une maison et l'emporte avec elle.

— Oh ! dit tranquillement Planchette, le chagrin est sain comme mon œil ! Maître Spieghalter, il y avait une paille dans votre fonte, ou quelque interstice dans le grand tube...

— Non, non, je connais ma fonte. Monsieur peut remporter son outil, le diable est logé dedans.

L'Allemand saisit [1415] un marteau de forgeron, jeta la peau sur une enclume, et, de toute la force que donne la colère, déchargea sur le talisman le plus terrible coup qui jamais eût mugi dans ses ateliers.

— Il n'y paraît seulement pas, s'écria Planchette en caressant [1416] le chagrin rebelle.

Les ouvriers accoururent. Le contre-maître prit la peau et la plongea dans le charbon de terre d'une forge. Tous, rangés en demi-cercle, autour du feu, attendirent avec impatience le jeu d'un énorme soufflet. Raphaël, Spieghalter, le professeur Planchette, occupaient le centre de cette foule noire et attentive. En voyant tous ces yeux blancs, ces têtes poudrées de fer, ces vêtements noirs et luisants, ces poitrines poilues, Raphaël se crut transporté dans le monde nocturne et fantastique des ballades allemandes. Le contre-maître saisit la peau avec des pinces après l'avoir laissée dans le foyer pendant dix minutes.

— Rendez-la-moi, dit [1417] Raphaël.

Le contre-maître la présenta par plaisanterie à Raphaël. Le marquis mania facilement la peau, froide et souple sous ses doigts. Un cri d'horreur s'éleva, les ouvriers [1418] s'enfuirent. Valentin resta seul avec Planchette dans l'atelier désert.

— Il y a décidément quelque chose [1419] de diabolique là-dedans ! s'écria Raphaël au désespoir. Aucune puissance humaine ne saurait donc me donner un jour de plus ?

— Monsieur, j'ai tort, répondit le mathématicien d'un air contrit, nous devions soumettre cette peau singulière à l'action d'un laminoir. Où avais-je [1420] les yeux en vous proposant une pression !

— C'est moi qui l'ai demandée, répliqua Raphaël.

Le savant respira comme un coupable acquitté par douze jurés. Cependant, intéressé par le problème étrange que lui offrait cette peau, il réfléchit un moment et dit :

— Il faut traiter cette substance inconnue par des réactifs. Allons voir Japhet [1421], la chimie sera peut-être plus heureuse que la mécanique.

Valentin mit son cheval au grand trot [1422], dans l'espoir de rencontrer le fameux chimiste Japhet à son laboratoire.

— Eh bien, mon vieil ami, dit Planchette en apercevant Japhet assis dans un fauteuil et contemplant un précipité, comment va la chimie ?

— Elle s'endort. Rien de neuf. L'Académie a cependant reconnu l'existence de la salicine, mais la salicine, l'asparagine, la vauqueline, la digitaline [1423], ne sont pas des découvertes...

— Faute de pouvoir inventer des choses, dit Raphaël, il paraît que vous en êtes réduits à inventer des noms.

— Cela est pardieu vrai, jeune homme !

— Tiens, dit le professeur Planchette au chimiste, essaye de nous décomposer cette substance ; si tu en extrais un principe quelconque, je le nomme d'avance *la diaboline*, car, en voulant la comprimer, nous venons de briser une presse hydraulique.

— Voyons, voyons cela ! s'écria joyeusement le chimiste ; ce sera peut-être un nouveau corps simple.

— Monsieur, dit Raphaël, c'est tout bonnement [1424] un morceau de peau d'âne.

— Monsieur..., fit gravement le célèbre chimiste.

— Je ne plaisante pas, répliqua le marquis en lui présentant la peau de chagrin [1425].

Le baron Japhet appliqua sur la peau les houppes [1426] nerveuses de sa langue, si habile à déguster les sels, les acides, les alcalis, les gaz, et dit, après quelques essais :

— Point de goût ! Voyons, nous allons lui faire boire un peu d'acide phtorique [1427].

Soumise à l'action de ce principe, si prompt à désorganiser les tissus animaux, la peau ne subit aucune altération.

— Ce n'est pas du chagrin ! s'écria le chimiste. Nous allons traiter ce mystérieux inconnu comme un minéral et lui donner sur le nez en le mettant dans un creuset infusible où j'ai précisément de la potasse rouge.

Japhet sortit et revint bientôt.

— Monsieur, dit-il à Raphaël, laissez-moi prendre un morceau de cette singulière substance, elle est si extraordinaire...

— Un morceau ? s'écria Raphaël ; pas seulement la valeur d'un cheveu. D'ailleurs, essayez ! ajouta-t-il d'un air tout à la fois triste et goguenard.

Le savant cassa un rasoir en voulant entamer la peau, il tenta de la briser par une forte décharge [1428] d'électricité, puis il la soumit à l'action de la pile voltaïque, enfin les foudres de sa science échouèrent sur [1429] le terrible talisman. Il était sept heures du soir, Planchette, Japhet et Raphaël, ne s'apercevant pas de la fuite du temps, attendaient le résultat d'une dernière expérience. Le chagrin sortit victorieux d'un épouvantable choc auquel il avait été soumis, grâce à une quantité raisonnable de chlorure d'azote [1430].

— Je suis perdu ! s'écria Raphaël. Dieu est là. Je vais mourir...

Il laissa les deux savants stupéfaits.

— Gardons-nous bien de raconter cette aventure à l'Académie [1431], nos collègues s'y moqueraient de nous, dit Planchette au chimiste après une longue pause pendant laquelle ils se regardèrent sans oser se communiquer leurs pensées.

Les deux savants étaient comme des chrétiens sortant de leurs tombes sans trouver un Dieu dans le ciel [1432]. La science ? impuissante ! Les acides ? eau claire ! La potasse rouge ? déshonorée ! La pile voltaïque et la foudre ? deux bilboquets !

— Une presse hydraulique fendue comme une mouillette ! ajouta Planchette [1433].

— Je crois au diable, dit le baron Japhet après un moment de silence.

— Et moi à Dieu, répondit Planchette.

Tous deux étaient dans leur rôle. Pour un mécani-

cien, l'univers est une machine qui veut un ouvrier ;
pour la chimie, cette œuvre d'un démon qui va décomposant tout, le monde est un gaz doué de mouvement [1434].

— Nous ne pouvons pas nier le fait, reprit le chimiste.

— Bah ! pour nous consoler, MM. les doctrinaires
ont créé ce [1435] nébuleux axiome : Bête comme un fait.

— Ton axiome, répliqua le chimiste, me semble, à
moi, fait comme une bête.

Ils se prirent à rire, et dînèrent en gens qui ne voyaient
plus qu'un phénomène dans un miracle.

En rentrant chez lui, Valentin [1436] était en proie à
une rage froide ; il ne croyait plus à rien, ses idées se
brouillaient dans sa cervelle, tournoyaient et vacil-
laient comme celles de tout homme en présence d'un
fait impossible. Il avait cru volontiers à quelque défaut
secret dans la machine de Spieghalter, l'impuissance
de la science et du feu ne l'étonnait pas ; mais la sou-
plesse de la peau quand il la maniait, mais sa dureté
lorsque les moyens de destruction mis à la disposition
de l'homme étaient dirigés sur elle, l'épouvantaient.
Ce fait incontestable lui donnait le vertige.

— Je suis fou, se dit-il. Quoique depuis ce matin je
sois à jeun, je n'ai ni faim [1437] ni soif, et je sens dans
ma poitrine un foyer qui me brûle...

Il remit la peau de chagrin dans le cadre où elle
avait été naguère enfermée ; et, après avoir décrit [1438]
par une ligne d'encre rouge le contour actuel du talisman,
il s'assit dans son fauteuil.

— Déjà huit heures ! s'écria-t-il. Cette journée a
passé comme un songe.

Il s'accouda sur le bras du fauteuil, s'appuya la
tête dans sa main gauche, et resta perdu dans une de
ces méditations funèbres, dans ces pensées dévorantes dont le secret est emporté par les condamnés à
mort [1439].

— Ah ! Pauline, s'écria-t-il, pauvre enfant ! il y a

des abîmes que l'amour ne saurait franchir, malgré la force de ses ailes [1440].

En ce moment, il entendit très distinctement un soupir étouffé et reconnut, par un des plus touchants privilèges de la passion, le souffle de sa Pauline.

— Oh ! se dit-il, voilà mon arrêt. Si elle était là, je voudrais mourir dans ses bras.

Un éclat de rire bien franc, bien joyeux, lui fit tourner la tête vers son lit, il vit à travers les rideaux [1441] diaphanes la figure de Pauline souriant comme un enfant heureux d'une malice qui réussit ; ses beaux cheveux formaient des milliers de boucles sur ses épaules ; elle était là semblable à une rose du Bengale sur un monceau de roses [1442] blanches.

— J'ai séduit Jonathas, dit-elle. Ce lit ne m'appartient-il pas, à moi qui suis ta femme ? Ne me gronde pas, chéri, je ne voulais que dormir près de toi, te surprendre. Pardonne-moi cette folie.

Elle sauta hors du lit par un mouvement de chatte, se montra radieuse dans ses mousselines, et s'assit sur [1443] les genoux de Raphaël.

— De quel abîme parlais-tu donc, mon amour ? dit-elle en laissant voir sur son front une expression soucieuse.

— De la mort.

— Tu me fais mal, répondit-elle. Il y a certaines idées auxquelles nous autres, pauvres femmes, nous ne pouvons nous arrêter [1444], elles nous tuent. Est-ce force d'amour ou manque de courage ? je ne sais. La mort ne m'effraye pas, reprit-elle en riant. Mourir avec toi, demain matin, ensemble, dans un dernier baiser, ce serait un bonheur. Il me semble que j'aurais encore vécu plus de cent ans. Qu'importe le nombre de jours, si, dans une nuit, dans une heure, nous avons épuisé toute une vie de paix et d'amour ?

— Tu as raison, le ciel parle par ta jolie bouche. Donne que je la baise, et mourons, dit Raphaël.

— Mourons donc, répondit-elle en riant [1445].

Vers les neuf heures du matin, le jour passait à travers les fentes des persiennes ; amoindri par la mousseline des rideaux, il permettait encore de voir les riches couleurs [1446] du tapis et les meubles soyeux de la chambre où reposaient les deux amants [1447]. Quelques dorures étincelaient. Un rayon de soleil venait mourir sur le mol édredon que les jeux de l'amour avaient jeté à terre [1448]. Suspendue à une grande psyché, la robe de Pauline se dessinait comme une vaporeuse apparition. Les souliers mignons avaient été laissés loin du lit. Un rossignol vint se poser [1449] sur l'appui de la fenêtre ; ses gazouillements répétés, le bruit de ses ailes [1450] soudainement déployées quand il s'envola, réveillèrent Raphaël.

— Pour mourir, dit-il en achevant une pensée commencée dans son rêve, il faut [1451] que mon organisation, ce mécanisme de chair et d'os animé par ma volonté, et qui fait de moi un individu *homme*, présente une lésion sensible. Les médecins doivent connaître les symptômes de la vitalité attaquée, et pouvoir me dire si je suis en santé ou malade.

Il contempla sa femme endormie qui lui tenait la tête, exprimant ainsi pendant [1452] le sommeil les tendres sollicitudes de l'amour. Gracieusement étendue comme un jeune enfant et le visage tourné vers lui, Pauline semblait le regarder encore en lui tendant une jolie bouche entr'ouverte par un souffle [1453] égal et pur. Ses petites dents de porcelaine relevaient la rougeur de ses lèvres fraîches, sur lesquelles errait un sourire ; l'incarnat de son teint était plus vif, et la blancheur en était, pour ainsi dire [1454], plus blanche en ce moment qu'aux heures les plus amoureuses de la journée. Son gracieux abandon, si plein de confiance, mêlait [1455] au charme de l'amour les adorables attraits de l'enfance endormie. Les femmes, même les plus naturelles, obéissent encore pendant le jour à certaines conventions sociales qui

enchaînent les naïves expansions de leur âme ; mais
le sommeil semble les rendre à la soudaineté de vie
qui décore le premier âge : Pauline ne rougissait de
rien [1456], comme une de ces chères et célestes créatures
chez qui la raison n'a encore jeté ni pensées dans les
gestes, ni secrets [1457] dans le regard. Son profil [1458] se
détachait vivement sur la fine batiste des oreillers,
de grosses ruches de dentelle mêlées à ses cheveux en
désordre lui donnaient un petit air mutin ; mais elle
s'était endormie [1459] dans le plaisir, ses longs cils étaient
appliqués sur sa joue comme pour garantir sa vue
d'une lueur trop forte ou pour aider à ce recueillement
de l'âme quand elle essaye de retenir une volupté
parfaite mais fugitive ; son oreille mignonne, blanche
et rouge, encadrée par une touffe de cheveux et dessinée
dans une coque de malines, eût rendu fou d'amour
un artiste, un peintre, un vieillard, eût peut-être restitué
la raison à quelque insensé. Voir votre maîtresse endormie, rieuse [1460] dans un songe paisible sous votre protection, vous aimant même en rêve, au moment où
la créature semble cesser d'être, et vous offrant encore
une bouche muette qui dans le sommeil vous parle
du [1461] dernier baiser ! voir une femme confiante,
demi-nue, mais enveloppée dans son amour comme dans
un manteau, et chaste au sein du désordre ; admirer
ses vêtements épars, un bas de soie rapidement quitté
la veille pour vous plaire, une ceinture dénouée qui
vous accuse une foi infinie [1462], n'est-ce pas une joie
sans nom ? Cette ceinture est un poème entier ; la
femme qu'elle protégeait n'existe plus, elle vous appartient, elle est devenue *vous ;* désormais la trahir, c'est
se blesser soi-même. Raphaël attendri contempla cette
chambre chargée d'amour, pleine de souvenirs, où
le jour prenait des teintes voluptueuses, et revint
à cette femme [1463] aux formes pures, jeunes, aimante
encore, dont surtout les sentiments étaient à lui sans
partage. Il désira vivre toujours. Quand son regard

tomba sur Pauline, elle ouvrit aussitôt les yeux comme si un rayon de soleil l'eût frappée.

— Bonjour, ami, dit-elle en souriant. Es-tu beau, méchant !

Ces deux têtes, empreintes d'une grâce due à l'amour, à la jeunesse, au demi-jour et au silence, formaient une [1464] de ces divines scènes dont la magie passagère n'appartient qu'aux premiers jours de la passion, comme la naïveté, la candeur, sont les attributs de l'enfance. Hélas ! ces joies printanières de l'amour, de même que les rires [1465] de notre jeune âge, doivent s'enfuir et ne plus vivre que dans notre souvenir pour nous désespérer ou nous jeter quelque parfum consolateur, selon les caprices de nos méditations secrètes [1466].

— Pourquoi t'es-tu réveillée ? dit Raphaël. J'avais tant de plaisir à te voir endormie, j'en pleurais...

— Et moi aussi, répondit-elle, j'ai pleuré cette nuit en te contemplant dans ton repos [1467], mais non pas de joie. Écoute, mon Raphaël, écoute-moi. Lorsque tu dors, ta respiration n'est pas franche, il y a dans ta poitrine quelque chose qui résonne, et qui m'a fait peur. Tu as pendant ton sommeil une petite toux sèche, absolument semblable à celle de mon père, qui meurt d'une phtisie. J'ai reconnu dans le bruit de tes poumons quelques-uns [1468] des effets bizarres de cette maladie. Puis tu avais la fièvre, j'en suis sûre, ta main était moite et brûlante... Chéri ! tu es jeune, ajouta-t-elle [1469] en frissonnant, tu pourrais te guérir encore, si, par malheur... Mais non, s'écria-t-elle joyeusement, il n'y a pas de malheur, la maladie se gagne, disent les médecins.

De ses deux bras elle enlaça Raphaël, saisit sa respiration par un de ces baisers dans lesquels l'âme arrive :

— Je ne désire pas vivre vieille, dit-elle. Mourons jeunes tous deux, et allons [1470] dans le ciel les mains pleines de fleurs.

— Ces projets-là se font toujours quand nous sommes

en bonne santé, répondit Raphaël en plongeant ses
mains dans la chevelure de Pauline.

Mais il eut alors un horrible accès de toux, de ces
toux [1471] graves et sonores qui semblent sortir d'un
cercueil, qui font pâlir le front des malades et les laissent
tremblants, tout en sueur, après avoir remué leurs nerfs,
ébranlé leurs côtes, fatigué leur moelle épinière et
imprimé je ne sais quelle lourdeur à leurs veines.
Raphaël, abattu, pâle, se coucha lentement, affaissé
comme un homme dont toute la force s'est dissipée [1472]
dans un dernier effort. Pauline le regarda d'un œil
fixe, agrandi par la peur, et resta immobile, blanche,
silencieuse.

— Ne faisons plus de folies, mon ange, dit-elle en
voulant cacher à Raphaël les horribles pressentiments
qui l'agitaient.

Elle se voila la figure de ses mains, car elle apercevait
le hideux squelette de la MORT. La tête de Raphaël
était devenue livide [1473] et creuse comme un crâne
arraché aux profondeurs d'un cimetière pour servir
aux études de quelque savant. Pauline se souvenait
de l'exclamation échappée la veille à Valentin, et se
dit à elle-même :

— Oui, il y a des abîmes que l'amour ne peut pas
traverser, mais il doit s'y ensevelir [1474].

Quelques jours après cette scène de désolation,
Raphaël se trouva, par une matinée du mois de mars,
assis dans un fauteuil, entouré de quatre médecins
qui l'avaient fait placer [1475] au jour devant la fenêtre
de sa chambre, et tour à tour tâtaient le pouls, le pal-
paient, l'interrogeaient avec une apparence d'intérêt. Le malade épiait [1476] leurs pensées en interprétant
et leurs gestes et les moindres plis qui se formaient
sur leurs fronts. Cette consultation était sa dernière
espérance. Ces juges suprêmes [1477] allaient lui prononcer un arrêt de vie ou de mort. Aussi, pour arracher
à la science humaine son dernier mot, Valentin avait-il

convoqué les oracles de la médecine moderne. Grâce
à sa fortune et à son nom, les trois systèmes entre
lesquels flottent les connaissances humaines étaient là,
devant lui. Trois de ces docteurs portaient avec eux
toute la philosophie médicale, en représentant le combat que se livrent [1478] la spiritualité, l'analyse et je
ne sais quel éclectisme railleur. Le quatrième médecin
était Horace Bianchon, homme plein d'avenir et de
science, le plus distingué peut-être des nouveaux médecins [1479], sage et modeste député de la studieuse jeunesse qui s'apprête à recueillir l'héritage des trésors
amassés depuis cinquante ans par l'École de Paris,
et qui bâtira peut-être le monument pour lequel les
siècles précédents ont apporté tant de matériaux divers.
Ami du marquis et de Rastignac, il lui avait donné ses
soins depuis quelques jours [1480], et l'aidait à répondre
aux interrogations des trois professeurs, auxquels il
expliquait parfois, avec une sorte d'insistance, les diagnostics qui lui semblaient révéler une phtisie pulmonaire [1481].

— Vous avez sans doute fait beaucoup d'excès,
mené une vie dissipée ? vous vous êtes livré à de grands
travaux d'intelligence ? dit à Raphaël celui des trois
célèbres docteurs dont la tête carrée, la figure large,
l'énergique organisation, paraissaient [1482] annoncer un
génie supérieur à celui de ses deux antagonistes.

— J'ai voulu me tuer par la débauche, après avoir
travaillé pendant trois ans à un vaste ouvrage dont
vous vous occuperez peut-être un jour, lui répondit
Raphaël.

Le grand docteur hocha la tête en signe de contentement, et comme s'il se fût dit en lui-même : « J'en
étais sûr ! » Ce docteur était l'illustre Brisset, le chef
des organistes, le successeur des Cabanis et des Bichat,
le médecin des esprits positifs et matérialistes, qui voient
en l'homme un être fini, uniquement sujet aux lois
de sa propre organisation, et dont l'état normal ou les

anomalies délétères s'expliquent par des causes évidentes.

A cette réponse, Brisset [1483] regarda silencieusement un homme de moyenne taille dont le visage empourpré, l'œil ardent, semblaient appartenir à quelque satyre antique, et qui, le dos appuyé sur le coin de l'embrasure [1484], contemplait attentivement Raphaël sans mot dire. Homme d'exaltation et de croyance, le docteur Caméristus, chef des vitalistes, poétique défenseur [1485] des doctrines abstraites de Van Helmont [1486], voyait dans la vie humaine un principe élevé, secret, un phénomène inexplicable qui se joue des bistouris, trompe la chirurgie, échappe aux médicaments de la pharmaceutique, aux X de l'algèbre, aux démonstrations de l'anatomie, et se rit de nos efforts ; une espèce de flamme intangible [1487], invisible, soumise à quelque loi divine, et qui reste souvent au milieu d'un corps condamné par nos arrêts, comme elle déserte aussi les organisations les plus viables.

Un sourire sardonique errait sur les lèvres du troisième, le docteur Maugredie [1488], esprit distingué, mais pyrrhonien et moqueur, qui ne croyait qu'au scalpel, concédait à Brisset la mort d'un homme qui se portait à merveille, et reconnaissait, avec Caméristus, qu'un homme pouvait vivre encore après sa mort. Il trouvait du bon [1489] dans toutes les théories, n'en adoptait aucune, prétendait que le meilleur système médical était de n'en point avoir, et de s'en tenir aux faits. Panurge de l'école, roi de l'observation, ce grand explorateur, ce grand railleur, l'homme des tentatives désespérées examinait la peau de chagrin.

— Je voudrais bien être témoin de la coïncidence qui existe entre vos désirs et son rétrécissement, dit-il au marquis.

— A quoi bon ? s'écria Brisset.

— A quoi bon ? répéta Caméristus.

— Ah ! vous êtes d'accord, répondit Maugredie.

— Cette contraction est toute simple, ajouta Brisset.

— Elle est surnaturelle, dit Caméristus.

— En effet, répliqua Maugredie en affectant un air grave et rendant à Raphaël sa peau de chagrin, le racornissement du cuir [1490] est un fait inexplicable et cependant naturel, qui, depuis l'origine du monde, fait le désespoir de la médecine et des jolies femmes.

A force d'examiner les trois docteurs, Valentin ne découvrit en eux aucune sympathie pour ses maux. Tous trois, silencieux à chaque réponse, le toisaient avec indifférence et le questionnaient sans le plaindre. La nonchalance perçait à travers leur politesse. Soit certitude [1491], soit réflexion, leurs paroles étaient si rares, si indolentes, que par moments Raphaël les crut distraits. De temps à autre, Brisset seul répondait : « Bon ! bien ! » à tous les symptômes désespérants dont l'existence était démontrée par Bianchon [1492]. Caméristus demeurait plongé dans une profonde rêverie ; Maugredie ressemblait à un auteur comique étudiant deux originaux pour les transporter fidèlement sur la scène. La figure d'Horace trahissait [1493] une peine profonde, un attendrissement plein de tristesse. Il était médecin depuis trop peu de temps pour être insensible devant [1494] la douleur et impassible près d'un lit funèbre ; il ne savait pas éteindre dans ses yeux les larmes amies qui empêchent un homme de voir clair et de saisir, comme un général d'armée, le moment propice à la victoire, sans écouter les cris des moribonds. Après être restés pendant une demi-heure environ à prendre, en quelque sorte, la mesure de la maladie et du malade, comme un tailleur prend la mesure [1495] d'un habit à un jeune homme qui lui commande ses vêtements de noces, ils dirent quelques lieux communs, parlèrent même des affaires publiques ; puis ils voulurent passer dans le cabinet de Raphaël pour se communiquer leurs idées et rédiger la sentence.

— Messieurs, leur demanda Valentin, ne puis-je donc assister au débat ?

A ce mot, Brisset et Maugredie se récrièrent vivement, et, malgré les instances de leur malade, ils se refusèrent à délibérer en sa présence. Raphaël se soumit à l'usage, en pensant qu'il pouvait se glisser dans un couloir d'où il entendrait facilement les discussions médicales auxquelles les trois professeurs allaient se livrer.

— Messieurs, dit Brisset en entrant, permettez-moi de vous donner promptement mon avis. Je ne veux ni vous l'imposer, ni le voir controversé : d'abord il est net [1496], précis, et résulte d'une similitude complète entre un de mes malades et le *sujet* que nous avons été appelés à examiner ; puis je suis attendu à mon hôpital [1497]. L'importance du fait qui y réclame ma présence m'excusera de prendre le premier la parole. Le *sujet* qui nous occupe est également fatigué par des travaux intellectuels... — Qu'a-t-il donc fait, Horace [1498] ? dit-il en s'adressant au jeune médecin.

— Une *Théorie de la volonté* [1499].

— Ah diable ! mais c'est un vaste sujet. — Il est fatigué [1500], dis-je, par des excès de pensée, par des écarts de régime, par l'emploi répété de stimulants trop énergiques. L'action violente du corps et du cerveau a donc vicié le jeu de tout l'organisme. Il est facile, messieurs, de reconnaître, dans les symptômes de la face et du corps, une irritation prodigieuse à l'estomac, la névrose du grand sympathique, la vive sensibilité de l'épigastre et le resserrement des hypocondres. Vous avez remarqué la grosseur et la saillie du foie. Enfin, M. Bianchon a constamment observé les digestions de son malade, et nous a dit qu'elles étaient difficiles, laborieuses. A proprement parler, il n'existe plus d'estomac ; l'homme a disparu. L'intellect est atrophié, parce que l'homme ne digère plus. L'altération progressive de l'épigastre, centre de la vie, a vicié [1501] tout le système. De là partent des irradiations constantes et flagrantes, le désordre a gagné le cerveau par le plexus nerveux, d'où l'irritation excessive de cet organe. Il y a monomanie. Le malade est sous le poids d'une idée fixe. Pour lui, cette peau de chagrin se rétrécit réellement, peut-être a-t-elle toujours été comme nous l'avons vue ; mais, qu'il se contracte ou non, ce *chagrin* est pour lui la mouche que certain grand vizir avait sur le nez. Mettez promptement des sangsues à l'épigastre, calmez l'irritation de cet organe où l'homme tout entier réside, tenez le malade au régime, la monomanie cessera. Je n'en dirai pas davantage au docteur Bianchon ; il doit saisir l'ensemble et les détails du traitement. Peut-être y a-t-il complication de maladie, peut-être les voies [1502] respiratoires sont-elles également irritées ; mais je crois le traitement de l'appareil intestinal beaucoup plus important, plus nécessaire, plus urgent que ne l'est celui des poumons. L'étude tenace de matières abstraites et quelques passions [1503] violentes ont produit de graves perturbations dans ce mécanisme vital ; cependant, il est temps encore d'en redresser les ressorts, rien n'y est trop fortement adultéré. Vous pouvez donc facilement sauver votre ami, dit-il à Bianchon.

— Notre savant collègue prend l'effet pour la cause, répondit Caméristus. Oui, les altérations si bien observées par lui existent chez le malade, mais l'estomac n'a pas graduellement établi ces irradiations dans l'organisme et vers le cerveau, comme une fêlure étend autour d'elle des rayons [1504] dans une vitre. Il a fallu un coup pour trouer le vitrail ; ce coup, qui l'a porté ? le savons-nous ? avons-nous suffisamment observé le malade ? connaissons-nous tous les accidents de sa vie ? Messieurs, le principe vital, l'*archée* de Van Helmont, est atteint en lui, la vitalité même est attaquée dans son essence ; l'étincelle divine, l'intelligence transitoire qui sert comme de lien à la machine et qui produit la volonté, la science de la vie [1505], a cessé de régulariser les phénomènes journaliers du mécanisme et les fonctions de chaque organe : de là proviennent les désordres si bien appréciés par mon docte confrère. Le mouvement n'est pas venu de l'épigastre au cerveau, mais du cerveau vers l'épigastre. Non, dit-il en se frappant avec force la poitrine, non, je ne suis pas un estomac fait homme ! Non, tout n'est pas là. Je ne me sens pas le courage de dire que, si j'ai un bon épigastre, le reste est de forme...

« Nous ne pouvons pas, reprit-il plus doucement, soumettre à une même cause physique et à un traitement uniforme les troubles graves qui surviennent chez les différents sujets plus ou moins sérieusement atteints. Aucun homme ne ressemble à un autre. Nous avons [1506] tous des organes particuliers, diversement affectés, diversement nourris, propres à remplir des missions différentes, et à développer des thèmes nécessaires à l'accomplissement d'un ordre [1507] de choses qui nous est inconnu. La portion du grand tout, qui, par une haute volonté, vient opérer, entretenir en nous le phénomène de l'animation, se formule d'une manière distincte dans chaque homme, et fait de lui un être [1508] en apparence fini, mais qui par un point coexiste avec une cause [1509] infinie. Aussi, devons-nous étudier chaque sujet séparément, le pénétrer, reconnaître en quoi consiste sa vie, quelle en est la puissance.

« Depuis la mollesse d'une éponge mouillée jusqu'à la dureté d'une pierre ponce, il y a des nuances infinies. Voilà l'homme. Entre les organisations spongieuses des lymphatiques et la vigueur métallique des muscles de quelques hommes destinés à une longue vie, que d'erreurs ne commettra pas le système unique, implacable, de la guérison par l'abattement, par la prostration des forces humaines que vous supposez toujours irritées ! Ici donc, je voudrais un traitement tout moral, un examen approfondi de l'être intime. Allons chercher la cause du mal dans les entrailles de

l'âme et non dans les entrailles du corps! Un médecin
est un être inspiré, doué d'un génie particulier, à qui
Dieu concède le pouvoir de lire dans la vitalité, comme
il donne aux prophètes des yeux pour contempler l'avenir, au poète la faculté d'évoquer la nature, au musicien
celle d'arranger les sons dans un ordre harmonieux
dont le type est en haut, peut-être [1510]!...

— Toujours sa médecine [1511] absolutiste, monar-
chique et religieuse! dit Brisset en murmurant.

—Messieurs, interrompit Maugredie [1512] en cou-
vrant avec promptitude l'exclamation de Brisset, ne
perdons pas de vue le malade...

— Voilà donc où en est la science! s'écria tristement Raphaël. Ma guérison flotte entre un rosaire et
un chapelet de sangsues, entre le bistouri de Dupuytren [1513] et la prière du prince de Hohenlohe [1514]! Sur
la ligne qui sépare le fait de la parole, la matière de
l'esprit, Maugredie est là, doutant. Le *oui et non* humain
me poursuit partout! Toujours le *Carymary, Carymara*
de Rabelais [1515] : je suis spirituellement malade, carymary! ou matériellement malade, carymara! Dois-je
vivre? ils l'ignorent. Au moins [1516], Planchette était-il
plus franc en me disant : « Je ne sais pas. »

En ce moment, Valentin entendit la voix du docteur
Maugredie :

— Le malade est monomane, eh bien, d'accord!
s'écria-t-il ; mais il a deux cent mille livres de rente :
ces monomanes-là sont fort rares, et nous leur devons
au moins un avis. Quant à savoir si son épigastre a
réagi sur le cerveau, ou le cerveau sur son épigastre,
nous pourrons peut-être vérifier le fait, quand il sera
mort. Résumons-nous donc. Il est malade, le fait est
incontestable. Il lui faut un traitement quelconque.
Laissons les doctrines. Mettons-lui des sangsues pour
calmer l'irritation intestinale et la névrose sur l'existence desquelles nous sommes d'accord, puis envoyons-
le aux eaux : nous agirons à la fois d'après les deux

systèmes. S'il est pulmonique, nous ne pouvons guère le sauver, ainsi...

Raphaël quitta promptement le couloir et vint se remettre dans son fauteuil. Bientôt les quatre médecins sortirent du cabinet. Horace porta la parole [1517] et lui dit :

— Ces messieurs ont unanimement reconnu la nécessité d'une application immédiate de sangsues à l'estomac, et l'urgence d'un traitement à la fois physique et moral. D'abord, un régime diététique, afin de calmer l'irritation de votre organisme...

Ici, Brisset fit un signe d'approbation.

— Puis un régime hygiénique pour régir votre [1518] moral. Ainsi nous vous conseillons unanimement d'aller aux eaux d'Aix, en Savoie, ou à celles du mont Dore [1519], en Auvergne, si vous les préférez ; l'air et les sites de la Savoie sont plus agréables que ceux du Cantal, mais vous suivrez votre goût [1520].

Là, le docteur Caméristus laissa échapper un geste d'assentiment.

— Ces messieurs, reprit Bianchon, ayant reconnu de légères altérations dans l'appareil respiratoire, sont tombés d'accord sur l'utilité de mes prescriptions antérieures. Ils pensent que votre guérison est facile et dépendra de l'emploi sagement alternatif de ces divers moyens... Et...

— Et voilà pourquoi votre fille est muette ! dit Raphaël en souriant et en attirant Horace dans son cabinet pour lui remettre le prix de cette inutile consultation.

— Ils sont logiques, lui répondit le jeune médecin. Caméristus sent, Brisset examine, Maugredie doute. L'homme n'a-t-il pas une âme, un corps et une raison? L'une de ces trois causes premières agit en nous d'une manière plus ou moins forte, et il y aura toujours de l'homme dans la science humaine. Crois-moi, Raphaël, nous ne guérissons pas, nous aidons à guérir [1521].

Entre la médecine de Brisset et celle de Caméristus se trouve encore la médecine expectante ; mais, pour pratiquer celle-ci avec succès, il faudrait connaître son malade depuis dix ans. Il y a au fond de la médecine négation, comme dans toutes les sciences. Tâche donc de vivre sagement, essaye d'un voyage en Savoie ; le mieux est et sera toujours de se confier à la nature.

Un mois après, au retour de la promenade et par une belle soirée d'été, quelques-unes des personnes [1522] venues aux eaux d'Aix se trouvèrent réunies dans les salons du Cercle [1523]. Assis près d'une fenêtre et tournant le dos à l'assemblée, Raphaël resta longtemps seul, plongé dans une de ces rêveries machinales durant lesquelles nos pensées naissent, s'enchaînent, s'évanouissent sans revêtir de formes, et passent en nous comme de légers nuages à peine colorés. La tristesse est alors douce, la joie est vaporeuse, et l'âme est presque endormie. Se laissant aller à cette vie sensuelle, Valentin se baignait dans la tiède atmosphère du soir en savourant l'air pur et parfumé des montagnes, heureux [1524] de ne sentir aucune douleur et d'avoir enfin réduit au silence sa menaçante peau de chagrin. Au moment où les teintes rouges du couchant s'éteignirent sur les cimes, la température fraîchit, il quitta sa place en poussant la fenêtre.

— Monsieur, lui dit une vieille dame, auriez-vous la complaisance de ne pas fermer la croisée ? Nous étouffons...

Cette phrase déchira le tympan de Raphaël par des dissonances d'une aigreur singulière ; elle fut comme le mot que lâche imprudemment un homme à l'amitié duquel nous voulions croire, et qui détruit quelque douce illusion de sentiment en trahissant un abîme d'égoïsme. Le marquis jeta sur la vieille femme le froid regard d'un diplomate impassible, il appela un valet et lui dit [1525] sèchement quand il arriva :

— Ouvrez cette fenêtre !

A ces mots, une vive surprise éclata sur tous les visages. L'assemblée se mit à chuchoter, en regardant le malade d'un air [1526] plus ou moins expressif, comme s'il eût commis quelque grave impertinence. Raphaël, qui n'avait pas [1527] entièrement dépouillé sa primitive timidité de jeune homme, eut un mouvement de honte ; mais il secoua sa torpeur, reprit son énergie [1528] et se demanda compte à lui-même de cette scène étrange. Soudain un rapide mouvement anima son cerveau, le passé lui apparut dans une vision distincte où les causes du sentiment qu'il inspirait saillirent en relief comme les veines d'un cadavre chez lequel, par [1529] quelque savante injection, les naturalistes colorent les moindres ramifications ; il se reconnut lui-même dans ce tableau fugitif, y suivit son existence, jour par jour, pensée à pensée ; il s'y vit, non sans surprise, sombre et distrait [1530] au sein de ce monde rieur ; toujours songeant à sa destinée, préoccupé de son mal, paraissant dédaigner la causerie la plus insignifiante, fuyant ces intimités éphémères qui s'établissent promptement entre les voyageurs, parce qu'ils comptent sans doute ne plus se rencontrer ; peu soucieux des autres, et semblable enfin à ces rochers insensibles aux caresses comme à la furie des vagues [1531].

Puis, par un rare privilège d'intuition, il lut dans toutes les âmes : en découvrant sous la lueur d'un flambeau le crâne jaune, le profil sardonique d'un vieillard, il se rappela lui avoir gagné son argent sans lui avoir proposé de prendre sa revanche ; plus loin, il aperçut une jolie femme dont les agaceries l'avaient trouvé froid ; chaque visage [1532] lui reprochait un de ces torts inexplicables en apparence, mais dont le crime gît toujours dans une invisible blessure faite à l'amour-propre. Il avait involontairement froissé toutes les petites vanités qui gravitaient autour de lui. Les convives de ses fêtes ou ceux auxquels il avait offert ses chevaux s'étaient irrités de son luxe ; surpris

de leur ingratitude, il leur avait épargné cette espèce
d'humiliation [1533] : dès lors, ils s'étaient crus méprisés
et l'accusaient d'aristocratie.

En sondant ainsi les cœurs, il put en déchiffrer [1534]
les pensées les plus secrètes ; il eut horreur de la société,
de sa politesse, de son vernis. Riche et d'un esprit
supérieur, il était envié, haï ; son silence trompait
la curiosité, sa modestie semblait de la hauteur à ces
gens mesquins et superficiels. Il devina le crime latent,
irrémissible, dont il était coupable envers eux : il échappait à la juridiction de leur médiocrité. Rebelle à leur
despotisme inquisiteur, il savait se passer d'eux ; pour
se venger de cette royauté clandestine, tous s'étaient
instinctivement ligués pour lui faire sentir leur pouvoir,
le soumettre à quelque ostracisme, et lui apprendre
qu'eux aussi pouvaient se passer de lui.

Pris de pitié d'abord à cette vue du monde, il frémit
bientôt en pensant à la souple puissance qui lui soule-
vait ainsi le voile de chair sous lequel est ensevelie
la nature morale, et ferma les yeux comme pour ne
plus rien voir. Tout à coup, un rideau noir fut tiré
sur cette sinistre fantasmagorie de vérité, mais il se
trouva dans l'horrible isolement qui attend les puissances et les dominations. En ce moment [1535], il eut
un violent accès de toux. Loin de recueillir une seule
de ces paroles indifférentes et banales, mais [1536] qui
du moins simulent une espèce de compassion polie
chez les personnes de bonne compagnie rassemblées
par hasard, il entendit des interjections hostiles et des
plaintes murmurées à voix basse. La société ne daignait
même plus se grimer pour lui, parce qu'il la devinait
peut-être [1537].

— Sa maladie est contagieuse...

— Le président du Cercle devrait [1538] lui interdire
l'entrée du salon.

— En bonne police, il est vraiment défendu de
tousser ainsi !

— Quand un homme est aussi malade, il ne doit pas venir [1539] aux eaux...

— Il me chassera d'ici !

Raphaël se leva pour se dérober à la malédiction générale, et se promena dans l'appartement. Il voulut trouver une protection, et revint [1540] près d'une jeune femme inoccupée à laquelle il médita d'adresser quelques flatteries ; mais, à son approche, elle lui tourna le dos et feignit de regarder les danseurs. Raphaël [1541] craignit d'avoir déjà pendant cette soirée usé de son talisman ; il ne se sentit ni la volonté ni le courage d'entamer la conversation, quitta le salon et se réfugia [1542] dans la salle de billard. Là, personne ne lui parla, ne le salua, ne lui jeta le plus léger regard de bienveillance. Son esprit naturellement méditatif lui révéla, par intuition, la cause générale et rationnelle de l'aversion qu'il avait excitée [1543]. Ce petit monde obéissait, sans le savoir peut-être, à la grande loi qui régit la haute société, dont la morale implacable se développa tout entière aux yeux de Raphaël. Un regard [1544] rétrograde lui en montra le type complet en Fœdora. Il ne devait pas rencontrer plus de sympathie pour ses maux, chez celle-ci, que, pour ses misères de cœur, chez celle-là. Le beau monde bannit de son sein les malheureux, comme un homme de santé vigoureuse expulse de son corps un principe morbifique. Le monde abhorre [1545] les douleurs et les infortunes, il les redoute à l'égal des contagions, il n'hésite jamais entre elles et les vices : le vice est un luxe. Quelque majestueux que soit un malheur, la société sait l'amoindrir, le ridiculiser par une épigramme ; elle dessine des caricatures pour jeter à la tête des rois déchus les affronts qu'elle croit avoir reçus d'eux ; semblable aux jeunes Romaines du Cirque [1546], elle ne fait jamais grâce au gladiateur qui tombe ; elle vit d'or et de moquerie... *Mort aux faibles !* est le vœu de cette espèce d'Ordre équestre institué chez toutes les nations de la terre, car il s'élève partout des riches, et cette sentence est écrite au fond des cœurs pétris par l'opulence ou nourris par l'aristocratie. Rassemblez-vous [1547] des enfants dans un collège ? Cette image en raccourci de la société, mais image d'autant plus vraie qu'elle est plus naïve et plus franche, vous offre toujours de pauvres ilotes, créatures de souffrance et de douleur incessamment placées entre le mépris et la pitié : l'Évangile leur promet le ciel. Descendez-vous plus bas sur l'échelle des êtres organisés ? Si quelque volatile est endolori parmi ceux d'une basse-cour, les autres le poursuivent à coups de bec, le plument et l'assassinent.

Fidèle à cette charte de l'égoïsme, le monde prodigue ses rigueurs aux misères assez hardies pour venir affronter ses fêtes, pour chagriner ses plaisirs. Quiconque souffre de corps ou d'âme, manque d'argent ou de pouvoir, est un paria. Qu'il reste dans son désert ! s'il en franchit les limites, il trouve partout l'hiver : froideur [1548] de regards, froideur de manières, de paroles, de cœur ; heureux s'il ne récolte pas l'insulte là où pour lui devait éclore une consolation ! — Mourants, restez sur vos lits désertés. Vieillards, soyez seuls à vos froids foyers. Pauvres filles sans dot, gelez et brûlez dans vos greniers solitaires. Si le monde tolère un malheur, n'est-ce pas pour le façonner à son usage, en tirer profit, le bâter, lui mettre un mors, une housse, le monter, en faire une joie ? Quinteuses demoiselles de compagnie, composez-vous de gais visages ; endurez les vapeurs de votre prétendue bienfaitrice ; portez ses chiens ; rivales de ces griffons [1549] anglais, amusez-la, devinez-la, puis taisez-vous ! Et toi, roi des valets sans livrée, parasite effronté, laisse ton caractère à la maison ; digère comme digère ton amphitryon, pleure de ses pleurs, ris de son rire, tiens ses épigrammes pour agréables ; si tu veux en médire, attends sa chute. Ainsi le monde honore-t-il le malheur : il le tue ou le chasse, l'avilit ou le châtre.

Ces réflexions sourdirent au cœur de Raphaël avec la promptitude d'une inspiration poétique ; il regarda autour de lui, et sentit ce froid sinistre que la société distille pour éloigner les misères, et qui saisit l'âme encore plus vivement que la bise de décembre ne glace le corps. Il se croisa les bras sur la poitrine, s'appuya le dos à la muraille et tomba dans une mélancolie profonde. Il songeait au peu de bonheur que cette épouvantable police procure au monde. Qu'était-ce ? des amusements [1550] sans plaisir, de la gaieté sans joie, des fêtes sans jouissance, du délire sans volupté, enfin le bois ou les cendres d'un foyer, mais sans [1551] une étincelle de flamme. Quand il releva la tête, il se vit seul, les joueurs avaient fui [1552].

— Pour leur faire adorer ma toux, il me suffirait de leur révéler mon pouvoir ! se dit-il.

A cette pensée, il jeta le mépris comme un manteau entre le monde et lui.

Le lendemain, le médecin des eaux vint le voir d'un air [1553] affectueux et s'inquiéta de sa santé. Raphaël éprouva un mouvement de joie en entendant les paroles amies qui lui furent adressées. Il trouva la physionomie du docteur empreinte de douceur et de bonté, les boucles de sa perruque blonde respiraient la philanthropie, la coupe de son habit carré, les plis de son pantalon, ses souliers larges comme ceux d'un quaker, tout, jusqu'à la poudre circulairement semée par sa petite queue sur son dos légèrement voûté, trahissait un caractère apostolique, exprimait la charité chrétienne et le dévouement d'un homme qui, par zèle, pour ses malades, s'était astreint à jouer le whist et le trictrac [1554] assez bien pour toujours gagner leur argent.

— Monsieur le marquis, dit-il après avoir causé longtemps avec Raphaël, je vais sans doute dissiper votre tristesse. Maintenant, je connais assez votre constitution pour affirmer que les médecins de Paris, dont les grands talents me sont connus, se sont trompés [1555] sur la nature de votre maladie. A moins d'accident, monsieur le marquis, vous pouvez vivre la vie de Mathu-

salem. Vos poumons sont aussi forts que des soufflets
de forge, et votre estomac ferait honte à celui d'une
autruche ; mais, si vous restez dans une température
élevée, vous risquez d'être très proprement et promptement mis en terre sainte. Monsieur le marquis va me
comprendre en deux mots. La chimie a démontré
que la respiration constitue chez l'homme une véritable combustion, dont le plus ou moins d'intensité
dépend de l'affluence ou de la rareté des principes
phlogistiques amassés par l'organisme particulier à
chaque individu. Chez vous, le phlogistique [1556] abonde ;
vous êtes, s'il m'est permis de m'exprimer ainsi, suroxy-
géné par la complexion ardente des hommes [1557] destinés aux grandes passions. En respirant l'air vif et
pur qui accélère la vie chez les hommes à fibre molle,
vous aidez encore à une combustion déjà trop rapide.
Une des conditions de votre existence est donc l'atmosphère épaisse des étables, des vallées. Oui, l'air
vital de l'homme dévoré par le génie se trouve dans [1558]
les gras pâturages de l'Allemagne, à Baden-Baden, à
Tœplitz. Si vous n'avez pas d'horreur de l'Angleterre,
sa sphère brumeuse calmera votre incandescence ;
mais nos eaux, situées à mille pieds au-dessus du niveau
de la Méditerranée, vous sont funestes. Tel est [1559]
mon avis, dit-il en laissant échapper un geste de modestie; je le donne contre nos intérêts, puisque, si vous le
suivez, nous aurons le malheur de vous perdre.

Sans ces derniers mots, Raphaël eût été séduit par [1560]
la fausse bonhomie du mielleux médecin ; mais il
était trop profond observateur pour ne pas deviner
à l'accent, au geste et au regard qui accompagnèrent
cette phrase doucement railleuse, la mission dont le
petit homme avait sans doute été chargé par l'assemblée
de ses joyeux malades. Ces oisifs au teint fleuri, ces
vieilles femmes ennuyées, ces Anglais nomades, ces
petites-maîtresses échappées à leurs maris et conduites
aux eaux par leurs amants entreprenaient donc d'en

chasser un pauvre moribond débile, chétif, en apparence
incapable de résister à une persécution journalière !
Raphaël accepta le combat en voyant un amusement
dans cette intrigue.

— Puisque vous seriez désolé de mon départ, répondit-il au docteur, je vais essayer de mettre à profit
votre bon conseil, tout en restant ici. Dès demain,
j'y ferai construire une maison où nous modifierons [1561]
l'air suivant votre ordonnance.

Interprétant [1562] le sourire amèrement goguenard
qui vint errer sur les lèvres de Raphaël, le médecin se
contenta de le saluer, sans trouver un mot à lui dire [1563].

Le [1564] lac du Bourget est une vaste coupe de montagnes tout ébréchée où brille, à sept ou huit cents
pieds au-dessus de la Méditerranée, une goutte d'eau
bleue comme ne l'est aucune eau dans le monde. Vu du
haut de la Dent-du-Chat, ce lac est là comme une
turquoise égarée. Cette jolie goutte d'eau a neuf lieues
de contour et, dans certains endroits, près de cinq cents
pieds de profondeur. Être là, dans une barque au milieu
de cette nappe, par un beau ciel, n'entendre que le bruit
des rames, ne voir à l'horizon que des montagnes
nuageuses, admirer [1565] les neiges étincelantes de la
Maurienne française ; passer tour à tour, des blocs
de granit vêtus de velours par des fougères ou par
des arbustes nains, à de riantes collines ; d'un côté le
désert, de l'autre une riche nature ; un pauvre assistant
au dîner d'un riche : ces harmonies et ces discordances
composent un spectacle [1566] où tout est grand, où
tout est petit. L'aspect des montagnes change les conditions de l'optique et de la perspective : un sapin de
cent pieds vous semble un roseau, de larges vallées
vous [1567] apparaissent étroites autant que des sentiers.
Ce lac est le seul où l'on puisse faire une confidence
de cœur à cœur. On y pense et on y aime. En aucun
endroit, vous ne rencontreriez une plus belle entente
entre l'eau, le ciel, les montagnes et la terre. Il s'y trouve

des baumes pour [1568] toutes les crises de la vie. Ce lieu
garde le secret des douleurs, il les console, les amoindrit, et jette dans l'amour je ne sais quoi de grave,
de recueilli, qui rend la passion plus profonde, plus
pure. Un baiser s'y agrandit. Mais c'est surtout le lac
des souvenirs ; il les favorise en leur donnant la teinte
de ses ondes, miroir où tout vient se réfléchir [1569].

Raphaël ne supportait son fardeau qu'au milieu
de ce beau paysage, il y pouvait rester indolent, songeur, et sans désirs [1570]. Après la visite du docteur, il
alla se promener et se [1571] fit débarquer à la pointe
déserte d'une jolie colline sur laquelle est situé le village
de Saint-Innocent. De cette espèce de promontoire,
la vue embrasse les monts de Bugey, au pied desquels
coule le Rhône, et le fond du lac ; mais, de là, Raphaël
aimait à contempler, sur la rive opposée, l'abbaye [1572]
mélancolique de Haute-Combe, sépulture des rois
de Sardaigne prosternés devant les montagnes comme
des pèlerins arrivés au terme de leur voyage. Un frissonnement égal et cadencé de rames troubla le silence
de ce paysage et lui prêta une voix [1573] monotone,
semblable aux psalmodies des moines. Étonné de
rencontrer des promeneurs dans cette partie du lac,
ordinairement solitaire, le marquis examina, sans sortir
de sa rêverie, les personnes assises dans la barque,
et reconnut à l'arrière la vieille dame qui l'avait si
durement interpellé la veille. Quand le bateau passa
devant Raphaël, il ne fut salué que par la demoiselle [1574]
de compagnie de cette dame, pauvre fille noble qu'il
lui semblait voir pour la première fois. Déjà, depuis
quelques instants, il avait oublié les promeneurs, promptement disparus derrière le promontoire, lorsqu'il entendit près de lui le frôlement d'une robe et le bruit de
pas légers. En se retournant, il aperçut la demoiselle
de compagnie ; à son air contraint, il devina qu'elle
voulait lui parler, et s'avança [1575] vers elle. Âgée d'environ trente-six ans, grande et mince, sèche et froide,

elle était, comme toutes les vieilles filles, assez embar-
rassée de son regard, qui ne s'accordait plus avec une
démarche indécise, gênée, sans élasticité. Tout à la fois
vieille et jeune, elle exprimait par une certaine dignité
de maintien le haut prix qu'elle attachait à ses trésors
et à ses perfections. Elle avait [1576], d'ailleurs, les gestes
discrets et monastiques des femmes habituées à se
chérir elles-mêmes, sans doute pour ne pas faillir à leur
destinée d'amour.

— Monsieur, votre vie est en danger, ne venez plus
au Cercle ! dit-elle à Raphaël en faisant quelques [1577]
pas en arrière, comme si déjà sa vertu se trouvait
compromise.

— Mais, mademoiselle, répondit Valentin en souriant, de grâce, expliquez-vous plus clairement, puisque
vous avez daigné venir jusqu'ici...

— Ah ! reprit-elle, sans le puissant motif qui m'amène,
je n'aurais pas risqué d'encourir la disgrâce de madame
la comtesse, car si elle savait jamais que je vous ai
prévenu...

— Et qui le lui dirait, mademoiselle ? s'écria Raphaël.

— C'est vrai, répondit la vieille fille en lui jetant le
regard tremblotant d'une chouette mise au soleil.
Mais pensez à vous, ajouta-t-elle; plusieurs jeunes gens
qui veulent vous chasser des eaux se sont promis de
vous provoquer, de vous forcer à vous battre en duel.

La voix [1578] de la vieille dame retentit dans le lointain.

— Mademoiselle, dit le marquis, ma reconnaissance...

Sa protectrice s'était [1579] déjà sauvée en entendant la
voix de sa maîtresse, qui derechef glapissait dans les
rochers.

— Pauvre fille ! les misères s'entendent et se
secourent toujours, pensa Raphaël en s'asseyant au
pied d'un arbre.

La clef de toutes les sciences est, sans contredit, le
point d'interrogation ; nous devons la plupart des
grandes découvertes au *Comment ?* et la sagesse dans

la vie consiste peut-être à se demander à tout propos :
Pourquoi ? Mais aussi cette factice prescience détruit-
elle nos illusions. Ainsi, Valentin ayant pris, sans pré-
méditation de philosophie, la bonne action de la vieille
fille pour texte de ses pensées vagabondes, la trouva
pleine de fiel.

— Que je sois aimé d'une demoiselle de compagnie,
se dit-il, il n'y a rien là d'extraordinaire : j'ai vingt-
sept ans, un titre et deux cent mille livres de rente !
Mais que sa maîtresse, qui dispute aux chattes la palme
de l'hydrophobie, l'ait menée en bateau, près de moi,
n'est-ce pas chose étrange et merveilleuse ? Ces deux
femmes venues en Savoie pour y dormir comme des
marmottes, et qui demandent à midi s'il est jour, se
seraient levées avant huit heures aujourd'hui pour faire
du hasard en se mettant à ma poursuite [1580] !

Bientôt cette vieille fille et son ingénuité quadra-
génaire furent à ses yeux une nouvelle transformation
de ce monde artificieux et taquin, une ruse mesquine,
un complot maladroit, une pointillerie de prêtre ou de
femme. Le duel était-il une fable, ou voulait-on seulement lui faire peur ? Insolentes et tracassières comme
des mouches, ces âmes étroites avaient réussi à piquer
sa vanité, à réveiller son orgueil, à exciter sa curiosité.
Ne voulant ni devenir leur dupe, ni passer pour un
lâche, et amusé peut-être par ce petit drame, il vint
au Cercle le soir même. Il se tint debout, appuyé sur le
marbre de la cheminée, et resta [1581] tranquille au milieu
du salon principal, en s'étudiant à ne donner aucune
prise sur lui ; mais il examinait les visages, et défiait
en quelque sorte l'assemblée par sa circonspection.
Comme un dogue sûr de sa force, il attendait le combat
chez lui, sans aboyer inutilement. Vers la fin de la soirée,
il se promena dans le salon de jeu, en allant de la porte
d'entrée à celle du billard, où il jetait de temps à autre
un coup d'œil aux jeunes gens qui y faisaient une partie.
Après quelques tours, il s'entendit nommer par eux.

Quoiqu'ils parlassent à voix basse, Raphaël devina [1582] facilement qu'il était devenu l'objet d'un débat, et finit par saisir quelques phrases dites à haute voix :

— Toi ?

— Oui, moi !

— Je t'en défie !

— Parions ?

— Oh! il ira.

Au moment où Valentin, curieux de connaître le sujet du pari, s'avançait pour [1583] écouter attentivement la conversation, un jeune homme grand et fort, de bonne mine, mais ayant le regard fixe et impertinent des gens appuyés sur quelque pouvoir matériel, sortit du billard.

— Monsieur, dit-il d'un ton calme en s'adressant à Raphaël, je me suis chargé de vous apprendre une chose que vous semblez ignorer : votre figure et votre personne déplaisent ici à tout le monde, et à moi en particulier... Vous êtes trop poli pour ne pas vous sacrifier au bien général, et je vous prie de ne plus vous présenter au Cercle.

— Monsieur, cette plaisanterie, déjà faite sous l'Empire dans plusieurs garnisons, est devenue aujourd'hui de fort mauvais ton, répondit froidement Raphaël.

— Je ne plaisante pas, répondit le jeune homme. Je vous [1584] le répète : votre santé souffrirait beaucoup de votre séjour ici ; la chaleur, les lumières, l'air du salon, la compagnie, nuisent à votre maladie.

— Où avez-vous étudié la médecine ? demanda Raphaël.

— Monsieur, j'ai été reçu bachelier au tir de Lepage [1585], à Paris, et docteur chez Cérisier, le roi [1586] du fleuret.

— Il vous reste un dernier grade à prendre, répliqua Valentin, étudiez [1587] le code de la politesse, vous serez un parfait gentilhomme.

En ce moment, les jeunes gens, souriants ou silen-

cieux, sortirent du billard. Les autres joueurs, devenus
attentifs, quittèrent leurs cartes pour écouter une querelle qui réjouissait leurs [1588] passions. Seul au milieu
de ce monde ennemi, Raphaël tâcha de conserver son
sang-froid et de ne pas se donner le moindre tort ; mais,
son antagoniste s'étant permis un sarcasme où l'outrage
s'enveloppait dans une forme éminemment incisive
et spirituelle, il lui répondit gravement :

— Monsieur, il n'est plus permis aujourd'hui de
donner un soufflet à un homme, mais je ne sais de quel
mot flétrir [1589] une conduite aussi lâche que l'est la
vôtre.

— Assez ! assez ! vous vous expliquerez demain,
dirent plusieurs jeunes gens qui se jetèrent [1590] entre
les deux champions.

Raphaël sortit du salon, passant pour l'offenseur,
ayant accepté un rendez-vous près du château de Bordeau, dans une petite prairie en pente, non loin d'une
route nouvellement percée par où le vainqueur pouvait gagner Lyon. Raphaël devait nécessairement ou
garder le lit ou quitter [1591] les eaux d'Aix. La société
triomphait. Le lendemain, sur les huit heures du matin,
l'adversaire de Raphaël, suivi de deux témoins et d'un
chirurgien, arriva le premier sur le terrain.

— Nous serons très bien ici ; il fait un temps superbe
pour se battre ! s'écria-t-il gaiement en regardant [1592]
la voûte bleue du ciel, les eaux du lac et les rochers,
sans la moindre arrière-pensée de doute ni de deuil.
— Si je le touche à l'épaule, dit-il en continuant, le
mettrai-je bien au lit pour un mois, hein, docteur [1593] ?

— Au moins, répondit le chirurgien. Mais laissez
ce petit saule tranquille ; autrement, vous vous fati-
gueriez la main et ne seriez [1594] plus maître de votre
coup. Vous pourriez tuer votre homme au lieu de le
blesser.

Le bruit d'une voiture se fit entendre.

— Le voici, dirent les témoins, qui bientôt aperçurent dans la route une calèche [1595] de voyage attelée de quatre chevaux et menée par deux postillons.

— Quel singulier genre ! s'écria l'adversaire de Valentin, il vient se faire tuer en poste...

A un duel comme au jeu, les plus légers incidents influent sur l'imagination des acteurs fortement intéressés au succès d'un coup [1596] ; aussi le jeune homme attendit-il avec une sorte d'inquiétude l'arrivée de cette voiture, qui resta sur la route. Le vieux Jonathas en descendit lourdement le premier pour aider Raphaël à sortir ; il le soutint de ses bras débiles, en déployant pour lui [1597] les soins minutieux qu'un amant prodigue à sa maîtresse. Tous deux se perdirent dans les sentiers qui séparaient la grande route de l'endroit désigné pour le combat, et ne reparurent que longtemps après : ils allaient lentement. Les quatre spectateurs [1598] de cette scène singulière éprouvèrent une émotion profonde à l'aspect de Valentin appuyé sur le bras de son serviteur : pâle [1599] et défait, il marchait en goutteux, baissait la tête et ne disait mot. Vous eussiez dit deux vieillards [1600] également détruits, l'un par le temps, l'autre par la pensée ; le premier avait son âge écrit sur ses cheveux blancs, le jeune n'avait plus d'âge.

— Monsieur, je n'ai pas dormi ! dit Raphaël à son adversaire.

Cette parole glaciale et le regard terrible qui l'accompagna [1601] firent tressaillir le véritable provocateur, il eut la conscience de son tort et une honte secrète de sa conduite. Il y avait dans l'attitude, dans le son de voix et le geste de Raphaël quelque chose d'étrange. Le marquis fit une pause, et chacun imita son silence. L'inquiétude et l'attention étaient au comble.

— Il est encore temps, reprit-il, de me donner une légère satisfaction ; mais donnez-la-moi, monsieur, sinon vous allez mourir. Vous comptez encore en ce moment sur votre habileté, sans reculer à l'idée d'un combat où vous croyez avoir tout l'avantage. Eh

bien, monsieur, je suis généreux, je vous préviens de
ma supériorité. Je possède une terrible puissance.
Pour anéantir votre adresse, pour voiler vos regards,
faire trembler votre main [1602] et palpiter votre cœur,
pour vous tuer même, il me suffit de le désirer. Je
ne veux pas être obligé d'exercer [1603] mon pouvoir
il me coûte trop cher d'en user. Vous ne seriez pas le
seul à mourir [1604]. Si donc vous vous refusez à me présenter des excuses, votre balle ira dans l'eau de cette
cascade malgré [1605] votre habitude de l'assassinat, et la
mienne droit à votre cœur sans que je le vise.

En ce moment, des voix confuses interrompirent
Raphaël. En prononçant ces paroles, le marquis avait
constamment dirigé sur son adversaire l'insupportable clarté de son regard fixe, il s'était redressé en
montrant un visage impassible, semblable à celui
d'un fou méchant [1606].

— Fais-le taire, avait dit le jeune homme à l'un
de ses témoins, sa voix me tord les entrailles !

— Monsieur, cessez... Vos discours sont inutiles,
crièrent à Raphaël le chirurgien et les témoins.

— Messieurs, je remplis un devoir. Ce jeune homme
a-t-il des dispositions à prendre ?

— Assez ! assez !

Le marquis resta debout, immobile, sans perdre
un instant de vue Charles, son adversaire, qui dominé [1607]
par une puissance presque magique, était comme un
oiseau devant un serpent : contraint de subir ce regard
homicide, il le fuyait, il revenait sans cesse.

— Donne-moi de l'eau, j'ai soif..., dit-il au même
témoin.

— As-tu peur ?

— Oui, répondit-il. L'œil de cet homme est brûlant
et me fascine.

— Veux-tu lui faire des excuses ?

— Il n'est plus temps.

Les deux adversaires furent placés à quinze [1608]

pas l'un de l'autre. Ils avaient, chacun, près d'eux
une paire de pistolets, et, suivant le programme de
cette cérémonie, ils devaient tirer deux coups à volonté,
mais après le signal donné par les témoins [1609].

— Que fais-tu, Charles ? cria le jeune homme qui
servait de second à l'adversaire de Raphaël, tu prends
la balle avant la poudre !

— Je suis mort ! répondit-il en murmurant, vous
m'avez mis en face du soleil...

— Il est derrière vous, lui dit Valentin d'une voix
grave et solennelle en chargeant son pistolet lentement,
sans s'inquiéter ni du signal déjà donné, ni du soin avec
lequel l'ajustait son adversaire.

Cette sécurité surnaturelle avait quelque chose de
terrible qui saisit même les deux postillons, amenés
là par une curiosité cruelle. Jouant avec son pouvoir,
ou voulant l'éprouver, Raphaël parlait à Jonathas et
le regardait au moment où il essuya le feu de son ennemi.
La balle de Charles alla briser une branche de saule
et ricocha sur l'eau. En tirant au hasard Raphaël atteignit son adversaire au cœur, et [1610], sans faire attention
à la chute de ce jeune homme, il chercha promptement
la peau de chagrin pour voir ce que lui coûtait une vie
humaine. Le talisman n'était plus grand que comme une
petite feuille de chêne [1611].

— Eh bien, que regardez-vous donc là, postillons ?
En route ! dit le marquis.

Arrivé le soir même en France, il prit aussitôt la
route d'Auvergne et se rendit aux eaux du mont Dore.
Pendant [1612] ce voyage, il lui surgit au cœur une de ces
pensées soudaines qui tombent dans notre âme comme
un rayon de soleil à travers d'épais nuages sur quelque
obscure vallée. Tristes lueurs, sagesses implacables !
elles illuminent les événements accomplis, nous dévoi-
lent nos fautes et nous laissent sans pardon devant nous-
mêmes. Il pensa tout à coup que la possession du pouvoir, quelque immense qu'il pût être, ne donnait pas

la science de s'en servir. Le sceptre est un jouet pour un enfant, une hache pour Richelieu, et pour Napoléon un levier à faire pencher le monde. Le pouvoir nous laisse tels que nous sommes et ne grandit que les grands. Raphaël avait pu tout faire, il n'avait rien fait.

Aux eaux du mont Dore, il retrouva ce monde qui toujours s'éloignait [1613] de lui avec l'empressement que les animaux mettent à fuir un des leurs, étendu mort, après l'avoir flairé de loin. Cette haine était réciproque. Sa dernière aventure lui avait donné une aversion profonde pour la société. Aussi, son premier soin fut-il de chercher un asile écarté aux environs des eaux. Il sentait instinctivement le besoin de se rapprocher de la nature, des émotions vraies et de cette vie végétative à laquelle nous nous laissons si complaisamment aller au milieu des champs. Le lendemain de son arrivée, il gravit, non sans peine, le pic de Sancy, et visita les vallées supérieures, les sites aériens, les lacs ignorés, les rustiques chaumières des monts Dore, dont les âpres et sauvages attraits commencent à tenter les pinceaux de nos artistes. Parfois, il se rencontre là d'admirables paysages pleins de grâce et de fraîcheur qui contrastent vigoureusement avec l'aspect sinistre de ces montagnes désolées. A peu près à une demi-lieue du village, Raphaël se trouva dans un endroit où, coquette et joyeuse comme un enfant, la nature semblait avoir pris plaisir à cacher des trésors ; en voyant cette retraite pittoresque et naïve, il résolut d'y vivre. La vie devait y être tranquille, spontanée, frugiforme comme celle d'une plante.

Figurez-vous un cône renversé, mais un cône de granit largement évasé, espèce de cuvette dont les bords [1614] étaient morcelés par des anfractuosités bizarres : ici [1615] des tables droites sans végétation, unies, bleuâtres, et sur lesquelles les rayons solaires glissaient comme sur un miroir ; là, des rochers entamés [1616] par des cassures, ridés par des ravins, d'où

pendaient des quartiers de lave dont la chute était
lentement préparée par les eaux pluviales, et souvent
couronnés de quelques arbres rabougris que [1617] tor-
turaient les vents ; puis, çà et là, des redans obscurs
et frais d'où s'élevaient un bouquet de châtaigniers
hauts comme des cèdres, ou des grottes jaunâtres qui
ouvraient une [1618] bouche noire et profonde, palissée
de ronces, de fleurs, et garnie d'une langue [1619] de
verdure. Au fond de cette coupe, peut-être l'ancien
cratère d'un volcan, se trouvait un étang dont [1620]
l'eau pure avait l'éclat du diamant. Autour de ce bassin
profond, bordé de granit, de saules, de glaïeuls, de
frênes et de mille plantes aromatiques alors en fleur,
régnait une prairie verte comme un boulingrin anglais ;
son herbe fine et jolie était arrosée par les infiltrations
qui ruisselaient entre les fentes des rochers, et engraissée
par les dépouilles [1621] végétales que les orages entraî-
naient sans cesse des hautes cimes vers le fond.

Irrégulièrement taillé en dents de loup comme le
bas d'une robe, l'étang pouvait avoir trois arpents [1622]
d'étendue ; selon les rapprochements des rochers et
de l'eau, la prairie avait un arpent ou deux de largeur ;
en quelques endroits, à peine restait-il assez de place
pour le passage des vaches. A une certaine hauteur,
la végétation cessait. Le granit affectait dans les airs
les formes les plus bizarres, et contractait ces teintes
vaporeuses qui donnent aux montagnes élevées [1623]
de vagues ressemblances avec les nuages du ciel. Au
doux aspect du vallon, ces rochers nus et pelés opposaient les sauvages et stériles images de la désolation [1624],
des éboulements à craindre, des formes si capricieuses [1625],
que l'une de ces roches est nommée *le Capucin*, tant elle
ressemble à un moine. Parfois [1626], ces aiguilles pointues,
ces piles audacieuses, ces cavernes aériennes s'illumi-
naient tour à tour, suivant le cours du soleil ou les
fantaisies de l'atmosphère, et prenaient les nuances
de l'or, se teignaient de pourpre, devenaient d'un rose

vif, ou ternes ou grises. Ces hauteurs offraient un spectacle [1627] continuel et changeant comme les reflets
irisés de la gorge des pigeons.

Souvent [1628], entre deux lames de lave que vous
eussiez dit séparées par un coup de hache, un beau
rayon de lumière pénétrait, à l'aurore ou au coucher
du soleil, jusqu'au fond de cette riante corbeille où
il se jouait [1629] dans les eaux du bassin, semblable à
la raie d'or qui perce la fente d'un volet et traverse
une chambre espagnole, soigneusement close pour la
sieste. Quand le soleil planait au-dessus du vieux
cratère, rempli d'eau par quelque révolution antédi-
luvienne, les flancs rocailleux s'échauffaient, l'ancien
volcan s'allumait, et sa rapide chaleur réveillait les
germes, fécondait la végétation, colorait les fleurs et
mûrissait les fruits de ce petit coin de terre ignoré.

Lorsque Raphaël y parvint, il aperçut plusieurs
vaches paissant dans la prairie; après avoir fait quelques
pas vers l'étang [1630], il vit, à l'endroit où le terrain
avait le plus de largeur, une modeste maison bâtie
en granit et couverte en bois. Le toit de cette espèce de
chaumière, en harmonie avec le site, était [1631] orné de
mousses, de lierres et de fleurs qui trahissaient une haute
antiquité. Une fumée grêle, dont les oiseaux ne s'effrayaient plus, s'échappait de la cheminée en ruine.
A la porte, un grand [1632] banc était placé entre deux
chèvrefeuilles énormes, rouges de fleurs et qui embaumaient. A peine voyait-on les murs sous les pampres
de la vigne et sous les guirlandes de roses et de jasmin
qui croissaient à l'aventure et sans gêne. Insouciants
de cette parure champêtre, les habitants n'en avaient
nul soin, et laissaient à la nature sa grâce vierge et
lutine [1633]. Des langes accrochés à un groseillier séchaient
au soleil. Il y avait un chat accroupi sur une machine
à teiller le chanvre, et dessous, un chaudron jaune,
récemment récuré, gisait au milieu de quelques pelures
de pommes de terre. De l'autre côté de la maison,

Raphaël aperçut une clôture d'épines sèches, destinée
sans doute à empêcher les poules de dévaster les fruits
et le potager.

Le monde paraissait finir là. Cette habitation ressemblait à ces nids d'oiseaux ingénieusement fixés au
creux d'un rocher, pleins [1634] d'art et de négligence
tout ensemble. C'était une nature naïve et bonne, une
rusticité vraie, mais poétique, parce qu'elle florissait
à mille lieues de nos poésies peignées, n'avait d'analogie
avec aucune idée, ne procédait que d'elle-même, vrai
triomphe [1635] du hasard. Au moment où Raphaël arriva,
le soleil jetait ses rayons de droite à gauche, et faisait
resplendir les couleurs de la végétation, mettait en relief
ou décorait des prestiges de la lumière, des oppositions
de l'ombre [1636], les fonds jaunes et grisâtres des rochers,
les différents verts des feuillages, les masses bleues,
rouges ou blanches des fleurs, les plantes grimpantes
et leurs cloches, le velours chatoyant des mousses, les
grappes purpurines de la bruyère, mais surtout la
nappe d'eau claire où se réfléchissaient fidèlement
les cimes granitiques, les arbres, la maison et le ciel.
Dans ce tableau délicieux, tout avait son lustre, depuis
le mica brillant jusqu'à la touffe d'herbes blondes
cachée dans un doux clair-obscur; tout y était harmonieux à voir : et la vache [1637] tachetée au poil luisant, et
les fragiles fleurs aquatiques étendues comme des franges
qui pendaient au-dessus de l'eau dans un enfoncement
où bourdonnaient des insectes vêtus d'azur ou d'éme-
raude, et les racines d'arbres, espèces de chevelures
sablonneuses qui couronnaient une informe figure
en cailloux. Les tièdes senteurs des eaux, des fleurs et
des grottes qui parfumaient ce réduit solitaire cau-
sèrent à Raphaël une sensation presque voluptueuse.

Le silence majestueux qui régnait dans ce bocage,
oublié peut-être sur les rôles du percepteur, fut interrompu tout à coup par les aboiements [1638] de deux
chiens. Les vaches tournèrent la tête vers l'entrée du

vallon, montrèrent à Raphaël leurs mufles humides,
et se mirent à brouter après l'avoir stupidement contemplé [1639]. Suspendus dans les rochers comme par
magie, une chèvre et son chevreau cabriolèrent et
vinrent se poser sur une table de granit près de Raphaël,
en paraissant l'interroger. Les jappements des chiens
attirèrent au dehors un gros enfant qui resta béant,
puis vint un vieillard à cheveux blancs et de moyenne
taille. Ces deux êtres étaient en rapport avec le paysage,
avec l'air, les fleurs et la maison. La santé débordait
dans cette nature plantureuse, la vieillesse et l'enfance
y étaient belles ; enfin il y avait dans tous ces types
d'existence un laisser-aller primordial, une routine
de bonheur qui donnait un démenti à nos capucinades
philosophiques, et guérissait le cœur de ses passions
boursouflées.

Le vieillard appartenait aux modèles affectionnés
par les mâles pinceaux de Schnetz [1640] : c'était un
visage brun dont les rides nombreuses paraissaient
rudes au toucher, un nez droit, des pommettes sail-
lantes et veinées de rouge comme une vieille feuille
de vigne, des contours anguleux, tous les caractères
de la force, même là où la force avait disparu ; ses
mains calleuses, quoiqu'elles ne travaillassent plus,
conservaient un poil blanc et rare ; son attitude d'homme
vraiment libre faisait pressentir qu'en Italie il serait [1641]
peut-être devenu brigand par amour pour sa précieuse
liberté. L'enfant, véritable montagnard, avait des yeux
noirs qui pouvaient envisager le soleil sans cligner,
un teint de bistre, des cheveux bruns en désordre. Il
était leste et décidé, naturel dans ses mouvements comme
un oiseau ; mal vêtu, il laissait voir une peau blanche
et fraîche à travers les déchirures de ses habits. Tous
deux restèrent debout en silence, l'un près de l'autre,
mus par le même sentiment, offrant sur leur physionomie
la preuve d'une identité parfaite dans leur vie également
oisive. Le vieillard avait épousé les jeux de l'enfant et

l'enfant l'humeur du vieillard, par une espèce de pacte entre deux faiblesses, entre une force près de finir et une force près de se déployer. Bientôt, une femme [1642] âgée d'environ trente ans apparut sur le seuil de la porte. Elle filait en marchant. C'était une Auvergnate, haute en couleur, l'air réjoui, franche, à dents blanches, figure de l'Auvergne, taille de l'Auvergne, coiffure, robe de l'Auvergne, seins rebondis de l'Auvergne, et son parler ; une idéalisation complète du pays, mœurs laborieuses, ignorance, économie, cordialité, tout y était.

Elle salua Raphaël ; ils entrèrent en conversation. Les chiens s'apaisèrent, le vieillard s'assit sur un banc au soleil, et l'enfant suivit sa mère partout où elle alla, silencieux, mais écoutant, examinant l'étranger.

— Vous n'avez pas peur ici, ma bonne femme ?

— Et d'où que nous aurions peur, monsieur ? Quand nous barrons l'entrée, qui donc pourrait venir ici ? Oh ! nous n'avons point peur ! D'ailleurs [1643], dit-elle en faisant entrer le marquis dans la grande chambre de la maison, qu'est-ce que les voleurs viendraient donc prendre chez nous ?

Elle montrait des murs noircis par la fumée, sur lesquels étaient pour tout ornement ces images enluminées de bleu, de rouge et de vert qui représentent la *Mort de Crédit* [1644], la *Passion de Jésus-Christ* et les *Grenadiers de la garde impériale* ; puis, çà et là, dans la chambre, un vieux lit de noyer à colonnes, une table [1645] à pieds tordus, des escabeaux, la huche au pain, du lard pendu au plafond [1646], du sel dans un pot, une poêle [1647] ; et sur la cheminée, des plâtres jaunis et coloriés. En sortant de la maison, Raphaël aperçut, au milieu des rochers, un homme qui tenait une houe à la main, et qui, penché, curieux, regardait la maison.

— Monsieur, c'est l'homme, dit l'Auvergnate en laissant échapper ce sourire familier aux paysannes ; il laboure là-haut.

— Et ce vieillard est votre père ?

— Faites excuse, monsieur, c'est le grand-père de notre homme. Tel que vous le voyez, il a cent deux ans. Eh bien, dernièrement il a mené à pied notre petit gars à Clermont ! Ç'a été un homme fort ; maintenant, il ne fait plus que dormir, boire et manger. Il s'amuse toujours avec le petit gars. Quelquefois, le petit l'emmène dans les hauts, il y va tout de même.

Aussitôt, Valentin se résolut à vivre entre ce vieillard et cet enfant, à respirer dans leur atmosphère, à manger de leur pain, à boire de leur eau, à dormir de leur sommeil, à se faire de leur sang dans les veines. Caprice de mourant ! Devenir une des huîtres de ce rocher, sauver son écaille pour quelques jours de plus en engourdissant la mort fut pour lui l'archétype de la morale individuelle, la véritable [1648] formule de l'existence humaine, le beau idéal de la vie, la seule vie, la vraie vie. Il lui vint au cœur une profonde pensée d'égoïsme où s'engloutit l'univers. A ses yeux, il n'y eut plus d'univers, l'univers [1649] passa tout en lui. Pour les malades, le monde commence au chevet et finit au pied de leur lit. Ce paysage fut le lit de Raphaël.

Qui n'a pas, une fois dans sa vie, espionné les pas et démarches d'une fourmi, glissé des pailles dans l'unique orifice par lequel respire une limace blonde, étudié les fantaisies d'une demoiselle fluette, admiré les mille veines, colorées comme une rose de cathédrale gothique, qui se détachent sur le fond rougeâtre des feuilles d'un chêne [1650] ? Qui n'a délicieusement regardé pendant longtemps l'effet de la pluie et du soleil sur un toit de tuiles brunes, ou contemplé les gouttes de la rosée, les pétales des fleurs, les découpures variées de leurs calices ? Qui ne s'est plongé dans ces rêveries matérielles, indolentes et occupées, sans but et conduisant néanmoins à quelque pensée ? Qui n'a pas, enfin, mené la vie de l'enfance, la vie paresseuse, la vie du sauvage, moins ses travaux ? Ainsi vécut

Raphaël pendant plusieurs jours [1651], sans soins, sans désirs, éprouvant un mieux sensible, un bien-être extraordinaire, qui calma ses inquiétudes, apaisa ses souffrances. Il gravissait les rochers, et allait s'asseoir sur un pic d'où ses yeux embrassaient quelque paysage d'immense étendue. Là, il restait des journées entières comme une plante au soleil, comme un lièvre au gîte. Ou bien, se familiarisant avec les phénomènes de la végétation, avec les vicissitudes du ciel, il épiait le progrès de toutes les œuvres, sur la terre, dans les eaux ou dans l'air.

Il tenta de s'associer au mouvement intime de cette nature et de s'identifier assez complètement à sa passive obéissance pour tomber sous la loi despotique et conservatrice qui régit les existences instinctives. Il ne voulait plus être chargé de lui-même. Semblable à ces criminels d'autrefois, qui, poursuivis par la justice, étaient sauvés s'ils atteignaient l'ombre d'un autel, il essayait de se glisser dans le sanctuaire de la vie. Il réussit à devenir partie intégrante de cette large et puissante fructification : il avait épousé les intempéries de l'air, habité tous les creux de rochers, appris les mœurs et les habitudes de toutes les plantes, étudié le régime des eaux, leurs gisements, et fait connaissance avec les animaux ; enfin, il s'était si parfaitement uni à cette terre animée, qu'il en avait en quelque sorte saisi l'âme et pénétré les secrets. Pour lui, les formes infinies de tous les règnes étaient les développements d'une même substance, les combinaisons d'un même mouvement, vaste respiration d'un être immense qui agissait, pensait, marchait, grandissait, et avec lequel il voulait grandir, marcher, penser, agir. Il avait fantastiquement mêlé sa vie à la vie de ce rocher, il s'y était [1652] implanté.

Grâce à ce mystérieux illuminisme, convalescence factice, semblable à ces bienfaisants délires accordés par la nature comme autant de haltes dans la douleur, Valentin goûta les plaisirs [1653] d'une seconde enfance

durant les premiers moments de son séjour au milieu
de ce riant paysage. Il y allait dénichant des riens, entre-
prenant mille choses sans en achever aucune, oubliant
le lendemain les projets de la veille ; insouciant, il fut
heureux, il se crut [1654] sauvé. Un matin, il était resté
par hasard au lit jusqu'à midi, plongé dans cette rêverie
mêlée de veille et de sommeil qui prête aux réalités
les apparences de la fantaisie et donne aux chimères
le relief de l'existence, quand tout à coup, sans savoir
d'abord s'il ne continuait pas un rêve, il entendit,
pour la première fois, le bulletin de sa santé donné par
son hôtesse à Jonathas, venu, comme chaque jour, le
lui demander. L'Auvergnate croyait sans doute Valentin
encore endormi, et n'avait pas baissé le diapason de sa
voix montagnarde.

— Ça ne va pas mieux, ça ne va pas pis [1655], disait-elle.
Il a encore toussé pendant toute cette nuit à rendre
l'âme. Il tousse, il crache, ce cher [1656] monsieur, que
c'est une pitié. Je me demandons, moi et mon homme,
où il prend la force de tousser comme ça. Ça fend le
cœur [1657]. Quelle damnée maladie qu'il a ! C'est qu'il
n'est point ben [1658] du tout ! J'avons toujours peur
de le trouver crevé dans son lit, un matin. Il est vraiment
pâle comme un Jésus de cire ! Dame, je le vois quand
il se lève, eh ben, son pauvre corps est maigre comme
un cent de [1659] clous. Et il ne sent déjà pas bon, tout
de même ! Ça lui est égal, il se consume [1660] à courir
comme s'il avait de la santé à vendre [1661]. Il a ben du
courage tout de même, de ne pas se plaindre ! Mais,
vraiment, il serait mieux en terre qu'en pré, car il
souffre [1662] la passion de Dieu ! Je ne le désirons pas,
monsieur, ce n'est point notre intérêt. Mais il ne nous
donnerait pas ce qu'il nous donne, que je l'aimerions
tout de même : ce n'est point l'intérêt qui nous pousse [1663].
Ah ! mon Dieu, reprit-elle, il n'y a que les Parisiens
pour avoir de ces chiennes de maladies-là ! Où qui
prennent ça, donc ? Pauvre jeune homme ! il est sûr

qu'il ne peut guère ben finir. C'te fièvre, voyez-vous,
ça vous le mine, ça le creuse, ça le ruine ! Il ne s'en
doute point ; il ne le sait point, monsieur. Il ne s'aperçoit de rien... Faut pas pleurer pour ça, monsieur Jonathas ! Il faut se dire qu'il sera heureux de ne plus souffrir.
Vous devriez faire une neuvaine pour lui. J'avons vu
de belles guérisons par les neuvaines, et je payerions
ben un cierge pour sauver une si douce créature, si bonne,
un agneau pascal...

La voix de Raphaël était devenue trop faible pour
qu'il pût se faire entendre, il fut donc obligé de subir
cet épouvantable bavardage. Cependant, l'impatience
le chassa de son lit, il se montra sur [1664] le seuil de
la porte :

— Vieux scélérat, cria-t-il à Jonathas, tu veux donc
être mon bourreau ?

La paysanne crut voir un spectre et s'enfuit [1665].

— Je te défends, dit Raphaël en continuant, d'avoir
la moindre inquiétude sur ma santé.

— Oui, monsieur le marquis, répondit le vieux serviteur en essuyant ses larmes.

— Et tu feras même fort bien, dorénavant, de ne
pas venir ici sans mon ordre.

Jonathas voulut obéir ; mais, avant de se retirer,
il jeta sur le marquis un regard fidèle et compatissant
où Raphaël lut son arrêt de mort. Découragé, rendu
tout à coup au sentiment vrai de sa situation, Valentin
s'assit sur le seuil de la porte, se croisa les bras sur la
poitrine et baissa la tête. Jonathas, effrayé, s'approcha
de son maître :

— Monsieur...

— Va-t'en ! va-t'en ! lui cria le malade.

Pendant la matinée du lendemain, Raphaël, ayant
gravi les rochers, s'était assis dans une crevasse pleine
de mousse d'où il pouvait voir le chemin étroit par
lequel on venait des eaux à son habitation. Au bas
du pic, il aperçut Jonathas conversant derechef avec

l'Auvergnate. Une malicieuse puissance lui interpréta
les hochements de tête, les gestes désespérants, la
sinistre naïveté de cette femme, et lui en jeta même
les fatales paroles dans le vent et dans le silence. Pénétré
d'horreur, il se réfugia sur les plus hautes cimes des
montagnes et y resta jusqu'au soir, sans avoir pu
chasser les sinistres pensées si malheureusement réveillées dans son cœur par le cruel intérêt dont il était
devenu l'objet. Tout à coup l'Auvergnate elle-même
se dressa soudain devant lui comme une ombre dans
l'ombre du soir ; par une bizarrerie de poète, il voulut
trouver, dans son jupon rayé de noir et de blanc, une
vague ressemblance avec les côtes desséchées d'un
spectre.

— Voilà le serein qui tombe, mon cher monsieur,
lui dit-elle. Si vous restiez là, vous vous avanceriez
ni plus ni moins qu'un fruit patrouillé [1666]. Faut ren-
trer. Ça n'est pas sain, de humer la rosée, avec ça
que vous n'avez rien pris depuis ce matin.

— Par le tonnerre de Dieu ! s'écria-t-il, vieille sorcière [1667], je vous ordonne de me laisser vivre à ma
guise, ou je décampe d'ici ! C'est bien assez de me
creuser ma fosse tous les matins, au moins ne la fouillez
pas le soir...

— Votre fosse, monsieur ! Creuser votre fosse !...
Où qu'elle est donc, votre fosse ? Je voudrions vous
voir bastant [1668] comme notre père, et point dans la
fosse ! La fosse ! nous y sommes toujours assez tôt,
dans la fosse...

— Assez ! dit Raphaël.

— Prenez mon bras, monsieur.

— Non.

Le sentiment que l'homme supporte le plus difficilement est la pitié, surtout quand il la [1669] mérite.
La haine est un tonique, elle fait vivre, elle inspire
la vengeance ; mais la pitié tue, elle affaiblit encore
notre faiblesse. C'est le mal devenu patelin, c'est le

mépris dans la tendresse, ou la tendresse dans l'offense.
Raphaël trouva chez le centenaire une pitié triom-
phante, chez l'enfant une pitié curieuse, chez la femme
une pitié tracassière, chez le mari une pitié intéressée ;
mais, sous quelque forme que ce sentiment se montrât,
il était toujours gros de mort. Un poète fait de tout
un poème, terrible ou joyeux, suivant les images qui
le frappent ; son âme exaltée rejette les nuances douces,
et choisit toujours les couleurs vives et tranchées.
Cette pitié produisit au cœur de Raphaël un horrible
poème de deuil et de mélancolie.

Il n'avait pas songé sans doute à la franchise des
sentiments naturels, quand il désira se rapprocher de
la nature. Lorsqu'il se croyait seul sous un arbre, aux
prises [1670] avec une quinte opiniâtre dont il ne triomphait jamais sans sortir abattu par cette terrible lutte [1671],
il voyait les yeux brillants et fluides du petit garçon,
placé en vedette sous une touffe d'herbes, comme
un sauvage, et qui l'examinait avec cette enfantine
curiosité dans laquelle il y a autant de raillerie que
de plaisir, et je ne sais quel intérêt mêlé d'insensibilité.
Le terrible *Frère, il faut mourir*, des trappistes, semblait constamment écrit [1672] dans les yeux des paysans
avec lesquels vivait Raphaël ; il ne savait ce qu'il
craignait le plus, de leurs paroles naïves ou de leur
silence ; tout en eux le gênait. Un matin, il vit deux
hommes vêtus de noir qui rôdèrent autour de lui,
le flairèrent et l'étudièrent à la dérobée ; puis, feignant
d'être venus là pour se promener, ils lui adressèrent des
questions banales auxquelles il répondit brièvement.
Il reconnut en eux le médecin et le curé des eaux, sans
doute envoyés par Jonathas, consultés par ses hôtes
ou attirés par l'odeur d'une mort prochaine. Il entrevit
alors son propre convoi, il entendit le chant des prêtres,
il compta les cierges, et ne vit plus qu'à travers un crêpe
les beautés de cette riche nature, au sein de laquelle
il croyait avoir rencontré la vie. Tout ce qui naguère

lui annonçait une longue existence lui prophétisait maintenant une fin prochaine. Le lendemain, il partit pour Paris, non sans avoir [1673] été abreuvé des souhaits mélancoliques et cordialement plaintifs que ses hôtes lui adressèrent.

Après avoir voyagé durant toute la nuit, il s'éveilla dans l'une des plus riantes vallées du Bourbonnais, dont les sites et les points de vue tourbillonnaient devant lui, rapidement emportés commes les images vaporeuses d'un songe. La nature s'étalait à ses yeux avec une cruelle coquetterie. Tantôt l'Allier déroulait sur une riche perspective son ruban liquide et brillant, puis des hameaux modestement cachés au fond d'une gorge de rochers jaunâtres montraient [1674] la pointe de leurs clochers ; tantôt les moulins d'un petit vallon se découvraient soudain après des vignobles monotones, et toujours apparaissaient de riants châteaux, des villages suspendus, ou quelques routes bordées de peupliers majestueux ; enfin la Loire et ses longues nappes diamantées reluisirent au milieu de ses sables dorés. Séductions sans fin !

La nature, agitée, vivace comme un enfant, contenant à peine l'amour et la sève du mois de juin, attirait fatalement les regards éteints du malade. Il leva les persiennes de sa voiture, et se remit à dormir. Vers le soir, après avoir passé Cosne, il fut réveillé par une joyeuse musique et se trouva devant une fête de village. La poste était située près de la place. Pendant le temps que les postillons mirent à relayer sa voiture, il vit les danses de cette population joyeuse, les filles parées [1675] de fleurs, jolies, agaçantes, les jeunes gens animés, puis les trognes des vieux paysans gaillardement rougies par le vin. Les petits enfants se rigolaient, les vieilles femmes parlaient en riant : tout avait [1676] une voix, et le plaisir enjolivait même les habits et les tables dressées. La place et l'église offraient une [1677] physionomie de bonheur ; les toits, les fenêtres, les portes même du village semblaient s'être endimanchés aussi [1678].

Semblable aux moribonds impatients du moindre bruit, Raphaël ne put réprimer une sinistre interjection, ni le désir d'imposer silence à ces violons, d'anéantir ce mouvement, d'assourdir ces clameurs, de dissiper cette fête insolente. Il monta tout chagrin dans sa voiture. Quand [1679] il regarda sur la place, il vit la joie effarouchée, les paysannes en fuite et les bancs déserts. Sur l'échafaud de l'orchestre, un ménétrier aveugle continuait à jouer sur sa clarinette une ronde criarde. Cette musique sans danseurs, ce vieillard solitaire au profil grimaud, en haillons, les cheveux épars, et caché dans l'ombre d'un tilleul, étaient comme une image fantastique du souhait de Raphaël. Il tombait à torrents une de ces fortes pluies que les nuages électriques du mois de juin versent brusquement et qui finissent de même [1680]. C'était chose si naturelle, que Raphaël, après avoir regardé dans le ciel quelques nuages blanchâtres emportés par un grain de vent, ne songea pas à regarder sa peau de chagrin. Il se remit dans le coin de sa voiture, qui bientôt roula sur la route.

Le lendemain, il se trouva chez lui, dans sa chambre, au coin de sa cheminée. Il s'était fait allumer un grand feu, il avait froid. Jonathas lui apporta des lettres. Elles étaient toutes de Pauline. Il ouvrit la première sans empressement, et la déplia comme si c'eût été le papier grisâtre d'une sommation sans frais, envoyée par le percepteur. Il lut la première phrase :

« Parti ! mais c'est une fuite, mon Raphaël... Comment ! personne ne peut me dire où tu es ? Et, si je ne le sais pas, qui donc le saurait ? »

Sans vouloir en apprendre davantage, il prit froidement les lettres et les jeta dans le foyer, en regardant d'un œil terne et sans chaleur les jeux de la flamme qui tordait le papier parfumé, le racornissait, le retournait, le morcelait.

Des fragments roulèrent sur les cendres en lui laissant [1681] voir des commencements de phrases, des mots, des pensées à demi brûlées et qu'il se plut à saisir dans la flamme par un divertissement machinal [1682].

«... Assise à ta porte... attendu... Caprice... j'obéis... Des rivales... moi, non ! ta Pauline... aime... plus de Pauline donc ? Si tu avais voulu me quitter, tu ne m'aurais pas abandonnée... Amour éternel... Mourir... »

Ces mots lui donnèrent une sorte de remords : il saisit les pincettes et sauva des flammes un dernier lambeau de lettre.

«... J'ai murmuré, écrivait Pauline [1683], mais je ne me suis pas plainte, Raphaël ! En me laissant loin de toi, tu as sans doute voulu me dérober le poids de quelque chagrin. Un jour, tu me tueras peut-être, mais tu es trop bon pour me faire souffrir. Eh bien, ne pars plus ainsi. Va, je puis affronter les plus grands supplices, mais près de toi. Le chagrin que tu m'imposerais ne serait plus un chagrin : j'ai dans le cœur encore bien plus d'amour que je ne t'en ai montré. Je puis tout supporter, hors de pleurer loin de toi, et de ne pas savoir ce que tu... »

Raphaël posa sur la cheminée ce débris de lettre noirci par le feu, puis il le rejeta tout à coup dans le foyer. Ce papier était une image [1684] trop vive de son amour et de sa fatale vie.

— Va chercher M. Bianchon, dit-il à Jonathas.

Horace vint et trouva Raphaël au lit.

— Mon ami, peux-tu me composer une boisson légèrement opiacée qui m'entretienne dans une somnolence continuelle, sans que l'emploi constant de ce breuvage me fasse mal ?

— Rien n'est plus aisé, répondit le jeune docteur ; mais il faudra cependant rester debout quelques heures de la journée, pour manger.

— Quelques heures ? dit Raphaël en l'interrompant ;

non, non ! je ne veux être levé que durant une heure
au plus.

— Quel est donc ton dessein ? demanda Bianchon.

— Dormir, c'est encore vivre ! répondit le malade. —
Ne laisse entrer personne, fût-ce même mademoiselle
Pauline de Vitschnau ! dit Valentin à Jonathas pen-
dant que le médecin écrivait son ordonnance.

— Eh bien, monsieur Horace, y a-t-il de la ressource ?
demanda le vieux domestique au jeune docteur qu'il
avait reconduit jusqu'au perron.

— Il peut aller encore longtemps, ou mourir ce soir.
Chez lui, les chances de vie et de mort sont égales.
Je n'y comprends rien, répondit le médecin en laissant
échapper un geste de doute. Il faut le distraire.

— Le distraire ! monsieur, vous ne le connaissez
pas. Il a tué l'autre jour un homme sans dire ouf !...
Rien ne le distrait [1685].

Raphaël demeura pendant quelques jours plongé
dans le néant de son sommeil factice. Grâce à la puissance matérielle exercée par l'opium sur notre âme
immatérielle [1686], cet homme d'imagination si puissamment active s'abaissa jusqu'à [1687] la hauteur de ces
animaux paresseux qui croupissent au sein des forêts,
sous la forme d'une dépouille végétale, sans faire un
pas pour saisir une proie facile. Il avait même éteint
la lumière du ciel, le jour n'entrait plus chez lui. Vers
les huit heures du soir, il sortait de son lit ; sans avoir
une conscience lucide de son existence, il satisfaisait sa
faim, puis se recouchait [1688] aussitôt. Ses heures, froides
et ridées, ne lui apportaient que de confuses images,
des apparences, des clairs-obscurs sur [1689] un fond noir.
Il s'était enseveli dans un profond silence, dans une
négation de mouvement et d'intelligence. Un soir,
il se réveilla beaucoup plus tard que de coutume, et
ne trouva pas son dîner servi. Il sonna Jonathas.

— Tu peux partir, lui dit-il. Je t'ai fait riche, tu seras
heureux dans tes vieux jours ; mais je ne veux plus te

laisser jouer ma vie... Comment ! misérable, je sens
la faim [1690]. Où est mon dîner ? réponds !

Jonathas laissa échapper un sourire de contentement,
prit une bougie dont la lumière tremblotait dans l'obscurité profonde des immenses appartements de l'hôtel ;
il conduisit son maître, redevenu machine, à une vaste
galerie et en ouvrit brusquement la porte. Aussitôt
Raphaël, inondé de lumière, fut ébloui, surpris par un
spectacle inouï. C'était ses lustres chargés de bougies,
les fleurs les plus rares de sa serre artistement disposées,
une table étincelante d'argenterie, d'or, de nacre, de
porcelaines ; un repas royal, fumant, et dont les mets
appétissants irritaient les houppes [1691] nerveuses du
palais. Il vit ses amis convoqués, mêlés à des femmes [1692]
parées et ravissantes, la gorge nue, les épaules découvertes, les chevelures pleines de fleurs, les yeux brillants,
toutes de beautés diverses, agaçantes sous de voluptueux travestissements : l'une avait dessiné ses formes
attrayantes par une jaquette irlandaise, l'autre portait
la basquina lascive des Andalouses ; celle-ci, à demi nue
en Diane Chasseresse, celle-là, modeste et amoureuse
sous le costume de mademoiselle de la Vallière, étaient
également vouées à l'ivresse. Dans les regards de tous
les convives brillaient [1693] la joie, l'amour, le plaisir.

Au moment où la morte figure de Raphaël se montra
dans l'ouverture de la porte, une acclamation soudaine
éclata, rapide, rutilante comme [1694] les rayons de cette
fête improvisée. Les voix, les parfums, la lumière,
ces femmes d'une pénétrante beauté [1695] frappèrent
tous ses sens, réveillèrent son appétit. Une délicieuse
musique, cachée dans un salon voisin, couvrit par un
torrent d'harmonie ce tumulte enivrant et compléta
cette étrange vision. Raphaël se sentit la main pressée
par une main chatouilleuse, une main [1696] de femme dont
les bras frais et blancs se levaient pour le serrer, la main
d'Aquilina. Il comprit que [1697] ce tableau n'était pas
vague et fantastique comme les fugitives images de ses

rêves décolorés, il poussa un cri sinistre, ferma brusquement la porte, et flétrit son vieux serviteur en le frappant au visage.

— Monstre, tu as donc juré de me faire mourir ! s'écria-t-il.

Puis, tout palpitant du danger qu'il venait de courir, il trouva des forces pour regagner sa chambre, but une forte dose de sommeil et se coucha.

— Que diable ! dit Jonathas en se relevant, M. Bianchon m'avait cependant bien ordonné de le distraire...

Il était environ minuit. A cette heure, Raphaël, par un de ces caprices physiologiques, l'étonnement et le désespoir des sciences médicales, resplendissait de beauté pendant son sommeil. Un rose vif colorait ses joues blanches. Son front, gracieux comme celui d'une jeune fille, exprimait le génie. La vie était en fleur sur ce visage tranquille et reposé. Vous eussiez dit un jeune enfant endormi sous la protection de sa mère. Son sommeil était un bon sommeil, sa bouche vermeille laissait passer un souffle égal et pur, il souriait, transporté sans doute par un rêve dans une belle vie. Peut-être était-il centenaire, peut-être ses petits-enfants lui souhaitaient-ils de longs jours ; peut-être, de son banc rustique, sous le soleil, assis sous le feuillage, apercevait-il, comme [1698] le prophète, en haut de la montagne, la terre promise, dans un bienfaisant lointain [1699] !...

— Te voilà donc ?

Ces mots, prononcés d'une voix argentine, dissipèrent les figures nuageuses de son sommeil. A la lueur de la lampe, il vit assise sur son lit sa Pauline, mais Pauline embellie par l'absence et par la douleur. Raphaël resta stupéfait à l'aspect de cette figure blanche comme les pétales d'une fleur des eaux, et qui, accompagnée de longs cheveux noirs, semblait encore plus blanche dans l'ombre. Des larmes avaient tracé leur route brillante sur ses joues, et y restaient suspendues, près de [1700] tomber au moindre effort. Vêtue de blanc, la tête penchée et foulant à peine le lit, elle était là comme un ange descendu des cieux, comme une apparition [1701] qu'un souffle pouvait faire disparaître.

— Ah! j'ai tout oublié! s'écria-t-elle au moment où Raphaël ouvrit les yeux. Je n'ai de voix que pour te dire : Je suis à toi! Oui, mon [1702] cœur est tout amour. Ah! jamais, ange de ma vie, tu n'as été si beau. Tes yeux foudroient... Mais je devine tout, va! Tu as été chercher la santé sans moi, tu me craignais... Eh bien...

— Fuis, fuis! laisse-moi! répondit enfin Raphaël d'une voix sourde. Mais va-t'en donc! Si tu restes là, je meurs. Veux-tu me voir mourir?

— Mourir! répéta-t-elle. Est-ce que tu peux mourir sans moi? Mourir, mais tu es jeune [1703]! Mourir, mais je t'aime! Mourir! ajouta-t-elle d'une voix profonde et gutturale en lui prenant les mains par un mouvement de folie... Froides! dit-elle. Est-ce une illusion?

Raphaël tira de dessous son chevet le lambeau de la peau de chagrin, fragile et petit comme la feuille d'une pervenche, et le lui montrant :

— Pauline, belle image de ma belle vie, disons-nous [1704] adieu! dit-il.

— Adieu? répéta-t-elle d'un air surpris.

— Oui. Ceci est un talisman qui accomplit mes désirs, et représente ma vie. Vois ce qu'il m'en reste. Si tu me regardes encore, je vais mourir...

La jeune fille crut Valentin devenu fou, elle prit le talisman et alla chercher la lampe. Éclairée par la lueur vacillante qui se projetait également sur Raphaël et sur le talisman, elle examina [1705] très attentivement et le visage de son amant et la dernière parcelle de la peau magique. En voyant Pauline belle [1706] de terreur et d'amour, il ne fut plus maître de sa pensée : les souvenirs des scènes caressantes et des joies délirantes de sa passion triomphèrent dans son âme depuis longtemps endormie, et s'y réveillèrent comme un foyer mal éteint.

— Pauline, viens !... Pauline ! ...

Un cri terrible sortit du gosier de la jeune fille, ses yeux se dilatèrent ; ses sourcils, violemment tirés par une douleur inouïe, s'écartèrent avec horreur, elle lisait dans les yeux de Raphaël un de ces désirs furieux, jadis sa gloire à elle ; mais, à mesure que grandissait ce désir, la peau, en se contractant, lui chatouillait la main. Sans réfléchir, elle s'enfuit dans le salon voisin, dont elle ferma la porte.

— Pauline ! Pauline ! cria le moribond en courant après elle, je t'aime, je t'adore, je te veux !... Je te maudis, si tu ne m'ouvres ! Je veux mourir à toi [1707] !

Par une force singulière, dernier éclat de vie, il jeta la porte à terre, et vit [1708] sa maîtresse à demi nue se roulant sur un canapé. Pauline avait tenté vainement de se déchirer le sein, et, pour se donner une prompte mort, elle cherchait à s'étrangler avec son châle.

— Si je meurs, il vivra ! disait-elle en tâchant de serrer le nœud qu'elle avait fait [1709].

Ses cheveux étaient épars, ses épaules nues, ses vêtements en désordre, et, dans cette lutte avec la mort, les yeux en pleurs, le visage enflammé, se tordant sous un horrible désespoir, elle présentait à Raphaël, ivre d'amour, mille beautés qui augmentèrent son délire; il se jeta sur elle avec la légèreté d'un oiseau de proie, brisa le châle et voulut la prendre dans ses bras.

Le moribond chercha des paroles pour exprimer le désir qui dévorait toutes ses forces; mais il ne trouva que les sons étranglés du râle dans sa poitrine, dont chaque respiration [1710], creusée plus avant, semblait partir de ses entrailles. Enfin, ne pouvant bientôt plus former de sons, il mordit Pauline au sein. Jonathas se présenta, tout épouvanté des cris qu'il entendait, et tenta d'arracher à la jeune fille le cadavre sur lequel elle s'était accroupie dans un coin.

— Que demandez-vous ? dit-elle. Il est à moi, je l'ai tué, ne l'avais-je pas prédit [1711] !

ÉPILOGUE

— Et que devint Pauline ?

— Ah ! Pauline ? bien. Êtes-vous [1712] quelquefois
resté, par une douce soirée d'hiver, devant votre foyer
domestique, voluptueusement livré à des souvenirs
d'amour ou de jeunesse en contemplant les rayures
produites par le feu sur un morceau de chêne ? Ici,
la combustion dessine les cases rouges d'un damier ; là,
elle fait miroiter des velours ; de petites flammes [1713]
bleues courent, bondissent et jouent sur le fond ardent
du brasier. Vient un peintre inconnu qui se sert de cette
flamme ; par un artifice unique, il trace au sein de ces
flamboyantes teintes violettes ou empourprées une
figure [1714] supernaturelle et d'une délicatesse inouïe,
phénomène fugitif que le hasard ne recommencera
jamais : c'est une femme aux cheveux emportés par le
vent, et dont le profil respire une passion délicieuse :
du feu dans le feu ! Elle sourit, elle expire, vous ne la
reverrez plus. Adieu, fleur de la flamme ! adieu, principe
incomplet, inattendu, venu trop tôt ou trop tard pour
être quelque beau diamant !

— Mais Pauline ?

— Vous n'y êtes pas ? Je recommence. Place !
place [1715] ! Elle arrive, la voici, la reine des illusions, la
femme qui passe comme un baiser, la femme vive comme
un éclair, comme lui jaillie brûlante du ciel, l'être [1716]
incréé, tout esprit, tout amour ! Elle a revêtu je ne sais

quel corps de flamme, ou pour elle la flamme s'est un
moment animée! Les lignes de ses formes sont d'une
pureté qui vous dit qu'elle vient du ciel. Ne [1717] res-
plendit-elle pas comme un ange ? n'entendez-vous pas
le frémissement [1718] aérien de ses ailes ? Plus légère
que l'oiseau, elle s'abat près de vous et ses terribles
yeux fascinent ; sa douce mais puissante haleine attire
vos lèvres par une force magique ; elle fuit et vous
entraîne, vous ne sentez plus la terre. Vous voulez
passer une seule fois votre main chatouillée, votre
main fanatisée sur ce corps de neige, froisser ses cheveux d'or, baiser ses yeux étincelants. Une vapeur
vous enivre, une musique enchanteresse vous charme.
Vous tressaillez de tous vos nerfs, vous êtes tout désir,
tout souffrance. O bonheur sans nom! vous avez touché
les lèvres de cette femme; mais tout à coup une atroce
douleur vous réveille. Ah! ah! votre tête a porté sur
l'angle de votre lit, vous en avez embrassé l'acajou brun,
les dorures froides, quelque bronze, un Amour en
cuivre.

— Mais, monsieur, Pauline ?

— Encore! écoutez. Par une belle matinée [1719], en
partant de Tours, un jeune homme embarqué sur *la
Ville-d'Angers* tenait dans sa main la main d'une jolie
femme. Unis ainsi, tous deux admirèrent longtemps,
au-dessus des larges eaux de la Loire, une blanche
figure, artificiellement [1720] éclose au sein du brouillard
comme un fruit des eaux et du soleil, ou comme un
caprice des nuées et de l'air. Tour à tour ondine ou sylphide, cette fluide créature voltigeait dans les airs
comme un mot vainement cherché qui court dans la
mémoire sans se laisser saisir ; elle se promenait entre
les îles, elle agitait sa tête à travers les hauts peupliers;
puis, devenue gigantesque, elle faisait ou resplendir [1721]
les mille plis de sa robe, ou briller l'auréole décrite par
le soleil autour de son visage ; elle planait sur les
hameaux, sur les collines, et semblait [1722] défendre au

bateau à vapeur de passer devant le château d'Ussé.
Vous eussiez dit le fantôme de la Dame des belles
cousines [1723] qui voulait protéger son pays contre les
invasions modernes.

— Bien, je comprends, ainsi de Pauline. Mais
Fœdora [1724] ?

— Oh! Fœdora, vous la rencontrerez... Elle était
hier aux Bouffons, elle ira ce soir à l'Opéra, elle est
partout [1725]. C'est, si vous voulez, la société [1726].

Paris, 1830-31 [1727].

NOTES ET VARIANTES

NOTES ET VARIANTES ^(*)

1. Félix Savary, né à Paris, le 4 octobre 1797, mort à Estagel (Pyrénées-Orientales), le 15 juillet 1841. Sorti de l'École polytechnique, il y fut ensuite professeur et chargé du cours de géodésie et de machines. Il s'occupa surtout de mathématiques et d'astronomie ; il devint membre du Bureau des Longitudes et, comme le dit Balzac dans sa dédicace, membre de l'Académie des Sciences.

2. Cette figure reproduit celle de l'édition de 1869 ; elle est semblable à celle qui avait été mise en 1855 dans l'édition Houssiaux, mais elle ne reproduit pas exactement celle des premières éditions ni, par conséquent, celle de *Tristram Shandy*. Au chapitre CCCXII de ce roman, et non pas au chapitre CCCXXII, on lit : « — Qu'y a-t-il d'aussi doux que la liberté ? — Rien au monde, Trim, dit mon oncle Tobie toujours d'un air rêveur. — Tant qu'un homme est libre ! s'écria le caporal. Et, en même temps, il fit par-dessus sa tête le moulinet, à peu près en cette manière. » [Ici, la figure, mais tracée verticalement.] « Un million des syllogismes les plus subtils de mon père n'en auraient pas dit davantage en faveur du célibat. »

Dans l'édition originale de *la Peau de chagrin* (notre édition 1831 A), la figure était ainsi

(*) Nous donnons les variantes de l'édition originale de *la Peau de chagrin*, que nous désignons par le millésime 1831 A ; de celle des *Contes philosophiques*, parus la même année, et que nous appelons 1831 B ; et des éditions de 1833, 1835, 1838, 1839 et 1845 désignées dans notre *Introduction*.

Elle est identique dans l'édition suivante (notre édition 1831 B), et dans les éditions de 1835 et 1838. Dans celle de 1833, l'épigraphe avait été supprimée. Dans l'édition de 1839, elle était ainsi :

et dans celle de 1846, ainsi

C'est cette vignette qui, dans l'édition Houssiaux, a été modifiée de manière à recevoir la forme d'un serpent. Dans une étude bibliographique sur *les « Études philosophiques » de Honoré de Balzac*, parue dans le numéro de juillet-septembre 1907, de la *Revue d'Histoire littéraire de la France*, M. Spoelberch de Lovenjoul disait (p. 408) à propos de l'édition de Houssiaux : « Ce dernier éditeur s'était persuadé sans doute qu'une *peau de chagrin* ne pouvait être qu'en *peau de serpent*, et en avait probablement conclu que l'épigraphe de l'ouvrage devait préciser ce point ! »

— La première édition de *la Peau de chagrin* était précédée de la préface suivante, qui n'a pas été maintenue dans les éditions postérieures :

« Il y a sans doute beaucoup d'auteurs dont le caractère personnel est vivement reproduit par la nature de leurs compositions, et chez lesquels l'œuvre et l'homme sont une seule et même chose; mais il est d'autres écrivains dont l'âme et les mœurs contrastent puissamment avec la forme et le fond de leurs ouvrages; en sorte qu'il n'existe aucune règle positive pour reconnaître les divers degrés d'affinité qui se trouvent entre les pensées favorites d'un artiste et les fantaisies de ses compositions.

« Cet accord ou ces disparates sont dus à une nature morale aussi bizarre, aussi secrète dans ses jeux que la nature est fantasque dans les caprices de la génération. La production des êtres organisés et des idées sont deux mystères incompris, et les ressemblances ou les différences complètes que ces deux sortes de créations peuvent offrir avec leurs auteurs prouvent peu de chose pour ou contre la légitimité paternelle.

« Pétrarque, lord Byron, Hoffmann et Voltaire étaient les hommes de leur génie ; tandis que Rabelais, homme sobre, démentait les goinfreries de son style et les figures de son ouvrage... Il buvait de l'eau en vantant la *purée septembrale*, comme Brillat-Savarin mangeait fort peu, tout en célébrant la bonne chère.

« Il en fut ainsi de l'auteur moderne le plus original dont la Grande-Bretagne puisse se glorifier, Maturin (*), le prêtre auquel nous devons *Eva*, *Melmoth's*, *Bertram*, était coquet, galant, fêtait les femmes, et l'homme aux conceptions terribles devenait, le soir, un dameret, un *dandy*. Ainsi de Boileau, dont la conversation douce et polie ne répondait point à l'esprit satirique de son vers insolent. La plupart des poètes gracieux ont été des hommes fort insouciants de la grâce, pour eux-mêmes ; semblables aux sculpteurs, qui, sans cesse occupés à idéaliser les plus belles formes humaines, à traduire la volupté des lignes, à combiner les traits épars de la beauté, vont presque tous assez mal vêtus, dédaigneux de parure, gardant les types du beau dans leur âme, sans que rien transpire au dehors.

« Il est très facile de multiplier les exemples de ces désunions et de ces cohésions caractéristiques entre l'homme et sa pensée ; mais ce double fait est si constant qu'il serait puéril d'insister.

(*) Charles-Robert Maturin, poète et romancier irlandais, né à Dublin en 1782 mort dans la même ville en 1825. Il descendait d'une famille protestante française expatriée après la Révocation de l'Édit de Nantes. Il fut vicaire de l'église anglicane de Saint-Peter, à Dublin. Des déboires d'ordre financier le firent se tourner vers la littérature. Il fit des romans et des romans sombres, terrifiants comme en faisaient Anne Radcliffe et Lewis. Le plus connu est *Melmoth le voyageur*, qui avait paru à Dublin, en 1820 (4 vol. in-8º) ; — *Eva ou Amour et Religion* avait paru à Londres, en 1817 (3 vol. in-8º) ; — *Bertram ou le château de Saint-Aldobrand* est une tragédie jouée par Kean, à Londres, en 1814, avec un grand succès et éditée, à Londres aussi, en 1816. Le baron Taylor et Charles Nodier en ont fait une traduction française, ou peut-être une adaptation (« traduite librement » dit le titre), qui parut en 1821, chez Gide fils. Maturin, qui reçut le surnom de l'*Arioste du crime*, a écrit d'autres ouvrages toujours dans le genre lugubre, fantastique et surnaturel.

« Y aurait-il donc une littérature possible si le noble cœur de Schiller devait être soupçonné de complicité avec François Moor (*), la plus exécrable conception, la plus profonde scélératesse que jamais dramatiste ait jetée sur la scène ?... Les auteurs tragiques les plus sombres n'ont-ils pas été généralement des gens fort doux et de mœurs patriarcales? témoin le vénérable Ducis. Aujourd'hui même, en voyant celui de nos Favart qui traduit avec le plus de finesse, de grâce et d'esprit, les nuances insaisissables de nos petites mœurs bourgeoises, vous diriez d'un bon paysan de la Beauce enrichi par une spéculation sur les bœufs.

« Malgré l'incertitude des lois qui régissent la physiognomie (**) littéraire, les lecteurs ne peuvent jamais rester impartiaux entre un livre et le poète. Involontairement, ils dessinent, dans leur pensée, une figure, bâtissent un homme, le supposent jeune ou vieux, grand ou petit, aimable ou méchant. L'auteur une fois peint, tout est dit. *Leur siège est fait !*

« Et alors, vous êtes bossu à Orléans, blond à Bordeaux, fluet à Brest, gros et gras à Cambray. Ainsi, pendant que les Parisiens bafouaient Mercier, il était l'oracle des Russes à Saint-Pétersbourg (***). Vous devenez enfin un être multiple, espèce de créature imaginaire, habillée par un lecteur à sa fantaisie, et qu'il dépouille presque toujours de quelques mérites pour la revêtir de ses vices à lui. Aussi, avez-vous quelquefois l'inappréciable avantage d'entendre dire :

« — Je ne me le figurais pas *comme ça !*...

« Si l'auteur de ce livre avait à se louer des jugements erronés portés ainsi par le public, il se garderait bien de discuter ce singulier problème de physiologie scripturale. Il se serait très facilement résigné à passer pour un gentilhomme littéraire, de bonnes mœurs, vertueux, sage, bien vu en bon lieu. Par malheur, il est réputé vieux, à moitié ruiné, cynique, et, toutes les laideurs des sept péchés capitaux, quelques personnes les lui ont gravées sur la face sans même lui en reconnaître les mérites, car tout n'est

---

(*) Capitaine des *Brigands* dans la tragédie de Schiller qui porte ce titre.

(**) Il faudrait, évidemment : physiognomonie.

(***) Louis-Sébastien Mercier, né à Paris, en 1740, mort le 25 avril 1814, auteur de pièces de théâtre, d'un *Nouvel Essai sur l'Art dramatique* (Amsterdam 1773), plein d'idées qui étaient alors nouvelles et du curieux ouvrage satirique, *l'An 2440*.

pas vicieux dans le vice. Il a donc pleinement raison de dégauchir l'opinion publique faussée en son endroit.

« Mais, tout bien pesé, il accepterait plus volontiers peut-être une mauvaise réputation méritée, qu'une mensongère renommée de vertu. Par le temps présent, qu'est-ce donc qu'une renommée littéraire?... Une affiche rouge ou bleue collée à chaque coin de rue. Encore quel poème sublime aura jamais la chance d'arriver à la popularité du Paraguay-Roux (*) et de je ne sais quelle Mixture ?...

« Le mal est venu d'un livre auquel il n'a point attaché son nom, mais qu'il avoue maintenant, puisqu'il y a péril à le signer.

« Cette œuvre est la *Physiologie du mariage* (**), attribuée par les uns à quelque vieux médecin, par d'autres à un débauché courtisan de la Pompadour, ou à quelque misanthrope n'ayant plus aucune illusion, et qui, dans toute sa vie, n'avait pas rencontré une seule femme à respecter.

« L'auteur s'est souvent amusé de ces erreurs, et les agréait même comme autant d'éloges ; mais il croit aujourd'hui que si un écrivain doit se soumettre, sans mot dire, aux hasards des réputations purement littéraires, il ne lui est pas permis d'accepter avec la même résignation une calomnie qui entache son caractère d'homme. Une accusation fausse attaque nos amis encore plus que nous-mêmes ; et lorsque l'auteur de ce livre s'est aperçu qu'il ne se défendrait pas seul en cherchant à détruire des opinions qui peuvent lui devenir nuisibles, il a surmonté la répugnance assez naturelle qu'on éprouve à parler de soi. Il s'est promis d'en finir avec un nombreux public qui ne le connaît pas, pour satisfaire le petit public qui le connaît : heureux, en cela, de justifier certaines amitiés dont il est honoré et quelques suffrages dont il est fier.

« Sera-t-il maintenant taxé de fatuité, en revendiquant ici les tristes privilèges de Sanchez, ce bon jésuite qui écrivit, assis sur une chaise de marbre, son célèbre bouquin *De Matrimonio* (***),

---

(*) Paraguay-Roux, médicament à base de baume Paraguay employé contre le mal de dents.

(**) Cet ouvrage avait été édité pour la première fois en 1830, sans le nom de l'auteur ; il était seulement indiqué qu'il était fait « par un jeune célibataire ».

(***) Le père Thomas Sanchez, jésuite espagnol, né à Cordoue en 1551, mort à Grenade en 1611. C'est en 1592 qu'il publia, à Gênes, son fameux traité *De Matrimonio*, ouvrage fort scabreux, mais écrit par un directeur de conscience et un confesseur pour ses seuls confrères.

dans lequel tous les caprices de la volupté sont jugés au tribunal ecclésiastique et traduits au jugement confessionnaire, avec une admirable entente des lois qui gouvernent l'union conjugale ? La philosophie sera-t-elle donc plus coupable que la prêtrise ?...

« Y aura-t-il de l'impertinence à s'accuser d'une vie toute laborieuse ? Encourra-t-il encore des reproches en exhibant un acte de naissance qui lui donne trente ans ? N'est-il pas dans son droit en demandant à ceux dont il n'est pas connu, de ne point mettre en question sa moralité, son profond respect pour la femme, et de ne pas faire, d'un esprit chaste, le prototype du cynisme ?

« Si les personnes qui ont gratuitement médit de l'auteur de la *Physiologie*, malgré les prudentes précautions de la préface, veulent, en lisant ce nouvel ouvrage, être conséquentes, elles devraient croire l'écrivain aussi délicatement amoureux qu'il était naguère perverti. Mais l'éloge ne le flatterait pas plus que le blâme ne l'a froissé. S'il est vivement touché des suffrages que ses compositions peuvent obtenir, il se refuse à livrer sa personne aux caprices populaires. Il est cependant bien difficile de persuader au public qu'un auteur peut concevoir le crime sans être criminel !... Aussi, l'auteur, après avoir été jadis accusé de cynisme, ne serait pas étonné de passer maintenant pour un joueur, pour un *viveur*, lui dont les nombreux travaux décèlent une vie solitaire, accusent une sobriété sans laquelle la fécondité de l'esprit n'existe plus.

« Il pourrait certes se plaindre de composer ici quelque autobiographie qui exciterait de puissantes sympathies en sa faveur ; mais il se sent aujourd'hui trop bien accueilli pour écrire des impertinences à la manière de tant de *préfaciers*; trop consciencieux dans ses travaux pour être humble ; puis, n'étant pas valétudinaire, il ferait décidément un triste héros de préface.

« Si vous mettez la personne et les mœurs en dehors des livres, l'auteur vous reconnaîtra une pleine autorité sur ses écrits ; vous pourrez les accuser d'effronterie, vitupérer la plume assez mal apprise pour peindre des travaux inconvenants, colliger des observations problématiques, accuser à faux la société et lui prêter des vices ou des malheurs dont elle serait exempte. Le succès est un arrêt souverain en ces matières ardues ; alors, la *Physiologie du Mariage* serait peut-être complètement absoute. Plus tard, elle sera peut-être mieux comprise, et l'auteur aura sans doute un jour la joie d'être estimé homme chaste et grave.

« Mais beaucoup de lectrices ne seront pas satisfaites en apprenant que l'auteur de la *Physiologie* est jeune, rangé comme un vieux sous-chef, sobre comme un malade au régime, buveur d'eau et travailleur, car elles ne comprendront pas comment un jeune homme de mœurs pures a pu pénétrer si avant dans les mystères de la conjugalité. L'accusation se reproduirait ainsi sous de nouvelles formes. Mais, pour terminer ce léger procès, en faveur de son innocence, il lui suffira sans doute d'amener aux sources de la pensée les personnes peu familiarisées avec les opérations de l'intelligence humaine.

« Quoique restreint dans les bornes d'une préface, cet essai psychologique aidera peut-être à expliquer les bizarres disparates qui existent entre le talent d'un écrivain et sa physionomie. Certes, cette question intéresse les femmes-poètes encore plus que l'auteur lui-même.

« L'art littéraire, ayant pour objet de reproduire la nature par la pensée, est le plus compliqué de tous les arts.

« Peindre un sentiment, faire revivre les couleurs, les jours, les demi-teintes, les nuances, accuser avec justesse une scène étroite, mer ou paysage, hommes ou monuments, voilà toute la peinture.

« La sculpture est plus restreinte encore dans ses ressources. Elle ne possède guère qu'une pierre et une couleur pour exprimer la plus riche des natures, le sentiment dans les formes humaines : aussi le sculpteur cache-t-il sous le marbre d'immenses travaux d'idéalisation dont peu de personnes lui tiennent compte.

« Mais, plus vastes, les idées comprennent tout : l'écrivain doit être familiarisé avec tous les effets, toutes les natures. Il est obligé d'avoir en lui je ne sais quel miroir concentrique où, suivant sa fantaisie, l'univers vient se réfléchir ; sinon, le poète et même l'observateur n'existent pas ; car il ne s'agit pas seulement de voir, il faut encore se souvenir et empreindre ces impressions dans un certain choix de mots et les parer de toute la grâce des images ou leur communiquer le vif des sensations primordiales...

« Or, sans entrer dans les méticuleux *aristotélismes* créés par chaque auteur pour son œuvre, par chaque pédant dans sa théorie, l'auteur peut être d'accord avec toute intelligence, haute ou basse, en composant *l'art littéraire* de deux parties distinctes : *l'observation* — *l'expression*.

« Beaucoup d'hommes distingués sont doués du talent d'observer, sans posséder celui de donner une forme vivante à leurs pensées; comme d'autres écrivains ont été doués d'un style merveilleux, sans être guidés par ce génie sagace et curieux qui voit et enregistre toute chose. De ces deux dispositions intellectuelles résultent, en quelque sorte, une vue et un toucher littéraires. A tel homme, *le faire* ; à tel autre, *la conception* : celui-ci joue avec une lyre sans produire une seule de ces harmonies sublimes qui font pleurer ou penser ; celui-là compose des poèmes pour lui seul, faute d'instrument.

« La réunion de ces deux puissances fait l'homme complet ; mais cette rare et heureuse concordance n'est pas encore le génie, ou, plus simplement, ne constitue pas la volonté qui engendre une œuvre d'art.

« Outre ces deux conditions essentielles au talent, il se passe chez les poètes ou chez les écrivains réellement philosophes, un phénomène moral, inexplicable, inouï, dont la science peut difficilement rendre compte. C'est une sorte de seconde vue qui leur permet de deviner la vérité dans toutes les situations possibles; ou, mieux encore, je ne sais quelle puissance qui les transporte là où ils doivent, où ils veulent être. Ils inventent le vrai, par analogie, ou voient l'objet à décrire, soit que l'objet vienne à eux, soit qu'ils aillent eux-mêmes vers l'objet.

« L'auteur se contente de poser les termes de ce problème, sans en chercher la solution ; car il s'agit pour lui d'une justification et non d'une théorie philosophique à déduire.

« Donc, l'écrivain doit avoir analysé les caractères, épousé toutes les mœurs, parcouru le globe entier, ressenti toutes les passions, avant d'écrire un livre ; ou les passions, les pays, les mœurs, les caractères, accidents de nature, accidents de morale, tout arrive dans sa pensée. Il est avare, ou il conçoit momentanément l'avarice, en traçant le portrait du *Laird de Dumbiedikes* (*). Il est criminel, conçoit le crime, ou l'appelle et le contemple, en écrivant *Lara* (**).

« Nous ne trouvons pas de terme moyen à cette proposition cervico-littéraire.

« Mais, à ceux qui étudient la nature humaine, il est démontré clairement que l'homme de génie possède les deux puissances.

« Il va, en esprit, à travers les espaces, aussi facilement que les choses, jadis observées, renaissent fidèlement en lui, belles

---

(*) Personnage de *la Prison d'Edimbourg*, roman de Walter Scott. (Note de l'auteur.)

(**) Poème de lord Byron. *(Id.)*

de la grâce ou terribles de l'horreur primitive qui l'avaient saisi. Il a réellement vu le monde, ou son âme le lui a révélé intuitive- ment. Ainsi, le peintre le plus chaud, le plus exact de Florence, n'a jamais été à Florence ; ainsi, tel écrivain a pu merveilleusement dépeindre le désert, ses sables, ses mirages, ses palmiers, sans aller de Dan à Sahara.

« Les hommes ont-ils le pouvoir de faire venir l'univers dans leur cerveau, ou leur cerveau est-il un talisman avec lequel ils abolissent les lois du temps et de l'espace ?... La science hésitera longtemps à choisir entre ces deux mystères également inexpli- cables. Toujours est-il constant que l'inspiration déroule au poète des transfigurations sans nombre et semblables aux magiques fantasmagories de nos rêves. Un rêve est peut-être le jeu naturel de cette singulière puissance, quand elle reste inoccupée !...

« Ces admirables facultés que le monde admire justement, un auteur les possède plus ou moins larges, en raison du plus ou du moins de perfection ou d'imperfection peut-être de ses organes. Peut-être encore, le don de création est-il une faible étin- celle tombée d'en haut sur l'homme, et les adorations dues aux grands génies seraient-elles une noble et haute prière ! S'il n'en était pas ainsi, pourquoi notre estime se mesurerait-elle à la force, à l'intensité du rayon céleste qui brille en eux ? Ou faut-il évaluer l'enthousiasme dont nous sommes saisis pour les grands hommes, au degré de plaisir qu'ils nous donnent, au plus ou moins d'utilité de leurs œuvres ?... Que chacun choisisse entre le matérialisme et le spiritualisme !...

« Cette métaphysique littéraire a entraîné l'auteur assez loin de la question personnelle. Mais quoique dans la production la plus simple, dans *Riquet à la Houppe* même, il y ait un travail d'artiste, et qu'une œuvre de naïveté soit souvent empreinte du *mens divinior* autant qu'il en brille dans un vaste poème, il n'a pas la prétention d'écrire pour lui cette ambitieuse théorie, à l'instar de quelques auteurs contemporains dont les préfaces étaient les *petits pèlerinages* de *petits Childe-Harold*. Il a seulement voulu réclamer, pour les auteurs, les anciens privilèges de la *clergie*, qui se jugeait elle-même.

« La *Physiologie du Mariage* était une tentative faite pour retour- ner à la littérature fine, vive, railleuse et gaie du dix-huitième siècle, où les auteurs ne se tenaient pas toujours droits et raides, où, sans discuter à tout propos la poésie, la morale et le drame, il s'y faisait du drame, de la poésie et des ouvrages de vigoureuse morale. L'au-

teur de ce livre cherche à favoriser la réaction littéraire que pré-
parent certains bons esprits ennuyés de notre vandalisme actuel, et
fatigués de voir amonceler tant de pierres sans qu'aucun monument surgisse. Il ne comprend pas la pruderie, l'hypocrisie de nos
mœurs, et refuse du reste, aux gens blasés, le droit d'être
difficiles.

« De tous côtés s'élèvent des doléances sur la couleur sangui-
nolente des écrits modernes. Les cruautés, les supplices, les gens
jetés à la mer, les pendus, les gibets, les condamnés, les atrocités
chaudes et froides, les bourreaux, tout est devenu bouffon !

« Naguère, le public ne voulait plus sympathiser avec les *jeunes
malades*, les *convalescents* et les doux trésors de mélancolie contenus
dans l'infirmerie littéraire. Il a dit adieu aux *tristes*, aux *lépreux*,
aux langoureuses élégies. Il était las des *bardes* nuageux et des
Sylphes, comme il est aujourd'hui rassasié de l'Espagne, de l'Orient,
des supplices, des pirates et de l'histoire de France walter-scottée.
Que nous reste-t-il donc ?...

« Si le public condamnait les efforts des écrivains qui essaient
de remettre en honneur la littérature franche de nos ancêtres,
il faudrait souhaiter un déluge de barbares, la combustion des
bibliothèques et un nouveau moyen âge; alors, les autres recom-
menceraient plus facilement le cercle éternel dans lequel l'esprit
humain tourne comme un cheval de manège.

« Si *Polyeucte* n'existait pas, plus d'un poète moderne est capable de refaire Corneille, et vous verriez éclore cette tragédie sur
trois théâtres à la fois, sans compter les vaudevilles où Polyeucte
chanterait sa profession de foi chrétienne sur quelque motif de
la Muette. Enfin, les auteurs ont souvent raison dans leurs impertinences contre le temps présent. Le monde nous demande de belles
peintures ? où en seraient les types ? Vos habits mesquins, vos
révolutions manquées, vos bourgeois discoureurs, votre religion
morte, vos pouvoirs éteints, vos rois en demi-solde, sont-ils donc si
poétiques qu'il faille vous les transfigurer ?...

« Nous ne pouvons aujourd'hui que nous moquer. La raillerie
est toute la littérature des sociétés expirantes... Aussi l'auteur de
ce livre, soumis à toutes les chances de son entreprise littéraire,
s'attend-il à de nouvelles accusations.

« Quelques auteurs contemporains sont nommés dans son
ouvrage ; il espère que son estime profonde pour leur caractère
ou leurs écrits ne sera pas mise en doute ; et proteste aussi d'a-
vance contre les allusions auxquelles pourraient donner lieu

les personnages mis en scène dans son livre. Il a tâché moins de tracer des portraits que de présenter des types.

« Enfin, le temps marche si vite, la vie intellectuelle déborde partout avec tant de force, que plusieurs idées ont vieilli, ont été saisies, exprimées, pendant que l'auteur imprimait son livre : il en a sacrifié quelques-unes; celles qu'il a maintenues, sans s'apercevoir de leur mise en œuvre, étaient sans doute nécessaires à l'harmonie de son ouvrage. »

Cette préface a été réimprimée au t. XXII des *Œuvres compl.* de Balzac, édition Calmann-Lévy, in-8º, p. 396-404.

3. VAR. : « d'octobre dernier, quelque temps après l'heure à laquelle s'ouvrent les maisons de jeu, conformément » (1831 A); — « d'octobre dernier, un jeune homme entra dans le Palais-Royal au moment où s'ouvraient les maisons de jeu conformément » (1831 B et 33).

4. VAR. : « qui protège à Paris une » (1831 A et B, 33 et 35).

5. VAR. : « essentiellement budgétifiante, un jeune homme vint au Palais-Royal et sans trop hésiter l'inconnu monta l'escalier du tripot établi au nº 39 » (1831 A) ; — « essentiellement productive et chère au fisc; sans trop hésiter l'inconnu monta... » la suite comme à 1831 A (1831 B et 33) ; — « essentiellement productive et chère au fisc. Sans » la suite comme dans notre édition sauf « 39 » au lieu de « 36 » (1835).

— Le Palais-Royal appartenait, avant la Révolution, au duc Louis-Philippe-Joseph d'Orléans (le futur Philippe-Égalité) qui, dans l'intention de faire de ce lieu le centre de l'industrie parisienne, et pour en tirer, de ce fait, des revenus, entreprit de le faire entourer de galeries qui, par une suite d'arcades, communiqueraient avec la partie conservée des jardins. Il n'en fut édifié alors que trois, la Révolution ayant interrompu les travaux. Sur la quatrième façade, qui devait être la plus magnifique, furent établis plus tard des hangars en planches comprenant deux séries de baraques et deux promenoirs : ce furent là *les galeries de bois*, dont les boutiques étaient surtout tenues par des marchandes de modes. Elles devinrent le lieu de prédilection des promeneurs du soir et aussi celui des promeneuses, marchandes de plaisirs. Les provinciaux et les étrangers qui venaient à Paris ne manquaient pas d'accourir au Palais-Royal. Outre les restaurants et les maisons de filles, il y avait des maisons de jeux ; d'après Balzac lui-même, dans son *Petit dictionnaire critique et anecdotique des enseignes de Paris*, ces maisons étaient, au Palais-Royal, au nombre de quatre; elles y portaient les numéros 9, 113, 129, 154. (*Œuv. compl.*, XXI, 144.)

6. VAR. : « se levant soudain fit voir une figure moulée d'après un type ignoble » (1831 A, 31 B, 33). — En 1835, texte de notre édition sauf « d'après » au lieu de « sur ».

7. Ici, dans 1831 A, était cette phrase : « Veut-on, par hasard, vous faciliter le plaisir de vous arracher les cheveux, dans les moments de perte ?... »

8. VAR. : « de signer » (1831 A et B, et 33).

9. VAR. : « Est-ce la curiosité de la police qui fouillant tous les égouts sociaux est intéressée à savoir » (1831 A à 1835).

10. VAR. : « joueurs ? Il y a, sur ce point, silence complet chez l'administration. Seulement à peine avez-vous fait un pas vers le tapis vert que votre chapeau » (1831 A et B et 33).

11. VAR. : « par une atroce épigramme en action vous démontrera » *(Ibid.)*

12. VAR. : « bagage. Mais si, par malheur, vous avez une coiffure » (1831 A et B, et 33) ; — « Avez-vous, toutefois, une coiffure » (1835).

13. VAR. : « qu'il faut avoir un costume de joueur et surtout ne pas être sujet aux rhumes de cerveau. » (1831 A).

14. VAR. : « par l'étranger quand il reçut » (1831 A à 1845).

15. VAR. : « légèrement encroûtés, » (1831 A).

16. VAR. : « les atroces plaisirs » (1831 A et B et 33).

17. VAR. : « aurait lu » *(Ibid.)*

18. VAR. : « des gens dépouillés » (1831 A).

19. VAR. : « au Guazalco. » (1831 A et B). — On a écrit aussi ce nom : Coatzacoalo. C'est un fleuve côtier du Mexique, qui a sa source dans la Sierra Madre et qui se jette au fond du golfe du Mexique, au village de Guazacoalo. Sous la Restauration il fut fait près de ce fleuve une tentative de colonisation qui ne réussit pas.

20. VAR : « Cet homme avait une longue face blanche dont les fibres ne s'entretenaient plus guère que par la soupe gélatineuse de d'Arcet. » (1831 A et B); — « Cet homme avait une longue face blanche dont les fibres ne vivaient plus que des soupes gélatineuses de M. d'Arcet » (1831 B). — De 1835 à 1845 même texte que dans notre édition, mais avec, à la fin, « d'Arcet ».

— Jean-Pierre-Joseph d'Arcet, né à Paris en 1777, mort en août 1844. Fils du chimiste Jean d'Arcet, il fut initié à la chimie par son père et se signala, dès sa jeunesse, par de très intéressants et très utiles travaux dans cette science. Tous ses travaux eurent pour but des applications pratiques de la chimie. Il continua notamment les études de Papin, d'Hérissant, de Cadet de Vaux, de Proust et de Jean d'Arcet sur l'utilisation de la gélatine extraite des os ; il réussit à en tirer une colle supérieure à toutes les colles antérieurement connues, et aussi un produit alimentaire qui n'avait pas toutes les qualités nutritives que d'Arcet avait escomptées. D'Arcet fut, dans sa longue carrière, essayeur des monnaies, puis vérificateur des essais, puis commissaire général des monnaies. Il fut aussi membre de l'Académie des Sciences où, en 1823, il succéda à Berthollet.

21. Var. : « Il présentait une vivante image » (1835 A et B, et 33).

22. Var. : « recevait. Enfin, comme une rosse sur laquelle les coups de fouet n'ont plus de prise, il ne tressaillait plus aux sourds gémissements, aux muettes imprécations, aux regards hébétés des joueurs quand ils sortaient ruinés. » *(Ibid.)*

23. Var. : « Mais l'inconnu (1831 A à 1835) n'écouta pas cet avis en chair et en os placé là. » (1831 A).

24. Var. : « lieux... Non. Il entra résolument dans la salle d'où l'on faisait entendre une prestigieuse musique. Ce jeune homme » (1831 A, B et 33).

25. Cf. *L'Émile*, livre IV. (Édit. Garnier frères, in-16, p. 420-421.)

26. Var. : «d'un mélodrame plein de sang.» (1831 A, B et 33).

27. Var. : « qui viennent s'y réchauffer » *(Ibid.)*

28. Var. : « à bas prix des remords pour trois mois. » *(Ibid.)*

29. Var. : « d'un tripot... Il existe entre le joueur fidèle à l'heure et le joueur du soir la différence » (1831 A); — «... il existe entre le joueur du matin et le joueur du soir la différence » (1831 B et 33).

30. Var. : « de l'amant rôdant sous » (1831 A, B et 33).

31. Var. : « d'un coup... Alors seulement vous rencontrerez » (1831 A).

32. Ici, dans 1831 A, venait la phrase suivante : « Oui, les gens prêts à se brûler la cervelle, après être venus tenter le sort une dernière fois, marchandent leurs souffrances après le dîner ! Passé huit heures, il n'y a plus que des rages accidentelles dues à des hasards de cartes... la rouge ou la noire ont gagné dix fois de suite. »

33. Var. : « pas une image qui puisse rafraîchir l'âme (1831 A, B et 33), pas même un clou » (1831 A).

34. VAR. : « Le parquet toujours malpropre. » (1831 A).

35. VAR. : « Une table ronde » (1831 A à 1835).

36. VAR. : « humaine est établie partout » (1831 A, B et 33).

37. VAR. : « d'un moelleux cachemire » *(Ibid.)*

38. VAR. : « L'ambitieux rêve de demeurer au faîte du pouvoir en s'aplatissant dans la boue d'une révérence. Le marchand vit dans une boutique humide et malsaine, en se construisant un hôtel où il ne restera pas un an... » *(Ibid.)*

39. VAR. : « Y a-t-il enfin, excepté la vue des cuisines et l'odeur des cabarets, chose plus déplaisante » (1831 A) ; — « Enfin, à part la vue des cuisines et l'odeur des cabarets, y a-t-il chose plus déplaisante » (1831 B et 33).

40. VAR. : « problème !... L'homme signe son impuissance dans tous les actes de sa vie ! Il n'est jamais ni tout à fait heureux, ni complètement misérable... » (1831 A, B et 33).

41. La place de Grève, ainsi appelée parce qu'elle avoisinait la grève de la Seine, était, sous l'ancien régime, le lieu des exécutions capitales. Ce fut aussi un lieu d'embauchage pour les ouvriers sans travail du bâtiment ; de là, pour désigner un état de chômage, l'expression : faire grève. En 1806, la place de Grève fut appelée et elle s'appelle encore place de l'Hôtel-de-Ville.

42. VAR. : « jouent en idée une mise imaginaire. » (1831 A à 35).

43. VAR. : « une épouvantable chimère ; agissant enfin » (1831 A, B et 33).

44. VAR. : « avec Dieu » (1831 A à 1835).

45. VAR. : « dont ils vivaient. » *(Ibid.)*

46. VAR. : « croisés, regardant aux carreaux par intervalles comme » (1831 A) ; — « croisés, regardant le jardin par les fenêtres, de temps à autre, comme » (1831 B et 33).

47. VAR. : « Alors, le silence » (1831 A, B et 33).

48. VAR. : « Mais, chose inouïe » (1831 A à 35).

49. VAR. : « et même l'Italien fanatique, tous éprouvèrent, à l'aspect de l'inconnu, je ne sais » (1831 A, B et 33).

50. VAR. : « ou bien sinistre pour faire » *(Ibid.)*

51. VAR. : « les vierges caressantes dont la Révolution leur ordonnait de couper les blondes têtes... » (1831 A) ; — même texte, moins le mot « caressantes » dans 1831 B, 33 et 35.

52. VAR. : « nébuleuse. Dans son regard il y avait bien des efforts trahis, bien des espérances trompées. » (1831 A, B et 33) ;

— « ... son regard attestait tant d'efforts trahis, tant d'espérances trompées ! » (1835.)

53. VAR. : « bouche. Il y avait sur toute sa physionomie une résignation » (1831 A, B et 33). De 1835 à 1845 même texte que dans notre édition, mais avec « sa physionomie ».

54. VAR. : « par la fatigue d'une orgie, car la débauche marquait » (1831 A) ; — « par les fatigues du plaisir, car la débauche marquait » (1831 A et 33).

55. VAR. : « auraient peut-être » (1831 A, B et 33).

56. VAR. : « la rougeur dont les joues étaient marbrées, tandis » *(Ibid.)* ; — « la rougeur dont les joues étaient marquées » (1835).

57. VAR. : « ce cœur sur lesquels la débauche, l'étude et la maladie n'avaient que difficilement mordu. » (1831 A); — « ... sur lesquels les orgies, l'étude et la maladie n'avaient que difficilement mordu. » (1831 B et 33).

58. VAR. : « une blessure dont ils soupçonnaient par instinct la profondeur, et » (1831 A à 1835).

59. VAR. : « qu'on le supposât possesseur d'une chemise. » (1831 A).

60. Ici, dans 1831 A, B et 33 il y avait: « Ce diagnostic disait tout ».

61. VAR. : « ses formes... ses cheveux » (1831 A, B et 33).

62. VAR. : « avec les fatigues d'une orgie, avec les ravages » (1831 A).

63. VAR. : « d'une ravissante fille » (1831 A, B et 33).

64. VAR. : « corruption, avaient l'air de lui crier : « Sortez ! » Il marcha droit à la table » (1831 A, B et 33).

65. VAR. : « avait dans la main, puis abhorrant, comme les âmes fortes, de chicanières » *(Ibid.)* ; — « ... main, puis, comme les âmes fortes, abhorrant de chicanières » (1835 à 45).

66. VAR. : « les cartes, en paraissant souhaiter » (1831 A, B et 33).

67. VAR. : « ces sombres plaisirs. Tous les yeux, arrêtés sur les cartons fatidiques étincelèrent, car les spectateurs voyaient un drame à la dernière scène d'une belle vie dans une pièce d'or... Mais » (1831 A) ; — Même texte dans 1831 B et 33, sauf qu'il y a, « étincelaient » au lieu de « étincelèrent ».

68. VAR. : « Rouge perd, dit » (1831 A à 39).

69. VAR. : « tomber le paquet de billets que lui jeta » (1831 A, B et 33) ; — « tomber le paquet de billets que lui lança » (1835).

70. Var. : « la galerie taciturne dont ils sont entourés. Que d'événements se pressent dans l'espace d'une seconde et quel abîme est donc la cervelle humaine !... » (1831 A, B et 33) ; — « la galerie dont ils sont entourés », la suite comme dans notre édition (1835).

71. Var. : « Voilà pourtant toute une destinée !... dit » (1831 A) ; — « Il paraît que c'est sa dernière cartouche, dit » (1831 B et 33).

72. Var. : « silence, en tenant cette pièce d'or entre le pouce et l'index et la montrant aux assistants. » (1831 A, B et 33).

73. Var. : « un habitué, car tous les joueurs se connaissaient. » (1831 A) ; — « un habitué en regardant autour de lui, car tous les joueurs se connaissaient. » (1831 B et 33).

74. Var. : « le garçon de bureau » (1831 A à 35).

75. Var. : « l'Italien, hein ? » *(Ibid.)*

76. Var. : « il aurait fait trois coups pour » (1831 A) ; — « il aurait fait trois coups de son argent pour » (1831 B et 33) ; — « il aurait groupé son argent en trois coups pour » (1835).

77. C'est un air célèbre de *Tancrède*, opéra de Rossini représenté à Venise en 1813, avec un grand succès. Dans son ouvrage sur *la Musique au temps romantique*, paru chez Alcan en 1930, M. Julien Tiersot écrit (p. 34) : « L'air *Di tanti palpiti* devint instantanément populaire. Il y avait dans ces quelques phrases musicales tout ce qui pouvait aller à l'âme : une modulation délicate, une expression candide, un parfum printanier... » ; c'était « un chant simple, naturel et bien dessiné ». Stendhal *(Vie de Rossini*, édition Calmann-Lévy, p. 43 et 44) dit que « c'est l'air au monde qui peut-être a jamais été le plus chanté et en plus de lieux différents » ; il l'appelle une « admirable cantilène » ; on lira que Balzac en qualifie les notes de « délicieuses ».

78. Var. : « Palais-Royal, dirigé par une dernière pensée, il alla » (1831 A à 1839).

79. Var. : « d'un pas lent, irrésolu. » (1831 A) ; — « d'un pas irrésolu. » (1831 B à 1845).

80. Var. : « Il y a » (1831 A, B et 33).

81. Var. : « un homme » *(Ibid.)*

82. Var. : « élevé dans les cieux » (1831 A et B).

83. Var. : « qui nous forcent » (1831 A, B et 33).

84. Var. : « Il existe beaucoup de jeunes talents, qui s'étiolent confinés dans une mansarde et qui périssent » (1835 A) ; — « Que de jeunes talents s'étiolent confinés dans une mansarde et

périssent » (1831 B et 33) ; — « Combien de jeunes talents s'étiolent confinés dans une mansarde et périssent » (1835).

85. VAR. : « combien il y a de chefs-d'œuvre avortés ; de conceptions, de poésie dépensées ; de désespoirs, de cris étouffés; de vaines tentatives !... Chaque suicide » (1831 A et B) ; — « ... de chefs-d'œuvre avortés, de conceptions, de poésie dépensées ; de cris étouffés, de vaines tentatives !... Chaque suicide » (1833).

86. VAR. : « avec ces trois lignes » (1831 A à 1835) ; — « avec ces lignes » (1838 à 1845).

87. Après cette phrase, il y a, dans 1831 A : « Cette phrase, grosse de tant de maux, est, la plupart du temps, insérée entre l'annonce d'un nouveau spectacle et le récit d'une somptueuse fête donnée pour soulager les *indigents*... Nous sommes pleins de pitié pour les maux physiques. »

88. VAR. : « Quelques fleurs dont il admirait les têtes mollement » (1831 A à 1835).

89. Robert-Henry Steward, second marquis de Londonderry, vicomte de Castlereagh, né à Mount-Stewart, comté de Down (Irlande), le 18 juin 1769. Il fut, comme député, tantôt au Parlement irlandais, tantôt au Parlement anglais, et comme ministre en Angleterre, mêlé aux luttes politiques entre l'Angleterre et l'Irlande ; il fut l'un des artisans du pacte d'union conclu entre les deux pays; son attitude conciliatrice lui attira la haine de ses compatriotes. Plénipotentiaire de la Grande-Bretagne, en 1814, aux conférences de Châtillon et, après les Cent-Jours, au Congrès de Vienne, il y montra une vive animosité contre Napoléon. Il allait se rendre au Congrès de Vérone quand, au cours d'une crise de spleen, il se suicida en s'ouvrant l'artère carotide avec un canif ; c'était le 12 août 1822, dans son château de North Cray Place (comté de Kent).

90. VAR. : « et que M. Auger, l'académicien » (1831 A à 1839). — Louis-Simon Auger, né à Paris le 29 décembre 1772. Fonctionnaire dans l'administration des vivres de l'armée, puis au ministère de l'Intérieur, il se livra à la littérature et écrivit des ouvrages de bien des sortes : quelques petites pièces de théâtre d'abord, des articles de critique, de nombreuses notices biographiques sur des écrivains. Il se fit aussi l'éditeur des œuvres des grands auteurs du XVIIe et surtout du XVIIIe siècle : Mme de Maintenon, Mme de Lafayette, Hamilton, Fénelon, Montesquieu, Duclos, Favart, Carmontelle, d'autres encore. Il était l'un des tenants et l'un des plus actifs défenseurs de l'école classique ; le romantisme eut

en lui un adversaire déclaré. Il fut aussi journaliste et ne mit pas moins d'ardeur à défendre ses opinions politiques, qui étaient ultra-royalistes, qu'il n'en mettait à défendre ses principes littéraires. Il collabora au *Journal des Débats*, au *Journal général de la France*. Il fut aussi, sous la Restauration, censeur royal. Élu membre de l'Académie française le 2 avril 1816, il y fut bientôt appelé à la Commission du dictionnaire ; puis il fut nommé secrétaire perpétuel. Sa vivacité dans la défense de ses idées lui suscita des polémiques ; ses décisions de censeur lui valurent des ennemis. Il fut l'objet de vives critiques et d'épigrammes. Est-ce chagrin, lassitude, mélancolie, dégoût ? Dans la soirée du 2 janvier 1829 il quitta sa maison pour n'y plus revenir; on retrouva son cadavre, quelques semaines après, dans la Seine, près de Meulan.

91. Var. : « de la halle, ce dernier lui ayant » (1831 A).

92. Voici, d'après *la Caricature morale, religieuse, littéraire et scénique* (n° 7, du 16 décembre 1830), la version plus brève, et correspondant à la partie qui s'arrête ici, du commencement de *la Peau de chagrin*. Elle y avait comme titres : *Croquis : le dernier Napoléon* :

« Vers les trois heures du soir, un jeune homme descendit, par le perron, dans le jardin du Palais-Royal, à Paris. Il marcha lentement, sous les tilleuls jaunes et chétifs de l'allée septentrionale, en levant la tête de temps en temps pour interroger par un regard les croisées des maisons de jeu. Mais l'heure à laquelle les fatales portes de ces antres silencieux doivent s'ouvrir n'avait sans doute pas encore sonné, car il n'aperçut, à travers les vitres, que les employés oisifs et immobiles, dont les figures, toutes stéréotypées d'après un modèle ignoble et sinistre, ressemblaient à des larves attendant leur proie. Alors, le jeune homme ramena ses yeux vers la terre, par un mouvement de mélancolie.

« Sa marche indolente, l'ayant conduit au jet d'eau, dont le soleil illuminait en ce moment les gerbes gracieuses, il en fit le tour, sans admirer les jeux colorés de la lumière, sans même contempler les mille facettes de l'eau qui frissonnait dans le bassin. Toute sa personne accusait une insouciance profonde des choses dont il était entouré. Un sourire amer et dédaigneux dessinait de légers plis dans les coins de sa bouche. Son extrême jeunesse donnait un intérêt pénible à l'expression de froide ironie fortement empreinte dans ses traits, et c'était un étrange contre-sens dans un visage animé de brillantes couleurs, dans un visage resplendissant de vie, étincelant de blancheur, un visage de vingt-cinq ans. Cette

tête captivait l'attention. Il y avait, sur ce front pâle, quelque
secret génie. Les formes étaient grêles et fines, les cheveux
rares et blonds. Un éclat inusité scintillait dans ses yeux, tant
endormis qu'ils fussent par la maladie ou par le chagrin.

« A voir ce jeune homme, les poètes auraient cru à de longues
études, à des nuits passées sous la lueur d'une lampe studieuse ;
les médecins auraient soupçonné quelque maladie de cœur ou
de poitrine en remarquant la rougeur des joues, le cercle jaune qui
cernait les yeux, la rapidité de la respiration ; les observateurs
l'eussent admiré; les indifférents lui auraient marché sur le pied...

« L'inconnu n'était ni bien ni mal mis, ses vêtements n'an-
nonçaient pas un homme favorisé de la fortune ; mais, pour
surprendre les secrets d'une profonde misère, il fallait un physiologiste sagace, qui sût deviner pourquoi l'habit avait été fermé
avec tant de soin !...

« Le jeune homme alla s'appuyer sur un des treillages en fer
qui entourent les massifs ; et se croisant les bras sur la poitrine,
il regarda les bâtiments, le jet d'eau et les passants d'un air triste,
mais résigné. Il y avait dans ce regard, dans cet abandon, bien
des efforts trahis, bien des espérances trompées ; et, dans la contraction des bras un bien puissant courage. L'impassibilité du
suicide régnait sur ce visage. Aucune des curiosités de la vie ne
tentait plus cette âme, tant à la fois turbulente et calme.

« Le jeune homme tressaillit soudain... Il avait, par une sorte
de privilège infernal, entendu sonner l'heure, ouvrir les portes,
retentir les escaliers... Il regarda les fenêtres des maisons de jeu.
Des têtes d'hommes allaient et venaient dans les salons... Il se redres-
sa et marcha sans empressement ; il entra dans l'allée sans fausse
pudeur, monta les escaliers, franchit la porte, et se trouva devant
le tapis vert, plus tôt peut-être qu'il ne l'aurait voulu, tant les âmes
fortes aiment une plaidailleuse incertitude !...

« L'assemblée n'était pas nombreuse. Il y avait quelques vieillards à têtes chenues, à cheveux blancs, assis autour de la table,
mais bien des chaises restaient vides... Un ou deux étrangers,
dont les figures méridionales brûlaient de désespoir et d'avidité,
tranchaient auprès de ces vieux visages experts des douleurs du
jeu, et semblables à d'anciens forçats qui ne s'effraient plus des
galères... — Les tailleurs et les banquiers immobiles jetaient
sur les joueurs ce regard blême et assuré qui les tue... Les employés
se promenaient nonchalamment. Sept ou huit spectateurs, rangés
autour de la table, attendaient les scènes que les coups du sort,

les figures des joueurs et le mouvement de l'or allaient leur donner.
Ces désœuvrés étaient là, silencieux, attentifs... Ils venaient dans
cette salle comme le peuple va à la Grève. Ils se regardèrent
des yeux les uns les autres au moment où le jeune homme prit
place devant une chaise sans s'y asseoir.

« — Faites le jeu !... dit une voix grêle.

« Chaque joueur ponta.

« Le jeune homme jeta sur le tapis une pièce d'or qu'il tenait
dans sa main, et ses yeux ardents allèrent alternativement des cartes
à la pièce, de la pièce aux cartes. Les spectateurs n'apercevaient
aucun symptôme d'émotion sur cette figure froide et résignée,
pendant le moment rapide que dura le plus violent combat,
par les angoisses duquel un cœur d'homme ait été torturé. Seulement, l'inconnu ferma les yeux quand il eut perdu, et ses lèvres
blanchirent ; mais il releva bientôt ses paupières, ses lèvres repri-
rent leur rougeur de corail ; il regarda le râteau saisir sa dernière
pièce d'or, affecta un air d'insouciance et disparut sans avoir cherché
la moindre consolation sur les figures glacées des assistants.

« Il descendit les escaliers en sifflant le *Di tanti palpiti*, si bas,
si faiblement, que lui seul, peut-être, en entendait les notes ;
puis il s'achemina vers les Tuileries d'un pas lent, irrésolu, ne
voyant ni les maisons, ni les passants, marchant comme au milieu
du désert, n'écoutant qu'une voix, — la voix de la Mort, — être
perdu dans une méditation confuse, où il n'y avait qu'une pensée...

« Il traversa le jardin des Tuileries, et suivant le plus court
chemin pour se rendre au Pont-Royal ; et, s'y arrêtant au point
culminant des voûtes, son regard plongea jusqu'au fond de la Seine.

« Henri B... »

93. M. Dacheux était alors l'inspecteur des postes de *Secours
aux asphyxiés*. Parmi les secours donnés aux asphyxiés par immer-
sion, ou, pour parler simplement, aux noyés, étaient les fumigations dont Balzac parle quelques lignes plus bas. Ces fumigations, que l'on pratiquait en même temps que l'on continuait
l'insufflation, commencée préalablement, étaient des « lavements
de fumée de tabac » ; on les prolongeait jusqu'à ce que l'on entendît
dans le ventre une sorte de grouillement, qui révélait l'efficacité
de l'opération.

94. Var. : « sa philanthropie tardive » (1831 A) ; — « sa
philanthropie officielle » (1831 B).

95. Var. : « le préfet de la Seine » (1831 A à 1845).

96. Var. : « zéro social dont l'état n'avait nul souci. » (1831 A à 1835).

97. Var. : « de périr » (1831 A).

98. Var. : « son cadavre méconnaissable » *(Ibid.)*

99. Var. : « à la société (1831 A, B et 33) qui méconnaît l'utilité de sa vie. » (1831 A à 1835).

100. Var. : « d'un flâneur » (1831 A).

101. Var. : « les bouquins dont le parapet était garni » (1831 A) ; — « les bouquins dont le parapet est toujours garni » (1831 B, 33 et 35).

102. Var. : « à sourire, et glissant alors philosophiquement ses mains dans ses goussets il allait reprendre son allure d'insouciance et de dédain » (1831 A, B et 33).

103. Var. : « retentissant d'une manière véritablement fantastique dans le fond de sa poche. » *(Ibid.)*

104. Var. : « ayant vivement » (1831 A à 1845).

105. Var. : « vous voulez » *(Ibid.)*

106. Var. : « une jeune femme qui descendait de son brillant équipage et dont la robe, légèrement relevée par le marchepied, laissa voir une jambe dont les contours fins et délicats étaient dessinés par un bas blanc et bien tiré. Alors il contempla délicieusement cette charmante sirène dont la figure était d'une beauté enivrante, rosée, artistement encadrée dans le satin d'un chapeau gracieux... puis il fut séduit par une taille svelte, par une élégante désinvolture. La jeune femme entra » (1831 A) ; — « une jeune femme. Elle descendait de son brillant équipage et sa robe, légèrement relevée par le marchepied, laissa voir une jambe dont un bas blanc bien tiré dessina le fin contour. Alors il contempla délicieusement cette charmante personne dont la figure était d'une beauté enivrante et artistement encadrée dans le satin d'un chapeau gracieux, puis il fut séduit par une taille svelte, par de jolis mouvements. La jeune femme entra » (1831 B). — En 1833, texte de 1831 B, aux différences suivantes près : « ...elle descendit de... dessina les fins contours... dont la belle figure était bien encadrée dans le satin d'un élégant chapeau... »

107. Var. : « qui reluisirent » (1831 A).

108. Var. : « échangea capricieusement » (1831 A et B).

109. Var. : « sur la foule » *(Ibid.)*

110. Var. : « un désir excédé dont elle triompherait le soir en disant (1831 A à 1835) : J'étais jolie aujourd'hui. » (1831 A et B).

111. Var. : « passa vivement » *(Ibid.)*

112. VAR. : « partirent avec une vitesse aristocratique ; et cette dernière image du luxe, de l'élégance, flamba devant lui rapide comme sa vie. » (1831 A à 1835).

113. VAR. : « Alors il marcha d'un pas mélancolique en flânant le long des magasins, examinant sans beaucoup d'intérêt tout ce qui s'y trouvait étalé... » (1831 A, B et 33) ; — « Il se mit à marcher d'un pas mélancolique le long des magasins, en examinant sans beaucoup d'intérêt les échantillons qui s'y trouvaient étalés. » (1835).

114. VAR. : « il contempla le Louvre » (1831 A).

115. VAR. : « paraissaient avoir une physionomie » *(Ibid.)*

116. VAR. : « qui semblable à » *(Ibid.)*

117. VAR. : « à le plonger dans » (1831 A à 1845).

118. VAR. : « dont nous éprouvons tous, en certains jours de notre vie, l'action dissolvante il sentait son organisme » *(Ibid.)*

119. VAR. : « un mouvement de vague et lui faisaient voir » (1831 A).

120. VAR. : « tantôt bouillonnant, tantôt fade comme » (1831 A) ; — « tantôt bouillonnant, tantôt tranquille et fade comme » (1831 B et 1833).

121. Caliban est, dans *la Tempête*, de Shakespeare, le serviteur, l' « esclave sauvage et difforme » de Prospero, duc de Milan, qui l'appelle « esclave venimeux » et « être capable de tout le mal ». C'est une brute, à la fois révoltée et servile.

122. VAR. : « Bernard de Palissy » (1831 A à 1845).

123. VAR. : « choses fort ordinaires » (1831 A).

124. VAR. : « toute beauté. Ce babil de cicerone, ces phrases sottement mercantiles furent, dans l'horrible situation où se trouvait l'inconnu, comme les picotements dont les esprits étroits » *(Ibid.)*

125. VAR. : « jusqu'au dernier pas » (1831 A, B et 33).

126. VAR. : « sans contrainte » (1831 A et B).

127. VAR. : « furent gigantesques, terribles. » (1831 A à 1835).

128. VAR. : « rencontra par hasard » (1831 A, B et 1833).

129. VAR. : « les œuvres humaines se heurtaient. » (1831 A à 1835).

130. Marie-Victoire Jacquotot (ou Jaquotot), née à Paris, le 5 janvier 1778, morte à Toulouse, le 27 avril 1855. Elle eut un grand talent et elle acquit une grande célébrité comme peintre sur porcelaine. Elle reproduisit les œuvres des grands maîtres de la peinture (Raphaël, Léonard de Vinci, Holbein, Van Dyck) et

celles aussi de maîtres de son temps (Girodet, Gérard) avec une intelligence, une exactitude, une sûreté de métier, qui gardaient à chacune de ses reproductions les caractères mêmes de l'artiste dont elle reproduisait l'œuvre. Elle peignit aussi, d'original, un certain nombre de portraits. On louait la pureté de son dessin et la suavité de sa couleur. Elle travailla longtemps pour la manufacture de Sèvres et l'on signale parmi ses beaux travaux la décoration du service de dessert offert par Napoléon à l'empereur Alexandre après le traité de Tilsitt. En 1828, Mme Jacquotot reçut du roi le titre de son premier peintre sur porcelaine. Elle a aussi laissé quelques compositions musicales ; elle était, dit-on, très bonne musicienne.

131. Les « salières antiques » ne sont pas dans les éditions de 1831 A et B.

132. VAR. : « l'empereur Auguste qui ne s'en fâchait pas. » (1831 A à 1835).

133. VAR. : « un débris » (1831 A à 1845).

134. VAR. : « ciboire aux hosties du prêtre » (1831 A à 1835).

135. VAR. : « des jours et des ténèbres. » *(Ibid.)*

136. VAR. : « obstinée imprimait des expressions capricieuses à tous » (1831 A et B); — « obstinée avait jeté son voile chatoyant sur tous » (1833).

137. VAR. : « il se mit sous » (1831 A, B et 33).

138. VAR. : « idéal, et tomba dans une indéfinissable extase » *(Ibid.)*

139. C'est à Pathmos, île de la mer Égée, que saint Jean écrivit son *Apocalypse*, qui est le récit de la révélation qui lui fut faite des « choses qui doivent arriver bientôt » (cf. *la Sainte Bible*, traduite en français par Lemaistre de Sacy, nouvelle édition revue par M. l'abbé Jacquet, chez Garnier frères, II, 765-784).

140. VAR. : « gracieuses, terribles, lucides, lointaines, rapprochées » (1831 A à 1835).

141. VAR. : « bandelettes noires. Les Pharaons ensevelissant des générations pour » *(Ibid.)*

142. VAR. : « sur un fond brun, la jeune fille rouge » *(Ibid.)*

143. VAR. : « des malheureux, et cette suprême consolatrice lui souriait » (1831 A, B et 33) ; — « des malheureux auxquels cette suprême consolatrice souriait » (1835).

144. VAR. : « des dénouements » (1831 A à 1845).

145. VAR. : « dans un magot chinois coiffé » *(Ibid.)*

146. VAR. : « de soie. Tout auprès, une natte » (1831 A et B).

147. VAR. : « exhalait encore le sandal. » (1831 A, B et 33).
Voir la n. 1267.

148. VAR. : « Un monstre du Japon » (1831 A à 1845).

149. VAR. : « au sein de la cour de France » *(Ibid.)* — Benvenuto Cellini fut, en effet, appelé en France par François Ier, qui lui assigna pour demeure la tour de Nesle ; Benvenuto Cellini y installa ses ateliers, mais il ne sut pas se maintenir longtemps en faveur ; il offensa la duchesse d'Étampes, maîtresse du roi, s'aliéna toute la cour et s'en retourna au bout de quelques années en Italie.

150. VAR. : « les conciles ordonnaient la chasteté, couchés dans les bras des courtisanes. » (1831 A) ; — « les conciles couchés dans les bras des courtisanes décrétaient la chasteté des prêtres. » (1831 B).

151. VAR. : « échevelées, cruelles, bouillantes » (1831 A à 1835).

152. VAR. : « se repersonnifia » (1831 A à 1845).

153. VAR. : « trop puissante » (1831 A et B).

154. VAR. : « provenant du cabinet » (1831 A, B et 33).

155. Était-ce bien un enfant en cire ? Il y avait à Paris un salon où étaient représentés en cire des personnages plus ou moins célèbres ; c'est le cabinet de Curtius, prédécesseur de notre musée Grévin. Mais Frédéric Ruysch (né le 23 mars 1638 à La Haye, mort le 23 février 1731) n'était pas un modeleur, c'était un médecin, qui fut renommé comme anatomiste et qui enseigna l'anatomie à Amsterdam ; la collection qu'il réunit était formée, en grande partie, de cadavres, que, par un procédé d'injection qu'il employait, et dont il semble bien que le secret ait été perdu, il réussissait à conserver plusieurs années sans qu'ils s'altérassent. Pierre le Grand lui acheta, en 1717, son cabinet d'anatomie et l'envoya à l'Académie de Saint-Pétersbourg. Ruysch, bien qu'il eût alors soixante-dix-neuf ans, commença une deuxième collection, qui fut acquise plus tard par l'université de Wittemberg. Ruysch a écrit aussi des ouvrages d'anatomie. Il en a paru une édition complète en 1737 : *Opera anatomico-medico-chirurgica.* (Amsterdam, 4 vol.)

156. VAR. : « lui peignait les joies délicieuses de sa jeunesse. » (1831 A) ; — « lui rappelait toutes les joies délicieuses de sa jeunesse. » (1831 B et 33) ; — « lui rappelait toutes les joies de son jeune âge. » (1835).

157. VAR. : « d'Otaïti » (1831 A à 1839).

158. VAR. : « qui, sans culture, dispensait une manne savoureuse. » (1831 A à 1835).

159. Lara, personnage principal du poème de lord Byron, *Lara*, considéré comme la suite du poème *le Corsaire*. (Cf. *Œuvres complètes* de Byron, édit. Garnier frères, t. II.)

160. VAR. : « d'or, dont un missel, un manuscrit précieux étaient enrichis, il oubliait » (1831 A et B) ; — « d'or dont quelque missel, quelque manuscrit précieux était enrichi, il oubliait » (1833) ; — « d'or dont quelque missel, manuscrit précieux était enrichi, il oubliait » (1835).

161. VAR. : « se couchant au fond d'une cellule d'où il contemplait les prairies » (1831 A et B) ; — « se couchait au fond d'une cellule, contemplant de sa fenêtre en ogive les prairies » (1833); — « ... contemplant par sa fenêtre ogive... » (1835).

162. De David Téniers, dit le Jeune, né à Amiens le 15 décembre 1610, mort à Bruxelles le 5 avril 1694. Il est plus célèbre, il fut plus fécond, que son père David Téniers, dit le Vieux ; dans son œuvre on trouve des scènes rustiques, des scènes populaires, des scènes militaires ; ses kermesses sont fameuses.

163. VAR. : « d'un ouvrier ou le bonnet » (1831 A, B et 33) ; — « d'un ouvrier, acceptait le bonnet » (1835).

164. VAR. : « paysanne fraîche et d'un » (1831 A, B et 33).

165. François Van Mieris, peintre de l'école hollandaise, né à Delft le 16 avril 1635, mort le 12 mars 1681. Il avait eu pour maître Gérard Dow, qui l'appelait le prince de ses élèves. Il y a plusieurs toiles de lui au musée du Louvre.

166. Salvator Rosa, dit Salvatoriello, né à Renella, près de Naples, en 1615, mort en 1673. Il avait les dons les plus divers : il fit des poésies, il composa de la musique, mais il est célèbre comme peintre et graveur. Il a traité les sujets les plus variés. Il a peint des scènes religieuses, des paysages en général grandioses et sévères, et, ainsi que Balzac l'indique ici, des batailles.

167. Les Chérokées, tribus d'Indiens Peaux-Rouges, parmi les moins barbares de leur race, et aujourd'hui complètement civilisés.

168. VAR. : « Enfin, émerveillé d'un rebec jadis mélodieux sous la main d'une châtelaine, il en écoutait la romance et lui déclarait son amour » (1831 A) ; — « Enfin, émerveillé à l'aspect d'un rebec, il le confiait à la main d'une châtelaine, dont il écoutait la romance mélodieuse, à laquelle il déclarait son amour » (1831 B) ; — de 1833 à 1839 même texte sauf « mélodieuse en lui déclarant son amour ».

169. VAR.: « dans l'ombre et recueillant d'elle un regard » (1831

A); — « dans l'ombre et recueillait d'elle un regard » (1831 B);
— « dans l'ombre où se perdait un regard » (1833 et 35).

170. Var. : « accrochées » (1831 A à 1835).

171. Var. : « les frontières » *(Ibid.)*

172. Var. : « étaient là. C'était le bazar » (1831 A et B).

173. Var. : « payée jadis » (1831 A, B et 33).

174. Var. : « le prix de fabrication aurait suffi à la rançon »
(Ibid.) ; — « le prix de fabrication aurait suffi jadis à la rançon »
(1835).

175. Var. : « le génie humain » (1831 A à 1838).

176. Var. : « ses petitesses gigantesques. » (1831 A à 1845).

177. Var. : « garçon joufflu, car s'il fallait fabriquer ces choses-
là, la somme de toutes les dettes publiques de l'Europe n'y suffirait pas... Mais ce n'est rien » (1831 A).

178. Dans les éditions 1831 A à 33 il n'y a pas « des Velasquez ».

179. Corinne, poétesse lyrique qui fut aussi célèbre par sa
beauté que par son talent, qui était grand puisqu'elle remporta,
plusieurs fois, dit-on, le prix sur Pindare, dans des concours de
musique et de poésie. Elle était née à Tanagra, mais elle résida
souvent à Thèbes, d'où le surnom de *Thébaine* qu'on lui donne
quelquefois. Elle vécut au Vᵉ siècle avant Jésus-Christ.

180. Var. : « par un sel, l'âme humaine, puissante Locuste,
se compose des poisons terribles par la concentration » (1831 A,
B et 33).

— Locuste, célèbre empoisonneuse romaine que Néron pro-
tégea, employa et récompensa ; l'un des plus connus parmi ses
crimes est l'empoisonnement de Britannicus. Elle fut mise à
mort, en 68, sous le règne de l'empereur Galba.

181. Var. : « Et beaucoup d'hommes périssent ainsi, victimes de quelque acide moral qu'ils se sont eux-mêmes distillé
sur le cœur. » (1831 A, B et 33).

182. Var. : « richesses. Et il montra » (1831 A à 1835).

183. Var. : « à le prévenir.

— Vous hasarder, reprit » (1831 A à 1845).

184. Var. : « Interprétant le silence de l'inconnu comme un
souhait, son guide le laissa » (1831 A, B et 33) ; — « L'apprenti
interpréta le silence de l'inconnu comme un souhait et le laissa »
(1835 à 1845).

185. Les mots « et du temps » manquent dans les éditions
1831 A, B et 33.

186. Georges-Léopold-Chrétien-Frédéric-Dagobert, baron de

Cuvier, né à Montbéliard le 23 août 1769, mort à Paris le 13 mai 1832, l'un des plus grands naturalistes français. Il a laissé des ouvrages d'anatomie, et comme le rappelle Balzac, des ouvrages de zoologie dont le principal est : *Recherches sur les ossements fossiles des quadrupèdes où l'on établit les caractères de plusieurs animaux dont les révolutions du globe ont détruit les espèces* (Paris, Gab. Dufour et Ed. d'Ocagne, 1812, 4 vol. in-4º) ; c'est une réunion de Mémoires précédemment publiés par l'auteur dans les *Annales du Muséum d'histoire naturelle* ; une nouvelle édition « entièrement refondue et considérablement augmentée » a paru chez Gab. Dufour, de 1821 à 1824, en 5 vol. gr. in-4º ; — on a imprimé à part le *Discours sur les Révolutions de la surface du globe et sur les changements qu'elles ont produits sur le règne animal*, discours qui servait d'Introduction audit ouvrage. En collaboration avec Alexandre Brongniart, Cuvier a publié une *Description géologique des environs de Paris*, éditée d'abord en 1812, mais dont une édition plus développée fut donnée en 1822, chez Gab. Dufour et Ed. d'Ocagne, en un vol. in-4º.

187. Les mots « Emporté par son génie » manquent dans les éditions 1831 A, B et 33.

188. VAR. : « Avez-vous ainsi plané » (1831 A) ; — « Avez-vous jamais ainsi plané » (1831 B et 33).

189. VAR : « humaine, dont la puissante tradition divine n'ont pas tenu compte et dont la cendre, poussée à la surface » (1831 A et B) ; — « humaine, dont l'indestructible tradition divine n'ont pas tenu compte et dont la cendre poussée à la surface » (1833 à 1845).

190. Cadmus, fondateur de Thèbes. Ayant terrassé le dragon qui gardait la fontaine d'Arès, il lui arracha les dents et, sur le conseil d'Athéna, les sema dans un sillon. Il en naquit des hommes armés qui se combattirent et s'entre-tuèrent ; cinq d'entre eux seulement survécurent à ce combat ; ils furent les ancêtres des Thébains.

191. VAR. : « meublent les anciens jours évanouis. Il est poète » (1831 A, B et 33).

192. VAR. : « de paroles grandement magiques » (1831 A à 1845).

193. VAR. : « — Voyez ! Et alors, il déroule des mondes, animalise les marbres, vivifie la mort et fait arriver le genre humain, si bruyamment insolent, après d'innombrables dynasties de créatures gigantesques, après des races de poissons ou de mollusques. Et c'est vous qu'il institue poètes !... vous hommes

chétifs nés d'hier, mais dont le regard rétrospectif compose des
poèmes sans limite, une sorte d'Apocalypse rétrograde. » (1831 A) ;
— même texte dans 1831 B, moins le mot « rétrograde », omis à
l'impression sans doute ; — même texte aussi en 1833, à deux variantes
près : 1° « de poissons et des familles de mollusques » ne s'y trouve
pas ; 2° la fin y est : « le regard rétrospectif peut composer des poèmes
sans limite, espèces d'Apocalypses rétrogrades. » — En 1835, le
texte diffère assez peu du nôtre ; il est : « Voyez ! Soudain les
marbres s'animalisent, la mort se vivifie, les mondes se déroulent,
et arrive enfin, après d'innombrables dynasties de créatures gigantesques, après des races de poissons et des familles de mollusques,
le genre humain », etc. jusqu'à « entonner un hymne sans limite
et se configurer le passé de l'univers par des Apocalypses rétrogrades. » — En 1838 et 1839, il ne subsiste qu'une variante, qui est
« entonner un hymne sans limite ».

194. VAR. : « la miette dont nous sommes usufruitiers dans »
(1831 A à 1835).

195. VAR. : « d'univers inconnus et en ruines » *(Ibid.)*

196. VAR. : « — Monsieur, madame la comtesse a répondu
qu'elle vous attendait ce soir. » (1831 A, B et 33) ; — « Madame
la comtesse a répondu que ce soir elle attendait monsieur. » (1835).

197. VAR. : « lui lança une grimace » (1831 A, B et 33).

198. VAR. : « les yeux des personnages représentés sur les
tableaux remuèrent en pétillant. » (1831 A à 1845).

199. Le Brocken, montagne du Harz où avaient lieu, selon la
tradition populaire, des sabbats de sorcières. Méphistophélès y
conduisit Faust. (Cf. *Faust*, deuxième partie, traduction de Gérard
de Nerval, p. 151 et suiv. Garnier frères.)

200. VAR. : « pensées à la faveur desquelles il évoquait sa triste
existence. » (1831 A, B et 33).

201. VAR. : « Un silence effrayant régnait autour de lui ;
de sorte que, bientôt » (1831 A) ; — « Le silence régnait autour
de lui si profond que bientôt » (1831 B).

202. VAR. : « Une lueur prête à quitter le ciel ayant fait reluire »
(1831 A à 1845).

203. VAR. : « éclairé qui, le montrant du doigt, pencha dubitativement le crâne » (1831 A, B et 33) ; — « éclairé qui le montra
du doigt et pencha dubitativement le crâne » (1835 à 1845).

204. VAR. : « que cette caresse froide et digne des mystères
de la tombe lui avait été faite par quelque » (1831 A, B et 33) ;

— « que cette froide caresse digne des mystères de la tombe lui avait été faite par quelque » (1835 à 1845).

205. VAR. : « étaient subitement venues... (1831 A à 1835). Il se passa dès ce moment » (1831 A, B et 33).

206. VAR. : « et tressaillit comme lorsque nous sommes précipités dans un abîme par quelque brûlant cauchemar » (1831 A et B) ; — même texte, sauf « au gré de quelque brûlant cauchemar », (1833).

207. VAR. : « les yeux, ébloui par un rayon de vive lumière. Il vit briller » (1831 A et B) ; — en 1835, texte de notre édition, sauf « Il vit ».

208. VAR. : « dirigeait sur son seul visage la clarté » (1831 A) ; — « dirigeait sur son visage la clarté » (1831 B, 33 et 35).

209. VAR. : « personnage extraordinaire » (1831 A à 1845).

210. VAR. : « hallucinations dont notre fierté repousse les mystères ou que » *(Ibid.)*

211. VAR. : « Sa tête était couverte d'une calotte en velours noir qui laissait passer de chaque côté de la figure les ondoyantes nappes d'une chevelure d'argent. » (1831 A et B) ; — En 1833 même texte sauf la fin qui est : « de la figure les longues mèches de ses cheveux blancs. » La suite, dans ces trois éditions est : « La robe ensevelissant le corps comme dans un vaste linceul et la coiffure étant appliquée sur le crâne de manière à encadrer le front, ne permettait de voir qu'une étroite figure blanche. » Cependant en 1833 il y a « permettaient ».

212. VAR. : « Une barbe blanche » (1831 A et B).

213. VAR. : « par sa bouche dans ce pâle visage. » (1831 A et B) ; — « ... dans ce blanc visage. » (1833).

214. Gérard Dow (on l'a écrit aussi *Dov* et *Dou*), peintre hollandais, né à Leyde le 7 février 1613, mort dans la même ville en 1675. Il fut l'élève de Rembrandt, qui n'était son aîné que de sept années. Après avoir débuté par des portraits, il dut renoncer à ce genre, son souci du « fini » imposant à ses modèles des séances trop nombreuses et trop longues qui les lassaient. Il peignit alors, avec le même soin, des scènes de genre, des natures mortes. Son existence fut très laborieuse. Il a laissé plus de deux cents toiles, dont la plus connue est peut-être *la Femme hydropique. Le Peseur d'or*, que mentionne Balzac, et qu'il peignit en 1664, est aussi l'un de ses tableaux les plus célèbres.

215. VAR. : « Vous y lisiez une incroyable conscience de force et la tranquillité lucide d'un dieu ou d'un homme » (1831 A, B et 33).

216. VAR. : « car il y avait » (1831 A, B et 33).

217. VAR. : « la bouche aussi mordante que celle de Voltaire. En broyant les chagrins et les peines » (1831 A) ; — « la bouche. En broyant les chagrins et les peines » (1831 B et 33).

218. VAR. : « L'on frémissait » (1831 A à 1835).

219. VAR. : « fantastiques » (1831 A et B).

220. Joseph-Louis Gay-Lussac, né à Saint-Léonard (Haute-Vienne) le 6 décembre 1778, mort à Paris le 9 mai 1850. Grand chimiste, grand physicien, il est célèbre, en particulier, pour ses recherches sur la dilatation des gaz, phénomène dont il a découvert et formulé la loi, qui a, d'ailleurs, reçu en physique le nom de *loi de Gay-Lussac*.

221. Dominique-François Arago, né à Estagel (Pyrénées-Orientales) le 26 février 1786, mort à Paris le 2 octobre 1853. Il fut aussi un savant illustre. Sa précoce science le fit admettre à l'âge de vingt ans à l'Académie des Sciences et nommer deux ans plus tard professeur à l'École polytechnique. Il a laissé de nombreux travaux et fait des découvertes en physique et en astronomie. Il a le premier donné les lois de l'aimantation de l'acier par l'électricité ; il a le premier constaté, et il a expliqué, les variations de l'aiguille d'inclinaison ; on lui doit, enfin, de beaux travaux sur la physique solaire. Arago était d'opinions démocratiques. Élu député des Pyrénées-Orientales, il siégea à l'extrême gauche de la Chambre. Après la Révolution de février 1848, il fut membre du Gouvernement provisoire.

222. VAR. : « de gobelets, l'inconnu ne pouvait guère obéir qu'aux fascinations poétiques dont il avait accepté le prestige et auxquelles » (1831 A) ; — « de gobelets, l'inconnu n'obéissait sans doute qu'aux fascinations », la suite comme en 1831 A (1831 B, 33 et 35).

223. VAR. : « émotion précordiale » (1831 A à 1835).

224. VAR. : « grand homme revêtu de gloire, brillant de génie. » (1831 A, B et 33).

225. VAR. : « de manière à ce qu'une lévite brune en reçût » (1831 A à 1845).

226. VAR. : « Aux noms puissants de Jésus-Christ et de Raphaël, un geste de curiosité, sans doute attendu par le vieillard, échappa au jeune homme. Le marchand d'antiquités fit jouer un ressort, et, tout à coup, le panneau d'acajou, glissant » (1831 A, B et 33). — En 1835, texte de notre édition, sauf : « attendu par le vieillard ».

227. VAR. : « il oublia tout, même les fantaisies du magasin,

et les caprices » (1831 A et B) ; — « il oublia toutes les fantaisies du magasin et les caprices » (1833).

228. Var. : « la sérénité (1831 A) du visage divin » (1831 A, B et 33).

229. Var. : « de douces et pénétrantes » (1831 A).

230. Var. : « Enfin, l'Évangile était tout entier traduit par la simplicité calme de ces adorables yeux où l'âme troublée se réfugiait, où toute la religion se lisait en une seule expression magnifique et suave qui semblait répéter : *Aimez-vous* » (1831 A et B); — « Enfin l'Évangile entier était traduit par la simplicité calme de ces adorables yeux où se réfugiaient les âmes troublées ; où la religion se lisait en un magnifique et suave sourire qui semblait la contenir toute, en exprimant ce précepte où elle semble tenir toute : *Aimez-vous* » (1833).

231. Var. : « une prière, commandait le pardon, tuait l'égoïsme, réveillait la charité. Le triomphe de Raphaël était complet, car on oubliait le peintre et, partageant le privilège des enchantements de la musique, son œuvre vous jetait sous le charme puissant des souvenirs... Le prestige » (1831 A et B) ; — « une prière, commandait le pardon, tuait l'égoïsme, réveillait toutes les vertus endormies. Le triomphe de Raphaël était complet. On oubliait le peintre. Partageant le privilège des enchantements de la musique, son œuvre vous jetait sous le charme impérieux des souvenirs... Le prestige (1833). — En 1835, une seule variante : « commandait le pardon ».

232. Var. : « la tête s'élevât dans un lointain magique au sein » (1831 A et B) ; — « la tête s'élevât dans le lointain au sein » (1833).

233. Var. : « d'or à un pied de hauteur ! ... » (1831 A et B).

234. Var. : « étau de fer. » (1831 A, B et 33).

235. Var. : « Le vieillard examinait d'un œil sagace le visage morne de son faux chaland pendant qu'il parlait ; et rassuré bientôt par » *(Ibid.)* En 1835, une seule variante : « Le soupçonneux vieillard ».

236. Var. : « destinées dont avaient naguère frémi les joueurs ; il lâcha les mains qu'il tenait si vigoureusement. Mais, par un reste » (1831 A à 1835).

237. Les Funambules, petit théâtre d'environ huit cents places, fondé en 1815, et qui donna surtout d'abord des spectacles de marionnettes ; en 1825 il obtint l'autorisation de représenter des pantomimes et en 1830 celle de jouer des vaudevilles. Frédérick Lemaître et Deburau y jouèrent. Deburau y réussit et fit la gloire

et la fortune de ce théâtre, qui était d'ailleurs fort bien agencé.

238. VAR. : « dévoiler les souffrances inouïes dont il est difficile de parler en » (1831 A).

239. VAR. : « — Eh! eh! répondit le vieillard. » (1831 A et B).

240. VAR. : « Ces deux syllabes ressemblèrent au cri d'une crécelle.

— Sans que je vous console, sans que vous m'imploriez, sans avoir à rougir, reprit le marchand et sans que je vous donne :
Un centime de France,
Un maravédis d'Espagne,
Une gazetta de Venise,
Un farthing d'Angleterre,
Un cauris d'Afrique,
Une roupie de l'Inde,
Un rez [reis] de Portugal,
Une gourde d'Amérique,
Un rouble de Russie,
Un denier hollandais,
Un parat du Levant,
Un tarain de Sicile,
Un croizat de Gênes,
Un gros de Genève,
Un heller d'Allemagne,
Une bajoque d'Italie,
Un batz de Suisse,
Une seule des sesterces » (1831 A).

Dans 1831 B, 33 et 35 même texte jusqu'à « un centime de France », ensuite :
« Un parat du Levant,
Un tarain de Sicile,
Un heller d'Allemagne,
Une seule des sesterces ».

241. VAR. : « Vous donner quoi que ce soit : Or, Argent, Billon, Papier, Billet, Hypothèque, Annuité, Rente, Délégation ou Emphythéose. Je vous fais plus riche, puissant et considéré qu'un roi constitutionnel. Eh! eh!... » (1831 A et B). — En 1833 et 35 une seule variante, l'addition : « Eh! eh! »

242. VAR. : « Le jeune homme resta comme engourdi croyant le vieillard en enfance. » (1831 A, B et 33).

243. VAR. : « cette petite *Peau de chagrin...* » sans les mots « ajouta-t-il » (1831 A et B).

244. VAR. : « La clarté frappant en plein sur le fragment d'une peau de chagrin suspendue à un clou précisément au-dessus du siège sur lequel le jeune homme était assis, il vit, en se levant, un phénomène assez extraordinaire pour le surprendre. Cette peau, grande comme la fourrure d'un jeune renard, projetait des rayons étincelants... Au sein de la profonde obscurité qui régnait dans le magasin, vous eussiez dit d'une petite comète... » (1831 A); — « Le jeune homme se leva brusquement et témoigna quelque surprise en apercevant un phénomène assez extraordinaire. Accroché sur le mur, à un clou précisément au-dessus du siège où il s'était assis, un morceau de *chagrin*, dont la dimension n'excédait pas celle d'une peau de renard, paraissait projeter des rayons lumineux... Au sein de la profonde obscurité qui régnait dans le magasin, vous eussiez dit d'une petite comète... » — Une seule variante de 1835 à 1845 : « d'une petite comète ».

245. VAR. : « Le jeune incrédule s'approcha de ce talisman si puissant contre le malheur, en s'en moquant par une phrase mentale, mais animé cependant d'une curiosité légitime, il se pencha pour la regarder attentivement sous toutes les faces, et alors découvrit » (1831 A et B). — Même texte en 1833, sauf à la fin : « Alors, il le découvrit ». — En 1835 deux variantes, « mentale ; mais cependant » et « pour le regarder attentivement sous » ; — en 1838, 39 et 45 « pour la regarder ».

246. VAR. : « si merveilleusement brunis » (1831 A, B et 33).

247. VAR. : « simulaient autant » *(Ibid.)*

248. VAR. : « connaître les innocents secrets de quelque nouveau jouet. » *(Ibid.)* ; — « ... les innocents secrets de son jouet nouveau. » (1835).

249. Ce cachet ou, comme disent les Arabes, ce khatim sur lequel se trouvait inscrit le grand nom de Dieu, était sur un anneau magique que portait Salomon et qui avait, d'après la légende, la vertu de lui faire accomplir des actions prodigieuses. Une tradition prétend que cet anneau existe encore, et que celui qui réussirait à le posséder serait le maître du monde. L'anneau serait dans le tombeau de Salomon, mais on ne sait où se trouve ce tombeau.

250. VAR. : « le marchand de curiosités » (1831 A, B et 33).

251. VAR. : « d'idées que les plus » *(Ibid.)* ; — « d'idées que ne pouvaient en exprimer les plus » (1835) ; — « d'idées que n'en pouvaient exprimer les plus » (1838, 39 et 45).

252. VAR. : « Y a-t-il au monde un homme assez simple pour croire à l'existence de cette chimère ? » (1831 A, B et 33).

253. Var. : « Je ne crois pas, dans cette circonstance, devoir
être plus taxé de niaiserie que » (1831 A) ; — « Je ne dois pas »,
la suite comme en 1831 A (1831 B et 33).

254. Var. : « en quelque sorte scientifique. » (1831 A à 1835) ;
— « ... scientifiquement admise. » (1835).

255. Var. : « ses yeux errants » (1831 A, B et 33).

256. Var. : « présenta le stylet. Il le prit » (1831 A) ; — « lui
présenta le stylet. Il le prit » (1831 B et 33).

257. Var. : « si nettes et si conformes à celles imprimées sur
la surface qu'il crut pendant un moment n'en avoir rien ôté. »
(1831 A et B).

258. Var. : « la sentence talismanique » (1831 A).

259. Cette ligne et l'inscription qui la précède n'étaient pas
dans les éditions 1831 A à 1835.

260. « Le sanscrit », dit Balzac dès la première édition, qui ne
contenait que la version française de l'inscription, mais quand il
en a donné le texte original il l'a donné en caractères arabes.

261. Var. : « Vous avez peut-être été au Bengale ? en Perse ? »
(1831 A) ; — « Vous avez peut-être voyagé dans le Bengale ou
en Perse ? » (1831 B et 33).

262. Var. : « avec une curiosité digitale » (1831 A).

263. Var. : « n'y a-t-il pas une plaisanterie là-dessous ? demanda » (1831 A) ; — « Est-ce une plaisanterie ou un mystère ? demanda » (1831 B et 33).

264. Var. : « Mais j'ai offert le terrible pouvoir dont cette
peau religieuse est investie, à des hommes » (1831 A) ; — « J'ai
offert le terrible pouvoir dont ce talisman est investi... » (1831 B
à 1835).

265. Var. : « à signer ce contrat si curieusement proposé »
(1831 A et B) ; — « signer ce contrat si fatalement proposé »
(1833).

266. Var. : « Je pense comme eux ; comme eux j'ai douté, me
suis abstenu, et... » (1831 A à 1835).

267. Cette phrase finit ici dans 1831 A, B et 33.

268. Var. : « résolu de périr par un suicide » (1831 A, B et 33).

269. A rapprocher de ce passage cette note des : *Pensées, sujets,
fragments* (p. 38-39). « Les grands hommes ne sauraient voir un
des côtés du triangle seulement.

« (C'est enfermer tout un monde dans un mot.)

« Bifteck de corbeaux.

« Vouloir, pouvoir, savoir. »

270. VAR. : « sous toutes les coutumes. » (1831 A).

271. VAR. : « les plaisirs de l'avare » (1831 A, B et 33).

272. VAR. : « N'ayant point forcé » *(Ibid.)*

273. VAR. : « les millions. » *(Ibid.)*

274. VAR. : « des figures ravissantes. » *(Ibid.)*

275. VAR. : « du temps et de l'espace, de tout embrasser » *(Ibid.)* ; — « du temps ou de l'espace, au plaisir de tout embrasser » (1835).

276. VAR. : « réunis... ce sont vos désirs excessifs » (1831 A à 1835).

277. VAR. : « Qui sait à quel point la volupté » (1831 A, B et 33).

278. VAR. : « oui, je veux savoir... dit » (1831 A à 1835).

279. Les mots « prenez garde » ne sont pas dans les éditions 1831 A, B et 33.

280. Les mots « répliqua l'inconnu » manquent aussi dans les mêmes éditions.

281. Emmanuel Svedberg (qui fut anobli sous le nom de Swedenborg), né à Stockholm le 21 janvier 1688, mort à Londres le 29 mars 1772. Il étudia les lettres, les langues anciennes, les mathématiques, les sciences naturelles. Il fut professeur à l'École des Mines ; puis professeur de mathématiques à l'Université d'Upsal. Il fonda, dans cette ville, une revue, *Dédale hyperboréen,* occupée principalement des découvertes scientifiques.

Swedenborg travaillait beaucoup ; il écrivait énormément ; cette activité excessive le surmena, amena une surexcitation du système nerveux ; il eut des hallucinations de la vue et de l'ouïe ; il s'entendit appeler ainsi l'élu de Dieu, et dès lors il se voua à sa prétendue mission divine. Il se démit de ses charges et n'eut plus que le constant souci d'être un digne et efficace intermédiaire entre le monde visible et le monde invisible, jusqu'alors impénétrable aux hommes ; il s'attacha à dévoiler le sens spirituel et caché des Écritures, et, par là, à travailler à la régénération du Christianisme. Il le fit par des écrits et par des prédications. Sa religion, qu'il appelait *la Nouvelle Jérusalem,* est une sorte de panthéisme mystique qui se rattache aux doctrines de Bœhme. Parmi les ouvrages de Swedenborg, citons : *Du Ciel et de l'Enfer, De la vraie religion chrétienne, Sagesse angélique sur le divin amour et sur la divine sagesse, Arcanes célestes.* Balzac avait étudié Swedenborg et avait subi son influence ; voir, par exemple, son roman *Seraphita,* où le père de Seraphita, le baron Seraphitus, est un cousin bienaimé de Swedenborg et son disciple.

282. VAR. : « et de votre amulette orientale, ou plutôt, monsieur, des charitables efforts que vous faites pour me retenir dans un monde où mon existence est impossible. » (1831 A, B et 33).

283. VAR. : « à enivrer même un corps diplomatique. » (1831).

284. VAR. : « Que la Nuit soit parée de femmes ravissantes ! Enfin, je veux voir la Débauche en délire, rugissante et dans son char tiré par quatre chevaux dont l'ardeur nous entraîne par delà » (1831 A et B). — En 1833 deux variantes : « Que la Nuit » et « char à quatre chevaux qui nous emporte par delà » ; — en 1835, une variante seulement : « Que la Nuit ».

285. VAR. : « dont le bruit » (1831 A à 1845).

286. VAR. : « cuisante rajeunisse même les douairières. » (1831 A) ; — « cuisante qui rajeunisse même les septuagénaires. » (1831 B à 1835).

287. VAR. : « retentit comme un bruissement de l'enfer. Le jeune homme interdit s'arrêta. » (1831 A, B et 33).

288. VAR. : « Croyez-vous, par hasard, dit le marchand » (1831 A et B).

289. VAR. : « jusqu'au plus puissant *(Ibid.)* Le brahmane » (1831 A à 1845).

290. VAR. : « le temps que je mettrai à franchir la largeur du quai... Ou plutôt, pour savoir si vous ne vous moquez pas d'un malheureux, je désire que vous tombiez amoureux d'une danseuse ; et, que pour elle vous deveniez prodigue » (1831 A et B).

291. VAR. : « A ces mots, il sortit sans entendre un grand soupir. Il traversa les salles, descendit les escaliers de cette maison, suivi par le gros garçon joufflu qui tâchait vainement de l'éclairer, car il courait » (1831 A) ; — « A ces mots, il sortit sans entendre un grand soupir poussé peut-être par le vieillard. Il traversa les salles et descendit les escaliers de... qui tâcha vainement de l'éclairer... » (1831 B et 33). — En 1835, une seule variante : « A ces mots, il sortit ».

292. VAR. : « la chaussée du quai, l'inconnu heurta » (1831 A, B et 33).

293. VAR. : « Viens toujours » *(Ibid.)*

294. VAR. : « hôtel *Saint-Quentin*, rue des Cordiers » (1831 A). — La rue des Cordiers allait de la rue Saint-Jacques, 144 et 146, à la rue de Cluny, 3 et 5. Elle a disparu et sur son emplacement s'élève la partie de la Sorbonne affectée à la Faculté des Sciences. — Sur l'hôtel Saint-Quentin et J.-J. Rousseau, voir la n. 627.

295. Var. : « dont nous avons, par parenthèse, admiré l'enseigne inamovible en lettres » (1831 A à 1835).

296. Léonarde est la cuisinière que, dès le début de ses aventures, Gil Blas trouva dans le souterrain où deux voleurs l'avaient de force recueilli. Le Sage écrit, à ce sujet : « La cuisinière [...] était une personne de soixante et quelques années. Elle avait eu dans sa jeunesse les cheveux d'un blond très ardent, car le temps ne les avait pas si bien blanchis qu'ils n'eussent encore quelques nuances de leur première couleur. Outre un teint olivâtre, elle avait un menton pointu et relevé, avec des lèvres fort enfoncées ; un grand nez aquilin lui descendait sur la bouche, et ses yeux paraissaient d'un très beau rouge pourpré. » (*Histoire de Gil Blas de Santillane*, édition Garnier frères, I, 15).

297. Var. : « la campagne au mois de juin. » (1831 A à 1845).

298. « Bouffons » ou « Bouffes », nom par lequel, dans le monde, on désignait souvent le Théâtre-Italien. — Sur le Théâtre-Italien, voir la n. 1191.

299. Var. : « à savoir si » (1831 A, B et 33).

300. Var. : « où l'on dort appuyés » (1831 A).

301. Cette prison était située rue de la Clef, 14 (XIIe arrondissement au temps de Balzac ; Ve arrondissement aujourd'hui). On y enferma d'abord les femmes et les filles débauchées ; une aile spéciale y fut affectée au logement de celles dont la conduite s'améliorait. Cette partie reçut le nom de Sainte-Pélagie, en souvenir de Pélagie, comédienne d'Antioche au ve siècle et qui s'est illustrée par sa pénitence. Le reste des bâtiments s'appelait le Refuge. Cette institution fut supprimée en 1790 et les locaux furent transformés en prison. On y mettait des condamnés de droit commun et des condamnés politiques, sans les séparer. A partir de mars 1828 les condamnés politiques y eurent un quartier à part ; il y eut aussi un quartier dit *de la dette* pour les débiteurs insolvables, jusqu'à ce qu'en 1835 ait été construite une prison spéciale rue de Clichy. La prison de Sainte-Pélagie a été démolie en vertu d'une décision prise par le Conseil général de la Seine en 1893.

302. L'hôtel qui devait devenir la prison de la Force, et qui est situé rue du Roi-de-Sicile, fut construit au XIIIe siècle pour le frère de Saint Louis, Charles d'Anjou, qui fut roi de Naples. Au XVIIe siècle il appartenait au seigneur de Chavigni, dont la petite-fille épousa Henri-Jacques Caumont, duc de la Force ; c'est alors que le nom d'hôtel de la Force fut donné à cette résidence. A la fin du règne de Louis XIV elle fut divisée en deux parties, l'hôtel de la

Force proprement dit, dont l'entrée était rue du Roi-de-Sicile et l'hôtel de Brienne, nommé depuis hôtel de la Petite-Force et dont l'entrée était rue Pavée. L'hôtel de la Force fut désigné comme prison par une ordonnance du 30 août 1780 et des prisonniers y furent mis à partir de 1782. L'hôtel de la Petite-Force fut transformé en prison à son tour, en 1785, et destiné aux filles publiques. Par décret de Louis-Philippe, en date du 17 décembre 1840, fut construite, pour remplacer la prison de la Force, jugée désormais insuffisante et dans un état de trop grande vétusté, la prison de Mazas, qui a été, à son tour, démolie aussi en vertu de la décision du Conseil général de la Seine rappelée à la fin de la note précédente.

303. VAR. : « de mauvais endroits » (1831 A, B et 33).

304. VAR. : « comme une noble victime de juillet... et nous te regrettons. » *(Ibid.)*

305. VAR. : « Il était au-dessus de ce fleuve dans lequel il voulait naguères se précipiter, et, comme l'avait prédit ce vieillard, l'heure de sa mort se trouvait fatalement retardée. » (1831 A) ; — « Il était au-dessus de ce fleuve dans lequel il voulait se précipiter naguères et, selon les prédictions du vieillard, l'heure », la suite comme ci-avant (1831 B).

306. VAR. : « Et nous te regrettions... d'honneur !... dit son ami, poursuivant toujours, car il s'agit » (1831 A, B et 33) ; — « Et nous te regrettions vraiment, dit son ami, poursuivant toujours. Il s'agit » (1835 à 1845).

307. VAR. : « de mystifier avec des mots, des nouvelles et des idées, le bon peuple de France, à l'instar des hommes d'état de l'absolutisme. Il s'agit » (1831 A et B) ; — « de mystifier avec des mots nouveaux et de nouvelles idées », la suite comme au texte précédent (1833).

308. VAR. : « une opinion nationale, de nous prouver » (1831 A et B).

309. VAR. : « au lieu de dire *nous*. En un mot, il s'est fondé un journal armé de deux ou trois cent mille francs, dont le but est de faire » (1831 A, B et 33).

310. VAR. : « où toutes les idées s'échangent, où tous les jours » (1831 A à 1845).

311. « CITADINE. — Sorte de voiture de place fermée. » (Littré.) — Et aussi sorte d'omnibus.

312. VAR. : « du bon vin ; que le pouvoir ne s'y fera jamais sentir... Nous » (1831 A, B et 33).

313. VAR. : « les jeunes doctrines » *(Ibid.)*

— Les doctrinaires étaient opposés à la fois à la monarchie de droit divin et à la démocratie. Quand, à la fin de janvier 1831, Louis-Philippe, en réponse à une adresse de la ville de Gaillac, déclara : « Nous chercherons à nous tenir dans un juste milieu, également éloigné des excès du pouvoir populaire et des abus du pouvoir royal », en même temps qu'il formulait le principe de la monarchie constitutionnelle, il définissait la position des doctrinaires.

314. Var. : « ne pas être toujours de notre opinion et de passer » (1831 A à 1835).

315. Cette phrase finit ici dans les éditions 1831 A à 1835.

316. Var. : « hardis Crispins » (1831 A à 1835).

317. Var. : « kirche » (1831 A, B et 33).

318. Var. : « nos éloges. L'amphitryon » *(Ibid.)* — Sur Taillefer, voir la n. 1135.

319. Var. : « la manière simple et naturelle dont les événements » (1831 A, B et 33) ; — « la manière simple et naturelle par laquelle les événements » (1835).

320. Var. : « digérant, nous étions vierges du fait, hardis en paroles ; mais maintenant nous allons être marqués par le fer chaud de la politique, entrer » (1831 A) ; — dans 1831 B même texte que dans notre édition, mais avec une inversion : « maintenant marqués ».

321. Var. : « dévotieusement » (1831 A à 1835).

322. Var. : « Ah ! c'est un mot cela, mais il a » *(Ibid.)*

323. *Le Corsaire rouge*, roman de Fenimore Cooper, publié en 1828. Il contient, en effet, des épisodes fort dramatiques : celui d'un naufrage où trois naufragées et un officier de la marine royale d'Angleterre, qui s'est fait leur protecteur, sont livrés sur une épave aux fureurs de l'océan ; et, quand ils ont été recueillis à bord du bateau d'un corsaire, la lutte de ruse et de dissimulation entre ce corsaire, aux sentiments violents, et le jeune officier, dont il a cependant fait son second. Mais la noblesse de caractère de l'officier en impose à son adversaire, qui, magnanimement, lui rend la liberté.

324. Botany-Bay, ainsi nommée à cause des richesses botaniques qu'on trouve sur ses côtes, est une des baies les plus vastes de la Nouvelle-Galles du Sud (Australie). En 1787, le gouvernement anglais choisit Botany-Bay pour lieu de déportation, et dès 1788 environ 750 condamnés y furent amenés; mais la baie ne fut point trouvée propre à un établissement et le chef du convoi,

Arthur Philipps, fonda plus au nord, dans la baie du Port-Jackson, la ville de Sydney.

325. VAR. : « la cervelle, vouloir la république ou la guerre... » (1831 A, B et 33).

326. VAR. : « il y a progrès car les prêtres ne sont » (1831 A et B) ; — « il y a progrès car ces nouveaux pontifes ne sont » (1833) ; — « il y a progrès, car nous autres pontifes ne sommes » (1835).

327. Ici commence le fragment publié, sous le titre : *Une débauche*, dans la *Revue des Deux Mondes* le 15 mai 1831, p. 287 à 305. Il y était présenté par la note que voici : « Impatiemment attendue, l'œuvre originale dans laquelle notre collaborateur a, dit-on, merveilleusement uni la peinture de la société moderne, son masque de croyance, son luxe, ses passions, aux plus hautes idées morales et philosophiques, doit paraître dans quelques jours (le 15 juin). On sait que *la Peau de chagrin* a déjà obtenu dans les salons de Paris d'honorables suffrages.

« Raphaël de Valentin, le héros du livre, est poussé par le désespoir à un cruel suicide. Mais il voudrait assister encore à une orgie, afin de mourir comme le duc de Clarence, non pas tout à fait dans un tonneau de Malvoisie, mais au milieu d'un festin moderne, éclatant de luxe, et au sein de la débauche. En ce moment, l'un de ses amis, Émile, le rencontre et l'emmène au dîner donné par un capitaliste qui fonde un journal ministériel. »

— Le duc de Clarence mentionné ici est George, comte de Warwick et de Salisbury et dernier duc de Clarence. Il était fils de Richard, duc d'York, frère d'Édouard IV, roi d'Angleterre. Le duc George de Clarence prit une part active à la querelle des deux roses, la rose blanche d'York et la rose rouge de Lancastre. D'abord partisan des York, il se laissa attirer par le comte de Warwick, de qui il devint le gendre, dans le parti des Lancastre, où il regretta de s'être engagé et qu'il abandonna, à la veille d'une bataille, entraînant dans sa défection douze mille hommes de troupe. Les deux partis lui furent désormais hostiles, car le roi Édouard ne lui rendit pas son amitié. Irrité et montrant son irritation, il fut soupçonné d'ourdir de nouveaux complots, et mis en jugement devant le Parlement, qui le condamna à mort, mais en lui laissant le choix de son supplice. Il demanda, dit-on, à être noyé dans un tonneau de vin de Malvoisie. C'était en 1478 ; il avait vingt-neuf ans, étant né en 1449.

328. VAR. : « Émile était un auteur » (*Rev. des Deux Mondes* et 1831 A à 1835). — Sur Émile Blondet, voir la n. 1727.

329. VAR. : « de gloire dans ses chutes que les autres n'en recueillent de leurs succès. Hardi dans ses compositions, plein de verve » (*R. D. M.* et 1831 A à 1835).

330. VAR. : « livres. Il plaisait par des promesses » (*R. D. M.* et 1831 A, B et 33).

331. VAR. : « faire, comme dit maître Alcofribas » (*R. D. M.* et 1831 A).

332. CHIÈRE (ou CHÈRE) LIE : joyeuse chère. On trouve l'expression « tronçon de chère lie » au chap. XXI du deuxième livre : « Or, dit-il [dit Panurge à la « haulte dame de Paris » de qui il était amoureux], ce me serait bien tout un d'avoir bras et jambes couppez en condition que nous fissions, vous et moy, un transon de chère lie » (*Œuvres* de Rabelais, édit. Garnier frères, I, 239).

333. VAR. : « — Oh ! que j'aime les porches bien chauffés, et dont les tapis sont riches, répondit » (*R. D. M.* et 1831 A et B) ; — « — Oh ! que j'aime... » la suite comme dans notre édition (1831 B).

334. VAR. : « un salon resplendissant de luxe et de lumière » (*R. D. M.*, 1831 A, B et 33).

335. Les mots « selon l'occurrence » manquent dans la *Rev. des Deux Mondes* et dans l'édition de 1831 A.

336. VAR. : « ou, dans un article, condensait » (*R. D. M.* 1831 A, B et 33).

337. Le saint-simonisme, doctrine sociale, devint sous certains des disciples et des successeurs de Saint-Simon, dont le chef fut Enfantin, une sorte de secte religieuse. Un de leurs principes était la communauté des biens et des femmes.

338. C'est-à-dire privent la conversation de vie, d'animation, le mot azote (nom de la partie non respirable de l'air atmosphérique) ayant le sens de sans vie (*a* privatif et *zoo*).

339. VAR. : « y chante » (*R. D. M.* et 1831 A).

340. VAR. : « qui prédisent son avis » (*Ibid.*)

341. VAR. : « le fameux mot de Louis XVIII » (*R. D. M.* à 1835). — *Union* et *Oubli*, c'est-à-dire union entre tous les Français et oubli des dissensions antérieures.

342. VAR. : « et comme, de temps à autre, ses yeux se dirigeaient avec impatience vers la porte du salon, il était facile de voir que tous les convives se trouvaient réunis, moins un... Alors apparut un gros petit homme vêtu de noir, accueilli soudain par » (*R. D. M.* et 1831 A) ; — En 1831 B et 33 même texte sauf : « Bientôt apparut ».

343. VAR. : « Un domestique en grande livrée » (*R. D. M.*
1831 A, B et 33).

344. VAR. : « briller Les moindres frises dorées, les ciselures
délicates des bronzes » (*Ibid.*) ; — en 1835 même texte, sauf qu'il
y a « du bronze ».

345. VAR. : « Les draperies respiraient une élégance » (*R.
D. M.* et 1831 A à 1845).

346. VAR. : « dénué d'argent. » (*R. D. M.* et 1831 A.)

347. VAR. : « jamais hésité... Il nous faut » (*R. D. M.*, 1831 A,
B et 33).

348. VAR. : « saint, évangélique et rassurant » (*R. D. M.*
et 1831 A à 1835).

349. VAR. : « la Révolution, je ne sais quelle vieille dame asthma-
tique, un petit orphelin scrofuleux et quelque autre personne.
Peux-tu » (*R. D. M.*, 1831 A, B et 33) ; — « ... et encore quelque
autre personne... » (1835).

350. VAR. : « de notre vénérable amphitryon ? » (*R. D. M.*
et 1831 A à 1835).

351. VAR. : « D'abord, chaque personne contempla pendant
un temps encore plus court que la parole destinée à l'exprimer
le coup d'œil offert par une longue » (*R. D. M.*, 1831 A, B et 33).

352. Ici, dans la *Revue des Deux Mondes* et l'édition de 1831 A
venaient ces deux phrases : « Les verres se remplirent. Les assiettes
vides disparurent. »

353. Jean-Jacques Régis de Cambacérès, né à Montpellier
le 18 octobre 1753, mort à Paris en 1824, qui occupa les situations
les plus brillantes et qui fut comblé d'honneur. Député de l'Hé-
rault à la Convention nationale, membre puis président du Comité
de Salut public, membre du Conseil des Cinq Cents, ministre de la
Justice sous le Directoire, second consul sous le Consulat, prince-
duc de Parme, archichancelier et élevé au grade de grand aigle
de la Légion d'honneur sous l'Empire, qui fit en outre de lui
un membre du Conseil privé, le président du Sénat, le président
du Conseil d'État, le président de la Haute Cour impériale ; nommé
président du Conseil de régence après la première abdication de
Napoléon, il adhéra ensuite à la déchéance de l'Empereur, ce qui
n'empêcha pas qu'il fut durant les Cent-Jours rétabli dans tous ses
titres, fonctions et dignités. Il servit ainsi avec un égal avantage les
régimes qui se succédèrent alors si rapidement en France ; mais
son œuvre principale est son concours dans la préparation des lois
et surtout du Code civil.

354. Anthelme Brillat-Savarin, né à Belley le 1er avril 1755, mort le 2 février 1826. Il entra dans la magistrature. A la Révolution il fut député à l'Assemblée constituante, puis président du tribunal civil du département de l'Ain ; c'était un homme aimable, fin, spirituel, d'opinions modérées. A la Terreur, il émigra et on le vit à New-York, maître de langue française et même violoniste dans un théâtre. Rentré en France quand la vie y fut moins incertaine, il fut nommé, sous le Consulat, conseiller à la Cour de cassation. Mais tous ces titres sont oubliés et on ne se souvient de lui que comme auteur de la *Physiologie du goût ou Méditations de Gastronomie transcendante, ouvrage théorique, historique et à l'ordre du jour, dédié aux gastronomes parisiens, par un professeur, membre de plusieurs sociétés savantes,* qui parut à Paris, chez Sautelet en 1825, en 2 vol. in-18. Cet ouvrage est celui d'un gourmet mais c'est aussi celui d'un causeur, d'un homme de société ; ses méditations ne sont pas seulement gastronomiques mais encore, et à l'occasion, philosophiques et morales. Il compte, parmi les plaisirs de la table, la qualité des mets, bien entendu, et l'excellence de leur préparation, mais il y compte aussi, et le choix du lieu et le choix des convives. Ni la bonne soupe ni le beau langage ne suffisent ; il y faut leur union et leur harmonie.

355. Var. : « avait bu deux ou trois bouteilles » (*R. D. M.* et 1831 A).

356. Var. : « insensiblement » (*Ibid.*)

357. Var. : « et la calomnie élevait même tout doucement sa petite tête et parlait d'une voix flûtée » (*R. D. M.* et 1831 A à 1835).

358. Var. : « L'amphitryon » (*Ibid.*)

359. Var. : « les vins du Rhône, de vieux Roussillons capiteux » (*R. D. M.*, 1831 A, B et 33).

360. Var. : « les piquantes flèches du vin de Champagne » (*R. D. M.* et 1831 A à 1835).

361. Var. : « Un moment vint où les valets sourirent, car les maîtres parlaient tous à la fois. » (*R. D. M.*, 1831 A et B) ; — « Un moment vint où les maîtres parlant tous à la fois les valets sourirent. » (1833).

362. Var. : « les jugements, les niaiseries » (*R. D. M.*, 1831 A, B et 33).

363. Var. : « les balles et les fragments de mitraille » (*R. D. M.* et 1831 A).

364. Var. : « une faulx » (*R. D. M.* et 1831 A à 1838).

365. VAR. : « Sans le savoir, l'arrêt dès longtemps porté par Dieu qui laissa dans la nature le bien et le mal sans cesse en présence en gardant pour lui le secret » (*R. D. M.*, 1831 A, B et 33).

366. VAR. : « de la Révolution et les propos des buveurs tenus à la naissance de Pantagruel, il y avait tout l'abîme » (*R. D. M.*, 1831 A et B). — Même texte en 1833, sauf qu'il y a « Gargantua ». Et c'est bien Gargantua qu'il faut ; « les propos des beuveurs » forment le chap. V du premier livre. (*Œuv.* de Rabelais, édit. Garnier frères, I, 15-18.)

367. Cette phrase n'est pas dans les versions antérieures à 1845.

368. VAR. : « dit un journaliste » (*R. D. M.* et 1831 A à 1839).

369. VAR. : « répondit Raphaël. » (*R. D. M.* et 1831 A à 1835). — Pierre-Simon Ballanche, dont le mot *ballanchiste* rappelle le nom, naquit à Lyon le 4 août 1776 et mourut à Paris le 21 juin 1847. Il avait commencé par être imprimeur dans sa ville natale, comme l'avait été son père. Il avait l'amour des livres, le goût de l'étude, il était de tempérament sédentaire et d'esprit méditatif. De plus, sa santé s'altéra et il endura de grandes souffrances physiques. Il se rétablit lentement mais demeura d'une extrême nervosité ; cependant il s'était remis à ses études et à vingt ans il composa son premier livre, *Du sentiment*, qui parut en 1801. Parmi ses autres ouvrages, il faut mentionner *Antigone* (1813), l'*Essai sur les Institutions sociales* (1817) et la *Palingénésie sociale*, qui parut les années suivantes, par fragments. Ballanche est surtout un philosophe, mais qui s'exprime lyriquement. Frappé du spectacle terrible de la Révolution française, il fut amené à rechercher les lois de ces perturbations sociales et il voyait en elles, sous un anéantissement apparent, un renouvellement douloureux ; ainsi, d'épreuves en épreuves, l'humanité coupable accomplissait sa propre rédemption.

370. VAR. : « dit un fabricant de ballades. » (*R. D. M.* et 1831 A à 1839).

— M. Spoelberch de Lovenjoul (*le Personnage de Canalis dans « la Comédie humaine »*, en son volume : *Une page perdue de Balzac* ; Paris, Ollendorf, 1902) dit, à la p. 83, que Canalis est, « incontestablement, le véritable modèle de Lamartine » ; il en cite un portrait tracé par Balzac dans *Illusions perdues*, et qui semble bien s'appliquer à Lamartine, en effet ; mais Lamartine n'était point un « fabricant de ballades ». Un « fabricant de ballades » ç'avait été Victor Hugo. M. de Lovenjoul a un autre argument, c'est que « dans *la Peau de chagrin*, le nom de M. de Canalis fut très tardivement substitué à celui de M. de Lamartine... nom écrit en toutes lettres dans la première édition de l'ouvrage ». Écrit en toutes lettres, en effet, comme on le verra à la n. 397, mais celui de Victor Hugo est écrit en toutes lettres aussi dans le même passage, et c'est au nom de Victor Hugo que celui de Canalis a été substitué. Si donc, dans d'autres romans, Balzac a pu donner à Canalis des traits qui rappellent Lamartine, il me semble que dans *la Peau de chagrin* c'est incontestablement Victor Hugo, auteur de ballades, que Canalis représente.

— Constant-Cyr-Melchior, baron de Canalis, poète et chef de l'école angélique (trait qui évidemment désigne mieux Lamartine que Hugo), paraît dans plusieurs romans de Balzac. On le voit dans *les Mémoires de deux jeunes mariées*, en qualité d'amant de Mme de Chaulieu; puis poète déjà célèbre, en 1824, dans *Illusions perdues* ; puis aspirant à la main de Modeste Mignon, dans le roman de ce nom, mais ce n'est point Modeste Mignon qu'il épousa et dans *Un début dans la vie* on le voit épouser Mlle Moreau, fille du député Moreau, de l'Oise. Il paraît incidemment dans *Béatrix*. Il paraît encore, comme député, dans *les Comédiens sans le savoir* et dans *le Député d'Arcis*, où il intervient en faveur de la validation de ce député. (Cf. *Répertoire*, p. 79-80.)

371. Ici étaient, dans la *Revue des Deux Mondes* et dans l'édition 1831 A, les deux répliques suivantes :

« — Oh ! et le budget ?... répliqua l'amphitryon.

— Et la conscience d'un sénateur ? demanda Émile. »

372. VAR. : « disait un jeune homme » (*R. D. M.* et 1831 A à 1839).

— Massol, qui n'a été nommé ici qu'à partir de l'édition de 1845, était un avocat, natif de Carcassonne, qui en 1830, fut rédacteur à *la Gazette des Tribunaux* et, en 1845, président de section du Conseil d'État. Il dirigea pendant un temps un journal avec Nathan. On le voit dans *Splendeurs et misères des courtisanes*, *Une fille d'Ève*, *la Cousine Bette*, *les Comédiens sans le savoir*. (Cf. *Répertoire*, p. 344.)

373. VAR. : « répondit un propriétaire » (*Ibid.*)

— Moreau, fils d'un père qui fut procureur-syndic à Versailles sous la Révolution, fut l'amant de Mme Clapart, veuve de M. Husson, qui avait été fournisseur aux armées. En 1805, il devint régisseur du domaine de Presles, en Seine-et-Oise, propriété du comte de Sérizy, et il épousa la femme de chambre de la comtesse. Il fut ensuite marchand de biens, il fit fortune et, sous Louis-

Philippe, il fut, sous le nom de Moreau (de l'Oise), député de ce département. Il siégea au centre. Sa fille épousa le poète (et baron) Canalis. Moreau paraît dans *Un début dans la vie*. (Cf. *Répertoire*, p. 371-372.)

374. VAR. : « quelque chose ? » (*R. D. M.*, 1831 A, B et 33).

375. Le passage qui commence ici et qui finit par « des principes et des idées » n'était ni dans la *Revue des Deux Mondes* ni dans les éditions 1831 A et B. En 1833 il était réduit aux lignes suivantes : « Les hommes et les événements ne sont rien, il n'y a en politique et en philosophie que des principes et des idées !... » — Voir sur Bixiou, la n. 1727.

376. Ferdinand Alvarez de Tolède, duc d'Albe, né en 1508, mort en 1582. Il servit dans l'armée et fut général sous Charles-Quint et sous Philippe II. Il réprima, sous ce dernier prince, la révolte des Pays-Bas. Il le fit avec une férocité qui a donné à son nom une gloire sinistre. Il avait institué un tribunal auquel il avait donné le nom de *Conseil des Troubles*, mais qui, par la cruauté de ses sentences, fut appelé *Conseil de sang*. Appelé plus tard à commander l'armée espagnole dans la guerre contre le Portugal, il soumit ce pays, mais en l'épuisant par ses atroces exactions. Il mourut, peu après, à Lisbonne.

377. Monbard ou Montbars naquit en Languedoc vers 1645. Il était de famille noble, de nature ardente ; le récit des cruautés exercées par les Espagnols contre les chrétiens d'Amérique lui donna une grande haine de l'Espagne ; quand la France fut en guerre contre ce pays, Monbard s'embarqua, pour le combattre, sur un navire que commandait un de ses oncles, il fit ainsi la guerre de course sur les côtes sud-américaines et s'y fit remarquer par son extrême bravoure. Il devint chef de corsaires quand son oncle eut péri dans un combat, et cette mort ne fit qu'exciter son ardeur. Il se rendit si redoutable aux Espagnols, tant sur terre que sur mer, qu'ils lui donnèrent le surnom de *l'Exterminateur* et mirent sa tête à haut prix. Monbard était chevaleresque, il n'était point mené par des mobiles intéressés. On ignore comment il termina son existence si aventureuse. (Cf. sur Monbard : A.-O. AMELIN, *Histoire des Aventuriers ou Flibustiers...* Lyon, 1774, II, 246-269.) — Et aussi, car un tel personnage était prédestiné à devenir un héros de roman : *Monbars l'Exterminateur, ou le Dernier Chef des flibustiers ; Anecdotes du Nouveau-Monde*, par J.-B. Picquenard, Paris, 1807 ; 3 v. in-12. Monbard a été aussi mis au théâtre : *Monbars l'Exterminateur*

ou les Derniers flibustiers, mélodrame en trois actes par Aubertin et Bosquier-Gavaudan (Théâtre de la Porte-Saint-Martin, 1807).

378. A rapprocher de ce passage cette note des *Pensées, sujets, fragments...* (p. 8) : « C'est le remords qui rend un homme atroce. Un homme qui ne se repent pas, c'est un système ou une organisation qui nous émeuvent et quelquefois nous imposent. »

379. La phrase finit là dans la *Revue des Deux Mondes* et dans les éditions 1831 A à 1839.

380. Var. : « Hé! hé! dit un avoué. » (*R. D. M.*, 1831 A, B et 33) ; — « Hé ! hé ! fit un avoué. » (1835 à 1839).

— Desroches avait été clerc dans l'étude de Me Derville, avoué, rue Vivienne, et avait, à son tour, acheté une étude. Il fut le conseiller de la famille Bridau, et ses bureaux étaient alors rue de Buci *(la Rabouilleuse)* ; il fut aussi le conseiller de Lucien de Rubempré *(Illusions perdues)* ; il fut l'avoué de Charles de Vandenesse plaidant contre son frère Félix *(la Femme de trente ans)* ; celui de la marquise d'Espard *(l'Interdiction)* ; celui de Chardin des Lupeaux *(les Employés)* ; celui de Cérizet, et de Sauvaignou, l'entrepreneur de menuiserie *(les Employés)*. On le voit encore dans *Un début dans la vie, Splendeurs et misères des courtisanes*, où il a l'honneur d'être apprécié par Vautrin, dans *Un homme d'affaires*, et dans *la Maison Nucingen*, où il songe à épouser la pauvre Malvina d'Aldriger. (Cf. *Répertoire*, p. 138-139.)

381. Cette phrase finit là dans la *Revue des Deux Mondes* et dans les éditions 1831 A, B et 33. En 1835, il y a ensuite : « dit le notaire».

— Cardot, le notaire, était le fils aîné de Jean-Jérôme-Séverin Cardot, qui avait été premier commis dans une maison de soieries, *Au cocon d'or*, rue des Bourdonnais, dont il était, ensuite, devenu le propriétaire. Cardot, fils aîné, épousa une demoiselle Chiffreville, fille de M. Chiffreville qui, avec MM. Protez et Cochin pour associés, dirigeait une maison de droguerie et de produits chimiques. Au temps de Louis-Philippe, le notaire Cardot entretenait une jeune comédienne, Marguerite Turquet, dite Malaga, et surnommée encore l'Aspasie du Cirque-Olympique. Cardot paraît dans *la Muse du département, Un homme d'affaires, le Cabinet des Antiques, Pierre Grassou, les Petits Bourgeois, le Cousin Pons*. (Cf. *Répertoire*, p. 83, 102 et 515.)

382. Var. : « la verrions » (*R. D. M.* et 1831 A).

383. Var. : « nous disputer » (*R. D. M.* et 1831 A à 1839).

384. Nicolas-Toussaint Charlet, né à Paris le 7 décembre 1792, mort le 30 décembre 1845. Ayant obtenu en 1814 un emploi

dans une mairie de Paris, il le perdit en 1816, comme suspect
de bonapartisme. C'est alors que, ayant le goût du dessin, il se
mit à dessiner. Il étudia ensuite la peinture avec Gros, mais ses
dons étaient ceux du dessinateur plus que du peintre et ses lithographies lui firent rapidement une grande réputation. Il excella
surtout dans les types et scènes militaires et il est demeuré, pour
beaucoup, le dessinateur du grognard. Mais son talent, où il y
a tant de vérité, tant d'observation, tant d'esprit, traita les sujets
les plus variés. Son succès ne se démentit pas. Le nom de Charlet
fut populaire. Et Jacques Arago a écrit : « Charlet et Béranger
peuvent voyager côte à côte... »

385. VAR. : « triompher l'un ou l'autre. » (*R. D. M.*, 1831 A,
B et 33).

386. VAR. : « s'écria un vaudevilliste » (*R. D. M.* et 1831 A
à 1839).

— Ce vaudevilliste était Jean-François du Bruel. Jean-François
du Bruel fut fonctionnaire comme l'avait été son père. Mais
celui-ci, parvenu au grade de chef de division sous l'Empire,
ne s'éleva pas plus haut, ayant été mis à la retraite dès le début
de la Restauration. Jean-François, lui, devint directeur, puis conseiller d'État; il fut élu député, puis nommé pair de France; il fut fait
commandeur de la Légion d'honneur ; il reçut le titre de comte,
et il entra à l'Institut. C'est une belle carrière. Il la dut en partie
aux intrigues de sa femme, personne aimable et habile, qui était
née Claudine Chaffaroux et qui avait été danseuse sous le nom
de Tullia. Jean-François du Bruel avait eu son pseudonyme aussi;
il avait signé du nom de Cursy des vaudevilles, et il avait collaboré
pour le théâtre avec Raoul Nathan. Il paraît dans *la Rabouilleuse*,
les Employés, *Un début dans la vie*, *Un prince de la Bohème*, *les
Petits Bourgeois*, *Illusions perdues*, *Une fille d'Ève*. (Cf. *Répertoire*,
p. 67-68.)

387. VAR. : « dit un journaliste. » (*R. D. M.* et 1831 A à 1839).

388. Cette phrase finit là dans la *Revue des Deux Mondes* et
dans les éditions 1831 A, B et 33, où, d'ailleurs, elle fait partie
de la réplique précédente.

389. VAR. : « s'écria le notaire. » (*R. D. M.* et 1831 A à 1839).

390. Le mot « (Sensation) » n'était pas dans la version de
la *Revue des Deux Mondes*, ni dans les éditions 1831 A, B et 33.

391. Cette réplique manquait aussi dans la *Revue des Deux
Mondes* et dans les éditions 1831 A et B.

392. Le passage qui va de « — S'il résiste ? » à « égrillard »

manquait dans la *Revue des Deux Mondes* et dans 1831 A, B et 33.

393. Maria Felicia Garcia, née à Paris le 24 mars 1808. Son père, Manuel Garcia, de nationalité espagnole, était alors ténor au Théâtre-Italien. Il dirigea sa fille vers la musique et le théâtre, qui ne semblaient pas l'attirer beaucoup ; elle subit cependant cet enseignement impérieux et même rude et qui la prépara aux triomphes de sa brève mais brillante carrière. Elle débuta, en 1825, au Théâtre-Italien de Londres; puis elle se rendit avec son père en Amérique : à Mexico d'abord, puis à New-York, où, en 1826, elle épousa un banquier français, M. Malibran, bien plus âgé qu'elle et de qui elle se sépara dès l'année suivante. En 1828 elle parut à Paris, sur la scène de l'Opéra, ensuite sur celle du Théâtre-Italien. Son succès fut immense. Elle avait une voix admirable qui réunissait le timbre du contralto et celui du soprano, et elle avait, en outre, un grand talent de comédienne. Elle était particulièrement remarquable dans les opéras de Rossini. Après avoir chanté, toujours avec un grand succès, dans les principaux théâtres d'Italie, elle se trouvait à Manchester, remariée depuis peu avec le célèbre violoniste Bériot, quand elle fit une chute de cheval, des suites de laquelle elle mourut, le 23 septembre 1836. On sait quelles belles stances cette mort imprévue et prématurée inspira à Alfred de Musset.

394. Tout le monde sait que le cheval d'Alexandre s'appelait Bucéphale.

395. VAR. : « de Tabourot, seigneur des Accords » (*R. D. M.* et 1831 A à 1835). — Étienne Tabourot, né en 1547, à Dijon, mort en 1590. Il fut avocat et procureur du roi ; il fut aussi poète et c'est le poète, bien oublié, en effet, que Balzac rappelle. Il s'était donné le nom de seigneur des Accords, et il en signa ses œuvres : *les Bigarrures du sieur des Accords* (Paris, Richer, 1543), *les Touches*, *les Escraignes dijonnaises*, et des *Apophtegmes du sieur Gaulard, gentilhomme de la Franche-Comté bourguignotte*, qui vinrent s'ajouter successivement aux rééditions des *Bigarrures* (Paris, Richer, 1585, 1588, 1595, 1612 et 1615, in-16). C'est un écrivain facétieux, dont Bayle a dit : « Il avait beaucoup d'érudition, mais il donna trop dans la bagatelle. »

396. Cette phrase finit là dans la *Revue des Deux Mondes* et dans les éditions 1831 A, B et 33.

— A rapprocher de ce passage cette note des *Pensées, sujets, fragments...* (p. 8) : « Il y a bien plus de crimes dans la haute société

que dans la basse. Les gens sans éducation vont à l'échafaud pour
avoir volé une pendule avec les circonstances atténuantes du code.
L'homme comme il faut brûle un testament. »

397. Ces trois dernières répliques étaient différentes dans la
Revue des Deux Mondes et dans les éditions 1831 A 1845, où il y
avait :

« — Lamartine restera !

— Ah ! Scribe, monsieur, a bien de l'esprit !

— Et Victor Hugo ?

— Voir, au sujet de Victor Hugo, la n. 370.

Dans la *Revue des Deux Mondes*, ces répliques étaient l'objet
d'une note qu'aucune édition n'a reproduite et que voici : « Obligé
de donner de l'actualité à son livre, l'auteur a fait parler dans ce
banquet les convives avec la liberté que supposent le vin et la
bonne chère, mais il espère que son opinion sur les hommes dont
il estime sincèrement les ouvrages ne sera pas suspectée. »

— Le poète dont le nom a été substitué à celui de Lamartine,
Raoul Nathan, est, dans *la Comédie humaine*, le fils d'un brocanteur
juif. Il fut non seulement poète, mais auteur dramatique, romancier, journaliste. Il collabora, pour le théâtre, avec Jean-François
du Bruel (Cursy). C'était un écrivain fécond et très répandu.
Il était de toutes les compagnies où l'on s'amusait. Il eut des succès
féminins et il faillit y compter la conquête de Mme Félix de Vandenesse, qui s'était éprise de lui ; mais elle ne succomba pas, quand
on l'eut renseignée sur la moralité de ce Nathan, noceur, endetté
et lié avec l'actrice Florine, qu'il finit par épouser. On le voit dans
*Illusions perdues, la Rabouilleuse, Splendeurs et misères des courtisanes,
les Secrets de la princesse de Cadignan, Une fille d'Ève, Mémoires de
deux jeunes mariées, l'Envers de l'Histoire contemporaine, la Muse du
département, Un prince de la Bohême, Un homme d'affaires, les Comédiens
sans le savoir.* (Cf. *Répertoire*, p. 379.)

398. Ces dernières lignes, des mots « à classer » aux mots « de
Pères », n'étaient pas dans la *Revue des Deux Mondes*, ni dans les
éditions 1831 A, B et 33. — En 1835, au lieu de « d'être promus »,
il y avait « d'être élus ».

399. VAR. : « répondit un médecin complètement ivre, qu'à
peine y a-t-il une membrane de différence entre un homme de génie
et un grand criminel... » (*R. D. M.*, 1831 A, B et 33) ; — en 1835,
38 et 39 même texte que dans notre édition à une variante près
« répondit un médecin ». (Sur Bianchon, voir la n. 1727.)

— Dans ses *Pensées, sujets, fragments...* (p. 3), Balzac avait écrit :

« Il n'y a qu'une membrane de différence entre un grand coquin et un homme de génie. »

400. VAR. : « s'écria le vaudevilliste » *(R. D. M.*, 1831 A à 39).

401. La phrase finit là dans la *Revue des Deux Mondes* et les éditions 1831 A à 1839.

402. VAR. : « s'écria le caricaturiste. » *(R. D. M.* et 1831 A à 1839).

403. VAR. : « des cachemires. » *(R. D. M.*, 1831 A, B et 33).

404. VAR. : « de mets, et à table » *(Ibid.)* ; — « de mets aussi délicieux et à table » (1835).

405. VAR. : « à quelque Robespierre » *(R. D. M.* et 1831 A).

406. Cette phrase finit là dans la *Revue des Deux Mondes* et dans les éditions 1831 A, B et 33.

407. VAR. : « repu de politique. Quel a été le sort de *Smarra*, la plus ravissante conception ?...

— *Smarra!* cria le jugeur ».

— *Smarra ou les Démons de la nuit, songes romantiques*, traduits de l'esclavon du comte Maxime Odin; Paris, Ponthieu, 1821, in-12.
— Cette prétendue traduction est, en réalité, une œuvre de Charles Nodier même.

L'Histoire du Roi de Bohême et de ses sept châteaux a paru neuf ans plus tard. (Paris, Delangle, 1830, in-8°.)

408. Cette réplique et la suivante n'étaient pas dans la *Revue des Deux Mondes* ni dans les éditions de 1831 A, B et 33.

409. VAR. : « répondit le poète. » *(R. D. M.* et 1831 A).

410. Cette réplique n'est pas dans la *Revue des Deux Mondes*, ni dans l'édition de 1831 A.

411. VAR. : « le belliqueux auteur » *(R. D. M.* et 1831 A à 1839).

412. VAR. : « Eugène » *(Ibid.)* — Cette phrase, dans les mêmes versions, finit au mot « pâlit ».

413. VAR. : « s'écria le plus spirituel des artistes, en prenant » *(R. D. M.* et 1831 A à 1839) ; — « s'écria Bixiou, le plus spirituel des artistes, en prenant » (1845).

414. VAR. : Allons, Henri, quelque farce » *(R. D. M.*, 1831 A, B et 1833); — « Allons, Henri, fais-nous quelque farce » (1835).

415. VAR. : « A toi, Henri !... » *(R. D. M.*, 1831 A, B et 33).

416. VAR. : « à singer *le Globe*, mais » *(R. D. M.*, 1831 A à 1839). — L'expression « à singer *le Globe* en louchant » ne contient pas la malice qui est dans : « singer la *Revue des Deux Mondes* en louchant », car François Buloz, le directeur de cette revue, dont

on peut dire qu'il était la revue même, était borgne. Catulle Mendès, dans une ballade : *L'Esprit de la Revue ou le Borgne et l'Aveugle*, l'appelait « n'a qu'un œil » ; Henri Murger avait fait aussi allusion à cette infirmité dans une épigramme sous forme d'épitaphe :

> Quand Buloz au tombeau sera près de descendre
> Rien ne pourra le retarder :
> Il n'aura qu'un œil à fermer
> Et pas d'esprit à rendre.

417. VAR. : « de sa spirituelle moquerie et alors il ne représenta » (*R. D. M.*, 1831 A, B et 33).

418. VAR. : « le journal » (*R. D. M.* et 1831 A à 1839).

419. VAR. : « La table était couverte d'un admirable surtout en bronze doré sorti des ateliers de Thomire. De ravissantes figures, douées par un célèbre artiste des formes prestigieuses de la beauté idéale » (*R. D. M.* et 1831 A) ; — même texte, sauf qu'il y a « La table fut couverte... » dans 1831 B ; — en 1833, texte de notre édition mais avec cette inversion : « pour la beauté idéale en Europe » ; — en 1835, même inversion et « Galle » au lieu de « Thomire ».

— Galle est mentionné dans l'*Almanach du Commerce* de 1830 (p. 37) ; on y lit : « fabricant lustres, girandoles, feux, pendules, surtouts, propriétaire de la lampe docimastique de Bertin, et dépôt des porphyres de Suède, fournisseur du garde-meuble ; brev. du duc de Chartres, rue Richelieu, 93 ». Il était chevalier de la Légion d'honneur.

— Thomire est mentionné ainsi : « Thomire et Cie, fonderie, ciselure, moulure et dorure, rue Blanche, 45. » — Pierre-Philippe Thomire, associé avec Duterne, avait été orfèvre-bronzier de Louis XVI, puis fournisseur du comte d'Artois et du duc de Berry, et avait eu précédemment ses magasins, 2, boulevard Poissonnière.

420. VAR. : « Le budget d'un prince » (*R. D. M.* et 1831 A à 1845).

421. VAR. : « philtres puissants » (*R. D. M.*, 1831 A, B et 33) ; — « philtres pénétrants » (1835, 38 et 39).

L'orthographe « philtre » était préférable, bien que Littré mentionne aussi le mot « filtre » avec le sens de breuvage, mais en renvoyant à « philtre » d'ailleurs.

422. VAR. : « Un vaudevilliste saisit » (*R. D. M.*, 1831 A à 1839).

423. De Crébillon le père, naturellement : Prosper Jolyot

de Crébillon, né à Dijon le 13 février 1674, mort à Paris le 17 juin 1731, qui, après avoir passé par l'étude d'un procureur et préludé à sa carrière littéraire par la composition de quelques chansons, composa des tragédies dont on a dit que toujours « une sombre terreur » les caractérisa. Il fit : *les Enfants de Brutus, Idoménée, Atrée et Thyeste, Electre, Rhadamiste et Zénobie,* qui fut un de ses plus grands succès, *Xerxès, Sémiramis, Pyrrhus, Catilina, le Trium-virat.* Il avait entrepris aussi un *Cromwell,* mais il reçut, lui, censeur royal, la défense de continuer cette pièce. *Cromwell* dut attendre jusqu'au xixe siècle que Victor Hugo et Balzac le prissent chacun pour sujet d'une tragédie.

424. Var. : « Un journaliste » (*R. D. M.* et 1831 A à 1839).

425. Marie-François-Xavier Bichat, né le 12 novembre 1771, à Thoirette-en-Bresse (Ain), mort le 22 juillet 1802, c'est-à-dire avant d'avoir accompli sa trente et unième année. Il était médecin ; sa carrière si courte est merveilleuse. Il a été en anatomie un maître et un précurseur. Il y a fait des découvertes et l'anatomie des tissus est sa création. Il a donné à la médecine des bases solides. Sa réputation était grande et il n'avait pas trente ans que les Allemands le comparaient à leur grand Boerhaave...

426. Var. : « La confiscation et la peine de mort sont abolies, répondit le banquier. Puis il se prit à rire en haussant » (*R. D. M.,* 1831 A, B et 33) ; — « La confiscation et la peine de mort sont abolies depuis la révolution de juillet, répondit le banquier ; puis il se mit à rire en haussant » (1835) ; — même texte en 1838, 39 et 45, sauf qu'il y a « répondit Taillefer ».

427. Var. : reprit Raphaël. » (*R. D. M.* et 1831 A à 1835).

428. Cette phrase finit là dans la *Revue des Deux Mondes* et les éditions 1831 A à 1835.

429. Var. : « cria Raphaël » (*R. D. M.* et 1831 A à 1835).

430. Cf. Rabelais, le cinquième livre, chap. XLV et XLVI. Au chapitre XLVI : « *Trinc* est un mot panomphée célébré et entendu de toutes nations, et nous signifie : Beuvez », dit Bacbuc ; et Pantagruel : « *Trinc donques.* » (*Œuvres* de Rabelais, édit. Garnier frères, II, 341 et 342.)

431. Var. : « puissamment révélé » (*R. D. M.,* 1831 A et B).

432. Var. : « sépare de Dieu.

— Bah ! reprit-il en jetant à Raphaël un indéfinissable sourire d'ivresse, pour ne pas » (*R. D. M.,* 1831 A, B et 33).

433. *Diis ignotis,* c'est l'épigraphe que Rivarol avait mise à son

satirique *Almanach des grands hommes*, par souvenir de l'inscription *Deo ignoto* que portait un temple d'Athènes.

434. Ici finit le fragment publié dans la *Revue des Deux Mondes*.

435. Var. : « les y attend.

« Et les portes s'ouvrirent. En ce moment » (1831 A à 1835).

436. Var. : « paroles dont ils ne comprenaient pas eux-mêmes le sens, puis quelques » (1831 A, B et 33) ; — même texte, mais sans le mot « puis » en 1835.

437. Var. : « de ces créatures » (1831 A à 1839).

438. Var. : « des bronzes et la grâce des draperies joyeuses. Rien ne pouvait effacer l'éclat de ces figures, les couleurs agaçantes des robes factices, et la vigoureuse mollesse des femmes entrelacées avec coquetterie. Le cœur brûlait » (1831 A); — « des bronzes et la grâce des draperies. Le cœur brûlait » (1831 B, 33 et 35).

439. Var. : « coiffures mouvantes » (1831 A).

440. Var. : « Elles offraient » (1831 A, B et 33).

441. Var. : « se taisaient. Il y avait des jeunes filles frêles et décentes, vierges d'hier dont » *(Ibid.)*

442. La fin de cette phrase depuis « se présentaient » n'était pas dans les éditions de 1831 A, B et 33.

443. Var. : « souple et rieuse » (1831 A).

444. Var. : « à cet escadron périlleux » *(Ibid.)*

445. Lebel, premier valet de chambre de Louis XV. Il « ordonnait de tout », dit Mme du Hausset dans ses *Mémoires* (Paris, E. Flammarion, in-16, p. 51).

446. Var. : « bourdonnant à l'entrée d'une ruche. » (1831 A, B et 33).

447. Var. : « tout ensemble accusait et séduisait. C'était une pudeur involontaire. Un sentiment » (1831 A, B et 33) ; — « tout ensemble accusait et séduisait. Était-ce pudeur involontaire ? Peut-être un sentiment » (1835 à 1839).

448. Var. : « par le maître du logis échoua-t-elle. » (1831 A, B et 33) ; — « par le maître du logis, sembla-t-elle devoir échouer. » (1835).

449. Var. : « d'une douce extase. » (1831 A, B et 33).

450. Var. : « Obéissant à la poésie » (1831 A à 1835).

451. Var. : « dignes autrefois » (1831 A); — « peut-être dignes jadis » (1831 B et 33).

452. Var. : « par le malheur. » (1831 A).

453. Var. : « Bientôt vous eussiez dit d'un salon où » (1831 A, B et 33).

454. Var. : « admirablement bien proportionnée » (1831 A et B).

455. Var. : « noire, artistement mise en désordre » (1831 A, B et 33).

456. Var. : « retombait en boucles capricieuses sur ses puissantes épaules » (1831 A et B); — « retombait en grosses boucles sur ses belles épaules » (1833).

457. Var. : « Et la bouche humide, entr'ouverte, appelait le baiser… Elle avait une taille forte, mais lascive, son sein » (1831 A, B et 33).

458. Var. : « Quoiqu'elle dût savoir rire et folâtrer, ses yeux effrayaient » *(Ibid.)*

459. Var. : « à distance ; vue de près, grossière ; et cependant sa foudroyante beauté » (1831 A et B) ; — même texte en 1833 et 1835, sauf « mais sa foudroyante beauté ».

460. Var. : « où la passion éclate, où la joie » (1831 A à 1839).

461. Var. : « de la grâce et du bonheur » *(Ibid.)*

462. Var. : « un bras éblouissant, d'une admirable rondeur et qui » (1831 A et B).

463. Var. : « des aïeux, broie les trônes » (1831 A).

464. Aquilina, dont l'origine est obscure, se disait piémontaise. C'était une courtisane dont Balzac dit dans *Melmoth réconcilié* (édit. Calmann-Lévy, in-18, p. 230) : « la Piémontaise prit pour nom de guerre celui d'Aquilina, l'un des personnages de *Venise sauvée*, tragédie du théâtre anglais qu'elle avait lue par hasard. Elle croyait ressembler à cette courtisane, soit par les sentiments précoces qu'elle se sentait dans le cœur, soit par sa figure ou par la physionomie générale de sa personne ». Elle devint la maîtresse de Castanier, caissier de Nucingen, et prit alors le nom de Mme de La Garde. Elle prétendit même signer « Madame Castanier », mais, dit Balzac, « le caissier se fâcha ». Elle fut, dans le même temps, la maîtresse de Léon, l'un des quatre sergents de La Rochelle. *(Melmoth réconcilié)*. Ces faits sont antérieurs à *la Peau de chagrin*. (Cf. *Répertoire*, p. 12).

465. *Venise sauvée (Venice preserved)*, tragédie de Thomas Otway (1651-1685). Le sujet en est tiré de l'*Histoire de la Conjuration des Espagnols contre Venise*, par l'abbé de Saint-Réal. Cette pièce est de 1682. Ant. de la Place en a donné une traduction française en 1746. On en a fait d'autres traductions plus tard.

466. Ce sont les sergents Bories, Gaulin, Raoulx et Pomier, du 45e de ligne, condamnés à mort par la Cour d'assises de la

Seine le 5 septembre 1822, sous l'accusation de complot, et décapités
en place de Grève, le 21 du même mois.

Le principal inculpé était Bories, qui, tandis que le 45ᵉ de ligne
était en garnison à Paris, s'était affilié au carbonarisme et avait
fait de la propagande contre le gouvernement des Bourbons, parmi
les sous-officiers de son régiment. En janvier 1821, le 45ᵉ de ligne
fut envoyé en garnison à La Rochelle. Des soulèvements se préparaient à Nantes et à Tours. A Tours le général Berton fit une
tentative qui échoua. Il réussit à se rendre à La Rochelle pour
y tenter un mouvement nouveau. Il se mit en rapport avec Pomier
et d'autres conjurés... Bories, que quelques imprudences de langage
avaient rendu suspect, était déjà emprisonné; de nouveaux indices
déterminèrent l'arrestation de quelques autres sous-officiers, qui
firent des révélations. Les prévenus, au nombre de vingt-cinq,
furent, ainsi qu'il a déjà été dit, jugés à Paris. Certains furent condamnés à une détention plus ou moins longue. Un nommé
Goupillon fut acquitté comme révélateur.

467. VAR. : « que près d'une rivale. » (1831 A à 1835).

468. VAR. : « Ces phrases si cruellement logiques furent »
(Ibid.)

469. VAR. : « créature qui, suivant l'expression d'Horace
Walpole, fût » *(Ibid.)* ; — « créature qui fût jamais sortie d'un
œuf enchanté » (1838).

470. VAR. : « était venue » (1831 A à 1835).

471. VAR. : « naïve. Elle paraissait » (1831 A à 1839).

472. VAR. : « espèce de monstre » (1831 A et B).

473. Euphrasie était une courtisane, blonde, jolie et fort dépra-
vée, mais avec un air candide, des yeux bleus, une voix charmante.
Elle prétendait s'être, dans sa première jeunesse, dévouée pour un
amant pauvre qui, ayant fait un héritage, l'abandonna. Elle parut,
comme Aquilina, dans *Melmoth réconcilié*. (Cf. *Répertoire*, p. 160-
161.)

474. VAR. : « de quoi pouvons-nous manquer ?... » (1831 A,
B et 33). Alors vous voyez » (1831 A à 1835).

475. VAR. : « souvenir ! Alors que nous soyons dans un riche
hôtel » (1831 A, B et 33).

476. VAR. : « dentelles... est-ce pas toute la différence ? Au
lieu d'un foyé doré, nous nous chauffons à des cendres dans un
pot de terre rouge, et, au lieu d'aller à l'Opéra, nous allons à
la Grève... » (1831 A) ; — « dentelles ; n'est-ce pas toute la dif-

férence ? Au lieu d'être assises à des foyers dorés... » la suite comme précédemment (1831 B et 33).

477. Var. : « nous absout ! Ah ! ah ! j'aime mieux mourir (1831 A et B).

478. Var. : « tous les soirs ? Et comme il » (1831 A, B et 33).

479. Var. : « pour être devenue ainsi... » (1831 A et B).

480. Var. : « de triompher même des femmes vertueuses » (1831 A et B).

481. Var. : « incertaine où je » (1831 A, B et 33).

482. Var. : « poignarder sept hommes » (1831 A et B) ; — « poignarder des hommes » (1833).

483. Var. : « vous ne savez pas » (1831 A à 1835).

484. Var. : « dans le cœur ?... En ce moment des cris étranges s'élevaient de toutes parts. Contempler les salons c'était avoir une vue anticipée du Pandémonium de Milton. Il y avait des danses folles animées par une sauvage énergie. Les flammes bleues du punch coloraient les visages d'une teinte infernale. Les rires éclataient comme les détonations d'un feu d'artifice. Les champs de bataille, jonchés de morts et de mourants, avaient aussi leur image. L'atmosphère était chaude. L'ivresse ayant jeté sur tous les regards de légers voiles, chacun croyait voir un nuage rougeâtre et des vapeurs enivrantes dans l'air. Il s'était élevé comme » (1831 A, B et 33). — En 1835, texte de notre édition, sauf, au début, cette inversion : « En ce moment contempler ».

485. Var. : « grotesques, et des groupes merveilleux se confondaient avec les marbres blancs, admirables chefs-d'œuvre dont les appartements étaient ornés. » (1831 A et B) ; — « grotesques. Il y avait, çà et là, des groupes de figures enlacées qui se confondaient (1833) avec les marbres blancs, nobles chefs-d'œuvre de la sculpture dont les appartements étaient ornés. » (1833 à 35).

486. Var. : « tableaux impossibles » (1831 A).

487. Var. : « nos rêves ; le fini, la suavité que contractent les formes et les objets dans nos songes, et surtout cette agilité chargée de lourdes chaînes ; enfin, tous les phénomènes du sommeil » (1831 A et B) ; — « nos rêves ; l'ardente suavité que contractent les figures, surtout je ne sais quelle agilité », la suite comme dans notre édition (1833).

488. Var. : « cauchemar. Il y avait du mouvement sans bruit, des cris perdus pour l'oreille, des corps intangibles ; puis, l'ivresse, l'amour, le délire, l'oubli du monde étaient dans les cœurs, sur les visages, dans l'air, écrit sur les tapis, exprimé, par le désordre...

« Alors, le valet de chambre de confiance ayant réussi non sans peine à faire venir son maître » (1831 A) ; — dans 1831 B et 1833, même texte, sauf qu'il y manque les mots « des corps intangibles ».

489. VAR. : « s'écria l'amphitryon. » (1831 A à 1835).

490. VAR. : « Raphaël laissa échapper (1831 A, B et 33) un éclat de rire si burlesquement (1831 A à 1835) intempestif que son ami lui demanda compte d'une joie aussi brutale. » (1831 A à 1845).

491. VAR. : « intellectuels dont nous avons fait à table un si cruel pillage aboutissent » (1831 A à 1839).

492. VAR. : « reprit » (1831 A, B et 33).

493. VAR. : « te résumer » *(Ibid.)*

494. RABELAIS, livre premier *(Gargantua)*, ch. XVII. Ces mots Carymary carymara se trouvent aussi dans *Maistre Pierre Pathelin*, au vers 614. Voici d'ailleurs le passage, qui est dit par Pathelin quand il simule le délire :

> « Otez ces gens noirs ! Marmara,
> Carimari, carimara,
> Amenez-les-moi, amenez ! »

M. Richard T. Holbrook, dans son édition de *Maistre Pierre Pathelin* (Champion, *Des Classiques français du moyen âge*, 1924), dit, p. 123 : « MARMARA CARIMARI CARIMARA : formule magique semblable à d'autres qu'on trouve dans les grimoires et dans des pièces dramatiques du moyen âge. »

495. Ici venait, dans 1831 A, B, 33 et 35 : « et Charles Nodier, *Qu'est-ce que cela me fait ?...* de Breloque ».

Une tradition attribue à Rabelais mourant cette parole : « Je vais quérir un grand peut-être... » ; et Montaigne, dans son *Apologie de Raimond Sebond* (*Essais*, liv. II, chap. XII ; édit. Garnier frères, II, 279), a écrit : « Quand ils [les philosophes pyrrhoniens] prononcent : « J'ignore », ou « Je doute », ils disent que cette proposition s'emporte elle mesme quand et quand le reste, ny plus ni moins que la rhubarbe qui poulse hors les mauvaises humeurs, et s'emporte hors quand et quand elle mesme. Cette fantasie est plus que seurement conceue par cette interrogation : QUE SÇAY JE ? comme je la porte à la devise d'une balance. »

— Breloque est l'un des personnages de l'*Histoire du roi de Bohême et de ses sept châteaux*, et Charles Nodier, qui l'appelle « le fidèle Breloque », le présente ainsi : « être sans nom, sans but, sans destinée, qu'on voit toujours riant, toujours chantant, toujours moquant, toujours gobant, toujours gambadant, toujours disposé à ne rien faire ou à faire des riens » ; c'est à la fin d'un chapitre intitulé *Conversation*, et où sont rappelées les devises de divers écrivains, entre autres le « Que sais-je ? » de Montaigne et le « Peut-être » de Rabelais, que Breloque fait connaître la sienne ; « Qu'est-ce que cela me fait ? » qu'il veut que l'on imprime en gros caractères (*Histoire du Roi de Bohême et de ses sept châteaux*, Paris, Delange frères, 1830, in-8°).

496. Cette fontaine était adossée au pont, vis-à-vis de l'arche du milieu du côté d'aval ; elle était formée de deux pompes élévatoires qui distribuaient l'eau du fleuve à un certain nombre de fontaines de Paris. Elle était ornée d'un bas-relief de Jean-Goujon et d'un portrait de Louis XII.

497. VAR. : « s'écria » (1831 A à 1835).

498. Ici venait, dans 1831 A, la phrase suivante : « As-tu, comme cet étudiant de Padoue, disséqué, sans le savoir, une mère que tu adorais ? »

499. Robert-François Damiens, né à Tieulloy, dans le diocèse d'Arras, en 1715, écartelé le 28 mars 1757 pour l'attentat qu'il avait commis contre Louis XV. On lit dans les récits de son supplice qu' « il fut pendant cinquante minutes tiré de toute la force de quatre chevaux vigoureux sans que l'écartèlement pût se produire » et que « les commissaires durent faire couper les muscles principaux ».

500. VAR. : « — Père, j'ai faim. » (1831 A à 1835).

501. VAR. : « As-tu été payer » (1831 A à 1845).

502. Cette phrase finit là dans 1831 A, B et 33.

503. VAR. : « prêt à dormir comme une femme qui lit ses vêpres (1831 A à 1835) en latin. » (1831 A).

504. VAR. : « les ombres, les jours, les demi-teintes » (1831 A).

505. VAR. : « toute ma vie est comme rétrécie par un phénomène moral ; et je juge au lieu de sentir. Cette longue » (1831 A, B et 33).

506. On a vu, à la note précédente, que dans 1831 A, B et 33 cette phrase était quelques lignes plus haut.

507. Les mots « qui se développent » ne sont pas dans 1831 A, B et 33.

508. VAR. : « de lycée, dont maintenant nous nous rappelons tous avec tant de délices les malheurs fictifs et les joies réelles à laquelle » (1831 A à 1845).

509. VAR. : « les pois rouges du vendredi » (1831 A, B et 33).

510. VAR. : « Cette belle vie dont nous méprisons les travaux qui cependant » (1831 A à 1845).

511. VAR : « dit » *(Ibid.)*

512. VAR. : « C'était un grand homme » *(Ibid.)*

513. VAR. : « pensées de manière à les enfermer » (1831 A à 1835).

514. VAR. : « Quand je voulais manifester un sentiment doux et tendre, il semblait que j'allais lui dire » (1831 A).

515. VAR. : « devant moi. Il se tenait droit comme un cierge pascal, et, dans sa redingote marron, il avait » (1831 A à 1835).

516. VAR. : « la possession si souvent enviée » (1831 A).

517. VAR. : « délices; en revanche il me promettait de m'introduire dans le monde, et après m'avoir fait attendre une fête pendant » (1831 A) ; — « délices; du moins, il cherchait à me procurer des distractions; et, après m'avoir fait attendre un plaisir pendant »(1831 B et 33); — « délices; du moins il cherchait à », la suite comme dans notre édition (1835).

518. VAR. : « neuf et gonflé » (1831 A et B).

519. VAR. : « mon père ; il me fallait, dès le matin, retourner chez mon avoué » (1831 A à 1835).

520. VAR. : « colère ; or, comme une fois pour toutes, il m'avait menacé de m'embarquer en qualité »(1831 A) ; — « colère, or, à ma première faute, il m'avait menacé... »(1831 B) ; — « colère; or, il m'avait » la suite comme dans notre édition (1833).

521. VAR : « l'existence dont tu m'interdis de te développer les scènes curieuses : projets » (1831 A à 1835).

522. VAR. : « musique. Assez fort sur le piano, j'exhalais mon malheur en mélodie et souvent Beethoven» (1831 A, B et 33).

523. VAR. : « qui agitèrent » *(Ibid.)* ; — « qui troublèrent » (1835).

524. VAR. : « duc de N*** » (1831 A, B et 33) ; — « duc de Navailles » (1835, 38 et 39).

525. VAR. : « ma position, il faut tout t'avouer. J'avais » (1831 A à 1835).

526. VAR. : « un coin, d'où je dévorais de l'œil les plus jolies femmes en prenant des glaces... Mon père m'aperçut, et par une raison » (1831 A, B et 33) ; — en 1835, une seule variante : « et par une raison ».

527. VAR. : « dont nous ne trouverions l'analogue ni » (1831 A à 1845).

528. Le café-restaurant Véry, fondé vers 1805 aux Tuileries sur la terrasse des Feuillants, puis dédoublé en 1808 par l'ouverture d'une autre salle au Palais-Royal, près du théâtre de ce nom, ne

subsista plus qu'au Palais-Royal, à partir de 1817, les constructions des Tuileries ayant alors été démolies. Véry, son fondateur, se retira peu après, ayant fait fortune. L'un de ses neveux, Meunier, dirigea le restaurant jusqu'en 1843.

529. VAR. : « aventure romanesque, plus intriguée que *le Mariage de Figaro* (1831 A, B et 33) et dont il » (1831 A à 1845).

530. VAR. : « mon père... Il y avait cent écus dans la bourse... Tout à coup les joies de mon escapade apparurent devant moi, visibles, dansant » (1831 A, B et 33) ; — « mon père. Sa bourse contenait cent écus. Tout à coup », la suite comme précédemment (1835).

531. VAR. : « Les millésimes en étaient effacés et tout usée la figure de Bonaparte y grimaçait. Ayant mis la bourse dans ma poche et les deux pièces dans ma main droite, je revins vers une table de jeu, rôdant autour » (1831 A et B) ; — en 1833, deux variantes : « Les millésimes en étaient » et « Ayant mis » ; — en 1835, une seule : « Les millésimes en étaient ».

532. VAR. : « de moi. Puis sûr de n'être aperçu par personne » (1831 A, B et 33). — En 1835 : « de moi. Puis certain », la suite comme dans notre édition.

533. VAR. : « machiavélisme dont Sixte-Quint eût été surpris, j'allai » (1831 A à 1835). — Le fait, ou plutôt l'anecdote à laquelle Balzac fait ici allusion, est bien connu : on prétend que Sixte-Quint, élu pape parce qu'on le considérait comme moribond, rejeta, sitôt après son élection, les béquilles sur lesquelles il appuyait son corps, en apparence défaillant, et qu'il entonna d'une voix extraordinairement forte le *Te Deum.*

534. VAR. : « voir, car mon âme voltigeait autour » (1831 A).

535. VAR. : « j'ai dû, depuis la pénétration » (1831 A et B) ; — « j'ai dû depuis cette espèce de pénétration » (1833).

536. VAR. : « Il y avait entre les deux joueurs et moi toute une haie d'hommes épaisse de quatre ou cinq rangées de causeurs... Il s'élevait un bourdonnement de voix qui empêchait même de distinguer les sons de l'orchestre. Eh bien, par un privilège accordé à toutes les passions et qui leur donne le pouvoir d'anéantir le temps ou l'espace j'entendais » (1831 A, B et 33) ; — même texte en 1835 à une différence près : « distinguer le son de l'or qui se mêlait au bruit de l'orchestre ».

537. VAR. : « je savais leurs points et celui des deux qui retournait le roi... A dix pas, je pâlissais de leurs caprices comme si je les eusse vues. Mon père » (1831 A) ; — « je connaissais leurs points

et savais celui des deux qui retournait le roi, comme si j'eusse vu les cartes ; et, quoique à dix pas d'elles, je pâlissais de leurs caprices. Mon père » (1831 B) ; — même texte en 1833, sauf qu'il y a « de ses caprices ».

538. Var. : « toutes mes fibres » (1831 A à 1835).

539. Var. : « Le hasard fit qu'un homme décoré réclama quarante francs. Ils manquaient au jeu. Tous les regards tombèrent sur moi. Je pâlis et des gouttes de sueur sillonnèrent mon front jeune. Alors (1831 A à 1835) le crime d'avoir volé mon père me parut bien vengé ; mais le bon gros petit homme dit d'une voix certainement angélique : « Tous ces messieurs avaient mis... Je suis responsable du jeu... Il paya les quarante francs. Alors, je relevai mon front » (1831 A, B et 33). — En 1833 il y a « jaune » au lieu de « jeune », mais ce ne peut être qu'une faute d'impression.

540. Var. : « les joueurs. Puis je laissai mon gain à ce digne et honnête monsieur après avoir réintégré l'or dans la bourse de mon père ». (1831 A). — Dans 1831 B, 33 et 35 texte de notre édition, mais avec : « Puis, après avoir ».

541. Var. : « quelque chose au jeu... Aux yeux » (1831 A et B) ; — « quelque argent au jeu... Aux yeux » (1833).

542. Var. : « père, le passe-partout et l'argent » (1831 A, B et 33).

543. Var. : « une pension, quand ce ne serait que pour » *(Ibid.)*

544. Var. : « avoir sauvé » (1831 A à 1835).

545. Var. : « si essentiel » *(Ibid.)*

546. Var. : « y tenter le diable. » (1831 A à 1845).

547. Var. : « généraux en pays étrangers et depuis dix ans, il luttait » (1831 A) ; — « généraux et situées en pays étrangers, il luttait depuis dix ans » (1831 B et 33).

548. Var. : « les revenus par lui perçus ainsi » (1831 A à 1845).

549. Var. : « Il fallut combattre » (1831 A à 1835).

550. Var. : « Alors je compris la figure fatiguée de mon père. » (1831 A) ; — « Alors je compris tous les chagrins dont la figure de mon père portait l'empreinte. » (1831 B et 33).

551. Var. : « à mes goûts de jeune homme » 1831 A, B et 33).

552. Var. : « puis, faute de temps et d'argent (1831 A) mais craignant de causer » (1831 A à 1835).

553. Var. : « je fus » (1831 A, B et 33).

554. Var. : « cette fleur de sentiment si délicate (1831 A à 1835), cette vierge verdeur (1831 A, B et 33) de pensée, cette

noble et pure conscience (1831 A à 1835) qui ne nous laisse jamais transiger avec le mauvais » (1831 A, B et 33).

555. Var. : « nos devoirs, nous avons un honneur, nous sommes francs et sans détour. Alors j'étais ainsi, je voulais donc justifier » (1831 A); — Dans 1831 et 33, texte de notre édition, sauf : « C'est ainsi que j'étais alors; je voulus justifier ».

556. Var. : « ces larmes fait souvent ma consolation. » (1831 A à 1835).

557. Var. : « publique, ont toujours un père, un avenir, une fortune. Leur fortune est le champ de bataille; leur père le procureur du roi, le gouvernement ou l'hospice. Mais je n'avais rien ! Rien ! » (1831 A) ; — « ont au moins un père et un avenir. Leur fortune future est », la suite comme précédemment (1831 B et 33).

558. Var. : « obligé de faire la vente de notre mobilier. Accoutumé dès ma jeunesse à donner une grande valeur à tous les objets » (1831 A à 1835).

559. Var. : « Quel mot épouvantable !... Il flétrissait » (1831 A, B et 33); — « Ce mot épouvantable flétrissait » (1835).

560. Var. : « de toile à peine gonflé par » (1831 A).

561. Le nom de Jonathas n'est pas dans les éditions de 1831 A à 1835.

562. Cette phrase finit là dans les éditions de 1831 A à 1845.

563. Var. : « dont ma fierté m'aurait interdit l'accès » (1831 A à 1835).

564. Var. : « prodigues qui protégeaient des étrangers » (1831 A, B et 33).

565. Var. : « un enfant sans mère. » (1831 A à 1835).

566. Var. : « je restai seul, parce que j'y étais honteux » *(Ibid.)*

567. Var. : « la haute société » (1831 A à 1845).

568. Le mot « secrètement » n'est pas dans l'édition 1831 A.

569. Var. : « mon existence entière » (1831 A à 1835).

570. Var. : « dans un regard, et je lui offrais en extase un amour croissant parce qu'il était vrai, profond, un amour de jeune homme qui ne demande qu'à être abusé. J'aurais, en certains moments donné » (1831 A et B); — « dans un regard et lui offrais dans mon extase un amour de jeune homme qui », la suite comme précédemment (1833).

571. Var. : « d'oreille à qui confier » (1831 A à 1838).

572. Var. : « qui m'était adressé. Mais, malgré » *(Ibid.)*

573. Var. : « mon silence stupide. » (1831 A à 1838).

574. Var. : « en moi comme une torche qui me brûlait » (1831 A, B et 33).

575. Var. : « les femmes paraissent jalouses de » (1831 A à 1835).

576. Var. : « sots, je n'ai connu que des femmes traîtreusement » (1831 A, B et 33); — « je n'ai connu que des femmes à moi seul traîtreusement » (1835).

577. Var. : « et ne pas avoir eu même une vieille marquise, une courageuse et noble Marceline... » (1831 A); — « et ne pas avoir trouvé même une courageuse et noble Marceline ou quelque vieille marquise » (1831 B à 1845). — Marceline : Personnage du *Mariage de Figaro*. Elle est la mère de Figaro. Beaumarchais, dans ses notes sur les « *Caractères et habillements de la pièce* », la présente ainsi : « Marceline est une femme d'esprit, née un peu vive, mais dont les fautes et l'expérience ont réformé le caractère... » ; et il lui fait dire à elle-même, à la scène xvi de l'acte III : « J'étais née, moi, pour être sage, et je le suis devenue sitôt qu'on m'a permis d'user de ma raison. »

578. Var. : « Raphaël, et plaider pour mon divorce avec elle, si ton amitié ne te donne pas » (1831 A à 1835).

579. Dans les *Pensées, sujets, fragments...* (p. 6) il y a : « Pour juger quelqu'un il faut être dans le secret de ses malheurs et de ses émotions. Pour beaucoup d'hommes le bonheur a été dans la vie comme une escarpolette qui se casse ».

580. Var. : « connaître que l'homme et les événements, c'est faire de la chronologie... » la fin de la phrase manque (1831 A, B et 33) ; — « connaître l'homme et les événements... » la suite comme dans notre édition (1835).

581. Var. : « a dû engendrer les facultés, les forces dont » (1831 A à 1835).

582. Var. : « et aller » *(Ibid.)*

583. Var. : « de méditer ? Ma sensibilité ne s'étant pas dissipée au service de ces irritations mondaines qui, de la plus belle âme, en font une petite, la réduisent à l'état de guenille, ne s'est-elle pas concentrée pour devenir l'organe perfectionné d'une volonté plus haute que celle de la passion ? » (1831 A); — « ... Ma sensibilité ne s'étant pas dissipée au service de ces irritations mondaines qui rapetissent la plus belle âme et la réduisent à l'état de guenille, ne s'est-elle », la suite comme précédemment (1831 B et 33) ; — en 1835 même texte que dans 1831 B et 33, sauf qu'il y a : « Ma sensibilité ne s'étant pas perdue ».

584. Var. : « Maintenant, j'en suis certain, la sincérité de mon caractère a dû leur déplaire... Peut-être veulent-elles un peu d'hypocrisie ?... Mais moi qui suis, tour à tour, dans la même heure : enfant, homme, savant, futile, penseur » (1831 A, B et 33) ; — même texte en 1835, sauf qu'il y a « a dû déplaire » ; — en 1838 et 1839, texte de notre édition, à une variante près : « peut-être veulent-elles ».

585. Une légende bien connue prétend, en effet, que Chénier en présence de l'échafaud où il allait monter se serait écrié, en se frappant le front : « J'avais pourtant quelque chose là ! »

586. Var. : « l'amant d'aucune femme, laisse-moi » (1831 A, B et 33).

587. Var. : « qui ne se serait pas, dix fois dans ses rêves, tressé des couronnes, construit de piédestal ou donné de ravissantes maîtresses. » (1831 A). — Dans 1831 B et 33 même texte, sauf qu'il y a « complaisantes maîtresses » ; — en 1835 : « qui ne ne se serait pas, dix fois dans ses rêves, tressé des couronnes, construit un piédestal ou destiné de complaisantes maîtresses ».

588. Var. : « que j'avais encore toutes les montagnes, toutes les difficultés à gravir. » (1831 A à 1835.)

589. Var. : « des affaires comme un mouton dont la laine s'accroche aux épines des halliers ; tout cela » (1831 A) ; — « des affaires comme un mouton qui abandonne », la suite comme dans notre édition (1835).

590. Var. : « que j'aurais un jour. » (1831 A).

591. Var. : « Mais, faisant une reine de toutes et de chacune, elles devaient » *(Ibid.)*

592. Var. : « Ah ! pour celle-là, j'avais » *(Ibid.)*

593. Var. : « tandis que chez les gens supérieurs les imperfections ne peuvent jamais être compensées par les avantages. » (1831 A) ; — en 1831 B texte de notre édition, mais avec « assez d'avantages » au lieu de « assez de jouissances ».

— Note des *Pensées, sujets, fragments* (p. 11) : « Les femmes ne voient que les défauts des gens de talent et les qualités des sots. Les qualités des sots se rapprochent de leurs défauts, et tout est fortement tranché chez les hommes de talent. »

594. Var. : « armé d'une espèce d'égoïsme ? » (1831 A à 1835).

595. Var. : « de lui un tourbillon de pensées dans lequel tombe même sa maîtresse ; elle en doit suivre » (1831 A).

596. Var. : « de venir faire autour » (1831 à 1835).

597. VAR. : « A peine trouve-t-il assez de temps pour ses travaux » *(Ibid.)*

598. VAR. : « J'aurais donné ma vie, mais je ne l'aurais pas détaillée. » *(Ibid.)*

599. VAR. : « dont l'artiste a horreur. Il faut plus que de l'amour à un homme pauvre et grand, il a besoin de dévouements et les petites créatures qui vivent de cachemires, ou qui » (1831 A, B et 33) ; — même texte en 1835, mais avec : « Or les petites ».

600. VAR. : « en exigent, voyant dans l'amour un moyen de commander et non pas d'obéir » (1831 A) ; — « en exigent, en voyant plutôt le plaisir dans l'amour de commander que celui d'obéir. » (1831 B), il doit y avoir là une interversion typographique erronée ; — en 1833, le texte est celui de notre édition, à une variante près : « voyant » au lieu de « et voient ».

601. VAR. : « des femmes dignes d'eux qui les comprennent. Tous leurs malheurs viennent d'un désaccord entre eux et ce qui les entoure. » (1831 A à 1835).

602. VAR. : « Avec des idées [...] avec la prétention [...] avec des trésors qui n'avaient pas cours, armé de connaissances étendues dont ma mémoire était surchargée et que » *(Ibid.)*

603. VAR. : « assimilées pour ainsi dire » *(Ibid.)*

604. VAR. : « je m'accordais ces trois années » *(Ibid.)*

605. VAR. : « à mon luxe de pauvreté. » *(Ibid.)*

606. VAR. : « années ; c'était assez ; je ne voulais » *(Ibid.)*

607. C'est-à-dire fait la dépense d'un sou qu'il en coûtait pour le traverser, car le Pont des Arts, surélevé de quelques marches au-dessus des quais et destiné par conséquent aux seuls piétons, était alors un pont à droit de péage. Il avait été construit de 1802 à 1804. Son nom lui venait du Louvre, qui portait le titre de *Palais des Arts*.

608. La rue des Grès allait de la rue Saint-Jacques, nᵒˢ 154 et 156, à la rue de la Harpe, nᵒˢ 119 et 121. C'est aujourd'hui la rue Cujas, qui finit au boulevard Saint-Michel, dont la percée a fait disparaître une partie de la rue de la Harpe. La place Saint-Michel était située entre les rues de la Harpe, Saint-Hyacinthe et d'Enfer, à l'emplacement de l'ancienne porte Saint-Michel, qui avait été abattue en 1684 pour faire place à la fontaine que Balzac mentionne ici. A la suite des travaux d'Haussmann, il y a eu une nouvelle place Saint-Michel qui est au bord de la Seine et qui est aussi ornée d'une fontaine qui n'a de commun avec l'ancienne que le nom.

609. VAR. : « jusqu'à ce qu'un ange » (1831 A).

610. Var. : « Tout cela est inutile à l'ambitieux. Il faut peu de bagage quand on poursuit la Fortune ! » (1831 A à 1835).

611. Var. : « dignes d'elle (1831 A à 1835). Pendant qu'ils thésaurisent » (1831 A à 1845).

612. Var. : « porter un jour sans effort » (1831 A et B).

613. Var. : « et l'intrigant met le sien tout entier en dehors ; celui-ci doit » (1831 A) ; — même texte, moins le mot « entier », de 1831 B à 1845.

614. Var. : « cantiques des gens qui ne parviennent à rien ; mais à déduire » (1831 A) ; — « cantiques éternellement chantés par les gens qui ne parviennent à rien ; mais à déduire » (1831 B et 33) ; — même texte en 1835, sauf qu'il y a : « mais je veux déduire ».

615. Var. : « Mais l'étude » (1831 A) ; — « Néanmoins l'étude » (1831 B, 33 et 35).

616. Var. : « d'avoir souvent mangé délicieusement et gaiement mon pain, mon lait, assis près de ma fenêtre en respirant l'air du ciel » (1831 A et B) ; — « d'avoir quelquefois mangé gaiement mon pain, mon lait », la suite comme dans notre édition (1833).

617. Var. : « figures se dessinaient au milieu » (1831 A).

618. Var. : « désert ; c'était parmi les fleurs de quelque palais aérien le profil » (1831 A, B et 33).

619. Var. : « et dont je n'apercevais que la jolie tête et les longs cheveux élevés en l'air par un bras éblouissant de blancheur. » (1831 A et B) ; — « et dont je n'apercevais... » la suite comme dans notre édition (1833).

620. Var. : « J'admirais les végétations éphémères qui croissaient dans les gouttières, pauvres herbes emportées » (1831 A).

621. Var. : « et changeants effets » (1831 A et B).

622. Var. : « nature m'étaient devenus familiers et (1831 A à 1845) me divertissaient. J'aimais ma prison peut-être parce qu'elle était volontaire. » (1831 A à 1835).

623. Var. : « Quand ma résolution de vivre ainsi fut prise, je cherchai... » (1831 A et B).

624. Cette phrase s'arrête là dans l'édition de 1831 A. — Sur la rue des Cordiers, voir la n. 294.

625. Var. : « j'aperçus » (1831 A).

626. Var. : « Je remarquai » (1831 A, B et 33).

627. Var. : « très passagère. Je me souvins du séjour de J.-J. Rousseau dans cette rue, j'aperçus l'hôtel de *Saint-Quentin*, et l'état

de délabrement dans lequel il se trouvait me faisant espérer d'y rencontrer un gîte peu coûteux que je désirais, je voulus le visiter. » (1831 A) ; — « très passante. Me rappelant le séjour de J.-J. Rousseau dans ce lieu, je cherchai, j'aperçus l'hôtel », la suite comme précédemment (1831 B et 33).

— J.-J. Rousseau, au livre VII des *Confessions*, parlant de sa venue à Paris, vers la fin de 1749, dit : « Autant à mon précédent voyage j'avais vu Paris par son côté défavorable, autant à celui-ci je le vis par son côté brillant ; non pas précisément quant à mon logement ; car, sur une adresse que m'avait donnée M. Bordes, j'allai loger à l'hôtel Saint-Quentin, rue des Cordiers, proche la Sorbonne, vilaine rue, vilain hôtel, vilaine chambre, mais où cependant avaient logé des hommes de mérite, tels que Gresset, Bordes, les abbés de Mably, de Condillac, et plusieurs autres dont malheureusement je n'y trouvais plus aucun. » (*Les Confessions*, édit. Garnier frères, II, 80.)

628. VAR. : « une salle basse » (1831 A).

629. VAR. : « clef. En cherchant la maîtresse de l'hôtel, je fus frappé de la propreté qui régnait dans cette salle ordinairement assez mal tenue partout. Elle était peignée comme un tableau de genre, et les ustensiles, les meubles, le lit bleu avaient » (1831 A) ; — En 1831 B : « clef. Mais je fus... », la suite comme dans notre édition jusqu'à « mal tenue », et comme dans l'édition de 1831 A, à partir de « partout ». — En 1833 texte de 1831 B, sauf, au début : « et je fus ». — En 1835, texte de 1833, sauf qu'il y manque le mot « partout ». — De 1838 à 45, texte de 1833 jusqu'à « mal tenue » ; la suite comme dans notre édition.

630. VAR. : « convention. Une femme de quarante ans environ se leva. Il y avait des malheurs dans ses traits, et son regard était comme terni par des pleurs. Je lui soumis humblement le tarif de mon loyer. Elle n'en parut point étonnée, et chercha seulement une clef parmi les autres. Alors elle me conduisit dans les mansardes de sa maison et m'y montra une chambre qui avait vue sur les toits, sur les cours obscures des hôtels garnis du voisinage, et par les fenêtres » (1831 A) ; — « convention. La maîtresse de l'hôtel, femme de quarante ans environ, se leva, vint à moi. Je lui soumis humblement le tarif de mon loyer. Sans en paraître étonnée elle chercha une clef... », la suite comme précédemment (1831 B et 33).

631. VAR. : « l'angle obtus » (1831 A à 1835).

632. VAR. : « tranquilles de l'esprit donnent d'ineffables » (1831 A, B et 33).

633. Var. : « forcés, en parlant de l'esprit, de nous adresser au corps. Ainsi le plaisir » (1831 A). — Dans 1831 B et 33, texte de notre édition, sauf « comparaisons avec la matière ».

634. Var. : « Oh ! voir une idée pointant dans le vide des abstractions humaines comme le soleil au matin, s'élevant comme lui, jetant des rayons ; ou mieux encore, enfant, adulte, homme et bien exprimée, bien vivante... est une joie égale aux autres joies terrestres, ou plutôt un divin plaisir. » (1831 A, B et 33). — De 1835 à 1845, texte de notre édition, mais avec deux variantes : « qui pointe » et « comme le lever du soleil ».

635. Var. : « Puis l'étude revêt de sa magie tout » (1831 A); — « Puis l'étude », la suite comme dans notre édition (1831 B et 33).

636. Var. : « mes meubles, tous devinrent » (1831 A).

637. Var. : « A force de contempler ces objets, je leur trouvais une physionomie, un caractère ; et ils me parlaient souvent. Si, par-dessus les toits, le soleil couchant me jetait à travers une étroite fenêtre, une lueur furtive, ils se coloraient, ils avaient des caprices, ils pâlissaient, brillaient, s'attristaient ou s'égayaient, me surpre-nant toujours par une multitude d'effets originaux. » (1831 A); — « A force de contempler les objets dont j'étais entouré, je trouvais à chacune [*sic*] une physionomie, un caractère et souvent ils me parlaient », la suite comme précédemment (1831 B et 33). — En 1835, texte de notre édition, avec, à la fin, cette variante : « une multitude d'effets originaux ».

638. Var. : « prisonniers. Or, j'étais emprisonné par une idée, captivé dans un système » (1831 A et B).

639. Var. : « reparaître en homme remarquable. Vous avez trouvé mon chef-d'œuvre une véritable niaiserie d'enfant, la première erreur d'un jeune homme qui sort du collège. » (1831 A); — « reparaître en homme remarquable. Vous avez vu dans mon... », la suite comme dans notre édition (1831 B et 33).

640. Var. : « ont détruit de fécondes » (1831 A à 1845).

641. Allusion au *Traité de la volonté*, composé par Louis Lambert, quand il était élève au collège de Vendôme, traité auquel il travailla six mois, et dont les manuscrits étaient renfermés dans une cassette qui fut un jour confisquée par l'un des régents du collège, le père Haugoult, ou, comme il est dit dans *Louis Lambert* (édit. Calmann-Lévy in-18), « le terrible Haugoult ». Il est dit encore dans cet ouvrage (p. 51-52) : « Le père Haugoult vendit probablement à

un épicier de Vendôme le *Traité de la volonté*, sans connaître l'importance des trésors scientifiques dont les germes avortés se dissipèrent en d'ignorantes mains. » Cette théorie est cependant exposée dans le roman : « Lambert avait [...] choisi, pour exprimer les bases de son système, quelques mots vulgaires qui déjà répondaient vaguement à sa pensée. Le mot de VOLONTÉ servait à nommer le *milieu* où la *pensée* fait ses évolutions ou, dans une expression moins abstraite, la masse de force par laquelle l'homme peut reproduire, en dehors de lui-même, les actions qui composent sa vie extérieure. La VOLITION, mot dû aux réflexions de Locke, exprimait l'acte par lequel l'homme use de la *volonté*. Le mot de PENSÉE, pour lui le produit quintessenciel de la volonté, désignait aussi le *milieu* où naissent les IDÉES auxquelles elle sert de substance. L'IDÉE, nom commun à toutes les créations du cerveau, constituait l'acte par lequel l'homme use de la *pensée*. Ainsi la volonté, la pensée, étaient les deux moyens générateurs; la volition, l'idée, étaient les deux produits. La volition lui semblait être l'idée arrivée de son état abstrait à un état concret, de sa génération fluide à une expression quasi-solide, si toutefois ces mots peuvent formuler des aperçus si difficiles à distinguer. Selon lui, la pensée et les idées sont le mouvement et les actes de notre organisme intérieur, comme les volitions et la volonté constituent ceux de la vie extérieure.

« Il avait fait passer la volonté avant la pensée.

« — Pour penser, il faut vouloir, disait-il. Beaucoup d'êtres vivent à l'état de volonté, sans néanmoins arriver à l'état de pensée. Au nord, la longévité; au midi, la brièveté de la vie; mais aussi, dans le nord, la torpeur; au midi, l'exaltation constante de la volonté; jusqu'à la ligne où, soit par trop de froid, soit par trop de chaleur, les organes sont annulés... » (p. 53-54). Voir aussi la suite, jusqu'à la p. 70.

642. VAR. : « l'anatomie et auquel » (1831 et B).

643. Mesmer n'est pas nommé dans l'édition de 1831 A.

— Frédéric-Antoine Mesmer, né à Itsmang (Souabe) en 1734, mort à Mersbourg en 1815, est l'auteur de la doctrine du magnétisme animal. Il prétendit avoir trouvé le moyen de guérir toutes les maladies par le secours des propriétés de l'aimant, puis par la seule puissance magnétique dont sont doués les êtres animés. Il voyagea longtemps en Europe, appliquant sa méthode et acquérant une grande réputation. Il vint à Paris en février 1778. Il avait de l'assurance et du savoir-faire ; il se présenta non seulement comme un thérapeute mais comme un philanthrope. L'affluence des malades le détermina à concevoir son fameux baquet magné- tique, qui lui permettait de traiter plusieurs malades à la fois. Ce baquet fort large et assez plat contenait une couche d'une substance faite d'un mélange de limaille de fer et de verre pilé, et sur laquelle reposaient des bouteilles pleines d'eau dont les unes avaient leur goulot tourné vers le centre et les autres vers la périphérie. De cette cuve pleine d'eau s'élevaient à travers le couvercle des tiges de métal, les patients étaient assis autour du baquet et chacun d'eux tenait une des tiges dont il appuyait la pointe sur sa partie malade. Il recevait par cet intermédiaire le fluide magnétique animal qui, selon Mesmer, venait s'accumuler dans la cuve, sans qu'il expliquât comment ce phénomène pouvait se produire. Il y avait, en outre, une mise en scène faite pour impressionner : le lieu de l'expérience n'était éclairé que par un demi-jour, les malades participant à une expérience commune étaient reliés les uns aux autres par une corde qui les ceinturait tous, et même, parfois, se tenaient mutuelle- ment le pouce, formant ainsi une et même deux chaînes conduc- trices ; enfin on y faisait de la musique, tandis que Mesmer se livrait à des passes curatives. Le mesmérisme ne fut pas sans effet sur des organismes nerveux. Son succès suscita de nouveaux opérateurs. Mesmer eut des concurrents. Mais une mode est, par nature, éphé- mère et le mesmérisme n'était qu'une mode. La foi décrut, et même une réaction se fit contre Mesmer qui dut quitter la France ; mais il avait fait fortune. Il a laissé un certain nombre d'ouvrages ; signalons son *Mémoire sur la découverte du magnétisme animal* (Paris, 1779, in-12) où, en vingt-sept propositions, il résume son système, et l'*Histoire abrégée du magnétisme animal*, Paris, 1783, in-8°.

644. Jean-Gaspard Lavater, né à Zurich en 1741, fut philosophe et théologien. D'imagination naïve, de piété tendre, il commença par composer des poèmes ; ils eurent peu de succès. Se détournant de la poésie, il s'adonna à la théologie. L'étude des sciences occultes l'attira aussi ; il avait un tel appétit du merveilleux qu'il accepta avec une crédulité sans contrepoids les doctrines des soi-disant prophètes de son temps ; il crut en Mesmer et en Cagliostro. Cau- seur chaleureux, orateur éloquent, Lavater ne tarda pas à avoir de nombreux admirateurs et de nombreux disciples. Il se livra aussi, et avec une longue persévérance, à l'analyse des traits du visage humain, y recherchant les indices révélateurs des traits divers du caractère. Ces études n'étaient pas nouvelles. Elles durent à Lavater une vogue particulière. Il publia un *Essai sur la Phy-*

siognomonie, destiné à faire connaître l'homme et à le faire aimer (La Haye, 1783-1786, 3 vol. in-8°) et les *Règles physiognomoniques,* ou *Observations sur quelques traits caractéristiques* (La Haye et Paris, an XI-1803, in-8°), qui sont le complément de l'ouvrage précédent. Le succès de Lavater fut très grand; l'engouement pour ses doctrines dura jusqu'à l'invention de la phrénologie par le docteur Gall.

Lavater publia bien d'autres ouvrages, car sa fécondité était intarissable, mais il y a dans ces écrits un mysticisme riche en bizarreries ; son excessive sensibilité s'était développée aux dépens de ses facultés mentales. Après une existence agitée et peu heureuse, il eut une mort dramatique. Au milieu d'une émeute populaire, il crut, en apôtre et orateur inlassable, devoir haranguer un soldat qui riposta en lui tirant un coup de feu dans le ventre. C'était le 2 janvier 1801.

Balzac connaissait les œuvres de Lavater et il en avait été influencé. Voir, à ce sujet dans les *Études d'histoire littéraire,* de M. Fernand Baldensperger (2e série, Hachette, 1910, in-12), *les Théories de Lavater dans la Littérature française,* particulièrement les p. 70 à 84; on y lit que « Balzac est de toute la génération de 1830, l'écrivain qui a coordonné le plus rigoureusement — en y ajoutant — les données lavatériennes... » (p. 84) et que « comme Lavater, Balzac attribue au nez une valeur révélatrice éminente ».

645. François-Joseph Gall, né le 9 mars 1758 à Tiefenbrunn, près de Pforzheim, dans le grand-duché de Bade, mort le 22 août 1828 à Montrouge. Il devint médecin, puis ses études portèrent surtout sur l'anatomie et la physiologie du cerveau, considéré comme siège et révélateur des facultés intellectuelles et morales. Il établit une théorie des localisations cérébrales. Il fit à Vienne un cours qui attira de nombreux auditeurs, mais qui fut l'objet de vives hostilités et qui finit par être interdit. Venu à Paris en 1807, il y fit un cours aussi, auquel s'intéressèrent les savants français, mais dont les journaux se divertirent. Or ses ouvrages parurent, montrant sur quelle quantité d'observations Gall avait édifié son système. Ces ouvrages traitaient du système nerveux et en particulier du cerveau.

646. Voir la n. 425.

647. VAR. : « ma vie, cette vie secrète, ce sacrifice » (1831 A).

648. VAR. : « me refusant à toutes les jouissances de la vie. Gourmand » (1831 à 1835).

649. VAR. : « Saint-Maur » (1831 A, B et 33).

L'ordre de Saint-Maur, fondé dans les premières années du

xviie siècle, ne fut qu'une transformation de l'ordre de Saint-Benoît. Cette transformation eut l'importante conséquence de faire vouer les bénédictins aux savants travaux qui ont si grandement illustré leur ordre.

650. Calenture : « Espèce de délire furieux auquel les navigateurs sont sujets dans la zone torride. » (Littré.)

651. Var. : « calenture, je me voyais (1831 A à 1835) moi, dénué de tout et dans une mansarde d'artiste, entouré de femmes ravissantes » (1831 A, B et 33).

652. Var. : « ayant tout. J'étais ivre, à jeun. C'était la tentation de saint Antoine. Puis le sommeil engloutissait heureusement toutes ces visions dévorantes » (1831 A); — « ... J'étais ivre, à jeun. C'était la tentation de saint Antoine. Heureusement, le sommeil finissait par engloutir toutes ces visions dévorantes » (1831 B et 33).

653. Var. : « Ils ressemblent à ces causeries du soir, en hiver, quand on part du foyer pour la Chine. Mais qu'est-ce que la vertu ? Pendant » (1831 A); — même texte, sauf « quand nous partons de notre foyer » (1831 B et 33).

654. Var. : « il s'établit quelques liens entre elle et moi. La petite Pauline [...] me rendit quelques services » (1831 A, B et 33).

655. Var. : « Malgré moi je devins leur protégé, j'acceptai leurs services. Pour comprendre cette singulière amitié » *(Ibid.)*

656. Var. : « instinctive dont l'homme qui vit de pensée est saisi pour tous les détails de la vie mécanique. Pouvais-je » (1831 A, B et 33). — En 1835, même texte, sauf « vit par la pensée ».

657. Var. : « de la femme et de l'enfance, elle me souriait, me faisant de la main un signe » (1831 A, B et 33).

658. Ariel, « esprit de l'Air » et, comme Caliban (voir la n. 121), l'un des personnages de *la Tempête*, de Shakespeare. Il est, comme Caliban, au service de Prospero sur l'ordre de qui il a déchaîné la tempête dont il lui fait le récit dans la scène deuxième du premier acte.

659. Var. : « une ravissante ingénuité » (1831 A et B); — « une touchante ingénuité » (1833).

660. Var. : « les Russes » (1831 A à 1835).

661. Var. : « sa royale » (1831 A, B et 33).

662. Var. : « Saint-Denis. Ah ! si l'empereur vivait !... Tout à coup je tressaillis et j'eus l'idée pour reconnaître les soins dont j'étais devenu l'objet, de m'offrir à faire l'éducation de Pauline. La candeur avec laquelle on accepta ma proposition fut égale

à la naïveté qui me la dictait. » (1831 A, B et 33). — En 1835 texte de notre édition, sauf : « j'eus l'idée, pour reconnaître les soins dont j'étais devenu l'objet, de m'offrir ».

663. Var. : « récréation. Pauline avait les plus heureuses dispositions. Apprenant avec facilité, elle devint bientôt plus forte que moi sur le piano. Elle était toute grâce, toute gentillesse. Elle m'écoutait avec recueillement en arrêtant » (1831 A, B et 33). — En 1835 texte de notre édition, mais avec « Pauline » au lieu de « la petite ».

664. Var. : « si j'étais content. » (1831 A).

665. Var. : « s'enfermer pendant toute la journée pour lire et apprendre des leçons. » (1831 A à 1835).

666. Var. : « pour étudier. » *(Ibid.)*

667. Var. : « mouvement qu'elle faisait, sa taille élégante et souple, les attraits » *(Ibid.)*

668. Var. : « grossière dont elle était revêtue. Elle avait un pied mignon dans d'ignobles souliers. C'était l'héroïne du conte de *Peau d'âne*, une reine en esclavage. Mais ses jolis trésors, sa richesse » (1831 A à 1835) ; — « grossière, comme l'héroïne du conte de *Peau d'âne*. Mais ses jolis trésors, sa richesse » (1838, 39 et 45).

669. Var. : « parlait d'une voix puissante et mettait sa main de fer entre cette chère créature » (1831 A, B et 33).

670. Var. : « fut-elle aussi ravissante que » (1831 A et B).

671. Note des *Pensées, sujets, fragments* (p. 77) : « Peindre l'amour ne vivant que de luxe, dans le cachemire, la soie, au milieu des tapis, des mousselines et l'homme ayant obtenu cela (pour en vivre ?) »

672. Var. : « les regards déchirent comme la flamme perce la fumée du canon, m'offrent de fantastiques attraits. A mon amour il faut des échelles de soie montées en silence » (1831 A, B et 33).

673. Var. : « tapissée d'or, de soies peintes... Et la femme aussi secoue de la neige... ces voiles de voluptueuses mousselines » (1831 A) — « tapissée de soies peintes... Et la femme aussi secoue de la neige... Quel autre nom donner à ces voiles de voluptueuses mousselines » (1831 B) ; — « tapissée de soies peintes... Et, comme moi, la femme secoue aussi de la neige... Quel autre nom », etc. (1833).

674. Var. : « son nuage... Et il me faut » (1831 A et B) ; — « son nuage, et qu'elle doit dépouiller. Et il me faut » (1833) ;

— « son nuage et dont elle va se dépouiller. Puis, il me faut » (1835).

675. Le mot « étincelante » manque de 1831 A à 1845.

676. VAR. : « vœux... Et puis, elle me jette un regard à la dérobée, un regard qui dément tout cela, un regard » (1831 A, B et 33).

677. VAR. : « vingt fois » (1831 A à 1845).

678. VAR. : « raisonné » (1831 A, B et 33).

679. VAR. : « de saveur, plus de goût. » *(Ibid.)*

680. VAR. : « Nous ne nous tuons » *(Ibid.)*

681. VAR. : « son délicieux naturel » (1831 A à 1845).

682. VAR. : « de ma vie » (1831 A à 1835).

683. VAR. : « je la revisse assise » (1831 à 1845).

684. VAR. : « représenter la Poésie ou l'Italie. » (1831 A à 1835).

— Carlo Dolci (ou Carlino) naquit à Florence en 1616 et mourut dans la même ville en 1686. Il eut une grande vogue. Animé d'une grande ferveur religieuse, mais hanté de pensées sombres, il peignit des christs désolés et des madones pâles et maladives. Balzac parle d'un tableau de Dolci représentant la Poésie ou l'Italie. Alfred de Musset, nous dit son frère Paul (*Biographie d'Alfred de Musset*, édit. Fasquelle, in-18, p. 163), avait acheté une copie de cette figure qui lui avait plu parce qu'il y trouvait une ressemblance avec le visage de Lamartine et il la fit placer dans son cabinet de travail. Cependant le peintre avait représenté la Poésie (ou la Patrie, si c'est la Patrie) par une femme, comme on peut le voir à la galerie Corsini à Florence, et une tradition prétend que c'est la fille même de Carlo Dolci qui servit de modèle. M. Léon Séché, qui donne ce détail dans son ouvrage sur *Alfred de Musset* (*Mercure de France*, in-18, II, 202), ajoute : « Ce qu'il y a de sûr, c'est qu'en déformant tant soit peu l'original — et c'est probablement ce qu'avait fait l'auteur du pastel acheté par Musset — on obtiendrait un assez bon portrait de Lamartine. »

685. VAR. : « les folies » (1831 A à 1835).

686. VAR. : « fraternel... Alors je lui racontai » (1831 A, B et 33) ; — « fraternel. Voyant celui-ci, je lui racontai » (1835).

687. VAR. : « me traita d'homme de génie, de sot, d'enfant. » (1831 A).

688. VAR. : « si séduisant, si entraînant, il me montra » (1831 A à 1835).

689. VAR. : « dans le monde égoïser adroitement, habituer » (1831 à 1845).

690. Var. : « interrogeons les choses et les résultats. Tu travailles, toi ?... tu ne feras rien. » (1831 A); — « interrogeons les choses et les résultats. Toi, tu travailles, eh bien, tu ne feras rien. » (1831 B et 33).

691. Le passage qui va de « Moi, je suis propre » à « on les paye » manque dans les éditions de 1831 A, B et 33. — De 1835 à 1845 la fin de ce passage était : « je me hausse et l'on me fait place, je me vante et l'on me croit. »

— A rapprocher cette note des *Pensées, sujets, fragments* (p. 15): « Tu fais quelque chose, tu n'arriveras à rien. Il n'y a que ceux qui ne font rien qui arrivent. Ils sont à l'affût de tout et passent leur vie à la chasse aux places, aux affaires. »

692. Var. : « puis une faillite le laisse sans un sou » (1831 A) ; — « une liquidation le laisse souvent sans un sou » (1831 B).

693. Var. : « il les fait jouer à son profit. Est-ce logique, ou suis-je un fou ?... » (1831 A) ; — « il les manœuvre à son profit ; ceci est-il logique ? » (1831 B et 33).

694. Var. : « Eh bien, ce n'est rien. Voilà le point » (1831 A, B et 33) ; — « Eh bien, ce n'est que ton point » (1835).

695. Var. : « ta gloire, être le bijoutier qui aura monté ton diamant... (1831 A, B et 33).

— Pour commencer, dit-il, sois ici » (1831 A).

696. Var. : « quand ils ont » (1831 A à 1845).

697. Var. : « En un mot demain soir, tu verras Fœdora, la belle comtesse Fœdora » (1831 A à 1835).

698. Var. : « dit » (1831 A à 1845).

699. Var. : « qui sépare le Cafre de l'animal... » (1831 A à 1835).

700. Var. : « Fœdora ! Ce nom me poursuivit » *(Ibid.)*

701. Var. : « les fêtes, la vanité, les clinquants. (1831 A, B et 33).

702. Var. : « les fécondes et pures délices. » *(Ibid.)*

703. Var. : « une barrière imposante » (1831 A à 1835).

704. Cette phrase n'est pas dans les éditions 1831 A, B et 33. En 1833 la fin est : « vingt-cinq sous chez Tabar ! »

L'*Almanach du commerce* pour 1830 porte parmi les restaurateurs : « Tabar, r. Mauconseil, 9 ».

705. Var. : « jamais le plaisir assez chèrement. Je trouvai Rastignac » *(Ibid.)* ; — « assez chèrement les plaisirs de la vanité. Je trouvai Rastignac » (1835).

706. Var. : « un diplomate, à deviner » (1831 A, B et 33) ;
— « un diplomate, car elle saurait deviner » (1835).

707. Var. : « je crois qu'elle n'a jamais été mariée. L'ambassadeur » (1831 A à 1835).

708. Var. : « Cependant, elle est de la société de Mme de F...,
va chez mesdames de N... et de V... En France, sa réputation
est intacte. La maréchale de ***, la plus » (1831 A, B et 33) ; —
En 1835, même texte que précédemment, sauf : « Néanmoins
elle est » et « La maréchale S..., la plus ».

— Mme de Sérizy, nommée dans notre édition, était la femme
du comte de Sérizy, qu'elle avait épousé en deuxièmes noces,
très jeune encore, mais déjà veuve du général Gaubert. Elle
était née Léontine de Ronquerolles. Très mondaine, très coquette,
elle eut plusieurs amants, et parmi eux Lucien de Rubempré,
qu'elle aima passionnément ; elle fut dans l'angoisse quand il
fut emprisonné comme soupçonné de complicité dans l'assassinat
d'Esther van Gobseck, et elle fit des efforts désespérés pour tâcher
de le sauver. Ce fut en vain. Elle paraît dans *Un début dans la vie,
la Duchesse de Langeais, Ursule Mirouët, la Femme de trente ans,
Splendeurs et misères des courtisanes, Autre étude de femme, la Fausse
Maîtresse.* (Cf. *Répertoire*, p. 471-472.)

— Delphine de Nucingen était la fille cadette du père Goriot.
Elle fut la maîtresse de Rastignac, qui finit par la quitter mais
à qui, plus tard, elle donna sa fille en mariage. Mme de Nucingen
mena une existence mondaine brillante. En souvenir de ses propres
vicissitudes amoureuses, elle vint pécuniairement au secours
de Marie de Vandenesse et de Raoul Nathan au temps de leurs
malheureuses amours.

Elle paraît dans *le Père Goriot, Ferragus, Eugénie Grandet, César
Birotteau, Melmoth réconcilié, Illusions perdues, Splendeurs et misères
des courtisanes, Modeste Mignon, la Maison Nucingen, Autre étude
de femme, Une fille d'Ève, le Député d'Arcis.* (Cf. *Répertoire*, p.
387-388.)

— La comtesse Anastasie de Restaud était la fille aînée du
père Goriot. Elle eut, comme sa sœur, un amant ; ce fut Maxime
de Trailles, de qui elle eut deux enfants et pour qui elle se ruina.
Elle paraît dans *le Père Goriot, Gobseck, la Famille Beauvisage.*

— La duchesse de Carigliano, femme du duc de Carigliano,
maréchal de l'Empire, était la fille du sénateur Malin de Gondre-
ville. Elle dominait son trop faible mari et elle le trompait ;
elle eut, notamment, pour amants, le colonel Victor d'Aiglemont

et le peintre Théodore de Sommervieux. Elle finit par devenir d'une grande dévotion. On la voit dans *la Maison du chat qui pelote*, *Illusions perdues*, *les Paysans*, *le Député d'Arcis*. (Cf. *Répertoire*, p. 84.)

709. VAR. : « bonapartiste, l'invite à passer la saison » (1831 A, B et 33).

710. VAR. : « d'hommes, mollement couchée sur une otto-mane, et tenant » (1831 A à 1835).

711. VAR. : « et, souriant avec grâce, elle me dit d'une voix singulièrement mélodieuse » (1831 A, B et 33).

712. VAR. : « de talent, en employant son talent et son emphase gasconne à me procurer » (1831 A) ; — « de talent. Son adresse et son emphase gasconne me procurèrent » (1831 B à 35).

713. VAR. : « dont je devins confus » (1831 A à 1835).

714. VAR. : « la première » (1831 A, B et 33).

715. VAR. : « elle pourrait deviner » (1831 A à 1835).

716. VAR. : « un petit réduit » (1831 A et B).

717. VAR. : « rares, et à la suite duquel j'aperçus » (1831 A à 1835).

718. VAR. : « Mais, tout à coup, il se leva brusquement, me prit » (1831 A) ; — « Mais tout à coup, il se leva, me prit » (1831 B à 35).

719. VAR. : « nos maîtres, les plus habiles, l'ont avoué, lui sont restés fidèles, l'aiment » (1831 A, B et 33).

720. VAR. : « et parut s'y intéresser vivement quand, au lieu de vanter gravement, en langage de professeur l'importance de ma découverte, je traduisis mon système en plaisanteries. Elle rit beaucoup en m'entendant lui dire que la volonté » (1831 A) ; — « parut s'y intéresser vivement quand, au lieu de vanter en langage de professeur l'importance de ma découverte, je lui traduisis mon système en plaisanterie. Je la fis beaucoup rire en lui disant que la volonté » (1831 B et 33).

721. VAR. : « sur les autres âmes la projection de cette masse fluide ; et qu'il pouvait » (1831 A à 1835).

722. VAR. : « relativement à l'homme ; même certaines lois de la nature... Elle me fit des objections qui me révélèrent en elle une incroyable finesse d'esprit. Je m'amusais malicieusement à lui donner » (1831 A et B). — En 1833 même texte, sauf qu'il y a « une certaine finesse ». — En 1835 : « à l'humanité ; même certaines lois de la nature. Ses objections me révélèrent » la suite comme dans notre édition. — En 1838, 39 et 45 : « à l'humanité,

même les lois les plus absolues de la nature. Ses objections me révélèrent », etc.

723. Var. : « dans la vie, vulgaire » (1831 A et B) ; — « dans la vie, fait vulgaire » (1833).

724. Var. : « complets, vivant dans un monde invisible à nos regards, mais qui influaient sur nos destinées en lui donnant pour preuves » (1831 A, B et 33).

725. Var. : « me donna mes entrées. » (1831 A à 1835).

726. Var. : « soit qu'elle me crût destiné à quelque célébrité prochaine ou que, réellement, elle voulût augmenter sa ménagerie de savants, je me flattai d'avoir su lui plaire. Appelant à mon secours toutes mes connaissances physiologiques et mes études antérieures sur la femme, je consacrai le reste de la soirée à l'examen le plus minutieux de sa personne et de ses manières. Caché dans l'embrasure d'une fenêtre, je la vis allant et venant, s'asseyant et causant ou appelant un homme, l'interrogeant et s'appuyant pour l'écouter sur un chambranle de porte. Je reconnus dans » (1831 A, B et 33). — En 1835, texte précédent jusqu'à « manières ». La suite, comme dans notre édition. — En 1838, 39 et 45 : « soit qu'elle vît en moi » la suite comme dans notre édition, sauf une variante « sa singulière personne ».

727. Var. : « fort passionnée... Même la manière dont elle se posait devant son interlocuteur avait un langage de volupté » (texte de 1831 A, modifié dans l'errata de cette édition de la manière suivante : « il y avait de la volupté jusque dans la manière dont elle se posait devant son interlocuteur »). — Même texte dans 1831 B et 33. — En 1835 : « ... Sa volupté savante... », la suite comme dans notre édition. — En 1838, 39 et 45 : « ... Une volupté savante... », etc.

728. Var. : « interlocuteur. Se soutenant sur la boiserie avec coquetterie comme une femme prête à tomber ou à s'enfuir, mais restant là, les bras mollement croisés, en paraissant » (1831 A, B et 33) ; — en 1835 texte de notre édition, sauf « prête à tomber, mais aussi prête à s'enfuir ».

729. Var. : « bruns allaient admirablement bien à la couleur » (1831 A et B).

730. Var. : « et qui semblait ajouter » (1831 A).

731. Var. : « dureté ses épais sourcils qui paraissaient se rejoindre, et remarqué je ne sais quel duvet imperceptible dont les contours de son visage étaient ornés. Enfin, je trouvai la passion empreinte en tout, l'amour écrit sur ses paupières ita-

liennes, sur ses belles épaules » (1831 A, B et 33). — De 1835
à 1845, même texte, sauf : « en tout. L'amour était écrit ».

732. Var. : « lèvre supérieure » (1831 A, B et 33).

733. Var. : Il y avait, certes, un roman dans cette femme !
Ces richesses féminines, cet ensemble harmonieux de lignes, les
promesses faites à l'amour que je lisais dans cette riche structure
étaient tempérées, il est vrai, par » (1831 A, B et 33) ; — « Cette
femme était un roman. Ces richesses féminines, cet ensemble
harmonieux des lignes, les promesses de cette structure étaient
tempérées, il est vrai, par » (1835). — « Cette femme était un roman :
ces richesses », la suite comme dans notre édition (1838 à 1845).

734. Var. : « froide, tandis que (1831 A, B et 33) la tête seule
semblait être passionnée » (1831 A et B).

735. Var. : « sur une personne » (1831 A, B et 33).

736. Var. : « : convulsion ; mais ses yeux étaient brillants et
beaux. » (1831 A, B et 33).

737. Var. : « encore à découvrir de nouveaux secrets, ou la
comtesse » (1831 A).

738. Var. : « amenait chez cette femme tous ces artistes, ces
diplomates, ces agioteurs doublés de tôle comme leurs caisses,
ces hommes de pouvoir, sans doute » (1831 A et B) ; — « amenait
chez cette femme tous ces artistes... », la suite comme dans notre
édition (1833).

739. Var. : « n'aime personne... » (1831 A et B).

740. Antoine Nompar de Caumont, comte, puis duc de Lauzun,
né en 1633, mort le 19 novembre 1723. Il était brave, insolent,
ambitieux, habile à se pousser. Il eut des succès féminins. Son
aventure la plus célèbre est celle de son mariage avec Mlle de
Montpensier, cousine germaine de Louis XIV. Cette princesse
était fort éprise de Lauzun, et Louis XIV consentit d'abord à leur
mariage ; puis, sur les instances de son entourage, il se ravisa.
Il fit même enfermer Lauzun à Pignerol. Libéré dix ans après,
Lauzun épousa enfin, mais secrètement, en 1684, sa princesse, qui
lui était restée fidèle. Il la traita fort mal, dit-on ; il y eut entre eux
des scènes violentes, et ils finirent par se séparer.

741. Var. : « frisés, si jolis, si pimpants (1831 A), cravatés
à désespérer la Croatie tout entière (1831 A à 1835), armés de
tilburys et d'impertinence. » (1831 A, B et 33).

— Au XVIIe siècle, les soldats croates portaient une sorte de
cravate, en tissu vulgaire pour les soldats, mais qui, pour les
officiers, était en mousseline ou en tissu de soie. Cette cravate

se nouait par devant, en forme de rosette, et ses bouts pendaient sur la poitrine. On imita cet ajustement en France, dans l'uniforme d'un régiment d'éclaireurs et de tirailleurs montés, formé par Louis XIV sur le modèle de ceux qui existaient déjà dans l'armée croate. Ce régiment fut appelé le Royal-Croate, et, par corruption, le Royal-Cravate. Le mot cravate a donc son origine dans le mot croate.

742. VAR. : « toutes les images du luxe prodigieux » (1831 A, B et 33) ; — « toutes les images du luxe » (1835).

743. VAR. : « Les crimes ne doivent pas naître autrement. Alors, je maudis » (1831 A, B et 33).

744. VAR. : « m'adresser à son âme » (1831 A à 1845).

745. VAR. : « phrases rhétoriciennes de J.-J. Rousseau dont j'occupais » (1831 A, B et 33) ; — « ... rhétoriciennes et apprêtées de J.-J. Rousseau, dont j'occupais » (1835).

746. Les mots « la vue du lac de Brienne » ne sont pas dans les éditions de 1831 A à 1835.

747. C'est, sans doute, la célèbre *Assomption* qui est au Musée du Louvre. Soult, pendant qu'il commandait en Espagne, s'était emparé d'un certain nombre de toiles des maîtres espagnols : Ribera, Zurbaran, Murillo. L'*Assomption* (qu'on appelle aussi *Immaculée Conception*) par ce dernier peintre fut acquise par le Musée du Louvre, le 19 mai 1852, à la vente, après le décès du maréchal Soult, de sa collection de tableaux.

748. La Lescombat était une jeune femme, jolie, perverse, qui, née Taperet (Marie-Catherine), épousa l'architecte Lescombat. Comme il gagnait peu d'argent, elle le persuada de prendre des pensionnaires, et elle séduisit l'un d'eux, nommé Mongenot, qu'elle domina bientôt assez pour le pousser au meurtre du mari qu'elle estimait trop embarrassant. Mongenot hésitait, ajournait, La Lescombat insista auprès de lui, l'excita, le menaça de trouver un autre instrument de sa volonté. Elle lui écrit des lettres d'un ton passionné. Il cède. Il tue Lescombat à la suite d'un dîner auquel il l'avait convié. Il est arrêté, mais malgré les instances de sa maîtresse pour qu'il ne la compromît pas, il livre à la justice les lettres qu'elle lui avait écrites. Elle est arrêtée à son tour, jugée avec lui et tous deux sont condamnés à être pendus. — Roger de Beauvoir a fait de ce crime l'objet d'un roman psychologique, *La Lescombat*, publié à Paris, chez Dumont en 1841 ; 2 vol. in-8°.

749. VAR. : « fabliaux naïfs ont pu seuls me transporter dans les divines régions (1831 A, B et 33) de mon amour. » (1831 A).

750. Cette phrase finit là dans les éditions de 1831 A à 1835.

751. VAR. : « Il faut lire un roman d'amour, *Clarisse Harlowe*, au moment où l'on aime, pour rugir avec Lovelace... L'amour » (1831 A) ; — même texte, mais avec « un livre d'amour » dans 1831 B et 33 ; et avec « quelque livre d'amour » en 1835.

752. VAR. : « épuise tous les trésors du langage, ces regards plus féconds et plus beaux que des poèmes. » (1831 A à 1835).

753. VAR. : « femme, il y a un abîme » (1831 A, B et 33).

754. VAR. : « s'y opérait je ne sais quel phénomène » (1831 A à 1845) « l'imperceptible duvet dont sa peau délicate et fine est couverte en dessinait » (1831 A à 1835).

755. VAR. : « couleur, alors les teintes se nuançaient, une pensée semblait se peindre sur son front de marbre, ou bien son œil paraissait rougir ; sa paupière vacillait et ses traits ondulaient poussés par un sourire ; le corail intelligent de ses lèvres se pliait ; ses couleurs tremblaient ou ses cheveux jetaient des tons bruns sur ses tempes fraîches et veinées » (1831 A et B).

756. VAR. : « eh bien... à chaque accident » (1831 A, B et 33).

757. VAR. : « parlé. C'étaient des fêtes nouvelles pour mes yeux ou des grâces inconnues qui se révélaient à mon cœur. » (1831 A et B) ; — « ... C'étaient, à chaque nuance de bonté, des fêtes... », la suite comme précédemment (1833 et 35).

758. VAR. : « je ne sais quel prince » (1831 A à 1845).

759. VAR. : « au milieu de la nuit silencieuse évoquée par la puissance de mon extase !... Alors, tantôt soudaine comme une lumière qui jaillit, elle me faisait quitter la plume » (1831 A à 1835).

760. VAR. : « Me forçant à l'admirer, elle se mettait dans la pose » (1831 A, B et 33) ; — « Elle me forçait à l'admirer, se mettait dans la pose » (1835).

761. VAR. : « avec une sécurité, une lucidité fabuleuse. Mon âme avait volé vers sa sphère, vers sa vie, comme un insecte d'azur vole » (1831 A à 1835).

762. VAR. : « sur la puissance morale dont nous reconnaissons les jeux servaient » *(Ibid.)*

763. VAR. : « d'une idolâtrie cordiale » (1831 A, B et 33).

764. VAR. : « si j'étais coupable » *(Ibid.)*

765. VAR. : « pardonner. Il y avait de l'amour dans ces querelles et nous y prenions goût. Elle » *(Ibid.)*

766. VAR. : « glaciale et moi dans l'appréhension d'un malheur. » *(Ibid.)*

767. VAR. : « ne pouvant pas arriver à la porte du théâtre,

un commissionnaire étendit un parapluie au-dessus de nos têtes en voyant une femme bien mise, obligée de traverser le boulevard. Quand nous fûmes montés, il réclama le prix de son bon office. Je n'avais rien. J'eusse vendu dix ans de ma vie pour deux sous. » (1831 A et B) ; — « ne pouvant pas arriver jusqu'à la porte... » la suite comme précédemment (1833).

768. Var. : « naguères » (1831 A à 1835).

769. Var. : « à mes demandes ou à mes remarques ; alors, je gardai » (1831 A, B et 33).

770. Var. : « devant le feu, puis quand le valet de chambre eut allumé les bougies » *(Ibid.)* ; — en 1835, une seule variante : « ... puis, quand le valet ».

771. Var. : « satisfaire ma vanité. J'ai même rencontré, je veux le croire, des hommes dont l'affection était sincère et profonde. Autrefois, je fus une pauvre fille sans argent ; s'ils n'avaient dû trouver en moi que cette jeune fille, peut-être m'eussent-ils encore épousée. Enfin, sachez » (1831 A) ; — « satisfaire ma vanité. J'ai même rencontré des hommes dont l'affection était sincère, profonde et qui m'eussent encore épousée, je veux bien le croire, s'ils n'avaient trouvé en moi qu'une fille pauvre telle que je l'étais jadis. Enfin, sachez » (1831 B et 33). — En 1835 une seule variante : « affection » au lieu d'« attachement ».

772. Var. : « recevoir un mauvais compliment lorsque » (1831 A, B et 33).

773. Var. : « j'espère ne pas être » *(Ibid.)*

774. Var. : « un coin de mon âme. » (1831 A).

775. Var. : « d'un mal dont elles ont apprécié la violence... Il y a de la passion dans leur méchanceté. Mais être torturé par une femme qui ne croit pas nous faire souffrir, par une femme qui nous tue avec indifférence... Oh ! c'est un supplice atroce... » (1831 A) ; — « d'un mal dont elles ont dû apprécier la violence... » la suite comme précédemment (1831 B et 33). — « d'un mal dont elles ont dû apprécier la violence ; il y a de la passion dans leur méchanceté... » la suite comme dans notre édition (1835) ; — « d'un mal dont elles ont dû apprécier la violence, leur méchanceté...» la suite comme dans notre édition (1838, 39 et 45).

776. Var. : « avertissements : vous devez avoir craint » (1831 A).

777. Var. : « Y a-t-il » (1831 A, B et 33).

778. Var. : « Peut-être ne voulez-vous pas laisser gâter votre taille délicieuse et vos adorables beautés par les soins de la maternité ? Ne serait-ce pas une de vos raisons » (1831 A, B et 33).

779. Dans les *Pensées, sujets, fragments* (p. 9) on lit cette note :
« Il y a des femmes que des défauts secrets forcent à avoir de la
vertu. » — M. Marcel Bouteron rapproche aussi de cette pensée
et du texte de *la Peau de chagrin*, cette phrase des *Fantaisies de la
Gina* : « ... Je me souviens d'un des axiomes auxquels je dois de
passer pour un esprit méchant et redoutable, à savoir *qu'il n'y a
pas de jupe plus lourde que celle d'une femme qui a la jambe mal faite.* »
(*Les Fantaisies de la Gina*, nouvelle inédite publiée par Marcel
Bouteron ; Notes et éclaircissements, p. 43 ; Cahiers balzaciens,
n° 2, Cité des Livres, 1923, in-16.)

780. VAR. : « arrachèrent pas même un mouvement, un geste »
(1831 A, B et 33).

781. VAR. : « sans même être » (1831 A à 1835).

782. VAR. : « de marbre, sec et poli, paraissant » (1831 A à 1845).

783. VAR. : « froid. Ah !... mon cher ami, concevras-tu bien
toutes les douleurs dont je fus assailli » (1831 A) ; — « froid.
Concevras-tu bien, mon cher, toutes les douleurs dont je fus
assailli » (1831 A à 1835).

784. VAR. : « dans mille commentaires » (1831 A, B et 33).

785. VAR. : « conquis à chaque heure et qui, effaçant les promesses » (1831 A, B et 33) ; — « conquis à chaque heure et qui,
effaçant toutes les promesses » 1835).

786. VAR. : « une nouvelle maîtresse. » (1831 A) ; — « une
maîtresse toute nouvelle. » (1831 B et 33).

787. VAR. : « mon chapeau, le détruisait... Comment » (1831
A à 1835).

788. VAR. : « ... le mien dans un état » 1831 A, B et 33).

789. VAR. : « pour un chapeau problématique ; c'était le chapeau d'un » (1831 A à 1835) ; — « pour le chapeau problématique
d'un » (1838, 39 et 45).

790. VAR. : « je perdais mes derniers vêtements (1831 A à
1835). Ah ! que de sacrifices ignorés j'avais faits » (1831 A, B et
33).

791. VAR : « aussi élégant que les fats dont elle était entourée ! »
(1831 A à 1833).

792. VAR. : « dépendre d'une moucheture de boue » *Ibid.*)

793. VAR. : « une légère tache empreinte de fange » (1831 A).

794. Note des *Pensées, sujets, fragments* (p. 11) : « L'on ne
croit pas au dévouement, à l'amitié des pauvres et des malheureux ;
ils ne peuvent rien sacrifier d'apparent, ils n'offrent que des sentiments brûlants. »

795. Var. : « croissante dont je fus la proie en marchant » (1831 A à 1835).

796. Var. : « — Tu en parles, reprit Mme Gaudin, comme si tu l'aimais » (1831 A à 1835) ; — « Tu en parles comme si tu l'aimais, reprit Mme Gaudin » (1838, 39 et 45).

797. Var. : « ma chère mère (1831 A) mais je deviens très instruite... Dans » (1831 A, B et 33).

798. Var. : « sur les choses dont j'étais entouré ; peut-être » (1831 à 1835).

799. Var. : « modeste et douce, si naïvement » (1831 A).

800. Var. : « et roses, sa virginale attitude et l'idéal de sa tête ; la nuit [...] intérieur. Il y avait de la résignation dans ces travaux, mais une résignation religieuse et pleine de sentiments élevés. Puis, une » *(Ibid.)*

801. Var. : « pensées ; là cette humble misère et ce naturel exquis » (1831 A, B et 33) ; — « ... là, cette humble misère et ce bon naturel » (1835).

802. Var. : « essuyer... Oh ! M. Raphaël, vous êtes friand » (1831 A).

803. Var. : « J'acceptai. La pauvre » (1831 A).

804. Var. : « dit-elle. » (1831 A à 1845).

805. Var. : « fauvette serrée entre » (1831 A à 1835).

806. Sébastien Erard, né à Strasbourg le 5 avril 1752, mort à Paris le 5 août 1831. Ingénieur mécanicien, il fut un remarquable facteur d'instruments de musique. C'est à Paris que, dès l'âge de dix-huit ans, il s'établit. Ses travaux, auxquels était associé son frère Jean-Baptiste, un peu plus âgé que lui, portèrent surtout sur la harpe et sur l'orgue, qu'il perfectionna, et sur le piano, qu'il inventa et qui, comme instrument de chambre, remplaça peu à peu le clavecin.

807. Var. : « compte faire » (1831 A à 1835).

808. Var. : « Cela annonce » *(Ibid.)*

809. Var. : « Il y avait dans l'accent, dans le regard de la bonne femme, cette douce » (1831 A, B et 33).

810. Var. : « misère. Elle est le plus actif de tous les dissolvants. Avec elle il n'existe » (1831 A, B et 33). — En 1835 texte de notre édition, sauf la variante : « Avec elle il n'existe ».

811. Note des *Pensées, sujets, fragments* (p. 11) : « L'homme qui aime voit en lui plus que lui-même. »

812. Var. : « C'est le plus » (1831 A à 1835).

813. Note des *Pensées, sujets, fragments* (p. 15) : « L'amour

que nous inspirons nous donne une sorte de religion pour nous-
mêmes, une dose de fierté. Nous sentons la vie d'un autre en
nous. — Il y a des êtres qui se respectent cependant sans raison.
Entre ne pas se respecter et se respecter trop, il y a tout un abîme. »

814. VAR. : « t'ont fait dire les calomnies » (1831 A, B et 33).

815. VAR. : « En ce moment, me souvenant » *(Ibid.)*

816. VAR. : « Elle t'aura deviné, jugé » (1831 A à 1835).

817. VAR. : « cette créature-là (1831 A à 1835) me semble
supérieure comme toutes les femmes qui n'ont de plaisir que
dans la tête. » (1831 A, B et 33.)

818. VAR. : « premier domestique... » (1831 A).

819. VAR. : « tout mon argent. Sans cette » (1831 A à 1835).

820. Le café de Paris, à la fois café et restaurant, était situé
à l'angle du boulevard des Italiens et de la rue Taitbout. Il s'élevait dans les anciens appartements du prince Demidoff. Le Docteur
Véron écrit au t. III (p. 19) de ses *Mémoires d'un bourgeois de Paris* :
« *Le café de Paris*, connu de toute l'Europe, est aujourd'hui en
pleine prospérité. L'officier anglais qui se bat contre les Birmans,
l'officier russe qui se bat à Khiva, au delà de la mer d'Aral sur les
bords de l'Oxus, rêvent au bivouac les joies d'un bon dîner au
café de Paris. »

821. VAR. : « gentilhomme cravaté merveilleusement bien et
qui » (1831 A et B).

822. VAR. : « me tourmente parce que, vraiment, les mémoires »
(1831 A à 1835).

823. Cette phrase finit là de 1831 A à 1835.

824. VAR. : « littéraires les plus éminentes. Or, il avait, jadis,
une tante fort bien en cour, marquise de plus ; et » (1831 A, B
et 33) ; — « les plus littéraires ; or... », la suite comme précédemment (1835).

825. VAR. : « Je préfère » (1831 A, B et 33).

826. VAR. : « un mot plutôt que de salir le nom de ma... »
le mot « famille » manque (1831 A) ; — « ... plutôt que de salir
le nom de ma famille ! » (1831 B).

827. VAR. : « chevalier de Saint-Louis » (1831 A à 1835).

828. Tous les biographes de Diderot ont rapporté ce fait.
Diderot n'était pas riche et il dut accepter bien des travaux mer-
cenaires et, entre autres, la rédaction de six sermons qu'un mission-
naire lui commanda pour les colonies portugaises ; ils lui furent
payés, dit-on, cinquante écus la pièce, soit trois fois plus cher
que ne le rapporte Balzac. Diderot, bien des années après, esti-

mait, paraît-il, que c'était là l'une des meilleures affaires qu'il
eût faites.

829. VAR. : « ému, ne le faut-il pas ? Mon pauvre » (1831 A,
B et 33).

830. VAR. : « ne penses, alors !... reprit-il en riant. Si Marivault »
(1831 A, B et 33) ; — « ne penses, reprit-il en riant. Si Marivault »
(1835, 38 et 39) ; — « ne penses, reprit-il en riant. Si Finot » (1845).

831. Ici, dans les éditions 1831 A, B et 33 venait cette phrase :
« Je lui serrai la main. »

832. Jean-Paul-Frédéric Richter, né à Wiensiedel en 1763,
mort à Bayreuth en 1825. Écrivain dont les œuvres sont faites
de poésie, de fantaisie, dans une forme libre et capricieuse. Citons :
*la Vallée de campagne ou l'Immortalité ; le Songe et la Vérité ; Palin-
génésie ; Introduction à l'esthétique ; le Titan.* Deux ouvrages de Jean-
Paul ont été récemment réédités en France : *Sermon de carême*,
dans la collection des *Romantiques allemands* (librairie Attinger) ;
et *le Voyage du professeur Frœbel*, où, avec la traduction, est donné
le texte allemand (Éditions Montaigne). (Voir la n. 1432.)

833. VAR. : « Je suis obligé d'avoir l'air de comprendre toute
cette sensiblerie allemande et de connaître un tas de ballades ! »
(1831 A à 1845). Cette phrase finit là dans 1831 A, B et 33.

834. VAR. : « complaisance... Vingt-cinq mille livres de rentes,
mon cher, et le plus joli pied, la plus jolie main » (1831 A, B et
33). — Même texte en 1835, sauf « joli petit pied » ; — en 1838
texte de notre édition, avec la variante « jolie main ».

835. VAR. : « Rastignac ; en sorte que ma toilette me permit »
(1831 A, B et 33).

836. VAR. : « comme des fleurs sous » (1831 A).

837. VAR. : « Je m'habillai ; mais au moment où j'achevais
ma toilette, assez content de moi-même, un frisson glacial me
saisit en pensant tout à coup qu'il faudrait une voiture à Fœdora.
Je ne devais avoir » (1831 A).

838. VAR. : « la puissance cérébrale dont le hasard l'a investi !
En un instant » (1831 A à 1835).

839. Ces derniers mots de : « Je regardai » à « malheur »,
ne sont pas dans l'édition de 1831 A.

840. VAR. : « rencontrer, le soir, M. de Marivault ? » (1831 A
à 1839).

841. VAR. : « hagard. Aussi, toi seul, peut-être, pourras comprendre le délire dont je fus animé lorsqu'en ouvrant le tiroir »

(1831 A) ; — « hagard. Aussi, comprendras-tu le délire... » la suite
comme précédemment (1831 B et 33).

842. VAR. : « au malheur, exact à nous consoler, et je la saluai
par un cri. Ce cri trouva de l'écho ; surpris, je me retournai brusquement et vis Pauline devenue toute pâle... » (1831 A) ; — dans
1831 B et 33 même texte, sauf, à la fin, « Pauline toute pâle » ;
— « au malheur, exact à nous consoler, et la saluai par un cri
qui trouva de l'écho ; surpris, je me retournai », la suite comme
dans notre édition (1835).

843. L'édition de 1831 A porte : « En ce moment, j'avais
dans l'âme tout le plaisir de la terre, et je croyais devoir restituer
aux malheureux la part que je leur volais ». La dernière partie
de la phrase était modifiée dans l'errata, conformément au texte
de notre édition. — Le passage qui suit de « Nous avons presque... »
à « errer dans le Jardin des plantes », était remplacé dans la même
édition par les quelques lignes suivantes : « Voir Fœdora, la faire
monter dans ma voiture, causer avec elle en comprimant un secret
délire qui sans doute se formulait sur mon visage, par quelque
sourire niais et arrêté... Arriver au Jardin des Plantes ». — Ce
même passage, dans 1831 B et 33, présente les variantes suivantes :
« le temps que nous marchâmes dans le Luxembourg ; mais,
quand nous en sortîmes, un gros nuage, dont j'avais maintes fois
épié la marche avec une secrète inquiétude, laissa tomber quelques
gouttes d'eau. — Nous montâmes dans un fiacre et, lorsque nous
eûmes atteint les boulevards, la pluie cessa. Le ciel capricieusement
reprit sa sérénité. Je voulus renvoyer la voiture en arrivant au
muséum. Fœdora me pria... » ; — de 1835 à 1845, seule subsiste
la variante : « ...que nous marchâmes dans le Luxembourg ;
mais quand ».

844. VAR. : « se fut faite » (1831 A).

845. VAR. : « toutes ces tristes lumières » (1831 A) ; — « ces
tristes lumières » (1831 B et 33).

846. VAR. : « comme les flots de la mer restituent capricieusement
à la grève, par un beau temps, les débris d'un naufrage. » (1831 A,
B et 33).

847. VAR. : « de N***, » (*Ibid.*) ; — « de Navailles » (1835,
38 et 39). — De même quelques lignes plus bas.

848. VAR. : « Oh ! maintenant, j'aime le silence » (1831 A).

849. VAR. : « admiration. Nous arrivâmes chez elle, et fort
heureusement » (1831 A, B et 33).

850. VAR. : « seul avec elle. C'était » (1831 A et B).

851. Var. : « les événements à sa guise » (1831 A, B et 33).

852. Var. : « son époux » (1831 A à 1845).

853. Var. : « éprouvant du bonheur même à lui ôter son schall, son chapeau. » (1831 A).

854. Var. : « attentions... Oh ! comme elle était femme !... Elle déployait des grâces » (1831 A à 1835).

855. Var. : « Alors, pour prolonger mon extase, j'aurais perdu deux années de ma vie, par chaque instant de plus que son caprice m'accorderait. Mon bonheur » (1831 A) ; — « Alors, pour prolonger mon extase, j'aurais volontiers... », la suite comme dans notre édition.

856. Var. : « M. Marivault (1831 A à 1839) me lut un petit acte, après la signature duquel il me compta cinquante écus. Il ne fut point question de ma tante et (1831 A et B) nous déjeunâmes tous les trois. Quand j'eus payé mon nouveau chapeau, soixante cachets de dîners à » (1831 A, B et 33).

857. Var. : « tâchant de surpasser en impertinence les impertinents » (1831 A, B et 33).

858. Var. : « vanité. J'étais tous les jours près d'elle, son esclave, son jouet, sans cesse à ses ordres, et je revenais chez moi pour y travailler pendant toute la nuit » (1831 A) ; — dans 1831 B, 33 et 35 texte de notre édition, sauf, dans 1831 B et 33, « pendant toutes les nuits » et, en 1835, « durant toutes les nuits ».

859. Var. : « brillaient parfois et me faisaient entrevoir des abîmes. La comtesse » (1831 A, B et 33).

860. Var. : « duc de N***. Mon cousin rougissait de ma misère, et il avait » (1831 A) ; — « duc de N***, homme égoïste... » (1831 B et 33) ; — « duc de Navailles, homme égoïste... » (1835, 38 et 39).

861. Var. : « Elle trouva pour lui [...] cette affaire mystérieuse dont je ne sus pas un mot. Enfin, j'avais été pour elle un moyen... Elle ne m'apercevait seulement pas quand mon cousin était chez elle et m'acceptait » (1831 A, B et 33) ; — en 1835, subsistent seulement deux menues variantes : « Elle trouva » et « mystérieuse dont ».

862. Var. : « devant mon cousin » (1831 A).

863. Voir la note 298.

864. Var. : « mon cœur admirablement bien rendus par les sons. » (1831 A, B et 33) ; — « mon cœur bien rendus par les délicieuses phrases du musicien. » (1835).

865. Var. : « chez Fœdora ! Alors, cherchant sa main, j'étu-

diais » (1831 A, B et 33) ; — « chez Fœdora. Je lui prenais la
main, j'étudiais » (1835).

866. VAR. : « réveillés par la musique » (1831 A à 1835).

867. VAR. : « sourire cherché, convenu qui, phrase classique,
se reproduit au salon dans tous les portraits » *(Ibid.)*

868. VAR. : « divines phrases de Rossini » (1831 A, B et 33).

— Joachim Rossini, né à Pesaro (Vénétie) le 29 février 1792,
mort à Paris le 13 novembre 1868. Balzac a rappelé dans ses romans
maints opéras de lui. Parmi les plus célèbres on peut citer *Tancrède*
(1813), *l'Italienne à Alger* (1813), *le Barbier de Séville* (1816), *Othello*
(1816), *Mosé* (1818), *Sémiramide* (1823), *Guillaume Tell* (1829).

869. Domenico Cimarosa, né à Aversa (royaume de Naples)
le 17 décembre 1754, mort à Venise le 11 janvier 1801. Il étudia
au conservatoire de Sainte-Marie de Lorette et en sortit à 19 ans.
Il avait une facilité d'improvisation et une fécondité qui le rendirent
vite célèbre. Sa renommée se répandit hors de l'Italie. Il se rendit
en Autriche, en Pologne, puis en Russie où il eut la protection
de Catherine II ; revenu en Autriche, il eut alors pour protecteur
l'empereur Léopold II qui le nomma son maître de
chapelle. Il avait l'imagination gaie et a composé des œuvres
charmantes de vivacité et de grâce ; de ses opéras bouffons le
plus fameux est le *Matrimonio segreto*. Il se montra favorable à
la révolution napolitaine et fut, pour cette raison, emprisonné.
Il souffrit beaucoup de sa détention. Libéré sur les instances de
l'ambassadeur de Russie, il se retira à Venise où il mourut,
empoisonné, disent les uns, sur l'ordre de la reine Charlotte de
Naples, et, selon d'autres biographes, ayant succombé aux suites
des mauvais traitements qu'il avait subis durant sa détention.

870. Nicolo-Antonio Zingarelli, né à Naples le 4 avril 1752,
mort dans la même ville le 5 mai 1837. Il fut le dernier représentant de la vieille école napolitaine, dont son talent a continué
la tradition mélodique. Il a composé un certain nombre d'opéras ;
entre autres *Alzinda* (1785), qui obtint un grand succès à la Scala
de Milan, *Iphigénie en Aulide* (1787), *la Mort de César* (1791), *Juliette
et Roméo* (1796), considéré comme son chef-d'œuvre. Il fut aussi
maître de chapelle, d'abord à la cathédrale de Milan, puis à Loreto,
puis à Saint-Pierre de Rome, puis à la cathédrale de Naples. I l
avait composé jusque-là des ouvrages de musique religieuse,
concurremment avec ses ouvrages de musique profane. Dès lors
il se voua à la musique religieuse uniquement ; il était d'ailleurs
devenu extrêmement pieux. Il a écrit un grand nombre de motets,

d'hymnes, de messes, d'oratorios. En 1813, Murat lui confia la direction du Conservatoire de Naples, et il conserva cette fonction jusqu'à sa mort.

871. VAR. : « mais elle, elle cachait peut-être un cœur de bronze sous son enveloppe frêle et gracieuse. Enfin, ma fatale science me déchirait bien des voiles. Malgré toute sa finesse, Fœdora laissait voir quelques vestiges de sa plébéienne origine et percer la froideur de son âme. Pour avoir ce qu'on nomme le bon ton dans le monde, ne faut-il pas savoir s'oublier pour les autres ; mettre dans sa voix et dans ses gestes une ineffable douceur ; eh bien ! chez elle, l'oubli d'elle-même était fausseté ; la politesse, servitude, et ses manières manquaient de cette aisance qui procède du cœur et que l'éducation première peut seule suppléer. Ses paroles emmiellées étaient, pour les autres, de la bienfaisance ; son exagération de la chaleur, de l'enthousiasme ; mais ayant étudié ses grimaces et dépouillé l'être intérieur de cette frêle écorce dont se contente le monde, je n'étais plus dupe de ses singeries ; je connaissais bien son âme de chatte et quand » (1831 A).

— « mais elle avait peut-être un cœur de bronze... » la suite comme précédemment, sauf un passage : « ses paroles emmiellées étaient, pour les autres, l'expression de la bienfaisance et de la bonté » (1831 B et 33).

— « elle avait peut-être un cœur de bronze sous sa grêle et gracieuse enveloppe », la suite comme dans 1831 A, sauf : « la politesse était servitude » ; « que l'éducation peut seule suppléer » ; « ses paroles emmiellées étaient, pour les autres, l'expression de la bienfaisance et de la bonté » ; « mais j'avais étudié ses grimaces, j'avais dépouillé » ; « et n'étais plus dupe » ; « chatte. Quand ».

872. VAR. : « femme, si je lui faisais comprendre la sublimité » (1831 A à 1835).

873. VAR. : « Un fat bien gourmé, calculateur, aurait triomphé » (1831 A et B) ; — même texte, mais avec « en aurait triomphé » (1833) ; — « Un fat bien gourmé, quelque calculateur, en aurait triomphé » (1835).

874. VAR. : « sec et froid. » (1831 A, B et 33).

875. VAR. : « naïvement son effroyable égoïsme. Je la voyais avec douleur » (1831 A, B et 33) ; — « naïvement son effroyable égoïsme. Je l'apercevais... » (1835).

876. VAR. : « couleurs chaudes et animées » (1831 A à 1835).

877. VAR. : « elle me répondit par un mot atroce.

« — J'aurai toujours de la fortune... Eh bien, » (1831 A, B et 33) ; — « elle me répondit par un mot atroce. — J'aurai toujours de la fortune, me dit-elle. Eh bien » (1835).

878. Var. : « Je me levai : je sortis foudroyé par la logique de ce luxe, de ces femmes, de ce monde dont j'étais si sottement » (1831 A, B et 33) ; — « Je me levai. Je sortis foudroyé par la logique de ce luxe, de cette femme, de ce monde, dont j'étais si sottement » (1835). En 1838, 39 et 45 subsistait seule la variante finale : « dont j'étais ».

879. Var. : « une autre voix » (1831 A, B et 33).

880. Var. : « s'est donnée » (1831 A à 1835).

881. Var. : « Elle n'était ni vertueuse, ni fautive, elle vivait » *(Ibid.)*

882. Var. : « Mystère femelle, vêtue de cachemire et de broderies, la comtesse mettait en jeu tous les sentiments humains dans mon cœur : orgueil » *(Ibid.)*

883. Var. : « La loge ne coûtait guère que cent sous » (1831 A, B et 33).

884. Var. : « M. Marivault » (1831 A à 1839).

885. Var. : « Une fois déjà » (1831 A à 1835).

886. Var. : « réveilla dans mon âme des pensées chaudes qui me brûlèrent le cœur ; j'essayai de détacher une planche au fond de la voiture, espérant rester sur le pavé ; puis je me pris à rire » (1831 A) ; — de 1831 B à 1835, même texte aussi, sauf « en espérant me glisser et rester ».

887. Var. : « Heureusement, à mon arrivée » (1831 A à 1835).

888. Var. : « paroles prononcées en ce moment par cette jeune fille. Pour pouvoir conduire la comtesse aux Funambules [voir la n. 237] je pensai à mettre en gage le cercle d'or dont le portrait de ma mère était environné. Le Mont-de-Piété s'était toujours » (1831 A) ; — « paroles prononcées en ce moment par cette jeune fille. Mais revenons aux Funambules. Pour pouvoir y conduire la comtesse, je pensai à mettre en gage le cercle d'or dont le portrait de ma mère était environné. Le Mont-de-Piété se fût toujours » (1831 B et 33). — De 1835 à 1845, texte de notre édition, sauf la variante : « dont le portrait de ma mère était environné ».

889. Var. : « Et il y a des emprunts qui nous coûtent notre honneur, comme il y a des refus qui, dans une bouche amie, nous enlèvent une dernière illusion !... Je trouvai Pauline travaillant toute seule, sa mère était couchée. Jetant un regard furtif sur le

rideau légèrement relevé » (1831 A, B et 33) — En 1835, texte de notre édition, sauf : « Je trouvai Pauline travaillant toute seule ».

890. VAR. : « en voyant » (1831 A).

891. VAR. : « — Vous avez du souci ?... me dit Pauline, en quittant son pinceau.

« — Écoutez, ma pauvre enfant, lui répondis-je en m'asseyant près d'elle, vous pouvez me rendre un grand service.

« Elle me regarda d'un air si heureux que je tressaillis...

« — M'aimerait-elle, me dis-je en la contemplant.

« — Pauline ?

« Elle leva la tête et baissa les yeux. Alors je l'examinai, pensant pouvoir lire dans son cœur comme dans le mien, tant sa physionomie était naïve et pure.

« — Vous m'aimez ?... lui dis-je.

« — Ah ! je crois bien !... s'écria-t-elle en riant. » (1831 A, B et 33).

892. VAR. : « une folâtrerie de jeune fille. Alors, je lui avouai ma détresse et l'embarras dans lequel je me trouvais, en la priant de m'aider à en sortir. » (1831 A à 1835).

893. VAR. : « la logique d'une enfant.

« — Oh ! j'irais bien, dit-elle en me prenant la main comme si elle eût voulu compenser par une caresse la sévérité de son exclamation ; mais la course est inutile. Ce matin, en faisant votre chambre, j'ai trouvé » *(Ibid.)*

894. VAR. : « Bah ! pourquoi faire ?... dit-elle en secouant la tête par un geste mutin. » *(Ibid.)*

895. VAR. : « superstitions qu'elle tenait de sa mère. » *(Ibid.)*

896. VAR. : « Non ! dit-elle (1831 A) en me regardant avec terreur. La femme que vous aimez vous tuera.

« — Ayant dit, elle reprit » (1831 A, B et 33).

En 1835, texte de notre édition, sauf la fin qui y est : « Puis elle reprit ».

897. VAR. : « plus. Ah ! j'aurais » (1831 A).

898. VAR. : « est une espérance. » (1831 A à 1845).

899. VAR. : « Prenez ! ajouta-t-elle en jetant trois écus sur ma table et se sauvant. Je la retins ; puis, séchant les larmes » (1831 A à 1835). En 1838, 39 et 45, texte de notre édition, sauf : « Elle jeta trois écus ».

900. VAR. : « un ange... L'argent (1831 A) me touche moins que l'admirable pudeur » (1831 B à 1835).

901. VAR. : « Puis elle s'enfuit en chantant, et sa voix » (1831 A à 1835).

902. VAR. : « Est-elle heureuse » (1831 A et B); — « Qu'elle est heureuse » (1833).

903. VAR. : « quelques mois. » (1831 A à 1835).

904. VAR. : « précieux. En partant, Fœdora » *(Ibid.)*

905. VAR. : « dispendieux. — Merci, dit-elle. — Bientôt, elle se plaignit » *(Ibid.)*

906. VAR. : « sur de dures banquettes (1831 A à 1835). Elle se plaignit d'être là... (1831 A et B). Et cependant elle était près de moi » (1831 A à 1835).

907. VAR. : « lumière illumina cette vie de femme. Je pensai tout à coup à la princesse Brambilla d'Hoffmann, à Fragoletta, capricieuses conceptions d'artiste, dignes de la statue de Polyclès. » (1831 A, B et 33) ; — en 1835 texte de notre édition, mais avec cette variante : « par un poète, à Fragoletta, capricieuse conception ».

— Polyclès, sculpteur grec, qui vivait au deuxième siècle avant Jésus-Christ, est l'auteur notamment d'une *Junon* et d'un *Jupiter ;* mais ce n'est point à ces œuvres que Balzac fait allusion, c'est à l'*Hermaphrodite* dont le musée du Louvre possède une belle reproduction et que Winckelmann attribue à Polyclès.

Fragoletta, Naples et Paris en 1799 est un roman d'Henri de Latouche qui parut en 1829 et dont Balzac fit un compte rendu dans le *Mercure du XIXᵉ siècle.* Ce compte rendu a été réimprimé au t. XXII des *Œuv. compl.* de Balzac (p. 15-21) ; il y a dans ce roman deux grands tableaux historiques : celui de la Révolution de Naples, celui de Paris au moment du retour de Napoléon après l'expédition d'Égypte et du coup d'État de brumaire ; mais il y a aussi l'histoire d'un hermaphrodite. « Livre impossible à analyser », dira Sainte-Beuve dans son article du 17 mars 1851 sur *Latouche* (*Causeries du lundi*, III, 192). Balzac, sans entrer dans les détails, avait cependant mentionné « cet être inexprimable, qui n'a pas de sexe complet, et dans le cœur duquel luttent la timidité d'une femme et l'énergie d'un homme, qui aime la sœur, est aimé du frère et ne peut rien rendre à l'une ni à l'autre » ; il avait fait allusion à la passion jetée « à pleine main » sur ces trois figures, et sur la torture où sont mis « ces trois cœurs, avec des combinaisons dont l'idée ne se rencontre nulle part » et conclu que *Fragoletta* est un chef-d'œuvre, pour résumer à la dernière ligne de son article son jugement « par un mot » et ce mot est « comme l'*Hermaphrodite*,

Fragoletta restera monument ». La postérité n'a point réalisé cette prophétie téméraire.

— La princesse Brambilla est le principal personnage d'une fantaisie d'Hoffmann : *Princesse Brambilla*, fantaisie à la manière de Callot, où il y a du merveilleux et du satirique et dont une traduction, par MM. Alzir Hella et O. Bournac, a été publiée avec une introduction de Stefan Zweig, aux éditions J. Snell, en 1928.

908. Var. : « fantastique mais, en elle, rien » (1831 A à 1835) ; — « fantastique, rien » (1838, 39 et 45).

909. Var. : « un enfant écoutant une fable prise des *Mille et une Nuits*.

« — Alors, me disais-je en revenant, pour résister à l'amour d'un homme de mon âge, à la chaleur communicative de ce puissant fanatisme, à cette » etc., et la phrase finit au mot « mystère ». (1831 A à 1835).

910. J'ignore à quelle lady Delacour Balzac fait ici allusion.

911. Var. : « l'âme et la pensée comme un désir de vengeance au cœur d'un moine corse. Fœdora réunissait chez elle, aux jours de réception, une assemblée » (1831 A à 1835).

912. Var. : « sorties. Assuré par cette réflexion de pouvoir rester dans la maison sans y causer de scandale, j'attendis impatiemment, pour accomplir mon dessein, la prochaine » *(Ibid.)*

913. Var. : « ne sachant où pouvait me conduire ma résolution romanesque, je voulais être armé ; une lame de canif doit aller jusqu'au cœur. Lorsque les salons » (1831 A). — En 1831 B et 33 même texte que précédemment, sauf « ne sachant pas où » et « canif doit bien aller » ; — « ne sachant jusqu'où me conduirait ma résolution romanesque, je voulais être armé. La lame d'un canif doit bien pénétrer jusqu'au cœur... » (1835).

914. Var. : « à coucher pour y examiner les localités. Les persiennes et les volets en étaient fermés. C'était un premier bonheur. Présumant que la femme de chambre viendrait peut-être détacher les rideaux drapés aux fenêtres, je les fis tomber en lâchant les embrasses » (1831 A) ; — dans 1831 B et 33 même texte que précédemment jusqu'à « bonheur » ; puis : « Présumant que la femme de chambre pourrait venir pour détacher les rideaux drapés aux fenêtres, je voulus les faire tomber et lâchai les embrasses ». — En 1835, même texte qu'en 1833, sauf, au début : « pour examiner les êtres ».

915. Var. : « d'une fenêtre, et je m'y tapis dans le coin le plus

obscur. Pour ne pas laisser voir mes pieds, j'essayai de les poser
sur la plinthe de la boiserie, de me tenir en l'air le dos appuyé
contre le mur en me cramponnant à l'espagnolette. Après une
étude approfondie de mes points d'appui, de l'espace qui me
séparait des rideaux, et de mon équilibre, je parvins à me familiariser avec les difficultés de ma position. J'étais sûr de demeurer
là » (1831 A) ; — même texte que précédemment jusqu'à « espagnolette » dans 1831 B, 33 et 35. Ensuite : 1° en 1831 B et 33 :
« Après une étude approfondie de mes points d'appui et de l'espace qui me séparait des rideaux, je parvins », la suite comme
précédemment ; 2° en 1835 : « Après une étude approfondie
de mon équilibre, de mes points d'appui, de l'espace », la suite
comme dans notre édition.

916. Var. : « d'orgue, j'y pratiquai des trous avec mon canif
et les disposai de manière à tout voir » (1831 A, B et 33) ; — « d'orgue, où je pratiquai des trous avec mon canif, en les dispo-
sant de manière à tout voir » (1835).

917. Var. : « des gens oublieux et pressés de partir... J'eus
bon espoir pour le succès de mon entreprise en n'éprouvant aucun
malheur. » (1831 A) ; — même texte, sauf : « aucun des malheurs
que je craignais » (1831 B et 33) ; — « des gens pressés de partir
et qui furettent partout. J'eus bon espoir pour le succès de mon
entreprise en n'éprouvant aucun de ces malheurs. » (1835).

918. Var. : « suivi d'une exclamation assez énergique. Enfin,
la comtesse n'ayant plus » (1831 A, B et 33) ; — en 1835 subsiste
seule la variante : « Enfin, la comtesse n'ayant plus ».

919. Var. : « des cuillers. Rastignac était sans pitié pour mes
rivaux ; et, souvent il excitait un rire franc par ses saillies. » (1831 A,
B et 33) ; — en 1835 texte de notre édition, sauf : » rire franc ».

920. Var. : « tout attaquer ou tout défendre. » (1831 A).

921. Var. : « Son ouvrage est-il lourd, c'est un travail » (1831 A,
B et 33). — « L'ouvrage d'un autre est-il lourd, vous en faites un
travail » (1835).

922. Var. : « vous renversez les termes » (1831 A, B et 33).

923. Var. : « Cette application des lois de l'optique à la vue
morale est tout le secret de nos conversations, et l'art » (1831 A et
B) ; — même texte, mais avec « tout l'art » (1833).

924. Var. : « Aussi l'on me respecte moi et mes amis. Là-
dessus, un des plus » (1831 A, B et 33).

925. Var. : « comtesse. Elle m'immola sans pitié abusant
même de mes secrets pour faire rire ses amis de » (1831 A à 1835).

926. Var. : « égalent au moins son courage.

« Le profond silence qui régna parut déplaire à la comtesse.
« — Du courage !... Oh ! beaucoup, reprit-elle » (1831 A) ;
— même texte dans 1831 B et 33, sauf à la fin : « — Du courage !
Oh ! je lui en crois beaucoup, reprit-elle »

En 1835 texte de notre édition, sauf deux variantes : 1° « En
fait de mémoires, dit » ; et 2° « il faut encore une autre sorte ».

927. Air célèbre du plus célèbre des opéras de Cimarosa, *Il
Matrimonio segreto*, dont le livret est de Bertatti. Cet air est chanté
par le ténor ; il est au deuxième acte. Le grand Larousse, au mot
Matrimonio, en reproduit l'air, mais avec le texte de la traduction
française. Voir, sur Cimarosa, la n. 869.

928. Var. : « eut quelque chose » (1831 A à 1835).

929. Var. : « amoureuses... Ah ! une femme qui chantait ainsi,
devait aimer » (1831 A) ; — « ... Ah ! celle qui » la suite comme
précédemment (1831 B et 33) ; — « ... Oh ! celle », la suite comme
dans notre édition (1835).

930. Var. : « soit par son travail d'artiste, soit par » (1831 A
à 1835).

931. Var. : « voir tous ses mouvements empreints de cette
gentillesse » (1831 A).

932. Var. : « Il faudrait peut-être » (1831 A à 1835).

933. Var. : « curieux de la voir, car mon imagination de
poète avait bien souvent incriminé cette invisible servante...
C'était une fille brune, grande et bien faite. » (1831 A, B et 33). —
En 1835 même texte, sauf à la fin : « servante, grande et bien faite ».

934. Var. : « révéla les souffrances secrètes que » (1831 A à
1835).

935. Var. : « mon cœur. Heureusement il ne fut plus question
des rideaux » (1831 A à 1835); — « Que la vie est vide » (1831 A,
B et 33).

936. Var. : « comme tu l'as fait hier. Tiens, vois-tu, dit-elle,
en lui montrant un petit genou poli, je » (1831 A) ; — même texte
sauf : « genou poli, satiné » (1831 B à 1835).

937. Var. : « sa servante » (1831 A et B).

938. Var. : « Elle avait le corsage d'une vierge... Je fus comme
ébloui. Je manquai de tomber. La comtesse était adorablement
belle. A travers sa chemise de batiste et à la lueur des bougies,
son corps blanc et rose étincelait comme une statue d'argent qui
brille sous la gaze dont un ouvrier l'a revêtue... Ah ! nulle imperfection ne devait lui faire redouter les yeux furtifs de l'amour...

« — Dépêche-toi donc !... dit-elle, j'ai froid.

« Justine apporta un peignoir de batiste que Fœdora mit par-dessus sa chemise ; puis, elle s'assit » (1831 A, B et 33). — En 1835 : « Elle avait un corsage de vierge qui m'éblouit », la suite comme dans 1831 B et 33, à une différence près : « Non, nulle imperfection ».

939. Var. : « services dont les détails multiples accusaient » (1831 A, B et 33).

940. Var. : « partit enfin et je restai seul avec la comtesse. Alors, je l'entendis se tourner à droite, à gauche, et bâiller. Elle était agitée, soupirait, et ses lèvres laissaient échapper un léger bruit qui, perceptible à l'ouïe dans le silence de la nuit, peignait des mouvements d'impatience. Avançant la main vers sa table, elle y prit une fiole, versa dans son lait quelques gouttes d'une liqueur dont je ne distinguai pas l'espèce, puis elle but, et, après quelques soupirs pénibles : « Ah ! mon Dieu ! » s'écria-t-elle.

« Cette exclamation, et surtout l'accent qu'elle y mit, me brisa le cœur. » (1831 A).

En 1831 B et 33, même texte jusqu'à « seul avec la comtesse ». Puis : « Alors je l'écoutai se tourner plusieurs fois ; elle était agitée » ; la suite comme dans 1831 A.

En 1835 : « partit et je restai seul avec la comtesse. Elle se retourna plusieurs fois ; elle était agitée, elle soupirait ; ses lèvres laissaient échapper un léger bruit qui, perceptible à l'ouïe dans le silence de la nuit, peignait des mouvements d'impatience. Elle avança la main vers sa table, elle y prit une fiole, versa dans son lait quelques gouttes d'une liqueur dont je ne distinguai pas l'espèce, et but ; puis, après quelques soupirs pénibles : — Ah ! mon Dieu ! s'écria-t-elle. »

En 1838, 39 et 45 texte de notre édition, à deux variantes près : 1º « quelques gouttes d'une liqueur dont je ne distinguai pas la nature » ; et 2º « me brisa le cœur ».

941. Var. : « endormie. Alors mettant bien loin la soie criarde des rideaux, je quittai » (1831 A, B et 33).

942. Var. : « enfant et ce joli visage enveloppé de dentelles, tranquille, possédait une suavité » (Ibid.) ; — en 1835, texte de notre édition, sauf : « ce tranquille ».

943. Var. : « Ah ! mon Dieu !... Cette phrase avait tout à coup changé mes idées sur Fœdora, et je devais remporter, pour toute lumière, ce lambeau d'une pensée inconnue. » (1831 A à 1835).

944. Var. : « plein de mystères » (Ibid.)

945. Var. : « par le bonheur et la souffrance » (1831 A).

946. VAR. : « crime. La sachant adorablement belle, l'énigme » (1831 A) ; — « ... La sachant maintenant belle et parfaite » (1831 B) ; — « ... La sachant alors parfaitement belle, l'énigme » (1833 et 35).

947. VAR. : « renaissait par ce mot, mais elle pouvait maintenant être expliquée de tant de manières, que la comtesse était inexplicable peut-être » (1831 A) ; — même texte dans 1831 B et 33, sauf à la fin « qu'elle était... » — En 1835 : « renaissait par ce mot, mais Fœdora pouvait maintenant être expliquée de tant de manières qu'elle devenait inexplicable peut-être ».

948. VAR. : « mes sacrifices, de réveiller en elle la pitié, de lui arracher une larme à elle qui ne pleurait pas !... Quand le tapage de la rue m'annonça le jour, j'avais placé toutes mes espérances dans cette dernière épreuve. » (1831 A) ; — « mes sacrifices, de réveiller en elle la pitié, de lui », la suite, comme précédemment (1831 B à 1835).

949. Cette phrase finit là dans 1831 A, B et 33.

950. VAR. : « que, pour y résister » *(Ibid.)*

951. VAR. : « se trouvait en dedans de la serrure (1831 A) ; alors tirant la porte » (1831 A, B et 33).

952. VAR. : « sur le marbre ; mais mon cœur se gonflait, s'alourdissait comme » (1831 A et B) ; — « ... mais mon cœur se gonfla, s'alourdit, comme » (1833 et 35).

953. VAR. : « une grâce... — Alors je lui demandai » (1831 A à 1835).

954. VAR. : « je dois, madame, vous faire apercevoir l'étendue » (1831 A, B et 33) ; — « je dois, madame, vous montrer l'étendue » (1835).

955. VAR. : « et sœur. Je connais vos antipathies, mais vous avez » (1831 A à 1835).

956. VAR. : « prête à » (1831 A à 1845).

957. VAR. : « Le deux mai » (1831 A et B); — « Le 2 mai » (1835).

958. VAR. : « ou sinon, je m'étais promis de me réfugier » (1831 A, B et 33).

959. VAR. : « les pieds soutenus par un coussin, portant un béret oriental, coiffure que les peintres attribuent aux premiers Hébreux, elle avait » *(Ibid.)* ; — « les pieds soutenus par un coussin », la suite comme précédemment (1831).

960. VAR. : « de l'avenir et du passé. Je ne l'avais jamais vue aussi éclatante de beauté. » (1831 A, B et 33).

961. VAR. : « belle voix !... lui dis-je.

« Elle pâlit.

« — Vous ne m'avez jamais entendue !... s'écria-t-elle.

« — Je vous prouverai » (1831 A, B et 33).

962. VAR. : « à laquelle je voulais croire que mon âme se fondit, s'échappa tout entière dans ce baiser. » (1831 A, B et 33). — En 1835 et 38, texte de notre édition, sauf « se fondit, s'épancha tout entière ».

963. VAR. : « du chat. » (1831 A).

964. VAR. : « dans mon désir, je la tenais, je la serrais et mon imagination l'épousa. Certes, alors, je vainquis la comtesse » (1831 A). — Dans 1831 B, même texte, sauf, à la fin : « Certes, alors, je vainquis sans doute la comtesse ». — En 1833 : « ... désir, la tenais, la serrais... », la suite comme dans 1831 B. — En 1835 : « désir, je la tenais, la serrais, et mon imagination l'épousa ; certes alors, je vainquis la comtesse ».

965. VAR. : « corps !... Il me fallait une âme ! » (1831 A à 1835).

966. VAR. : « longtemps !... Cependant la soirée s'avançait. » (1831 A à 35).

967. VAR. : « Fœdora, lui dis-je » (1831 A et B).

968. VAR. : « flatteries de coiffeur, ou à des importunités. Vous ne m'avez pas compris. Que de maux » (Ibid.) ; — « flatteries ou à des importunités de niais, vous ne m'avez pas compris. » (1835).

969 VAR. : « moments » (1831 A, B et 33).

970. VAR. : « va effrontément par les rues, en haillons, qui recommence Diogène sans le savoir » (1831 A à 1835).

971. VAR. : « titre. Elle est fière, emplumée, elle a des carrosses. C'est la misère en gilets blancs, en gants jaunes, et qui perd » (1831 A à 1835).

972. A rapprocher de ce développement, cette note des *Pensées, sujets, fragments* : « Il y a la misère en bas de soie et la misère qui mendie. »

973. VAR. : « m'ordonne peut-être » (1831 A, B et 33).

974. Le Gymnase-Dramatique, construit en 1820, inauguré le 20 décembre de la même année, et où étaient représentés des vaudevilles et des comédies mêlées de couplets. Ce théâtre, ayant reçu la protection de la duchesse de Berry, fut autorisé à prendre le nom de *Théâtre de Madame*, qu'il garda jusqu'à la Révolution de 1830. Il reprit alors le nom de *Gymnase-Dramatique ;* on l'appelle aujourd'hui le *Théâtre du Gymnase*. Déjà en 1830, il avait une grande vogue. Il la conserva plus tard, sous la longue et habile direction de

Montigny qui en releva le niveau en y faisant jouer la comédie sérieuse et qui débuta, dans ce genre, en 1852, par le *Mercadet* de Balzac.

975. VAR. : « Vous rappelez-vous du jour où nous fîmes une promenade au Jardin » (1831 A).

976. VAR. : « la récite aujourd'hui dans l'ivresse du vin, non dans une noble ivresse de cœur. » (1831 A).

977. VAR. : « sentiments que j'ai oubliés depuis, et qu'aucun art, que le souvenir lui-même ne saurait reproduire. » (1831 A et B). — En 1833 et 35, texte de notre édition, sauf « que nul art ».

978. VAR. : « son espérance, mon amour exalté m'inspirait ces paroles » (1831 A) ; — même texte dans 1831 B et dans 1833, mais avec « m'inspira ».

979. VAR. : « une vie, ces cris » (1831 A et B) ; — « une vie et ces cris » (1833) ; — « une vie et répétèrent ces cris » (1835).

980. Cette phrase finit là de 1831 A à 1835.

981. VAR. : « tuer ! Non, non, ne craignez pas de violence. J'ai passé toute une nuit au pied de votre lit !... » (1831 à 1835).

982. VAR. : « Après ce premier mouvement donné au peu de pudeur que peut avoir une femme insensible, elle me jeta un regard fauve et me dit » (1831 A et B) ; — en 1833 : « Après ce premier » la suite comme dans notre édition, sauf qu'il y a « mauvais » au lieu de « méprisant ». En 1835 : « Après un premier », la suite comme dans notre édition.

983. VAR. : « Croyez-vous, Fœdora, que [...] en devinant toutes les pensées... Elle était pour moi » (1831 A à 33). — En 1835, une seule variante : « Elle était pour moi ».

984. VAR. : « acheter des odalisques » (1831 A et B).

985. VAR. : « vous ferait trop de peine... Oh ! que je souffre, m'écriai-je... » (1831 A et B).

986. VAR. : « Si cela peut vous consoler, dit-elle en riant, je puis vous assurer que jamais personne... » (1831 A, B et 33). — De 1835 à 1845, texte de notre édition, mais avec la variante « en riant ».

987. VAR. : « couchée peut-être sur un divan » (1831 A à 1835).

988. Dans *Pensées, sujets, fragments...* (p. 7) : « Le mariage est un sacrement en vertu duquel on se communique ses mauvaises humeurs le jour et sa mauvaise odeur la nuit. »

989. VAR. : « sacrifices. Il n'y a que l'amour qui puisse payer votre dévouement, votre délicatesse... mais je ne vous aime pas, et toute cette scène m'affecte désagréablement. (1831 A à 1835).

« — Je sens combien je suis ridicule, lui dis-je, avec douceur... Pardonnez-moi.

« Je ne puis retenir mes larmes.

« — Je vous aime assez pour écouter » (1831 A, B et 33).

990. Le mot « toujours » n'est pas dans les éditions de 1831 A à 1845.

991. Var. : « minuit, je vous prie de me laisser coucher. » (1831 A, B et 33).

992. Var. : « vous direz : *Ah ! mon Dieu !*...

« Elle se prit à rire.

« — Avant-hier, oui, dit-elle, je pensais » (1831 A et 33). — De 1835 à 1845, texte de notre édition, mais avec une variante à la fin : « Oui, dit-elle, en riant... »

993. Var. : « un crime peut être tout un poème. Alors je l'ai compris.

« Elle riait. Familiarisée » (1831 A et B) ; — « un crime doit être tout un poème. Alors je l'ai compris. Familiarisée » (1833 et 35).

— Dans *Pensées, sujets, fragments*... (p. 5) on lit : « Un grand crime c'est quelquefois un poème. »

994. Var. : « Permettez-moi, dit-elle » (1831 A, B et 33).

995. Var. : « appartement... Il y avait une ironie » *(Ibid.)*

996. Var. : « Fœdora » (1831 A et B).

997. Var. : « Permettez à ma plume » (1831 A à 1835).

998. Var. : « ma vengeance. Tu rencontreras la laideur là où je trouverai la gloire !... » *(Ibid.)*

999. Var. : « je m'enfuis, aimant toujours cette horrible femme. Il fallait » *(Ibid.)*

1000. Var. : « ma mansarde, consumant les nuits en de pâles et tristes études... Mais, malgré » *(Ibid.)*

1001. Var. : « pensée maladive, un désir ; terrible comme un remords. — Aussi j'imitai les anachorètes de la Thébaïde et je mangeais peu ; sans prier » (1831 A, B et 33).

1002. Var. : « vraie !... la comtesse Fœdora » *(Ibid.)*

1003. Var. : « j'allai donc les chercher. Ce jour-là je rencontrai Rastignac. Il me trouva » (1831 A et B) ; — « j'allai donc chercher mon or. Ce jour-là je rencontrai Rastignac. Il me trouva » (1833 et 35).

1004. Var. : « répondis-je. » (1831 A à 1845).

1005. Var. : « monstre. Puis, elle demanderait grâce !... » la suite de la phrase manque (1831 A, B et 33) ; — « monstre.

Puis ne demanderait-elle pas grâce ? N'est pas Othello qui veut »
(1835) ; — « monstre qui demanderait grâce, n'est pas Othello
qui veut ! » (1838 et 39).

1006. VAR. : « la folie à la porte de mon cerveau. Elle rugit
par moments. Alors, mes idées sont comme des êtres ; elles
dansent et je ne puis les saisir (1831 A, B et 33). — Je préfère la
mort à cette vie et je cherche avec conscience » (1831 A et B).

1007. VAR. : « faubourg Saint-Henri » (1831 A). Faute d'impression, sans doute.

1008. VAR. : « sont sales et hideux » (1831 A).

1009. VAR. : « te manques ? Écoute. J'ai, comme tous les
jeunes gens, médité sur les suicides. Qui de nous ne s'est pas
dans sa vie tué deux ou trois fois ? » (1831 A et B). — En 1833
et 35 même texte que précédemment, à une variante près : « J'ai,
reprit-il ». — En 1838, 39 et 45, texte de notre édition sauf deux
variantes : « Écoute, reprit-il, j'ai » et « médité sur les suicides ».

1010. VAR. : « monnaie, l'opium matérialisé ?... En nous
forçant » (1831 A et B).

1011. Voir la note 327.

1012. VAR. : « bleus et verts ?... — Ah ! ah ! reprit-il » (1831 A
à 1835).

1013. VAR. : « la rivière. Maintenant, ils se jettent à l'eau
par spéculation et pour attendrir leurs créanciers. Moi, je tâcherais »
(Ibid.)

1014. VAR. : « désappointé... Ma veuve me fait, du plaisir,
un vrai bagne. D'ailleurs j'ai découvert qu'elle a six doigts »
(1831 A à 1845).

1015. VAR. : « livres de rentes » (1831 A, B et 33).

1016. VAR. : « cette vie enragée nous trouverons peut-être
le bonheur » *(Ibid.)*

1017. VAR. : « séductions, et peut-être aussi quelques dernières espérances ; il avait » *(Ibid.)*

1018. VAR. : « pouvons-nous faire avec » (1831 A à 1835).

1019. VAR. : « nomme le *Mauvais-sujétisme* et tu as peur »
(1831 A).

1020. VAR. : « sacrée, mais j'éprouve même une sorte d'horreur invincible en passant devant un tripot... Vas-y seul !... Voilà
cent écus. Pendant que tu risqueras toute notre fortune » (1831 A) ;
— « J'éprouve même une sorte d'horreur », la suite comme
précédemment (1831 B et 1833) ; — « mais j'éprouve même une
horreur », la suite comme dans notre édition (1835).

1021. VAR. : « engloutir toutes nos forces, comme le malheur fait taire nos vertus. » (1831 A).

1022. VAR. : « attitude mélancolique et cette douce fille, ce génie familier, cet ange gardien, me regarda silencieusement. — Eh bien, dit-elle, qu'avez-vous ? » (1831 A à 1835).

1023. VAR. : « ma pauvre Pauline. » *(Ibid.)*

1024. VAR. : « ma chère enfant » *(Ibid.)*

1025. VAR. : « d'une femme.

« — Tenez, me dit Pauline, je vous avais brodé cette bourse ; la refuserez-vous aussi ? » (1831 A à 1835). — « Croyant apercevoir » (1831 A, B et 33).

1026. Ici commence le fragment de *la Peau de chagrin* qui parut dans la *Revue de Paris*, le 27 mai 1831, avec pour titre : *le Suicide d'un poète*. Il y était précédé de la note que voici :

« Nous sommes heureux de pouvoir, par ce fragment, venir en aide à l'impatience publique, dès longtemps préoccupée de l'apparition de ce livre. Quelques lectures de salon lui ont donné, avant sa naissance, une immense renommée, que ne paraît pas devoir démentir le commencement de publicité qu'il reçoit ici. Vingt fragments pour le moins aussi remarquables étaient à notre disposition.

« Un jeune homme, voué d'abord à une vie studieuse et solitaire, est tout à coup tiré de sa mansarde par le despotisme d'une première passion. Sa maîtresse est une femme du monde, vaine, opulente ; et lui, pauvre, sensible, naïf surtout, comme les hommes d'étude et de poésie qui ne se sont point encore usés par le frottement de la société. Son cœur, plein d'enchantements et riche d'illusions, se heurte à tout moment contre l'âme insensible et froide de la coquette. Dédaigné, déchiré, Raphaël de Valentin se décide à mourir. Une consultation mélancolique a eu lieu chez l'un de ses amis, homme de plaisir ; et, après avoir discuté les avantages, les inconvénients de tous les genres de mort volontaire, l'homme de dissipation propose à l'homme de solitude de périr en abusant de toutes les jouissances de la vie, en s'abrutissant. Mais, se trouvant sans argent tous deux, l'ami de Valentin va risquer au jeu leurs dernières ressources.

« Par un artifice de composition qui oblige notre collaborateur à empreindre son œuvre d'une verve extraordinaire, Raphaël raconte ses malheurs au milieu d'une orgie. Ce récit de désespoir, tour à tour fantastique et réel, agité, coloré, brûlant, enivrant comme les flammes du punch, à la lueur duquel il est confié à un cœur compatissant, doit représenter une ivresse qui croît, qui grandit à chaque phrase. »

« Cette explication était nécessaire pour l'intelligence du fragment suivant qui appartient à ce récit. »

1027. VAR. : « Sur la cheminée *(R. P.)* s'élevait une pendule surmontée d'une admirable *(R. P. et* 1831 A et B) Vénus, accroupie sur sa tortue, mais elle *(R. P.)* tenait ».

1028. VAR. : « épars sans ordre, de vieilles chaussettes » *(R. P. et* 1831 A à 1835).

1029. VAR. : « Le délicieux fauteuil » (R. P., 1831 A et B).

1030. VAR. : « l'huile antique de toutes les têtes d'amis *(R. P.,* 1831 A à 1835). Le luxe et la misère » *(R. P.)*

1031. VAR. : « guère. Il y avait de la poésie dans ce tableau. » *(R. P. et* 1831 A à 1835).

1032. VAR. : « toute soudaine » *(R. P. et* 1831 A, B et 33).

1033. VAR. : « fantasque, espèce de halte où le maraudeur a pillé sa joie. » *(R. P. et* 1831 à 1835.)

1034. VAR. : « cent francs » (R. P. et 1831 A à 1845).

1035. VAR. : « une comtesse, ou l'écarté » *(R. P.)*

1036. VAR. : « phosphorique... Vie riche d'oppositions et à laquelle il est peut-être difficile de renoncer parce qu'elle a d'irrésistibles attraits ; c'est la guerre, en temps de paix ? » *(R. P. et* 1831 A, B et 33).

1037. VAR. : « dansâmes comme deux cannibales, hurlant » *(R. P. et* 1831 A). — Dans 1831 B et 33, une seule variante « dansâmes comme... »

1038. VAR. : « contenus dans » *(R. P.,* 1831 A, B et 33).

1039. VAR. : « Douze mille » *(R. P. et* 1831 A à 1835).

1040. VAR. : « A d'autres, il faudrait cela pour vivre, à nous il nous le faut pour mourir. Nous expirerons dans un bain d'or !... Nous aurons une agonie de quatre mois à quinze cents francs !... Hourrah !... » *(R. P.)*

1041. VAR. : « derechef. Enfin, nous partageâmes en frères, pièce à pièce » *(R. P. et* 1831 A à 1835).

1042. Cette phrase finit là dans la *R. P.* et dans 1831 A.

1043. L'*Almanach du commerce* pour 1830 porte (p. 276) : « LESAGE, mag. de meubles, bronzes, dorures, curiosités, etc. ; propriét. de l'établissement de l'Union des Arts ; r. Grange-Batelière, 2).

1044. VAR. : « J'eus une voiture et des chevaux. Alors je me lançai » (*R. P. et* 1831 A à 1835).

1045. « Var. : « Je jouais, je gagnais, je perdais, mais au bal »
(*R. P.*) ; — même texte, sauf « et perdais » (1831 A et B) ; — « Je
jouais, je gagnais », la suite comme dans notre édition (1833).

1046. Var. : « livrons les uns aux autres nos secrets quand
nous nous avilissons ensemble, ou peut-être aussi » (*R. P.*) ; — « livrons nos secrets en nous avilissant ensemble ; peut-être aussi »
(1831 A, B et 33).

1047. Var. : « littéraires. Elles me valurent des compliments
parce que les grands hommes » (*R. P.* et 1831 A à 1835).

1048. Var. : « Je passais, dit-on, pour spirituel, et rien » (*R. P.*
et 1831 A à 1835).

1049. Var. : « normal. Aussi, pour beaucoup de gens en province, l'opium et le thé ne sont encore que deux médicaments.
A Paris même, beaucoup de niais s'en vont fatigués, après avoir
entendu un opéra de Rossini, condamnant la musique, semblables
à un homme sobre qui ne veut » (*R. P.*) ;

— « normal. En ferez-vous accepter la poésie (1831 A à 1835)
aux gens de province pour lesquels l'opium et le thé, si prodigues
de délices, ne sont encore que des médicaments ? A Paris même,
capitale de la pensée ne se rencontre-t-il pas des sybarites incomplets ? Inhabiles à supporter l'excès du plaisir, ne s'en vont-ils
pas fatigués après avoir entendu un nouvel opéra de Rossini,
condamnant », la suite comme précédemment (1831 A, B et 33).

1050. Var. : « la poésie. Pour en saisir les mystères, pour en
savourer les beautés, il faut, en quelque sorte, faire de » (*R. P.*) ;
— de 1831 A à 1835, une seule variante « faire de ».

1051. Var. : « épineuses. Les grands plaisirs » (*R. P.*) ; —
« épineuse car d'immenses » la suite comme dans notre édition
(1831 A et B).

1052. Var. : « non pas (*R. P.*) ses jouissances de détail, mais
les systèmes qui érigent toutes les sensations rares en habitude
(*R. P.*, 1831 A et B), les résument, les lui fertilisent et (*R. P.*, 1831
A, B et 33) lui font une vie dramatique dans sa vie, nécessitant
une dissipation prompte et vive de ses forces en les employant
sans relâche, sont tous environnés d'immenses obstacles. La
guerre... » (*R. P.*)

1053. Var. : « mystères, il doit marcher dans » (*R. P.* 1831 A,
B et 33).

1054. Var. : « vers la débauche » (*R. P.*)

1055. Var. : « comme Moscou appelait » (*R. P.* et 1831 A à 1835).

1056. Var. : « nous voulons aller en avant sans savoir pourquoi. Il y a peut-être la pensée de l'infini dans ces précipices ou quelque plus vaste flatterie pour l'homme ; alors, n'intéresse-t-il pas tout à lui-même ? En guerre, il est un ange exterminateur, le bourreau, mais bourreau gigantesque... Artiste, il crée et il lui faut le repos du dimanche ou un enfer pour contraster avec le paradis de ses heures studieuses, avec les délices de la conception. Le délassement de lord Byron ne peut pas être le boston babillard qui charme un rentier. Il lui faut la Grèce et jouer contre Mahmoud. Eh ! ne faut-il pas ? » (*R. P.*)

— « nous voulons aller au fond » (1831 A et B), la suite comme précédemment, sauf la fin qui est « rentier ; poète, il voulait la Grèce à jouer contre Mahmoud » (1831 A, B et 33). — « nous voulons en voir le fond sans savoir pourquoi. Il y a peut-être la pensée de l'infini dans ses précipices ou quelque grande flatterie pour l'homme. Alors n'intéresse-t-il pas tout à lui-même ? Pour contraster avec le paradis de ses heures studieuses, avec les délices de la conception, l'artiste, bientôt fatigué, demande soit, comme Dieu, le repos du dimanche, soit les voluptés », la suite comme dans notre édition (1835).

1057. Var. : « entourent les débauches » (*R. P.*)

1058. : « enceinte ?... Pour se rouler convulsivement et souffrir » (*R. P.*) ; — « enceinte ?... S'il se roule », la suite comme dans notre édition (1831 A).

1059. Var. : « le Mirabeau inutile ou qui, végétant par un règne paisible, aspire encore à des tempêtes » (*R. P.*, 1831 A, B et 33) ; — même texte en 1835, mais avec « aspire à ».

1060. Var. : « Vous vous apprenez à passer les nuits, à porter le vin, vous apprivoisez l'ivresse, vous vous faites un tempérament de colonel de cuirassiers ; vous vous créez vous-même une seconde fois. Quand vous vous êtes métamorphosé, quand, vieux soldat, vous avez façonné votre âme à l'artillerie, vos jambes à la marche, alors vous appartenez au monstre, vous ne savez plus, entre vous deux, quel est le maître ; vous vous roulez l'un et l'autre » (*R. P.*) ;

— « Vous vous apprenez », la suite comme précédemment jusqu'à « marche » ; puis « alors, sans appartenir encore au monstre » et ensuite texte de notre édition (1831 A) ;

— Dans 1831 B, texte de notre édition, moins les mots « comme pour fronder Dieu » et avec « appartenir encore au monstre ».

— En 1833, texte de notre édition, sauf deux variantes : « seconde fois, pour fronder Dieu » et « appartenir encore au monstre ».

1061. VAR. : « seulement des formes... Réalisant ces fabuleux » (*R. P.*)

1062. VAR. : « mal faire vous a troqué votre mort contre » (*Ibid.*)

1063. VAR. : « étude, votre vie bouillonne comme un torrent. » (*Ibid.*)

1064. VAR. : « curieuses que celles de l'opium. » (*R. P.*, 1831 A, B et 33).

1065. VAR. : « les hommes d'intelligence (*R. P.*, 1831 A à 1835), car ils sentent la nécessité d'un repos absolu, complet, et la débauche est comme une sorte d'impôt que leur génie paie au mal. (*R. P.*) Voyez-les. S'ils ne sont » (*R. P.*, 1831 A, B et 33) ; — en 1835, il y a : « Vois-les tous ».

1066. VAR. : « veines. Enfin, vous avez un jour, comme je l'eus, un réveil enragé : l'Impuissance assise à votre chevet. » (*R. P.*) ; — « Enfin, un jour vous appartenez au monstre et vous avez, comme je l'eus », la suite comme précédemment (1831 A, B et 33).

1067. VAR. : « moi, c'était peut-être une pulmonie qui était venue me dire : « Partons ! » et l'artiste, Raphaël d'Urbin, sera tué par un excès d'amour » (*R. P.*, 1831 A et B) ; — en 1833, même texte jusqu'à « Partons », puis : « comme l'artiste Raphaël d'Urbin se tue par quelque excès d'amour » ; — en 1835, texte précédent jusqu'à « venue » ; ensuite texte de notre édition.

— Vasari attribue la mort de Raphaël à des excès de plaisir ; mais son assertion, que Balzac répète ici, n'est point du tout certaine et d'autres biographes assurent que Raphaël mourut des suites d'un chaud et froid.

1068. Les mots « sans doute » n'étaient ni dans la *Rev. de Paris*, ni dans les éditions de 1831 A, B et 33.

1069. Hercule ayant un jour d'accablante chaleur tendu son arc contre Hélios, ce dieu, par admiration pour cette audace, lui prêta pour traverser l'Océan l'immense coupe d'or dans laquelle il se plongeait lui-même pour descendre dans les abîmes de la nuit. En souvenir de ce fait on appela coupes d'Hercule de très grandes coupes à deux anses. Certains historiens anciens prétendent qu'Alexandre mourut après avoir, dans un festin, et après bien d'autres libations, vidé une de ces coupes pleines de vin. Mais Plutarque assure que ce sont là des particularités imaginées et que si Alexandre fut pris de la fièvre après un festin, « ce n'est pas qu'il eût bu la coupe d'Hercule ». (Cf. *Les Vies des hommes illustres*, de Plutarque, édit. Garnier frères, III, 387.)

1070. Le passage qui va de « Tout à l'heure » à « des juges » n'était pas dans la *Rev. de Paris*.

1071. VAR. : « à son cavalier servant. Elle lui racontait » (*R. P.*, 1831 A, B et 33) ; — « à son sigisbée. Elle lui racontait » (1835).

1072. VAR. : « plaisanterie, quand je périssais sa victime ! Ne pas pouvoir » (*R. P.*, 1831 A à 1835).

1073. VAR. : « m'apparurent comme ces vieilles » *(R. P.)* ; — « m'apparurent tristes et désolées ; mais je sus transiger avec elles, comme avec ces vieilles » (1831 A à 1835).

1074. VAR. : « en nous consolant, en nous donnant (*R. P.*, 1831 A à 1835) des larmes et de l'argent. Plus méchante » *(R. P.)*

1075. Anne-Joseph-Eusèbe Baconnière de Salverte, né à Paris le 18 juillet 1771, mort dans cette ville le 27 octobre 1839. D'abord avocat, puis fonctionnaire, il fit de la politique et devint député. Il a écrit divers ouvrages : une tragédie, des poésies, un *Éloge philosophique de Diderot*, des travaux sur la politique, d'autres sur la magie et les sciences occultes, et aussi, en 1824, l'*Essai historique et philosophique sur les noms d'hommes, de peuples et de lieux* (2 vol. in-8°), dont Balzac ici se souvient.

1076. VAR. : « Un matin, ces hommes » *(R. P.)*

1077. VAR. : « jadis ils ne me disaient rien, mais aujourd'hui je les haïssais. Un matin, l'un d'eux » (*R. P.* et 1831 A).

1078. Les mots « de change » ne sont pas dans la *Rev. de Paris*, ni dans les éditions 1831 A, B et 33.

1079. VAR. : « Les huissiers à faces insouciantes, même à la mort » *(R. P.)*

1080. « mon nom !... JE DEVAIS ! Devoir, n'est-ce point ne plus s'appartenir ? » (*R. P.* et 1831 A et B) ; — « mon nom !... JE DEVAIS !... Devoir, c'est peut-être ne plus s'appartenir » (1833 et 35).

1081. CHIPOLATA : ragoût d'oignons ou de ciboules. On donne aussi ce nom à une sorte de petites saucisses.

1082. VAR. : « je verrais entrer un monsieur en habit marron avec un chapeau râpé. *(R. P.)* Ce sera ma dette » (*R. P.*, 1831 A, B et 33).

1083. VAR. : « qui flétrira tout. Il faudra quitter » (*R. P.* et 1831 A à 1835).

1084. VAR. : « met ni à la porte ni à Sainte-Pélagie » *(R. P.)* — Voir la n. 301.

1085. VAR. : « cette sentine de vice et d'infamie » *(R. P.)* ; — « cette sentine de vice » (1831 A).

1086. VAR. : « « tandis qu'on ne laisse » *(R. P.* et 1831 A à 1835).

1087. VAR.: « portant des parapluies, ces dettes avec lesquelles » *(R. P.)* ; — « portant des lunettes bleues ou des parapluies chinés, ces dettes avec lesquelles » (1831 A).

1088. VAR. : « nos créanciers, nous sommes leurs vassaux *(R. P.* et 1831 A). Quand me payerez-vous ? Et nous voilà dans » (1831 B et 33) ; — en 1835 une seule variante : « Et nous voilà ».

1089. VAR. : « aussi odieux » *(R. P.* et 1831 A à 1835).

1090. VAR. : « comprennent pas. Il faut être entraîné, subjugué, pour s'endetter ; eux rien ne les subjugue, rien de généreux ne les entraîne. Enfin » *(R. P.)* — De 1831 A à 1835, texte précédent jusqu'à « entraîne » ; puis : « Ils vivent dans l'argent, ne connaissent » et la suite comme dans notre édition.

1091. VAR. : « suppliantes. Ce sont de terribles créanciers. Ne faut-il pas pleurer avec eux, et » *(R. P.* et 1831 A à 1835).

1092. VAR. : « payés, nous devons les secourir. » *(R. P.,* 1831 A et B).

1093. VAR. : « duel : il y a toujours une espérance qui vous berce. » *(R. P.,* 1831 A, B et 33).

1094. VAR. : « plaisir. Ces esclaves matériels seraient donc la proie des harpies du Châtelet. Ils me quitteraient alors, enlevés » *(R. P.)* ; — même texte dans 1831 A, moins, à la fin, le mot « alors » ; — même texte dans 1831 B et 33 jusqu'à « Châtelet » ; ensuite texte de notre édition.

1095. VAR. : « Ah ! pour un homme libre, généreux, une dette c'est l'enfer » *(R. P.)*

1096. VAR. : « de crimes, elle engendre l'échafaud » *(R. P.* et 1831 A à 1835).

— Ici finit le fragment publié dans la *Revue de Paris.*

1097. VAR. : « une cave dont on aurait ouvert la porte. Je frissonnai en reconnaissant le même froid humide dont je fus saisi sur le bord de la fosse où j'avais enseveli mon père (1831 A à 1835). J'acceptai ce hasard » (1831 A et B).

1098. Les mots « y revenir » ne sont pas dans les éditions 1831 A, B et 33.

1099. Var. : « présence, moi l'écrasant de mon luxe, lui faisant corner » (1831 A, B et 33) ; — « présence. Je l'écrasais par mon luxe. Je lui faisais corner » (1835).

1100. Var. : « équipages, et toujours froide et insensible même à » (1831 A, B et 33).

1101. Var. : « croyances, j'étais puni de mes bienfaits et récompensé » *(Ibid.)*

1102. Var. : « ergot sur le front. Je sentais qu'il m'était désormais impossible de me ranger, de me passer de ces tressaillements continuels et des exécrables » *(Ibid.)* ; — « sur le front. Je sentais qu'il », la suite comme dans notre édition (1835).

1103. Var. : « voulais jamais me trouver seul » (1831 A).

1104. Les mots « chaque soir » manquent de 1831 A à 1835.

1105. Var. : « talisman et tirant la peau de chagrin de sa poche. » (1831 A à 1835).

1106. La phrase finit là dans 1831 A, B et 33.

1107. Var. : « la basse-taille de tous les ronflements, furent entendus ; et, presque tous les dormeurs se réveillèrent en criant ; mais, le voyant mal assuré sur ses jambes, ils maudirent par un concert de juremens, une ivresse aussi bruyante. » (1831 A et B) ; — en 1833, même texte jusqu'à « entendus ». Puis : « Presque tous les dormeurs se réveillèrent, mais voyant l'interrupteur mal assuré sur ses jambes, ils en maudirent la bruyante ivresse par un concert de juremens. » ; — en 1835, « la basse-taille de tous les ronflements qui furent entendus soudain. Presque », la suite comme dans notre édition.

1108. Var. : « reprit Raphaël. » (1831 A à 1845).

1109. Var. : « mon ami, tu es impoli... Songe donc que tu es avec des femmes... », la phrase finit là (1831 A, B et 33) ; — « mon ami, tu es impoli. Songe » la suite comme dans notre édition (1835).

1110. Var. : « mauvaise » (1831 A à 1835).

1111. Ainsi à peu près s'achève une note des *Pensées, sujets, fragments* (p. 74-75) qu'il est à propos de citer au sujet de *la Peau de chagrin*, et que voici :

« A quoi nous sert la civilisation, si ce n'est pour mériter de ces regards qui font oublier des années de chagrin ? Il ne me restait plus que la chance d'être un scélérat vulgaire, j'ai voulu mieux. Je ne trouve rien qui me raconte ou me dise un monde meilleur. Un fou, c'est souvent un homme qui habille ses idées des êtres, les voit ou leur parle.

« Ces mots qui disent toute une vie, révèlent une âme ou contiennent un avenir. — Ces délires qui commencent par des larmes et finissent par l'ivresse et vice versa. — Ces douces paroles qui n'effacent pas la douleur, mais qui l'apaisent, la bercent et l'endorment dans le cœur. — Ma vie est un long silence. »

1112. VAR. : « vils écus, je consommerai des vies » (1831 A, B et 33).

1113. VAR. : « mesquin. C'est l'opulence de la peste ! Je lutterai de pouvoir avec » (1831 A à 1835).

1114. VAR. : « ma maladie, Fœdora, je meurs de Fœdora ! — Au diable, Fœdora !... » *(Ibid.)*

1115. VAR. : « L'Arabie, Pétrée encore, à moi ! — L'univers ? — à moi... » (1831 A à 1835) ; — « l'Arabie, Pétrée encore. L'univers ? à moi. » (1838, 39 et 45).

1116. VAR. : « boutique de poésie, les hémistiches... Tu seras mon valet, tu me feras des couplets, et tu régleras » (1831 A, B et 33).

1117. Cette phrase finit là de 1831 A à 1835.

1118. VAR. : « Oui, cela est poétique et vrai, je pense comme toi. » (1831 A et B). Dans ces deux éditions la phrase qui suit manque.

1119. VAR. : « comme un roi... » (1831 A à 1835). — Voir la note 341.

1120. VAR. : « parie, puisque je peux » (1831 A à 1835).

1121. VAR. : « Raphaël chercher dans la salle à manger une écritoire et une serviette qu'il découvrit, animé » (1831 A).

1122. VAR. : « visions de l'ivresse. Il s'en allait, disant toujours » (1831 A) ; — « visions de l'ivresse. Il répétait toujours » (1831 B et 33).

1123. VAR. : « Hé bien oui, reprit Émile, prenons la mesure, nous verrons bien. » (1831 A) ; — même texte moins « nous verrons bien. » (1831 B et 33).

1124. VAR. : « la serviette sur laquelle ils superposèrent la peau de chagrin (1831 A à 1835). Émile ayant la main plus assurée » (1831 A, B et 33).

1125. VAR. : « de rente, pas vrai ? » (1831 A).

1126. VAR. : « nourrisson des muses. Tu m'amuseras, tu chasseras mes mouches ! Tu as été l'ami du malheur, tu as le droit » (1831 A à 1835).

1127. VAR. : « tes hémistiches. » *(Ibid.)*

1128. VAR. : « amis s'endormirent, unissant leurs ronflements à la musique dont les salons retentissaient. Les bougies » (1831 A, B et 33) ; — en 1835, même texte jusqu'à « retentissaient ». Puis : « Concert inutile ! Les bougies ».

1129. VAR. : « sinistres, en trouvant leurs jambes et leurs bras raidis et mille fatigues à leur réveil. » (1831 A, B et 33) ; — « sinistres. Ils se sentirent les bras et les jambes tout raidis et mille », la suite comme dans notre édition (1835).

1130. VAR. : « Alors l'assemblée se trouva bientôt tout entière sur pied, rappelée à la vie par les chauds rayons du soleil qui semblaient avoir l'éclat d'une trompette, en pétillant sur les têtes des dormeurs.

« Ayant brisé par les mouvements du sommeil l'élégant édifice de leurs coiffures ou fripé leurs toilettes » (1831 A). — Dans 1831 B, 33 et 35, texte précédent jusqu'à « dormeurs » ; puis texte de notre édition sauf, « ou fripé » au lieu de « et fané ».

1131. VAR. : « Toutes les bouches » (1831 A, B et 33).

1132. VAR. : « sans vêtements et sans fard ce squelette du Mal, tout déguenillé » (1831 A à 1835).

1133. VAR. : « tout habitués » (1831 A, B et 33).

1134. VAR. : « lorsque le banquier » (1831 A à 1835).

1135. Cette phrase entre parenthèses manque de 1831 A à 1845.
— Jean-Frédéric Taillefer, étant aux armées et se trouvant un soir, avec un de ses amis et compatriotes, dans une auberge peinte en rouge, près d'Andernach, en Prusse, y avait assassiné, pour lui dérober ses bagages, qui contenaient beaucoup d'argent et des bijoux, un négociant qui était de passage aussi. Ce crime fut accompli dans des circonstances telles que le compagnon de Taillefer put être vraisemblablement accusé du meurtre. Taillefer le laissa juger, condamner et exécuter. Telle fut la première assise de sa grande fortune. Dans *l'Auberge rouge*, cette dramatique histoire est racontée en présence de Taillefer, dans un salon, par une personne qui, bien entendu, ignore quel était le nom du compagnon de l'infortuné condamné. Taillefer avait une fille, Victorine, qu'il avait éloignée de lui et qui vivait dans la pension Vauquer ; il la rappela auprès de lui, quand un fils qu'il avait aussi, eut été tué par le colonel Franchessini dans un duel manigancé par Vautrin (*le Père Goriot*). Taillefer mourut peu de temps après le récit rapporté dans *l'Auberge rouge*, et sans doute à la suite de l'émotion qu'il en avait ressentie.

1136. VAR. : « quelques-unes de » (1831 A à 1835).

1137. VAR. : « le banquier sortit » (*Ibid.*)

1138. Var. : « C'était le convoi du mardi-gras, espèce de saturnale enterrée » *(Ibid.)*

1139. Var. : « d'impuissance au lieu d'avouer » (1831 A et B).

1140. Var. : « capitaliste, le notaire (1831 A à 1839) qui la veille avait disparu prudemment après le dîner, montra sa figure » (1831 A, B et 33).

1141. Var. : « grossoyer, toute pleine » *(Ibid.)*

1142. Var. : « s'écria le vaudevilliste. » (1831 A à 1839).

1143. Cette phrase finit là dans 1831 A, B et 33.

1144. Var. : « répliqua le notaire » (1831 A à 1839).

1145. Var. : « *Barbe-Marie-Charlotte*, née à Tours. » (1831 A à 35).

1146. Var. : « reprit le notaire » (1831 A à 1839).

1147. Var. : « major Martin O'Flaharty » (1831 A à 1835).

1148. Cette réplique manque dans 1831 A, B et 33. En 1835, il y a : « Bravo, major ! cria le jugeur » ; et en 1838, 39 et 45 : « Bravo, le major ! cria le jugeur ».

1149. Var. : « ce gouvernement français... Or, elle est en ce moment claire, palpable, liquide et depuis » (1831 A à 1835).

1150. Var. : « convives fut une sourde et cruelle envie » (1831 A, B et 33).

1151. Var. : « une rumeur commença » *(Ibid.)*

1152. Var. : « frissonna violemment en voyant une assez grande distance » (1831 A à 1845).

1153. Var. : « s'écria le banquier » ; la suite de la phrase manque (1831 A à 1835).

1154. Var. : « dit un peintre » (1831 A à 1839).

1155. Var. : « le masque livide, les yeux fixes. » (1831 A à 1835).

1156. Var. : « vie... Il regarda trois fois le talisman se jouant à l'aise dans les lignes impitoyables et capricieuses imprimées » (1831 A) ; — même texte, mais avec : « qui jouait », dans 1831 B et 33.

1157. Var. : « pour sa soif et mesurait (1831 A et B) sa vie au nombre des gorgées. Il voyait clairement ce que » (1831 A à 1835).

1158. Var. : « le major Martin O'Flaharty !... », la fin de la réplique manque (1831 A, B et 33).

1159. Cette réplique manque dans 1831 A, B et 33.

— Après l'avènement de la monarchie de Juillet, la pairie perdit de son ancien prestige et de son autorité. Les nominations abusives de pairs faites par le gouvernement de M. de Polignac furent annulées ; le principe de l'hérédité de la pairie fut abrogé ; cette nouvelle pairie viagère dépendait de la seule nomination du roi. Comme l'écrit le plus récent historien de la monarchie de Juillet, M. Pierre de La Gorce, dans son ouvrage sur *Louis-Philippe* (Plon, 1831, p. 128) : « La vérité c'est que, de grand corps politique, ils [les pairs] descendaient au rang de *Sénat conservateur*. »

1160. De 1831 A à 1835, cette phrase finit là.

1161. VAR. : « Un viveur » (1831 A). Cette phrase finit au mot « choses » (1831 A à 1835).

1162. VAR. : « résonnait à ses oreilles sans » (1831 A, B et 33).

1163. VAR. : « Tout ce qui s'offrait en ce moment » (1831 A à 1835).

1164. VAR. : « répliqua l'amphitryon (1831 A à 1835). Vous comprenez la fortune. Elle doit être un brevet d'impertinence. » (1831 A, B et 33).

— Note des *Pensées, sujets, fragments* (p. 6) : « La fortune, le talent, l'esprit, le pouvoir ne sont pour quelques hommes que des brevets d'impertinence. »

1165. Cette dernière phrase manque dans les éditions 1831 A, B et 33.

1166. VAR. : « — Oh ! oh ! cria le banquier. Buvons ! » (1831 A à 1835); — « — Oh ! cria le banquier. Buvons. » (1838 et 39).

1167. VAR. : « répéta » (1831 A à 1838).

1168. VAR. : « pour un ladre » (1831 A et B).

1169. VAR. : « Ah ! Raphaël » (1831 A, B et 33).

1170. VAR. : « donnera voiture et de beaux chevaux qui » (1831 A) ; — « donnera voiture attelée de beaux chevaux qui » (1831 B).

1171. VAR. : « septuagénaire, au moins » (1831 A, B et 33).

1172. VAR. : « du philosophique. Il y avait sur cette figure accompagnée de longs cheveux gris en désordre et desséchée comme un vieux parchemin qui se tord dans le feu l'empreinte d'un violent chagrin aux prises avec un caractère despotique. » (1831 A et B).

1173. C'est-à-dire cette renaissance de Rollin. — Charles Rollin, né à Paris le 30 janvier 1661, mort le 14 septembre 1741. Il fut professeur au Collège de France, recteur de l'Université, membre de l'Académie des Inscriptions. Il composa des ouvrages d'érudition littéraire, dont le principal est son *Traité des Études*. Il fit aussi une *Histoire ancienne*. Ces travaux rendirent son nom

célèbre dans toute l'Europe. Il ne prétendait point au rôle d'inno-
vateur et dans son *Traité des Études* il se borne à rappeler les
pratiques d'enseignement les plus approuvées chez les anciens
et chez les modernes.

1174. VAR. : « dais de bois représentant une tente de coutil
qui abritait les marchandises du perron. » (1831 A et B) ;
« représentant une tente de coutil par laquelle », la suite comme
dans notre édition (1833).

1175. VAR. : « vieillard habillé en noir et dont » (1831 A et B).

1176. VAR. : « solliciteur qui restait tout ébahi . » *(Ibid.)*

1177. VAR. : « et dont tout parlait dans » (1831 A à 1845).

1178. VAR. : « dévoué dont il s'était séparé après l'enterrement
de son père, et sur l'affection » (1831 A à 1835).

1179. VAR. : « mon enfant, mon élève (1831 A et 1835) *carus
alumnus !* J'ai fait orner sa cervelle, son entendement » (1831 A, B
et 33).

1180. M. Porriquet ne paraît que dans *la Peau de chagrin.*

1181. VAR. : « dont les voix s'élevant trop haut rompaient »
(1831 A) ; — « dont les voix s'élevant un peu trop haut rompaient »
(1831 B à 1835).

1182. VAR. : « ce qu'a mon maître. Voyez-vous, il n'y a pas »
(1831 A, B et 33).

1183. VAR. : « défunt M. son père ! M. le marquis » *(Ibid.)*

1184. VAR. : « toujours la même. Je suis obligé de la remplacer,
voyez-vous, quand » *(Ibid.)* — En 1835, texte de notre édition,
sauf la variante : « remplacer, voyez-vous, quand ».

1185. VAR. : « cher enfant. Je l'ai vu tout petit. Il me dirait
de faire autre chose plus difficile, je le ferais » (1831 A, B et 33) ; —
« cher enfant. Je l'ai vu tout petit. Je l'aime tant [...] faire autre
chose de plus difficile, je le ferais » (1835).

1186. VAR. : « vétilles, il y en a bien assez !... Il lit » (1831 A
et B) ; — « vétilles. Il y en a bien assez pour m'occuper. Il lit »
(1835).

1187. Les mots « et je ne tremble pas » ne sont pas dans les éditions 1831 A, B et 33.

1188. VAR. : « rente viagère si le déjeuner » (1831 A et B).

1189. Les mots « sans lui dire un mot » manquent dans l'édition
1831 A.

1190. L'Opéra, après avoir changé plusieurs fois d'emplacement
depuis sa fondation, en 1671, avait été en 1794 transféré rue de
Richelieu, 93. Il y resta jusqu'à l'assassinat du duc de Berry, en

1820. L'édifice fut alors fermé, puis démoli. Après avoir été installé provisoirement au Théâtre Louvois, puis au Théâtre Favart, il fut transféré dans la salle nouvellement édifiée, rue Lepelletier, sur l'emplacement des jardins de l'hôtel Choiseul. Il y resta jusqu'à l'incendie qui, en 1873, détruisit cette salle, et, après s'être réfugié pour un temps à la salle Ventadour, il s'installa dans la salle actuelle, place de l'Opéra.

1191. VAR. : « à l'Opéra... Il n'a pas encore été aux Italiens, parce que je n'ai pu » (1831 A). — « à l'Opéra et l'autre aux... Mais non. Il n'a pas encore été aux Italiens parce que je n'ai pu » (1831 B à 1835). — En 1838, 39 et 45 subsiste seule la variante : « Il n'a pas encore été ».

Le Théâtre-Italien fut, en fait, fondé en 1789. A cette date, la troupe de Monsieur commença de représenter à la salle Feydeau des *opéras bouffes*. Fermé en 1792, il ne fut rétabli qu'en 1801 et, sous la direction de Montansier, il fut installé dans la salle de la Société Olympique ; il y resta peu de temps et dès l'année suivante il fut transporté à la salle Favart. Dirigé successivement par Picard, l'auteur dramatique, par Spontini, par Paer, il changea plusieurs fois de local. En 1829, il était, depuis deux années, revenu à la salle Favart, qu'il avait un temps abandonnée. En 1838, il fut transféré à l'Odéon et, en 1831, à la salle Ventadour.

1192. VAR. : « Voyez-vous ?... C'est une idée qu'il a... J'ai ordre de lire avant lui le journal de la littérature et des livres, afin d'acheter tous les ouvrages nouveaux qui paraissent pour qu'il puisse les trouver » (1831 à 1835).

— Le Journal de la Librairie existe toujours, son titre est : *Bibliographie de la France, journal général et officiel, paraissant tous les vendredis*. Il est divisé en trois parties : *la Bibliographie*, qui contient la liste des ouvrages publiés en France ; *la Chronique*, qui réunit les textes officiels concernant la librairie: *le Feuilleton*, qui est formé des annonces des libraires. La *Bibliographie de la France* est publiée par le Cercle de la Librairie.

1193. VAR. : « Enfin M. le marquis n'a pas un seul désir à former, voyez-vous tout marche au doigt et à l'œil, — et *recta* ! C'est moi qui lui dis tout ce » (1831 A, B et 33). — En 1835, texte précédent, jusqu'à « voyez-vous » ; ensuite texte de notre édition.

1194. VAR. : « mécanisse. » (1831 A à 1835).

1195. VAR. « que Monsieur Raphaël s'occupe » *(Ibid.)*

1196. VAR. : « reprit » (1831 A à 1845).

1197. VAR. : «de France, le nouveau s'entend ! » (1831 A, B et 33).

1198. Var. : « je lui demanderai : — Faut-il » *(Ibid.)*

1199. Var. : « ces mots-là... rayés » (1831 A).

1200. Var. : « Jonathas laissa sans cérémonie, dans le vestibule, le professeur tout étonné.

« Jonathas revint assez promptement » *(Ibid.)*

1201. Var. : « le journal. Son attitude maladive, l'affaisse-ment de ses traits et de son corps peignaient une extrême mélancolie, encore plus énergiquement peut-être que la pâleur de feuille étiolée imprimée sur son front et sur son visage. Ses mains » (1831 A et B). — En 1833, texte de notre édition jusqu'à « affaissé » ; puis : « peinte sur son front et sur son visage pâles comme une fleur étiolée. Ses mains ». — En 1835, texte de notre édition, sauf la variante : « affaissé ; peinte sur son front et sur son visage pâles ».

1202. Var. : « ses tempes avec une coquetterie naturelle. Il y avait dans toute sa personne cette grâce efféminée et ces bizarre-ries particulières aux malades. Sa riche calotte à la grecque, entraî-née par un gland trop lourd pour le léger cachemire, pendait sur un côté de sa tête. La faiblesse générale » (1831 A et B) ; — « ses tempes avec une coquetterie cherchée. Il y avait dans toute sa personne cette grâce efféminée et ces bizarreries particulières aux malades riches. Sa calotte grecque, entraînée par un gland trop lourd pour le léger cachemire dont elle était faite, pendait sur un côté de sa tête. Cependant la faiblesse générale » (1833) ; — en 1835 et 38, une seule variante : « coquetterie cherchée ».

1203. Var. : « extraordinaire et dont l'expression saisissait » (1831 A à 1835).

1204. Var. : « ses ennemis et demandant sans succès le comman-dement pour vingt-quatre heures... Véritable regard » (1831 A et B).

1205. Var. : « encore, c'était (1831 A et B) le regard que vingt jours auparavant » (1831 A, B et 33).

1206. Var. : « Soumettant sa volonté [...] cinquante années, il avait abdiqué la vie pour vivre, dépouillant son âme de toutes les poésies du désir et presque joyeux de devenir une sorte d'auto-mate. Il voulait braver la mort, et pour lutter avec la cruelle puis-sance » (1831 A et B). — En 1833 et 35 : « ... cinquante années ; il abdiquait la vie pour vivre et dépouillait » ; la suite comme précédemment, sauf, en 1833 « pour mieux lutter ».

1207. Origène (178-254), savant écrivain de l'Église primitive ; il expliqua aussi, dès sa jeunesse, les lettres saintes aux femmes et aux jeunes filles, et pour décourager la calomnie il mutila, non pas son imagination, mais sa personne.

1208. VAR. : « son notaire, à table ; et là » (1831 A et B).

1209. VAR. : « Et au sein du luxe, il reprit une vie studieuse, la vie » (1831 A à 1835).

1210. VAR. : « En voyant » *(Ibid.)*

1211. VAR. : « trouver Childe-Harold » *(Ibid.)*

1212. VAR. : « Bonjour, mon bon père » *(Ibid.)*

1213. *Exegi monumentum ære perennius*, premier vers de l'ode trentième et dernière du livre III des *Odes* d'Horace. (*Œuvres complètes* d'Horace, traduction nouvelle de François Richard, I, 152 ; Garnier frères, éditeurs.)

1214. VAR. : « langue de Fénelon, de M. de Buffon, de Racine » (1831 A, B et 33) ; — « de Fénelon, de M. de Buffon, du grand Racine » (1835).

1215. VAR. : « mon bon ami » (1831 A, B et 33).

1216. VAR. : « contours capricieux » (1831 A et B).

1217. VAR. : « Raphaël, étouffant le plus léger de ses caprices, avait vécu » *(Ibid.)*

1218. VAR. : « de carlisme, chose assez étrange... Le vieillard » *(Ibid.)*

1219. VAR. : « *Je souhaite seulement bien vivement* que vous réussissiez ! ... Je suis tout à vous. » (1831 A à 1835).

1220. VAR. : « chevreuil ; puis, voyant » (1831 A et B) ; — « chevreuil. Il vit » (1833 et 35).

1221. VAR. : « de dix mille écus, plutôt que ma protection ? ... Alors votre visite » (1831 A à 1835).

1222. VAR. : « conduiras où j'ai conduit » (1831 A, B et 33).

1223. VAR. : « la belle lady Branston » (1831 A à 1835) ; — « la belle lady Dudley » (1838, 39 et 45).

— Il n'y a pas de lady Branston, dans la *Comédie humaine*, mais une lady Brandon. — Lady Arabelle Dudley, femme du vieux lord Dudley, mais qui se sépara de lui, eut bien des aventures galantes. Elle séduisit Félix de Vandenesse, pourtant fort épris de Mme de Mortsauf *(le Lys dans la vallée)* ; elle inspira une passion à Daniel d'Arthez *(les Secrets de la princesse de Cadignan)* ; dans *Une fille d'Ève* on la voit tenter, par jalousie, de faire succomber Mme Félix de Vandenesse aux désirs de Raoul de Nathan, et dans les *Mémoires de deux jeunes mariées* elle fait, par vengeance, mourir de chagrin lady Brandon. Elle paraît incidemment dans *le Bal de Sceaux*. (Cf. *Répertoire*, p. 145.)

1224. VAR. : « était épouvantable » (1831 A à 1835).

1225. VAR. : « qui accompagnait » *(Ibid.)*

1226. VAR. : « un accident, tandis que l'inhumanité serait un vice... un crime... Laissez-moi... » *(Ibid.)*

1227. VAR. : « votre nomination. Adieu. » *(Ibid.)*

Les partisans de la Révolution de Juillet se divisèrent en deux fractions de tendances opposées. Le parti du mouvement, qui considérait le changement de régime comme le commencement d'une politique d'action qui, à l'intérieur, devait donner à la Chambre des députés la suprématie sur la Chambre des pairs, étendre le droit de suffrage et, à l'extérieur, aller au secours des peuples révoltés. C'est sur les questions de politique extérieure que les deux partis s'affrontèrent ; le parti de la résistance était le parti de la paix ; en politique intérieure il considérait la révolution de 1830 comme une fin, la fin d'une politique infidèle à l'esprit et à la lettre de la Charte ; ceux qui l'avaient pratiquée ayant été punis par leur expulsion du pouvoir, ils entendaient revenir à l'application correcte de la Charte. Casimir-Perier, l'un des chefs du parti de la résistance, disait à Odilon Barrot, l'un des chefs du parti du mouvement, qu'il n'y avait pas eu en juillet de révolution, comme beaucoup le croyaient, mais simplement changement dans la personne du chef de l'État. Odilon Barrot, bien entendu, soutenait le contraire. (Cf. *Mémoires* d'Odilon Barrot, I, 215.)

1228. VAR. : « reprit » (1831 A à 1845).

1229. VAR. : « ta mission. » (1831 A). Cette phrase, dans cette édition, finit là.

1230. VAR. : « le satin jaune, la soie onduleuse, le tapis » (1831 A à 1835).

1231. VAR. : « paille de riz tressée par des mains blanches et vierges, les moelleux coussins et les glaces muettes... Un jeune et joli jockey mène en postillon deux chevaux de prix et deux laquais en livrée se tiennent debout, derrière » (1831 A et B) ; — « ... tressée par des mains blanches, les moelleux... » la suite comme dans notre édition (1833 et 35).

1232. Le Théâtre Favart fut construit en 1782, pour la troupe des Comédiens Italiens, qui, d'après l'ordonnance royale du 31 mars 1780, devaient y représenter « des comédies françaises, des opéras bouffons, pièces de chant, soit à vaudeville et aussi des parodies... » Il était situé entre le boulevard des Italiens et la place des Italiens ; sa façade était sur la place. On l'appelait la Comédie-Italienne, bien qu'on y représentât aussi des pièces chantées ; mais les comédiens chanteurs avaient à soutenir, et soutenaient mal, la concurrence avec le Théâtre de Monsieur, ou Théâtre Feydeau. Après le 10 août 1792, les chanteurs du Théâtre Favart expulsèrent de leur théâtre les acteurs qui ne jouaient que la comédie, et leur salle prit le nom d'Opéra-Comique national de la rue Favart. En 1801, les deux théâtres rivaux fusionnèrent sous le nom d'Opéra-Comique, et la première représentation donnée par la nouvelle société eut lieu le 16 septembre dans la salle Feydeau. Après divers changements de locaux, l'Opéra-Comique fut reconstruit sur l'emplacement de la salle Favart, après l'incendie de cette salle en 1838.

1233. *Sémiramide*, opéra en deux actes de Rossini, représenté pour la première fois à Venise au grand théâtre *della Fenice*, pendant le carnaval de 1823. « Opéra dans le style allemand », dit Stendhal, qui déclare aussi : « Cet opéra qui à Venise n'a évité les sifflets qu'à cause du grand nom de Rossini, eût peut-être semblé sublime à Kœnisberg ou à Berlin. » (*Vie de Rossini*, édition Calmann-Lévy, in-16, p. 321 et 297.) *Sémiramide* fut représenté à Paris, sur le Théâtre-Italien, le 8 décembre 1825.

1234. VAR. : « les élégants jeunes et vieux, d'anciens » (1831 A à 1835).

1235. VAR. : « et la virgule à la Mazarin, dont l'inconnu semblait faire parade, étaient » *(Ibid.)*

1236. VAR. : « il avait jadis vu ce petit vieillard sec, bien cravaté, botté, qui marchait en faisant sonner » (1831 A) ; — « il avait vu jadis... », la suite comme précédemment (1831 B à 1835).

1237. VAR. : « à dissiper » (1831 A et B).

1238. VAR. : « une vieille » (1831 A).

1239. VAR. : « de vie, vrai prodige, avait » (1831 A à 1835).

1240. VAR. : « un rire satanique » *(Ibid.)*

1241. VAR. : « de Raphaël ; et, dans ce moment, il crut à la puissance du démon, à tous les sortilèges rapportés dans les fabuleuses légendes du moyen âge, et mises en œuvre » (1831 A, B et 33) ; — en 1835, deux variantes : « ... Dans ce moment, il crut » et « mises en œuvre » ; — en 1838, 39 et 45, une variante seulement : « mises en œuvre ».

1242. VAR. : « Marie... Radieuse et fraîche, une mystérieuse lumière lui permit d'apercevoir le ciel ; mais c'était le ciel de Michel-Ange » (1831 A, B et 33) ; — en 1835 : « Marie. Radieuse et fraîche, une mystérieuse lumière » ; la suite comme dans notre édition.

1243. VAR. : « fille d'Opéra et reconnut en elle la détestable Euphrasie » (1831 A à 1835); — Voir la n. 473.

1244. VAR. : « Euphrasie, dont la bouche rose répondit par

un mot d'amour, puis lui offrant un bras desséché, le petit juif fit deux » (1831 A et B) ; — en 1833 et 35, même texte, sauf « Puis, offrant à cette femme un bras desséché ».

1245. Var. : « à sourire, car c'était un » (1831 A et B).

1246. Var. : « moustache et cravache, tout le bagage du genre, ayant » (1831 A) ; — « moustache, tout le bagage du genre, ayant » (1831 B et 33).

1247. Cette phrase finit là de 1831 A à 1835.

1248. Var. : « le Juif » (1831 A à 1835).

1249. Var. : « cassée. Je suis heureux » (1831 A, B et 33).

1250. Var. : « les spectateurs entendant le prélude de l'orchestre quittèrent le foyer pour se rendre à leurs places, et le vieillard ayant salué Raphaël, ils se séparèrent (1831 A à 1835) ; en entrant dans sa loge, le marquis aperçut Fœdora, divinement mise et placée » (1831 A et B).

1251. Var. : « faisant les mille petits » (1831 A et B) ; — « faisait les mille petits » (1833).

1252. Var. : « porter, et au geste qu'elle fit, à la manière » (1831 A à 1835).

1253. Var. : « partner » (1831 A et B).

1254. Var. : « femme, il devait » (1831 A à 1835).

1255. Var. : « pour en faire admirer l'éclat et la coiffure, puis, son regard alla de loge en loge, se moquant d'un béret mal posé » (1831 A, B et 35) ; — même texte en 1838, sauf : « béret gauchement posé ».

1256. Var. : « Au moment où finissait l'ouverture du second acte » (1831 A à 1835).

1257. Var. : « Cet océan (1831 A) de faces humaines agita ses lames animées et toutes les têtes regardèrent » (1831 A, B et 33).

1258. Var. : « tournèrent pour réclamer le silence, et, partageant cet applaudissement général, finirent par augmenter ces confuses rumeurs. » (1831 A et B) ; — « tournèrent d'abord pour réclamer le silence, mais ils partagèrent cet applaudissement et finirent par en augmenter les confuses rumeurs. » (1833 et 35).

1259. Var. : « naturel rentra dans la froideur » (1831 A et B).

1260. Var. : « dans une baignoire l'ignoble figure du banquier sanglant qui, tout en se serrant près d'Aquilina, lui adressait » (1831 A) ; — « dans une baignoire et près d'Aquilina l'ignoble figure du banquier sanglant qui lui adressait » (1831 B à 1835).

1261. VAR. : « près d'une jeune femme, une veuve sans doute, tortillait » (1831 A à 1845).

— Sur Mme de Nucingen, voir la n. 708. Il y est dit que Rastignac épousa, plus tard, en 1838, Mlle de Nucingen. — Rastignac paraît dans de nombreux romans de Balzac. Dans *le Père Goriot*, on le voit pensionnaire de la maison Vauquer, devenant l'amant de Mme de Nucingen et commençant de faire son chemin dans le monde. Il fut lié avec tous les jeunes gens de la *Comédie humaine* ; il devint riche, fut député, ministre, pair de France. Il figure encore dans *Illusions perdues*, *Splendeurs et misères des courtisanes*, *le Bal de Sceaux*, *l'Interdiction*, *Étude de femme*, *Autre étude de femme*, *les Secrets de la princesse de Cadignan*, *Une fille d'Ève*, *Une ténébreuse affaire*, *la Cousine Bette*, *le Député d'Arcis*. (Cf. *Répertoire*, p. 427-429.)

1262. VAR. : « Il était assis comme une duchesse, non pas comme une duchesse impériale, mais comme une duchesse du faubourg Saint-Germain. Présentant le dos » (1831 A) ; — même texte, sauf à la fin « Il présentait », en 1833 ; — en 1835, même texte encore, mais avec deux différences : « Assis comme l'est » et « Il présentait ».

1263. VAR. : « mépriser, de ne pas même savoir qu'une jolie » (1831 A).

1264. VAR. : « des ruches qui garnissaient » (1831 A) ; — « des ruches de dentelles qui garnissaient » (1831 B).

1265. VAR. : « vêtements la vie suave de cette jolie femme se communiqua » (1831 A et B) ; — en 1833, texte de notre édition, moins le mot « toute ».

1266. VAR. : « chaleur de ce dos de femme, sans doute blanc » (1831 A, B et 33).

1267. VAR. : « parfums du Vety-ver » (1831 A) ; — « parfums du sandal » (1831 B). — Les racines du vétyver, très odorantes, sont employées pour protéger les vêtements contre les atteintes des insectes. — Le sandal, ou plutôt santal, est un arbre de l'Inde dont le bois est apprécié pour son odeur aromatique. — Pour l'aloès Littré dit : « Bois d'aloès : on appelle ainsi des bois qui n'ont aucun rapport avec l'aloès ; ils sont odorants et originaires de l'Asie orientale. »

1268. VAR. : « Alors, il se retourna brusquement, et comme en ce moment l'inconnue, choquée » (1831 A, B et 33).

1269. VAR. : « Pauline éclatante de beauté, dans une toilette simple et de bon goût. Son ravissant corsage caché jusqu'alors,

mais couvert d'une gaze, laissait apercevoir » (1831 A) ; — même
texte dans 1831 B, à la différence suivante près : « corsage quoique
chastement couvert ».

1270. VAR. : « attitude. Son bras blanc, enveloppé d'une
gaze transparente, accusait l'émotion profonde dont elle était
saisie, par un tremblement nerveux qui semblait faire palpiter
son corps aussi puissamment que son cœur. » (1831 A et B) ;
— « ... L'étoffe de sa manche accusait », la suite comme précédemment, sauf « fortement » au lieu de « puissamment » (1833) ;
— en 1835, même texte qu'en 1833, sauf « que palpitait son cœur ».

1271. Cette phrase finit là dans 1831 A, B et 33.

1272. VAR. : « où il pouvait se livrer » (1831 A et B).

1273. VAR. : « les poètes et la poésie » (1831 A, B et 33).

1274. VAR. : « logement. Quelqu'un vous y attend. » (Ibid.)

1275. VAR. : « donné pour rien » (1831 A).

1276. VAR. : « était là. Ouvrant doucement la porte, il la
vit modestement vêtue » (1831 A, B et 33) ; — « ... Il ouvrit
doucement... », la suite comme précédemment (1835).

1277. VAR. : « le cachemire » (1831 A, B et 33).

1278. VAR. : « se levant avec un mouvement de joie naïve »
(1831 A) ; — « ... avec un naïf mouvement de joie » (1831 B et 33).

1279. VAR. : « deviné cela » (1831 A à 1835).

1280. VAR. : « de dire une seule parole, et à ce geste la jeune
fille lui prit la main et la serrant avec force, elle lui dit » (Ibid.)

1281. VAR. : « le luxe, mais tu dois » (Ibid.)

1282. La suite de la phrase manque dans 1831 A, B et 33.

1283. VAR. : « dont un seul baiser se trouve empreint, le
jeune, le premier » (1831 A à 1835).

1284. VAR. : « t'éviter » (1831 A à 1845).

1285. Les mots « après une pause » manquent dans 1831 A,
B et 33.

1286. Les mots « et toujours » manquent dans les mêmes éditions.

1287. VAR. : « J'ai six millions, mais quand j'en aurais trente,
que sont » (1831 A et B).

1288. VAR. : « matin... répondit-elle, et je donnais » (1831
A à 1839).

1289. VAR. : « folle. Es-tu gentil ! » (1831 A) ; — « ...Que
tu es gentil ! » (1831 B et 33).

1290. VAR. : « reprit » (1831 A à 1845).

1291. VAR. : « te peindre mon » (1831 A).

1292. VAR. : « à lui. » (1831 A, B et 33).

1293. Var. : « a, pour ainsi dire, purifié mon cœur. » (1831 A à 1835).

1294. Cette phrase manque dans 1831 A, B et 33.

1295. Var. : « — Oh ! mon Raphaël, s'écria Pauline, je voudrais que jamais personne n'entrât plus dans » (1831 A) ; — « — Oh ! mon Raphaël, s'écria Pauline, je voudrais », la suite comme dans notre édition (1831 B et 33); — « — Oh ! mon Raphaël, s'écria Pauline, après quelques heures de silence bien employées, je voudrais », etc. (1835) ; — en 1838 même texte qu'en 1835, mais avec « dit » au lieu de « s'écria ».

1296. Var. : « Puis, après un moment de silence » (1831 A à 1845).

1297. Var. : « — Étais-tu malheureux » (1831 A, B et. 33)

1298. Var. : « nous n'avons guères qu'une » (1831 A).

1299. Var. : « nous nous marierons » (1831 A à 1835).

1300. Var. : « des Indes... Oh ! bien souffrant !... mais très souffrant. Il a manqué mourir au Havre. Nous l'avons été chercher là. Ah ! Dieux ! ... dit-elle en regardant l'heure à une petite montre » (1831 A) ; — dans 1831 B, texte précédent, mais avec « à sa montre »; — en 1833 : « des Indes souffrant... oh ! bien souffrant... », la suite comme dans 1831 B ; — en 1835, même texte qu'en 1833, mais avec « Ah ! Dieu ! » au singulier.

1301. Var. : « mon bras...
— Ah ! chéri !... chéri !...
— Je vais emporter » (1831 A à 1835).

1302. Var. : « où l'équipage » (1831 A et B).

1303. Var. : « dit-elle en s'adressant à » (1831 A à 1835).

1304. Var. : « amants, mollement balancés et portés sur de voluptueux coussins, tous deux rayonnants d'amour, furent » *(Ibid.)*

1305. Var. : « Ce soir, en m'endormant, je tâcherai d'être là » (1831 A, B et 33).

1306. Var. : « — Es-tu aimable ! » (1831 A) ; — « — Que tu es aimable ! » (1831 B) ; — « — Que tu es aimant ! » (1833).

1307. Ici, de 1831 A à 1835, il y a cette phrase : « Il n'y a pas deux hommes comme toi sous le ciel ! »

1308. Var. : « prononça le juron » (1831 A, B et 33).

1309. Ces « jésuitiques réticences » sont exposées au chapitre CCLV de *Tristram Shandy* où l'abbesse fait la leçon à une de ses novices :
— « Tous les péchés quelconques, dit l'abbesse [...], sont

partagés en deux classes : mortels et véniels. Telle est la division établie par le saint directeur de notre couvent et il n'y en a pas d'autre. Or, un péché véniel étant déjà par lui-même le plus léger et le moindre de tous, il est certain que si vous le séparez en deux, prenant une moitié et laissant l'autre, ou si vous le partagez à l'amiable entre une personne et vous, ce péché qui était déjà peu de chose, se réduira bientôt à rien.

« Or, je ne vois aucun péché à dire *bou* cent fois, mille fois de suite ; de même qu'il n'y a rien de malhonnête à prononcer la seconde syllabe isolée, fût-ce depuis les matines jusques à vêpres. Ainsi, ma chère fille [...], je dirai *bou ;* tu me répondras, je reprendrai, et ainsi de suite alternativement. »

Ainsi font-elles, et sur un rythme de plus en plus accéléré, l'abbesse disant : « *bou-bou-bou ;* la novice répondant : *gre-gre-gre... ;* puis la novice prononçant : *Fou-fou-fou...* et l'abbesse complétant par *tre-tre-tre* ».

1310. VAR. : « ses pores, et il demeura comme perdu dans ses pensées. Tout à coup, obéissant à » (1831 A, B et 33) ; — même texte en 1835, mais avec : « il obéit ».

1311. VAR. : « puits, en disant » (1835).

1312. VAR. : « dit-il joyeusement » (1831 A, B et 33).

1313. VAR. : « Depuis deux mois, Raphaël vivait en Pauline et Pauline en Raphaël. Leur mariage » *(Ibid.)* ; — « Raphaël se laissa donc aller au bonheur d'aimer, et vécut cœur à cœur avec Pauline, qui ne conçut pas le refus en amour. Leur mariage » (1835).

1314. VAR. : « mars ; mais une passion forte et vraie leur avait fait mépriser les lois sociales. Ils s'étaient éprouvés » (1831 A, B et 33).

1315. Cette phrase finit là dans 1831 A, B et 33.

1316. Les mots « tour à tour » manquent dans 1831 A et B.

1317. VAR. : « l'épouse. De la mousseline, des fleurs lui étaient de ravissantes parures. Dédaignant les diamants, et tous les colifichets de la finance » (1831 A) ; — « l'épouse. La mousseline, les fleurs lui étaient », la suite comme précédemment (1831 B) ; — « l'épouse. La mousseline, les fleurs formaient ses plus riches parures... », la suite comme dans 1831 A et B (1833 et 35) ; — en 1838 et 39, texte de notre édition, mais avec « finance » au lieu de « femme ».

1318. Cette phrase finit là de 1831 A à 1835 ; pour la suite voir la note précédente.

— Ormuz : île située au sud de la Perse, à l'extrémité est du golfe Persique, mais les pêcheries de perles les plus importantes du golfe Persique, et probablement du monde entier, sont celles de l'île de Barheint, qui est plus à l'ouest.

1319. Var. : « si fécondes en plaisirs. Les oisifs » (1831 A à 1835).

1320. Var. : « Enfin, puissante excuse » (1831 A et B).

1321. Var. : « tapis, et n'y rencontraient même pas un grain de sable. Les parois » (1831 A).

1322. Var. : « Pauline qui, folâtre, jouait avec lui, défendait la crème, ne lui permettant guères que de la flairer, afin d'entretenir sa patience et le combat. » (1831 A et B) ; — « Pauline. La folâtre jouait avec lui, défendait la crème qu'elle lui permettait à peine de flairer afin d'entretenir le combat. » (1833) ; — « Pauline. La folâtre jouait avec lui », la suite comme dans notre édition (1835).

1323. Var. : « Il y avait dans » (1831 A à 1835).

1324. Var. : « ce qui est profondément naturel » (1831 A, B et 33).

1325. Var. : « imparfaitement et les cheveux » (1831 A et B).

1326. Var. : « Westall » (1831 A).

— Richard Westall, né à Hertford en 1765, mort à Londres le 4 décembre 1836, fut d'abord graveur sur métaux ; il fit ensuite de la peinture et y débuta par des aquarelles qui furent très appréciées. Le succès qu'il obtint le détermina à entreprendre une grande toile peinte à l'huile. Ce fut un essai malheureux. Westall n'insista pas et se consacra surtout dès lors à l'illustration d'ouvrages littéraires. Il y réussit parfaitement. Il faisait des compositions charmantes et d'une riche imagination. Il eut de nombreuses commandes et il fit fortune. Il illustra, entre autres, les œuvres de Milton et celles de Shakespeare, les *Poèmes* de Crabbe, les *Amours des anges* de Thomas Moore. Sa fin fut triste. Enhardi par son succès il s'était livré à des spéculations financières ; il y perdit sa fortune, et cette perte compromit gravement son intelligence.

1327. Var. : « femme, et peut-être même plus jeune fille que femme, parce que, sans doute, elle jouissait » (1831 A à 1835).

1328. Var. : « plus, il y eut des rires » (1831 A, B et 33) ; — « plus, ce furent des rires » (1835).

1329. Var. : « couler, et redevenant femme tout à coup. N'est-ce pas une félonie » (1813 A et B) ; — « couler. Elle redevenait femme tout à coup. N'est-ce pas une félonie » (1833).

1330. Ces proclamations sont celles que, à la suite de l'insurrection du 29 novembre 1830, l'empereur Nicolas Ier adressa aux Polonais, l'une est du 5-17 décembre 1830, l'autre est du 12-24 du même mois.

1331. Cette phrase finit là dans 1831 A, B et 33.

1332. VAR. : « chagrin, effroyablement réduite. Elle n'avait pas un pied carré » (1831 A, B et 33) ; — « chagrin qui n'avait pas un pied » (1835).

1333. Ici, il y a de 1831 A à 1835 : « Le jardinier s'éloigna ».

1334. VAR. : « aussi puissante » (1831 A et B).

1335. VAR. : « Comme tes lèvres » (1831 A, B et 33).

1336. VAR. : « Es-tu folle ?... » (1831 A à 1835).

1337. VAR. : « larme ?... dit-elle. Laisse-la » (1831 A à 1845).

1338. VAR. : « cela.

Elle prit la peau » (1831 A, B et 33).

1339. VAR. : « le talisman.

— Oh ! quelle voix !...

Pauline laissa tomber le fatal symbole du destin et regardant Raphaël :

— Qu'as-tu dit, mon ange ? » (1831 A et B).

Même texte en 1833, sauf, à la fin : « mon ange, lui demanda-t-elle » ; — en 1835 : « le talisman.

— Oh ! quelle voix, répondit Pauline en laissant », la suite comme dans 1831 B et 1833.

1340. Les mots « reprit-il » manquent dans 1831 A et B.

1341. VAR. : « Soumise, la pauvre petite s'en alla, mais pleurant. » (1831 A, B et 33) ; — en 1835, même texte mais avec : « mais en pleurant ».

1342. VAR. : « Raphaël, dans un siècle de lumière où nous avons appris que les diamants n'étaient que du carbone solide » (1831 A, B et 33).

1343. VAR. : « mare infecte où s'ébaudissaient des canards aussi remarquables par la rareté des espèces que par la diversité des plumages... Leurs ondoyantes » (1831 A) ; — même texte dans 1831 B, 33 et 35, mais avec « du plumage ».

1344. VAR. : « heureusement sans roi, sans principes et vivant » (1831 A à 1835).

1345. VAR. : « regardaient assez rarement.

— Monsieur est là !... dit à Raphaël un porte-clefs. Le marquis vit un petit homme entre deux âges et profondément enfoncé dans quelque méditation à l'aspect de ces deux canards. Il avait une

physionomie douce, un air » (1831 A, B et 33) ; — même texte
en 1835, sauf, « est là, dit un porte-clefs à Raphaël qui avait demandé
un savant ».

1346. Var. : « retroussée par le col de l'habit laissait » (1831 A
à 1835).

1347. Cette phrase finit là de 1831 A à 1835.

1348. Var. : « admira consciencieusement ce naturaliste »
(1831 A à 1835).

1349. Var. : « humaines et qui, même par ses erreurs, servait »
(*Ibid.*)

1350. Var. : « sans doute en remarquant la solution » (*Ibid.*)

1351. Var. : « capricieusement froncée » (1831 A).

1352. Var. : « M. Lacrampe » (1831 A à 1835).

1353. Var. : « naturaliste. C'est, du reste, comme vous le
savez sans doute, le genre le plus » (1831 A à 1835).

1354. Var. : « C'est le cygne à cravate que vous voyez-là... »
(*Ibid.*)

1355. Var. : « cent trente-sixième » (*Ibid.*)

1356. Var. : « c'est une oie rieuse (*anas albifrons*) et le *grand
canard siffleur* » (*Ibid.*)

1357. Var. : « souchet. C'est ce gros brun noir » (1831 A, B et
33).

1358. Var. : « Tout en se dirigeant vers une maison assez
jolie » (*Ibid.*) ; — « Tout en se dirigeant vers une assez jolie
maison » (1835).

1359. Var. : « de M. Lacrampe » (1831 A à 1835).

1360. Var. : « — Je connais cela, répondit le savant, après
avoir braqué sa lampe sur le talisman. C'est quelque » (*Ibid.*)

1361. Var. : « le savant koulan. Eh bien, entre » (*Ibid.*)

1362. Var. : « Quel conte ! pensa le jeune homme. » (1831 A).

1363. L'onagre (le koulan ou choulan) des Tartares, qui parut
souvent à Rome dans les jeux du cirque, est un type sauvage de
notre âne domestique, mais d'une taille un peu plus élevée. Buffon,
dans son livre des *Quadrupèdes*, dit que « les onagres ne diffèrent
des ânes domestiques que par les attributs de l'indépendance et de
la liberté ».

1364. Pierre-Simon Pallas, né à Berlin le 22 septembre 1741,
mort dans la même ville le 8 septembre 1811. Il fut un naturaliste et
un grand voyageur. De ses voyages d'études, tant en Europe
qu'en Asie, il tira de nombreux et de savants ouvrages de zoologie,
de géologie, d'ethnographie et de géographie, écrits les uns en

latin, d'autres en allemand, mais tous traduits en français peu de temps après leur publication. Très en faveur auprès de Catherine II, il fit au service de la Russie de longs et, du point de vue scientifique, fructueux voyages en Orient. C'est au cours de l'un d'eux qu'il découvrit, en Asie, outre une nouvelle espèce de chats sauvages, l'onagre, que l'on avait à peu près perdu depuis l'antiquité. Il le décrivit avec soin dans son *Voyage dans plusieurs provinces de l'empire de Russie et dans l'Asie méridionale*, publié à Saint-Pétersbourg, en 3 vol., de 1774 à 1776, et dont une traduction française, par Gauthier de Peyronie, parut à Paris, de 1788 à 1793, en 5 vol. in-4° et un atlas in-folio.

1365. VAR. : « Niebuhr, — dont, comme vous le savez sans doute, nous déplorons encore la perte » (1831 A à 1835). — Le « consciencieux docteur Niebuhr » est Berthold-Georges Niebuhr, né à Copenhague le 27 avril 1766, et mort le 2 janvier 1831, qui fut un historien et dont l'ouvrage le plus important et le plus connu est une *Histoire romaine* dont la première édition commença de paraître en 1811. Son père était Carsters Niebuhr, né dans le Hanovre en 1733, mort en 1815, qui avait été un savant ingénieur et qui avait fait de grands voyages. Il avait publié en 1772, à Copenhague, et en langue allemande, une *Description de l'Arabie*, dont une traduction par Mourier parut dans la même ville l'année suivante ; et de 1774 à 1778, toujours à Copenhague, en 2 vol. in-4°, un *Voyage en Arabie et en d'autres pays circonvoisins*, dont une traduction fut éditée de 1776 à 1780.

1366. Note des *Pensées, sujets, fragments* (p. 81) : « Méchant comme un âne rouge vient de ce qu'en Perse on peint en rouge les ânes venus d'une ânesse et d'un onagre. Ils sont rapides comme des chevaux et méchants. Il en sera venu quelque jour en France. »

1367. Dom Augustin Calmet, né à Ménil-la-Horgne, diocèse de Toul, le 16 février 1672, mort à l'abbaye de Senones le 25 octobre 1757. Il entra dans la congrégation des bénédictins de Saint-Vannes et fut l'un des savants les plus remarquables de cette savante congrégation. Il a publié d'importants ouvrages sur l'Écriture sainte : *Commentaires sur l'Ancien et le Nouveau Testament, Histoire de l'Ancien et du Nouveau Testament, Dictionnaire historique et critique de la Bible*, et une grande *Histoire ecclésiastique et civile de la Lorraine, jusqu'à la cession arrivée en 1737, avec les pièces justificatives*. (Nancy, 1745-1757, 7 vol. in-fol. ; — une première édition avait paru en 1728, mais elle ne menait le récit que jusqu'en 1690.)

1368. VAR. : « M. Lacrampe » (1831 A à 1835).

1369. Var. : « insensiblement » (1831 A à 1839).

1370. Var. : « reprit » (1831 A à 1845).

1371. Var. : « des déplacements assez considérables de pierres très pesantes, dans lesquelles des barres de fer avaient seulement été scellées... La science est vaste, et la vie » (1831 A à 1835).

1372. Var. : « Oh ! certes !...
M. Lacrampe essaya de tirer le talisman.
— Ah ! peste, s'écria-t-il... Mais, monsieur, reprit-il. » (1831 A, B et 33) ; — « Oh ! certes, dit M. Lacrampe (1835) en essayant de tirer le talisman.
— Ah ! peste, s'écria-t-il. — Mais, monsieur, reprit-il » (1835 à 1839).

1373. Var. : « le bon M. Lacrampe au milieu de son cabinet rempli de monstres, de fœtus, de bocaux, de plantes » (1831 A à 1835).

1374. Var. : « Ce bonhomme ressemblait » (1831 A à 1845).

1375. Var. : « des moutons » (1831 A, B et 33).
— Ce n'est pas une histoire de moutons, mais bien de chèvres. Balzac a donc rectifié avec raison. Cette histoire se trouve au chapitre XX de la première partie de *Don Quichotte*. (Cf. édit. Garnier frères, 150-165).

1376. Var. : « compter des brebis, à les numéroter, et arrivé » (1831 A, B et 33).

1377. Var. : « contemplation, regardant » (*Ibid.*)

1378. Note des *Pensées, sujets, fragments* (p. 48) : « Toute force que l'homme croit inventer est un emprunt fait au mouvement éternel et restitué à l'instant même. »

1379. Var. : « surprit M. Planchette immobile sur » (1831 A, B et 33) ; — « surprit M. Planchette immobile et planté sur » (1835).

1380. Var. : « Le mathématicien examinait une bille d'agate roulant sur un cadran solaire, attendant sans doute qu'elle s'arrêtât... M. Planchette n'était ni décoré ni pensionné. Le pauvre homme ne savait pas enluminer ses calculs. Se trouvant heureux de vivre » (1831 A, B et 33) ; — « Le mathématicien examinait une bille d'agate qui roulait sur un cadran solaire et attendait » (1835) ; la suite comme dans notre édition.

1381. Var. : « — Le mouvement est » (1831 A).

1382. Var. : « résistance sur laquelle rien ne peut prévaloir. M. Planchette sourit dédaigneusement.

— Monsieur, dit-il, les gens » (1831 A à 35). — En 1838, 39 et 45, texte de notre édition, sauf à la fin « dit-il ».

1383. VAR. : « à M. de Lalande » (1831 A, B et 33).

— Jean-Jérôme Lefrançais de Lalande, né à Bourg le 11 juillet 1732, mort à Paris le 4 avril 1807. Astronome réputé, professeur d'astronomie au Collège de France, membre de l'Académie des sciences. Il aimait avec passion la science qu'il enseignait et au service de laquelle il mit durant près d'un demi-siècle, une activité infatigable, mais il faisait servir aussi cette activité à sa renommée, car il aimait la notoriété, et, jusque dans sa vieillesse, même par des moyens parfois ridicules, il s'ingénia à s'assurer l'attention de ses contemporains.

1384. VAR. : « recommencer... » Mais, voyons ! Quel effet » (1831 A à 1835).

1385. VAR. : « humilité que nous sommes hors d'état de » *(Ibid.)*

1386. VAR. : « certains phénomènes » (1831 A) ; — « des phénomènes » (1831 B et 33).

1387. VAR. : « fluides et nous pouvons, en reproduisant les causes génératrices de ces phénomènes, arriver à transporter » ; — avec addition de la préposition « à » au commencement de toutes les propositions de cette phrase (1831 A à 1835).

1388. VAR. : « Et toute cette science » *(Ibid.)*

1389. VAR. : « reprit-il. Regardez... Elle est » (1831 A, B et 33).

1390. VAR. : « vanité n'est pas cachée sous les mots humains ! » (1831 A à 1835).

1391. VAR. : « la science, pourtant !... Nos machines ne font que décomposer cet acte, ce fait. Nous pouvons avec ce léger phénomène, opéré sur une masse, faire sauter Paris ! » (1831 A, B et 33) ; — même texte, moins le mot « pourtant » en 1835.

1392. VAR. : « est impuissante » (1831 A et B).

1393. VAR. : « La nature entière repose sur le mouvement. La mort n'est que l'absence du mouvement et si Dieu est éternel, c'est qu'il est » (1831 A à 1835).

1394. Cette phrase finissait là dans 1831 A, B et 33.

1395. VAR. : « l'espace, reprit le savant, il y a un abîme » (1831 A, B et 33) ; — « ... reprit le savant, il se rencontre un abîme » (1835 à 1839).

1396. VAR. : « il faut d'abord » (1831 A, B et 33).

1397. A rappeler ici cette note des *Pensées, sujets, fragments* (p. 51-52) : « Le verbe est à la totalité de la parole, à l'intelligence ce que le un est aux nombres, aux sciences exactes. Il y a parité complète entre les nombres et les idées.

« Le mouvement, le 1, le verbe ! »

1398. VAR. : « Et tout entier à son idée, M. Planchette prit un pot de fleurs vide, en terre rouge, troué dans le fond, et l'apporta sur la dalle gnomonique ; puis, apercevant un peu de terre glaise dans un coin du jardin, il alla en chercher un morceau. Raphaël, stupéfait, resta charmé comme un enfant écoutant quelque histoire merveilleuse contée par sa nourrice. M. Planchette jeta sa terre glaise sur la dalle, puis, tirant de sa poche une serpette, il coupa deux branches de sureau et se mit à les vider, mais, tout en préparant sa machine, il sifflait et chantait comme si Raphaël n'eût pas été là.

— Tout est prêt, dit-il. » (1831 A, à 35).

1399. VAR. : « Alors, il attacha fort habilement l'un de ses tuyaux de bois au fond du pot, de manière à ce que » (1831 A, B et 33) ; — « Il attacha fort habilement », la suite comme précédemment (1835) ; — en 1838, 39, et 45 deux menues variantes seulement : « l'un de ces tuyaux » et « de manière à ce que ».

1400. VAR. : « Puis il étala sur la dalle du cadran solaire un lit de glaise auquel il donna la forme » (1831 A, B et 33) ; — « Puis il étala sur la dalle un lit de glaise auquel il donna la forme » (1835).

1401. VAR. : « pot de fleurs » (1831 A à 1845). De même, dans la suite, à chaque emploi de cette expression.

1402. VAR. : « est le plus beau titre du grand Pascal » (1831 A à 1835).

— C'est l'invention de la presse hydraulique. Cf. PASCAL : *Traités de l'équilibre des liqueurs*... Paris, Desprez, 1663, in-12 ; ou *Œuvres complètes* de Pascal (Hachette, Collection des Grands Écrivains de la France, t. III).

1403. VAR. : « points de sa surface dans le pot » (1831 A).

1404. VAR. : « bois fiché droit » (1831 A à 1835).

1405. VAR. : « avec une ténacité mathématicienne » (1831 A).

1406. VAR. : « soit fatalement contrainte » (1831 A à 1835).

1407. VAR. : « un hôpital » (1831 A, B et 33).

1408. Cette phrase finit là dans l'édition de 1831 A.

1409. VAR. : « dit » (1831 A).

1410. VAR. : « de confectionner » (1831 A et 1835).

1411. VAR. : « cent bottes de foin dans un chapeau. » *(Ibid.)*

1412. VAR. : « une indestructible concaténation. » *(Ibid.)*

— Le terme « concaténation » est tombé en désuétude. Littré

dit : « Terme de philosophie. Enchaînement de plusieurs choses ensemble », et : « Terme de grammaire. Mot proposé par Beauzée pour cette gradation où un mot se répète dans le membre suivant et les enchaîne ainsi les uns aux autres : Tout renaissait pour s'embellir ; tout s'embellissait pour plaire. »

1413. VAR. : « de cette presse infernale avec la sécurité » (1831 A et 1835).

1414. VAR. : « d'une incroyable puissance » *(Ibid.)*

1415. VAR. : « outil ! Il faut que le diable soit logé dedans. — L'Allemand, furieux, saisit » *(Ibid.)*

1416. VAR. : « s'écria M. Planchette surpris et caressant » (1831 A, B et 33).

1417. VAR. : « s'écria » (1831 A à 1835).

1418. VAR. : « Raphaël qui la mania facilement. Elle était froide, souple et ductile sous ses doigts... Un cri d'horreur s'éleva de toutes parts. Les ouvriers » *(Ibid.)*

1419. VAR. : « — C'est vrai !... Il y a certes quelque chose » (1831 A, B et 33).

1420. VAR. : « Où diable, avais-je » (1831 A à 1835).

1421. VAR. : « douze jurés.

— Il faut traiter cette substance inconnue par des réactifs, dit froidement M. Planchette après un moment de silence. Allons voir Japhet ! » (1831 A et B). En 1833 et 35, texte de notre édition, avec cette variante : « un moment, puis dit froidement ».

1422. VAR. : « au galop » (1831 A).

1523. La salicine, dont le nom vient de saule, est une substance que l'on trouve dans l'écorce du saule et de quelques autres arbres ; — l'asparagine, dont le nom vient d'asperge, est une substance que l'on trouve dans les pousses d'asperge et d'un certain nombre d'autres plantes ; — la digitaline est une substance de saveur amère, tirée de la digitale pourprée ; — la vauqueline est un alcali que l'on trouve dans les végétaux vénéneux de la tribu des strychnées, le vomiquier par exemple, qui produit la noix vomique *(strychnos nux vomica)*, de Linné, et la fève de Saint-Jacques *(ignatia amara)*. Les chimistes Pelletier et Caventou, qui découvrirent cette substance, lui donnèrent le nom de vauqueline, en l'honneur du savant chimiste Vauquelin, qui figure dans *César Birotteau*, où il donne à Birotteau les conseils de sa science ; mais la vauqueline ne conserva pas ce nom et reçut celui, conforme à l'étymologie, de strychnine.

1424. VAR. : « tout simplement » (1831 A à 1845).

1425. Var. : « en présentant le chagrin. » (1831 A) ; — « en lui présentant son chagrin. » (1831 B à 1835).

1426. Var. : « les papilles et les houppes » (1831 A à 1835).

1427. C'est l'acide fluorhydrique. Littré dit : « Phtore : nom qu'on donne parfois au fluor, parce qu'il détruit tous les vases dans lesquels on cherche à le retenir. » (De *phteirein*, détruire.)

1428. Var. : « alors il tenta de la briser par une décharge » (1831 A à 1835).

1429. Var. : « mais enfin sa science échoua sur » (1831 A, B et 33) ; « mais enfin toutes les foudres de sa science échouèrent sur » (1835).

1430. Var. : « raisonnable de poudre fulminante. » (1831 A à 1835).

1431. Var. : « à l'Institut » *(Ibid.)*

1432. Cette phrase, de 1831 A à 1845, commençait par « Ils étaient » ; la suite comme dans notre édition. — L'idée exprimée ici est un souvenir d'*Un songe*, de Jean-Paul Richter, traduit par Mme de Staël dans son livre *De l'Allemagne*, IIe partie, chap. xxviii : *des Romans*, et où l'on voit des morts sortir de leurs tombes, qui s'écrient dans leur effroi : « O Christ, n'est-il point de Dieu ? » Et à qui le Christ répond : « Il n'en est point. » (*De l'Allemagne*, édit. Fasquelle, p. 379. V. la n. 832.)

1433. Var. : « fendue, ajouta Planchette, fendue comme une mouillette. » (1831 A, B et 33) ; — « fendue, fendue comme une mouillette, ajouta Planchette. » (1835).

1434. Var. : « leur rôle. L'univers est une machine, et la chimie, l'œuvre d'un démon qui va décomposant tout ! », la suite de la phrase manque (1831 A, B et 33) ; — « leur rôle. Pour un mécanicien l'univers est une machine qui veut un ouvrier, tandis que pour la chimie, œuvre du démon qui va décomposant tout, le monde est un gaz sans âme. » (1835).

1435. Var. : « Bah ! Messieurs les doctrinaires ont créé pour nous consoler ce » (1831 A à 1835).

1436. Var. : « dînèrent philosophiquement bien ou bien philosophiquement.

En rentrant à son hôtel, Valentin » (1831 A).

1437. Var. : « se dit-il en entrant chez lui. Je n'ai ni faim » (1831 A, B et 33) ; — « se dit-il en entrant chez lui. Quoique », la suite comme dans notre édition (1835).

1438. Var. : « puis, après avoir de nouveau décrit » (1831 A, B et 33).

1439. VAR. : « dont les condamnés à mort ont emporté le secret au tombeau. » (1831 A à 1835) ; — « dont les condamnés à mort ont emporté le secret » (1838 à 1845).

1440. VAR. : « — Ah ! Pauline, Pauline ! Pauvre enfant, il y a des abîmes que l'amour ne saurait franchir, quelque puissantes et fortes que soient ses ailes !... » (1831 A à 1845).

— Note des *Pensées, sujets, fragments* (p. 15) : « Il y a plus d'un abîme que l'amour ne saurait franchir, quelque puissantes et fortes que soient ses ailes. »

1441. VAR. : « à travers les nuages des rideaux » (1831 A, B et 1833).

1442. VAR. : « un lit de roses » (*Ibid.*)

1443. VAR. : « Puis, sautant du lit par un mouvement de chatte, elle se montra radieuse, vêtue de mousselines ; puis s'asseyant sur » (*Ibid.*)

1444. VAR. : « De la mort, ma chérie.

— Oh ! tu me fais mal... répondit-elle. Nous autres, pauvres femmes, nous sommes faibles, et il y a certaines idées auxquelles nous ne pouvons pas nous arrêter » (1831 A, B et 33) ; — même texte en 1835, mais avec « nous ne pouvons nous arrêter ».

1445. VAR. : « raison, s'écria Raphaël, le ciel parle par ta jolie bouche. Donne ! que je la baise... Et mourons !

— Mourons, dit-elle en riant. » (1831 A à 1835).

1446. VAR. : « le jour, passant à travers les fentes des persiennes, colorait faiblement la mousseline des rideaux, permettant à peine de voir les brillantes couleurs » (1831 A) ; — même texte dans 1831 B, mais avec « et permettait » ; — en 1833, même texte aussi, sauf « et permettait à peine de voir les riches couleurs » ; — en 1835, texte de notre édition, à deux variantes près : « le jour qui passait », et « rideaux, permettait à peine de ».

1447. VAR. : « les deux époux. » (1831 A à 1835).

1448. VAR. : « jeté par terre. » (1831 A).

1449. VAR. : « apparition, et, au-dessous, ses jolis souliers de satin avaient été jetés avec négligence... Le silence profond qui régnait dans ce temple d'amour ne fut troublé que par un rossignol qui vint se poser » (1831 A et B) ; — « apparition ; ses souliers mignons avaient été laissés loin du lit avec négligence. Le silence profond de ce temple amoureux fut troublé par un rossignol qui vint se poser » (1833 et 35).

1450. VAR. : « répétés et le bruit que firent ses ailes » (1831 A à 1835).

1451. VAR. : « dans le rêve d'où il sortait, il faut » *(Ibid.)*

1452. VAR. : « de la vitalité, de la mort, et savoir me dire si je suis en santé ou malade.

Il contempla Pauline qui, tout en dormant, lui tenait la tête, lui exprimant ainsi, même pendant » (1831 A, B et 33) ; — même texte en 1835, moins, à la fin, le mot « même ».

1453. VAR. : « vers son ami, elle semblait le regarder encore et lui tendre sa jolie bouche entr'ouverte qui laissait passer un souffle » (1831 A à 1835).

1454. VAR. : « et la blancheur, pour ainsi dire » *(Ibid.)*

1455. VAR. : « Son abandon, sa gracieuse posture peignait une innocente confiance qui mêlait » (1831 A) ; — dans 1831 B, 33 et 35 même texte, mais avec « peignaient ».

1456. VAR. : « enchaînent leur naïveté, les expansions vives de leur âme, et leurs mouvements ; mais le sommeil semble les rendre par degrés à la chaste aisance, à la soudaineté de la vie qui décorent le premier âge. Pauline était là, ne rougissant de rien » *(Ibid.)*

1457. VAR. : « créatures dont la raison n'a point encore jeté des pensées dans les gestes et des secrets » (1831 A et B) ; — « créatures dont la raison n'a point encore jeté ni pensées ni secrets » (1833) ; — « créatures dont la raison », la suite comme dans notre édition (1835).

1458. VAR. : « Son divin profil » (1831 A, B et 33).

1459. VAR. : « mutin. Elle semblait s'être endormie » (1831 A à 1835).

1460. VAR. : « endormie, au matin, rieuse » (1831 A, B et 33).

1461. VAR. : « sommeil, possède un langage pour vous parler du » (1831 A à 1835).

1462. VAR. : « dénouée, dont la boucle d'or, gisant à terre, vous accuse une passion, une foi sans bornes » (1831 A) ; — même texte, mais avec « foi infinie » dans 1831 B ; — en 1833 : « ... dont la boucle d'or, qui gît à terre, vous accuse une passion, une foi infinie »

1463. VAR. : « Raphaël se sentit attendri. En contemplant cette chambre, ivre d'amour, pleine de souvenirs, où le jour prenait des teintes voluptueuses, où tout semblait mystère ; puis, cette belle femme » (1831 A et B) ; — « Raphaël se sentit attendri. Il contempla cette chambre chargée d'amour, pleine de souvenirs, où le jour prenait des teintes voluptueuses, où tout semblait mystère ; puis il revint à cette belle femme » (1833). — En 1835 :

« Raphaël se sentit attendri. Il contempla » ; la suite comme dans notre édition.

1464. VAR. : « Ces deux têtes avaient une grâce inexprimable due à l'amour et à la jeunesse, au demi-jour et au silence. C'était une » (1831 A à 1835).

1465. VAR. : « de l'enfance... Oui, les joies printanières de l'amour, et les rires » *(Ibid.)*

1466. VAR. : « souvenir, pour, au gré de nos méditations séniles, nous désespérer ou nous jeter quelque parfum consolateur. » (1831 A). — Dans 1831 et 33, texte de notre édition avec cette variante : « suivant les caprices de nos méditations séniles ».

1467. VAR. : « te contemplant endormi... » (1831 A).

1468. VAR. : « phtisie... Et dans le bruit de tes poumons j'ai reconnu quelques-uns » (1831 A à 1835).

1469. VAR. : « dit-elle » *(Ibid.)*

1470. VAR. : « Et de ses deux bras elle enlaça Raphaël puis, saisissant sa respiration en un baiser chaud d'amour, un de ces baisers dans lesquels l'âme est tout entière...

— Je ne désire pas vivre vieille ! dit-elle. Oh ! mourir jeunes tous deux et nous en aller » *(Ibid.)*

1471. VAR. : « de Pauline pour lui caresser la tête.

En ce moment Raphaël eut un horrible accès de toux, une de ces toux » *(Ibid.)*

1472. VAR. : « a été dissipée » (1831 A, B et 33).

1473. VAR. : « était livide » (1831 A).

1474. Ici, dans 1831 A, il y a cette phrase : « Les deux époux faisaient silence. Plus de jeux. Pauline était devenue comme une mère pour son mari... » ; — même texte, moins le mot « devenue » dans 1831 B, 33 et 35.

1475. VAR. : « fait mettre » (1831 A, B et 33).

1476. VAR. : « d'intérêt et de sagacité. Le malade pâle, triste, épiait » *(Ibid.)* ; — « d'intérêt et de sagacité », la suite comme dans notre édition (1835).

1477. VAR. : « Et ces hommes, juges suprêmes » (1831 A et B) ; — En 1833, même texte moins le mot « et ».

1478. VAR. : « philosophie médicale, en représentant admirablement bien le combat que se livrent en ce moment » (1831 A) ; — même texte, mais avec : « et représentaient » (1831 B, 33 et 35).

1479. VAR. : « Quant au quatrième médecin, c'était un homme plein d'avenir et de science ; le plus distingué peut-être des élèves-internes de notre Hôtel-Dieu » (1831 A, B et 33) ; — en 1835,

même texte à une variante près : « c'était un homme » ; — en
1838 et 39, texte de notre édition, sauf « des élèves-internes de
l'Hôtel-Dieu ». — Sur Bianchon, voir la n. 1727

1480. VAR. : « Ami du marquis, et son camarade de collège,
il lui avait donné ses soins depuis quelques semaines » (1831 A
à 1835).

1481. VAR. : « d'insistance, quelques diagnostics dont il avait
été frappé et qui lui semblaient révéler les progrès d'une phtisie
pulmonaire. » *(Ibid.)*

1482. VAR. : « large, l'organisation puissante lui paraissaient »
(Ibid.)

1483. VAR. : « délétères peuvent aussi bien s'expliquer par des
causes évidentes que par des dérangements physiques. A cette
réponse Brisset. » (1831 A à 1835). — Le docteur Brisset ne paraît
que dans ce roman de Balzac. — Voir, *Introduction*, p. XIV.

1484. VAR. : « sur l'angle du mur, près de la croisée » *(Ibid.)*

1485. « Celui-là, homme d'exaltation et de croyance, était
le docteur Caméristus, le chef des Vitalistes, le Victor Cousin, ou,
pour mieux dire, le Ballanche de la médecine, poétique défenseur »
(Ibid.) ; — en 1838, 39 et 45, texte de notre édition, sauf la fin
qui est : « Vitalistes, le Ballanche de la médecine ; poétique défenseur ». — Voir sur le docteur Caméristus notre *Introduction*, p. XIV.
Sur Ballanche, voir la n. 369.

1486. Jean-Baptiste van Helmont, né à Bruxelles en 1577,
mort en 1644. D'une extrême curiosité d'esprit, il aurait voulu
tout savoir ; il n'apprit cependant rien à fond, pas même, dit-on,
la médecine qu'il fut appelé à enseigner. Mais, dans la deuxième
partie de sa vie, il s'adonna aux études et aux expérimentations
chimiques, et il a laissé la réputation d'un chimiste remarquable.
Mais van Helmont fut aussi un mystique : il professait que la vérité
réside dans la prière, que l'unique affaire de l'âme, en ce monde, est
de contempler son type, qui est la divinité, et de s'y attacher, en se
dérobant au monde extérieur, cette union pouvant seule lui donner
les illuminations, les extases, qui sont sa vie naturelle. Ayant ainsi
acquis le secret de l'intuition directe, van Helmont donna ses biens
et se mit à voyager dans la double intention de réformer la science
et de guérir les maux du genre humain. Quand un alchimiste qu'il
rencontra l'eut orienté vers l'étude de la chimie, il continua son
œuvre philanthropique dans le village de Wilworde, aux environs
de Bruxelles, où, prétend-il, il guérit des milliers de malades.

Balzac, un peu plus loin (p. 258) mentionne l'*archée* de van

Helmont. L'archée est, selon lui, un principe immatériel, une force intelligente et motrice qui, associée à la matière, y produit les modifications que nous révèlent les fonctions du corps : nutrition, digestion, etc. L'archée serait donc le principe vital auquel appartiendrait, en réalité, l'activité dont la matière semble jouir.

1487. VAR. : « efforts ; espèce de flamme impalpable, intangible » (1831 A à 1835).

1488. Sur le docteur Maugredie, voir notre *Introduction*, p. XIV.

1489. VAR. : « pouvait bien vivre longtemps ; trouvant du bon (1831 A et B) ; — en 1833 et 35, texte de notre édition, sauf « Trouvant ».

1490. VAR. : « des peaux » (1831 A et B).

1491. VAR. : « Restant silencieux à chaque réponse, le toisant même avec indifférence, ils le questionnaient sans le plaindre. Il y avait de la nonchalance dans leur politesse, et soit certitude » (1831 A à 1835).

1492. VAR. : « Bon, bon ! bien !... à tous les symptômes désespérants dont le jeune médecin confirmait l'existence. » *(Ibid.)*

1493. VAR. : « Mais la figure de Prosper trahissait » *(Ibid.)*

1494. VAR. : « tristesse. Médecin depuis peu de temps, il n'était pas encore insensible, froid, devant » *(Ibid.)*

1495. VAR. : « prend celle » (1831 A, B et 33).

1496. VAR. : « d'abord parce qu'il est net » *(Ibid.)*

1497. VAR. : « hospice. » (1831 A à 1845).

1498. VAR. : « Prosper » (1831 A à 1845). — Nous ne relèverons plus cette variante de « Prosper » au lieu de « Bianchon » qui se répète chaque fois que ce personnage est nommé.

1499. Voir la n. 641.

1500. VAR. : « sujet. Puis il reprit : « Il est fatigué » (1831 A à 1835).

1501. VAR. : « digère plus. L'épigastre est le centre de la vie. Or, son altération progressive a vicié » (1831 A, B et 33).

1502. VAR. : « maladie et les voies » (1831 A à 1835).

1503. VAR. : « urgent que ne l'est celui [...] abstraites et des passions » (1831 A, B et 33).

1504. VAR. : « d'elle de capricieux rayons » *(Ibid.)*

1505. VAR. : « comme de faisceau (1831 A) à la machine qui produit la volonté, la conscience de la vie » (1831 A et B).

1506. VAR. : « ne se ressemble. Nous avons » (1831 A à 1845).

1507. VAR. : « nourris et propres à remplir des missions

différentes comme à développer des thèmes nécessaires à un
ordre » (1831 A).

1508. Var. : « distincte et fait d'un homme un être » (1831 A
et B).

1509. Var. : « à une cause » (1831 A à 1845).

1510. Les mots « peut-être » ne sont pas dans l'édition de 1831 A.

1511. Var. : « C'est de la médecine » (1831 A à 1835).

1512. Var. : « Messieurs, reprit promptement Maugredie »
(1831 A à 1845).

1513. Guillaume Dupuytren, né à Pierre-Buffières, le 6 octobre
1777, mort à Paris le 8 février 1835. Il fit des études de médecine
brillantes, remporta très jeune encore des succès au concours
et devint l'un des premiers chirurgiens de son temps. Il fut le
premier chirurgien du roi Louis XVIII. Professeur à la Faculté
de médecine, chirurgien en chef de l'Hôtel-Dieu, membre de
l'Académie des sciences, il eut une belle, noble et digne carrière.

1514. Alexandre-Léopold-François-Emmerich de Hohenlohe,
de la branche de Hohenlohe-Waldenbourg-Schillingsfurst, naquit
en 1794 et mourut en 1850. Il entra dans les ordres en 1815 et,
l'année suivante, étant à Rome, il se fit admettre dans la Compagnie
de Jésus. Revenu en Bavière en 1817, il eut bientôt dans ce pays
la réputation de guérir les maladies, même celles que l'on considérait comme incurables, et rien que par la vertu de ses prières,
ou plutôt d'une certaine prière qu'il avait composée à cet effet,
et dont l'efficacité s'étendait à toutes les maladies, à la condition
que le malade la récitât et s'unît d'intention au thaumaturge
quand celui-ci célébrait une messe pour la guérison de ce malade.
Le prince de Hohenlohe, quand il mourut, était évêque de Gross-
wardein, en Hongrie. Le Saint-Siège, malgré les nombreuses
guérisons attestées, se garda de se prononcer sur l'authenticité
de ces miracles ; il laissa dire et faire. Le prince de Hohenlohe
a laissé de nombreux ouvrages ascétiques.

1515. Voir la note 494.

1516. Var. : « vivre ?... Ils ne savent rien... Au moins »
(1831 A).

1517. Var. : « le couloir et revint se mettre dans son fauteuil.
Bientôt en effet les quatre médecins sortirent du cabinet, et Prosper,
portant la parole » (1831 A, B et 33) ; — en 1835, texte de notre
édition, mais avec l'addition « en effet », et, naturellement, le nom
« Prosper » au lieu de « Bianchon ».

1518. Var. : « pour réagir sur votre » (1831 A à 1835).

1519. VAR. : « Savoie, ou du Mont d'Or » (1831 A à 1839) ; — en 1845 il y a du « Mont Dor ». — Cette variante est indiquée ici une fois pour toutes.

1520. VAR. : « Cantal. Enfin vous choisirez... » (1831 A) ; — « Cantal... Enfin vous obéirez à votre fantaisie et suivrez votre goût. » (1831 B à 1835).

1521. VAR. : « à guérir ou à mourir. » (1831 A à 1835).

1522. VAR. : « se confier à la nature.

Raphaël partit pour les eaux d'Aix. *(Ibid.)*

Au retour de la promenade et par une belle soirée de printemps, toutes les personnes » (1831 A, B et 33) ; — même texte, mais avec « quelques-unes des personnes » (1835) ; — en 1838, 39 et 45 : « Au retour de la promenade », la suite comme dans notre édition.

1523. VAR. : « du Casino. » (1831 A et B).

1524. Se laissant délicieusement aller à cette vie sensuelle, s'abandonnant à l'air pur et parfumé des montagnes, Valentin se baignait dans la tiède atmosphère du soir, heureux » (1831 A, B et 33) ; — en 1835, texte de notre édition, sauf « buvant » au lieu de « savourant ».

1525. VAR. : « impassible ; puis, sonnant un valet, il lui dit » (1831 A et B) ; — «... puis appelant un valet, il lui dit » (1833).

1526. VAR. : « une surprise insolite éclata sur tous les visages. L'assemblée entière se mit à chuchoter. Chacun regarda Raphaël d'un air » (1831 A à 1845).

1527. VAR. : « impertinence ; et, n'ayant pas » (1831 A à 1835).

1528. VAR. : « homme, il se trouva moralement dans une situation assez semblable à celle où nous sommes quand, par un caprice de cauchemar, nous nous voyons tout nus au milieu de quelque fête somptueuse. Mais, secouant sa torpeur, il reprit bientôt son énergie » (1831 A à 1835).

1529. VAR. : « cadavre dont par » (1831 A à 1845).

1530. VAR. : « Se voyant, non sans surprise, sombre, pensif, distrait » (1831 A et B) ; — « Il se voyait », la suite comme précédemment en 1833 ; — de même en 1835, mais avec « et distrait ».

1531. VAR. : « des vagues bruyantes. » (1831 A, B et 33).

1532. VAR. : « il se rappela de lui avoir gagné son argent et refusé la revanche ; plus loin, il reconnut une jolie femme dont il avait froidement reçu les agaceries ; enfin, chaque visage » (1831 A) ; — « il se rappela de lui avoir gagné son argent sans

lui avoir proposé de prendre sa revanche », la suite comme
précédemment (1831 B à 1835).

1533. VAR. : « ces espèces d'humiliations » (1831 A à 1845).

1534. VAR. : « dès lors, se croyant méprisés, ils l'accusaient
d'aristocratie. En sondant ainsi les cœurs, les voyant à la loupe,
et déchiffrant » (1831 A et B) ; — « ... ils se croyaient méprisés
et l'accusaient d'aristocratie. En sondant les cœurs, il les vit
à la loupe, en déchiffrant » (1833) ; — « ... ils s'étaient crus » ; la
suite comme en 1833 (1835).

1535. VAR. : « il se retrouva dans un horrible isolement et
ne rencontra pas un visage ami. La société ne daignait même
plus se grimer pour lui. En ce moment » (1831 A et B) ; — « il
se trouva dans l'horrible isolement qui attend les Puissances
et les Dominations. La société ne daignait même plus se grimer
pour lui, parce qu'il la devinait peut-être ! En ce moment » (1833
et 35).

1536. VAR. : « indifférentes en apparence, mais » (1831 A à 1845).

1537. De 1831 A à 1835 cette phrase était quelques lignes
plus haut, comme on l'a vu par la note 1535.

1538. VAR. : « Le docteur devrait » (1831 A et B).

1539. VAR. : « il ne vient pas » (1831 A).

1540. VAR. : « l'appartement, puis, cherchant à se réhabiliter,
il revint » (1831 A et B) ; — « ... puis, afin de trouver une protection, il revint » (1833 et 35).

1541. VAR. : « mais, quand il s'approcha, elle lui tourna le
dos en feignant de regarder les cartes de ses voisins. Raphaël »
(1831 A et B) ; — « mais, quand il s'en approcha », la suite
comme dans notre édition (1833 et 35).

1542. VAR. : « et quittant le jeu, il se réfugia » (1831 A et B).

1543. VAR. : « lui révéla, par une intus-susception, la cause
générale et rationnelle de l'aversion dont il était devenu l'objet. »
(1831 A et B) ; — en 1833 même texte, sauf « l'aversion qu'il avait
exercée ».

1544. VAR. : « société ; et Raphaël acheva d'en comprendre
la morale implacable. Un regard » (1831 A et B) ; — « société
dont Raphaël acheva de comprendre la morale implacable. Un
regard » (1833 à 1845).

1545. VAR. : « morbifique ; il abhorre » (1831 A et B).

1546. VAR. : « qu'elle en recevait naguères ; ressemblant à
la Romaine au cirque » (1831 A) ; — « qu'elle en recevait naguères ;
ressemblant aux jeunes Romaines du cirque » (1831 B) ; — « qu'elle

en recevait naguères, et semblable aux jeunes Romaines du cirque »
(1833).

1547. VAR. : « Ordre équestre. Cette sentence est écrite au
fond des cœurs opulents. Rassemblez-vous » (1831 A et B) ; —
en 1833 et 35, texte de notre édition, moins les mots « nourris par ».

1548. VAR. : « un Paria parqué dans un désert dont il lui
est défendu de franchir les limites ; sinon, partout il trouvera
l'hiver sous ses pas ; froideur » (1831 A, B et 33) ; — en 1833,
même texte, sauf « sinon, il trouve partout l'hiver ».

1549. VAR. : « ses griffons » (1831 A à 1845).

1550. VAR. : « profonde, en songeant au peu de bonheur
recueilli par le monde pour prix de cette épouvantable police :
des amusements » (1831 A et B) ; — « profonde. Il songeait »,
la suite comme précédemment, mais avec : « police. Qu'était-ce ?
des amusements » (1833 et 35).

1551. VAR. : « enfin toutes les pailles d'un foyer sans » (1831
A et B) ; — « ... tout le bois ou toutes les cendres » (1833 et 35).

1552. VAR. : « avaient fui ; alors quelques larmes s'échappèrent
de ses yeux. » (1831 A à 1835).

1553. VAR. : « En ce moment, le médecin des eaux vint à lui
d'un air » (1831 A et B).

1554. VAR. : « à jouer admirablement bien le whist et le
trictrac » ; la suite de la phrase manque (1831 A à 1835).

1555. VAR. : « dont je ne conteste certes pas les grands talents,
se sont complètement trompés » (1831 A, B et 33).

1556. Élément dans lequel, pensait-on, réside la propriété
de combustion des corps. Dans cette hypothèse, ce corps est
composé d'un radical, ou matière inerte, et de phlogistique : la
combustion est la sortie du phlogistique. Lavoisier a démontré
l'erreur de cette hypothèse et établi que, dans la combustion, il y a,
non pas dégagement d'un principe, mais combinaison de l'oxygène.

1557. VAR. : « ardente de tous les hommes » (1831 A).

1558. VAR. : « vallées ; l'air vital de l'homme que dévore le
génie est dans » (1831 A et B) ; — même texte, mais avec : « Oui,
l'air » (1833 et 35).

1559. VAR. : « incandescence ; mais, pour vous, l'Italie n'a
que de l'*aria cattiva*. Tel est » (1831 A et B). — De *l'aria cattiva* :
de l'air mauvais, funeste.

1560. VAR. : « séduit peut-être par » (1831 A à 1835).

1561. VAR. : « nous condenserons » *(Ibid.)*

1562. VAR. : « L'Italien, interprétant » (1831 A et B).

1563. Var. : « Raphaël, se contenta de le saluer, ne trouvant rien à lui répliquer. » (1831 A, B et 33).

1564. Le passage qui commence ici et qui finit à « Haute-Combe » était réduit, dans 1831 A et B, aux lignes suivantes : « Le lendemain, après avoir côtoyé le lac du Bourget en faisant sa promenade habituelle, Valentin s'était assis au pied d'un arbre d'où il pouvait contempler son point de vue favori, l'abbaye mélancolique de Haute-Combe ».

— L'abbaye de Haute-Combe est située sur la rive gauche du lac du Bourget, au pied du mont du Chat. Elle fut fondée en 1125 par Amédée III de Savoie et donnée à des moines de l'ordre de Citeaux. Humbert II, fils et successeur d'Amédée III, la choisit pour lieu de sa sépulture et ses successeurs y furent inhumés aussi. L'abbaye, après une ère de longue prospérité, déchut peu à peu ; les projets de restauration entrepris, en 1780, par le roi Victor-Amédée III de Sardaigne, furent interrompus par la Révolution et, quand la Savoie fut devenue française, l'abbaye fut vendue comme bien national. Elle fut rachetée à la Restauration par le roi Charles-Félix, qui fit reconstruire l'église, relever les mausolées et qui, en 1826, y établit des moines cisterciens. L'abbaye de Haute-Combe redevint alors le lieu de sépulture des rois de Sardaigne.

— En 1831, Balzac n'avait pas vu le lac du Bourget. Il le vit l'année suivante, en septembre, pendant le séjour qu'il fit à Aix, auprès de Mme de Castries. Le 15 de ce mois de septembre, il écrivait à sa sœur, Mme Laure de Surville : « De ma chambre, je découvre toute la vallée d'Aix ; à l'horizon des collines, la haute montagne de la Dent-du-Chat et le délicieux lac du Bourget » ; et ce lac délicieux, il se donna le plaisir de le décrire pour la troisième édition de *la Peau de chagrin*.

1565. Var. : « Être là, au milieu d'une nappe de saphir, par un beau ciel ; ne voir que des montagnes capricieuses, n'entendre que le bruit des rames, admirer » (1833) ; — même texte en 1835, sauf « montagnes nuageuses ».

1566. Var. : « d'un riche ; c'est un spectacle » (1833 et 35).

1567. Var. : « roseau et il y a de larges vallées qui vous » (1833).

1568. Var. : « la terre. Il y a des harmonies pour » (1833 et 35).

1569. Le lac du Bourget est situé dans l'arrondissement de Chambéry, à 9 kilomètres au nord de cette ville. L'admirable élégie *le Lac*, de Lamartine, l'a rendu célèbre, et l'on peut se

demander si le souvenir de ce poème n'a pas déterminé quelques-
uns des traits de Balzac : « ce lieu garde le secret des douleurs,
il les console, les amoindrit... mais c'est surtout le lac des souvenirs... » Lamartine l'a décrit aussi au chapitre II de *Raphaël*.
(Cf. *Graziella*, suivi de *Raphaël*, édit. Garnier frères, p. 134-135.)

1570. VAR. : « se réfléchir par la toute-puissance de notre
imagination. Raphaël ne supportait la vie qu'au milieu de ce beau
paysage et pouvait là seulement rester indolent, songeur, mais
sans désirs. » (1833) ; — « se réfléchir par l'omnipotence de notre
imagination ; Raphaël ne supportait la vie qu'au milieu de ce
beau paysage, et là seulement il pouvait rester indolent, songeur
et sans désirs. » (1835).

1571. VAR. : « il alla faire sa promenade habituelle et se »
(1833 et 35).

1572. VAR. : « Saint-Innocent. Là, le lac est bordé par une
montagne impraticable et de ce promontoire la vue embrasse
les monts du Bugey au pied desquels coule le Rhône. Mais Raphaël
était venu pour contempler son coin favori, l'abbaye » (1833) ; —
« Saint-Innocent. Le village est bordé là par une montagne immense et », la suite comme précédemment, sauf, à la fin, « son
point de vue favori... » (1835).

1573. VAR. : « prosternés là, devant la montagne, au bord
du lac, comme des pèlerins arrivés au terme du voyage. Tout
à coup, un frissonnement égal et cadencé de rames qui fendaient
au loin les eaux troubla le silence de ce paysage, et lui donnant
une voix » (1831 A et B) ; — « ... Tout à coup un frissonnement
égal et cadencé de rames qui longeait la colline troubla le silence »,
le reste comme précédemment (1833); — « ... Tout à coup, un
frissonnement égal et cadencé de rames, qui longeaient la colline,
troubla le silence de ce paysage, et lui donna comme une voix »
(1835).

1574. VAR. : « Raphaël, une seule personne le salua ; ce fut
la demoiselle » (1831 A à 1835).

1575. VAR. : « bruit de petits pas légers. Il fut assez surpris
d'apercevoir, en se retournant, la demoiselle de compagnie ;
et, devinant à son air contraint, qu'elle voulait lui parler, il s'avança »
(1831 A à 35).

1576. VAR. : « perfections. Du reste, elle avait » (1831 A à 35).

1577. — VAR. : « — Monsieur, dit-elle à Raphaël, votre vie est
en danger. Ne venez plus au Casino... Puis elle fit quelques »
(1831 A et B) ; — même texte, mais avec « au Cercle », en 1833 et 35.

1578. Var. : « Mais, pensons à vous, reprit-elle. Plusieurs jeunes gens se sont promis de vous provoquer, de vous forcer à vous battre en duel. Ils veulent vous chasser des eaux... Ainsi...
La voix » (1831 A à 1835).

1579. Var. : « Mais elle s'était » (1831 A, B et 33).

1580. Var. : « poursuite... Tarare !... » (1831 A à 1835).

1581. Var. : « au Casino (1831 A et B) le soir même. Se tenant debout, accoudé sur le marbre de la cheminée, il resta » ; les autres verbes de la phrase au participe présent (1831 A, B et 33) ; — de 1835 à 1845, texte de notre édition avec la variante « accoudé ».

1582. Var. : « eux, et, quoiqu'ils parlassent à voix basse, au moment où il arrivait près de la table, il devina » (1831 A et B) ; — même texte en 1833, sauf « où ils arrivaient » ; — en 1835 : « eux, et, quoiqu'ils parlassent à voix basse, au moment où ils arrivaient près de lui, Raphaël devina ».

1583. Var. : « pari, s'arrêta pour » (1831 A à 1845).

1584. Var. : « au Casino.

— Cette plaisanterie, répondit froidement Raphaël, a déjà été faite sous l'Empire dans plusieurs garnisons ; elle est devenue aujourd'hui de mauvais ton.

— Je ne plaisante pas, reprit le jeune homme, et je vous » (1831 A et B).

— En 1833 même texte, à deux différences près: « au Cercle » et « aujourd'hui, monsieur, de fort mauvais ».

1585. L'*Almanach du Commerce* pour 1830 indique (p. 8) : Lepage, armurier-arquebusier, comme fournisseur du Roi et du duc d'Orléans, et membre du Conseil général des Manufactures ; magasins, rue Richelieu, 13 ; canonnerie et tir aux Champs-Élysées, près le Jardin Marbeuf, rue des Gourdes. (En réalité, par décision ministérielle du 19 octobre 1829, la rue des Gourdes s'appelait déjà rue Marbeuf.)

1586. Var. : « Paris et licencié chez Bertrand le roi » (1831 A et B) ; — « ... et licencié chez Lozès » (1833) ; — « ... et docteur chez Lozès » (1835 à 1845).

— Bertrand, nommé dans les premières versions, est porté ainsi dans l'*Annuaire du Commerce* pour 1830, parmi les professeurs d'escrime : « Bertrand et Fils, de la comp. de Grammont, président de la *Société de professeurs de Paris*, r. Poissonnière, 21. » François-Joseph Bertrand, dont le père avait déjà été maître d'armes, fut, en 1823, nommé professeur civil d'une des compagnies des gardes du corps, la compagnie de Grammont, comme l'indique l'*Almanach du Commerce* ; c'est en 1827 qu'il fut nommé président de la *Société des maîtres d'armes* de Paris. Son école était, 2, rue Poissonnière, depuis 1828 ; elle y resta jusqu'en 1850.(Cf. *Archives des Maîtres d'armes de Paris*, publiées par Henri Daressy, Paris, Quantin, 1888, in-8°, p. 215.)

— Lozès, que Balzac mentionna ensuite, est simplement nommé, dans l'*Almanach du Commerce*, à la liste des professeurs d'escrime : « Lozès, rue des Grès-Saint-Jacques, 9 » (aujourd'hui rue Cujas). M. Henri Daressy est plus explicite ; il indique qu'Antoine Lozès eut son école à l'adresse ci-dessus de 1825 à 1835, et qu'il était professeur de l'École royale d'État-Major, 9, rue du Bouloi.

— Cerisier, nommé pour la première fois dans l'édition posthume, n'est mentionné ni dans l'*Almanach du Commerce* ni dans le livre d'Henri Daressy. Peut-être ce nom est-il le fait d'une erreur de lecture et faut-il lire Grisier. Un Grisier fut, en effet, professeur d'escrime ; d'après Henri Daressy il eut pour élèves les princes d'Orléans ; et il enseigna aussi à l'École polytechnique et au collège Henri IV. Il eut sa salle d'armes rue du Faubourg-Montmartre, de 1834 à 1850, c'est-à-dire postérieurement à la date du drame de *la Peau de chagrin*.

1587. VAR. : « lisez » (1831 A à 1839).

1588. VAR. : « toutes leurs » (1831 A à 1835).

1589. VAR. : « mot nommer et flétrir » *Ibid.*)

1590. VAR. : « dirent plusieurs voix confuses. Et quelques jeunes gens se jetèrent » (1831 A à 1835).

1591. VAR. : « près de l'abbaye de Haute-Combe ; et, quelle qu'en fût l'issue, devant nécessairement quitter » (1831 A et B) ; — « près du château de Bordeau dans une petite prairie en pente non loin d'une route nouvellement percée parce qu'elle permettait au vainqueur d'aller à Lyon. Quelle que fût l'issue de ce duel, Raphaël devait nécessairement quitter (1833) ; — en 1835, texte de notre édition avec cette variante « percée et qui permettait au vainqueur de gagner ».

1592. VAR. : « ici ! s'écria-t-il gaiement. Il fait un temps superbe pour se battre... Et il regarda » (1831 A, B et 33).

1593. VAR. : « mois ? N'est-ce pas, docteur ? » (1831 A et B).

1594. VAR. : « autrement, vous feriez tressaillir les nerfs de votre main et ne pouvant viser avec justesse, vous ne seriez » *(Ibid.)*

1595. VAR. : « de le blesser.
— Le voici, dirent les témoins en entendant le bruit d'une

voiture. Et bientôt ils aperçurent une calèche » (1831 A et B).
— En 1833, texte de notre édition, sauf « Et bientôt » au lieu de
« qui bientôt ».

1596. VAR. : « succès d'une partie » 1831 A à 1835).

1597. VAR. : « cette voiture. Le vieux Jonathas descendit
lentement. Ses mouvements étaient lourds et ses gestes pesants.
Il aida Raphaël à sortir et le soutint de ses bras débiles en ayant
pour lui » (1831 A et B). — En 1833 et 35, texte de notre édition,
avec, à la fin, la variante « en ayant ».

1598. VAR. : « maîtresse. Alors les quatre spectateurs » (1831
A et B). — En 1833 et 35, texte de notre édition, sauf deux variantes :
1° au commencement « Puis tous deux » ; 2° à la fin « Aussi
les quatre ».

1599. VAR. : « profonde en voyant Valentin accepter le bras
de son serviteur pour se rendre au lieu du combat. Pâle » (1831 A
et B).

1600. VAR. : « C'étaient deux vieillards » (1831 A à 1835).

1601. VAR. : « terrible dont elle fut accompagnée » (1831 A
à 1845).

1602. VAR. : « vos mains » (1831 A à 1845).

1603. VAR. : « d'exercer deux fois » (1831 A et B).

1604. Cette phrase n'est pas dans les éditions de 1831 A, B et
33. De 1835 à 1845 une variante : « Vous ne serez ».

1605. VAR. : « dans le lac malgré » (1831 A et B).

1606. VAR. : « impassible, implacable, semblable à celui d'un
fou froidement méchant. » (1831 A à 1835).

1607. VAR. : « vue son adversaire, et celui-ci, dominé » (1831
A, B et 33).

1608. VAR. : « à dix » (1831 A à 1835).

1609. VAR. : « pistolets, et devaient tirer [...] les témoins. Tel
était le programme de cette cérémonie. » *(Ibid.)*

1610. VAR. : « briser le petit saule, et ricocha sur l'eau, tandis
qu'il fut atteint dans le cœur par celle de Valentin qui tirait au
hasard. » (1831 A et B) ; — même texte en 1833, mais avec « qui
tira » ; — en 1835, texte de 1833, mais avec « Raphaël » au lieu de
Valentin.

1611. VAR. : « Sans faire attention au jeune homme, qui tomba
raide mort sans pousser un cri, Raphaël chercha promptement sa
peau de chagrin pour voir ce que lui coûtait une vie humaine, et,
la trouvant à peine grande comme une feuille de peuplier, une
espèce de râle sortit de sa poitrine. » (1831 A et B) ; — « Sans faire

attention au jeune homme qu'il venait de tuer, Raphaël chercha
promptement sa peau de chagrin pour voir ce que lui coûtait
une vie humaine. A peine la trouva-t-il grande comme une feuille
de peuplier. Alors, une espèce de râle sortit de sa poitrine. » (1833) ;
— en 1835, texte de 1833, mais avec « chêne » au lieu de « peuplier ».

1612. Le passage qui commence au mot « Pendant » et qui finit
aux mots « il n'avait rien fait » n'est pas dans l'édition de 1831 A.

1613. VAR. : « qui s'éloignait » (1831 A et B).

1614. VAR. : « espèce de coupe immense dont les bords »
(Ibid.)

1615. VAR. : « bizarres ; présentement, ici » (1831 A, B et
33).

1616. VAR. : « rochers morcelés » (Ibid.)

1617. VAR. : « arbres rachitiques et penchés que » (1831 A à 1835).

1618. VAR. : « jaunâtres montrant une » (Ibid.)

1619. VAR. : « fleurs, et précédée d'une langue » (Ibid.)

1620. VAR. : « l'ancien cratère d'un volcan peut-être, se trouvait un petit lac dont » (1831 A et B) ; — même texte avec « étang »
au lieu de « lac » (1833 et 1835).

1621. VAR. : « anglais, mais dont l'herbe était fine et jolie,
toujours arrosée sans doute par les infiltrations qui ruisselaient
brillantes entre les fentes des rochers et engraissée des dépouilles »
(1831 A, B et 33) ; — « mais dont l'herbe était fine et jolie, toujours
arrosée par les infiltrations qui ruisselaient entre les fentes des
rochers et engraissée des dépouilles » (1835).

1622. VAR. : « Irrégulier, capricieusement taillé en dents de
loup, comme le bas d'une robe, le lac (1831 A et B) pouvait avoir
dix arpents » (1831 A, B et 33) ; — en 1835, texte de notre édition
avec cette variante : « six arpents ».

1623. VAR. : « contractait ces couleurs variées, ces belles
teintes qui donnent à toutes les montagnes très élevées » (1831 A,
B et 33) ; — même texte en 1835 mais avec « aux montagnes ».

1624. VAR. : « opposaient leurs amères beautés, c'étaient les
images stériles et sauvages de la désolation » (1831 A à 1835).

1625. VAR. : « craindre, et des formes tellement fantastiques
que » (1831 A et B).

1626. VAR. : « Mais aussi » (1831 A, B et 33) ; — « Mais,
parfois » (1835).

1627. VAR. : « grises ; il y avait en haut un spectacle » (1831 A) ;
— « grises ; il y avait dans ces hauteurs un spectacle » (1831 B à
1835).

1628. VAR. : « Parfois » (1831 A et B).

1629. VAR. : « de hache, il se glissait, à l'aurore et au coucher du soleil, un bon rayon de lumière ; et pénétrant jusqu'au fond de cette riante corbeille, il se jouait » (1831 A).

1630. VAR. : « et quand il eut fait quelques pas vers le lac » (1831 A, B et 33) ; — même texte, en 1835, mais avec « l'étang ».

1631. VAR. : « granit mais couverte en bois. Cette vieille chaumière était en harmonie avec le site. Le toit était » (1831 A, B et 33).

1632. VAR. : « antiquité. Il s'échappait de la cheminée en ruine une fumée grêle dont les oiseaux ne s'effrayaient plus (1831 A). A la porte, il y avait un grand » (1831 A, B et 33).

1633. VAR. : « vierge et capricieuse. » (1831 A et B).

1634. VAR. : « d'oiseaux, ingénument fixés au creux d'un rocher, bien empaillés, pleins » (1831 A à 1835).

1635. VAR. : « d'elle-même, unique, vrai triomphe » (1831 A).

1636. VAR. : « gauche, faisant resplendir [...] mettant en relief et de tous les prestiges de la lumière et des oppositions de l'ombre » (1831 A et B) ; — « gauche, faisant resplendir [...] mettant en relief et décorant des prestiges de la lumière, de toutes les oppositions de l'ombre » (1833).

1637. VAR. : « clair-obscur. L'âme se réjouissait à voir la vache » (1831 A et B) ; — en 1835, texte de notre édition mais avec « soit la vache » et, plus loin, « soit les fragiles ».

1638. VAR. : « fut alors interrompu par les aboiements » (1831 A, B et 33).

1639. VAR. : « humides et, après l'avoir stupidement contemplé, se remirent à brouter philosophiquement. » (1831 A à 1835).

1640. Jean-Victor Schnetz, peintre d'histoire et de genre, né à Versailles en 1787, mort à Paris en 1870. On loue, en effet, la vigueur et l'éclat de sa peinture. Parmi ses tableaux d'histoire, il faut mentionner *le Grand Condé à la bataille de Seneff*, qu'il peignit pour la salle des Maréchaux aux Tuileries, *Jeanne d'Arc*, *le Connétable de Montmorency à la bataille de Saint-Denis*, *Mazarin à son lit de mort*, *la Bataille devant l'Hôtel de Ville le 28 juillet* 1830 ; Schnetz a peint aussi beaucoup de sujets religieux, notamment pour les églises de la Madeleine et de Notre-Dame de Lorette. En 1840 il fut nommé directeur de l'École française à Rome, quitta ce poste en 1847 et y fut nommé de nouveau en 1852. Il fut membre de l'Académie des Beaux-Arts.

1641. VAR. : « rare ; enfin, une certitude d'homme libre qui, en Italie, serait » (1831 A, B et 33) ; — « rare, son attitude », la suite comme précédemment (1835).

1642. VAR. : « vieillard, espèce de pacte entre deux faiblesses, entre une force prête à finir et une force prête à se mouvoir. Enfin, une femme » (1831 A à 1835).

1643. Le passage qui commence ici et qui finit par « jaunis et coloriés » n'est pas dans l'édition de 1831 A.

1644. Une image d'Épinal, qui fut très répandue et qui est fort connue, représente la « mort de M. Crédit » avec pour devise le dicton : « Crédit est mort, les mauvais payeurs l'ont tué. »

1645. VAR. : « à colonnes, des plâtres jaunis et coloriés sur la cheminée, une table » (1831 B) ; — « à colonnes, sur la cheminée des plâtres jaunis et coloriés, une table » (1833).

1646. VAR. : « au plancher » (1831 B et 33).

1647. Cette phrase finit là dans 1831 B et 33 ; la suite étant quelques lignes plus haut comme il est indiqué dans la note 1645.

1648. VAR. : « écaille du néant, engourdir près de lui la mort, fut pour lui l'archétype de la morale individuelle, la religion de la personnalité, la véritable » (1831 A à 1835).

1649. VAR. : « d'univers ou, plutôt, l'univers » (1831 A).

1650. VAR. : « d'un jeune chêne ? » (1831 A à 1845).

1651. VAR. : « Qui ne s'est pas plongé dans ces rêveries immatérielles, sans but, indolentes et occupées? Qui n'a pas enfin mené la vie du sauvage moins ses travaux, la vie de l'enfance, la vie paresseuse? Ainsi vécut Raphaël pendant quelques jours » (1831 A); — « Qui ne s'est pas plongé dans ces rêveries matérielles, sans but et menant à quelque pensée, indolentes », la suite comme précédemment, sauf à la fin où il y a « plusieurs jours » (1831 B) ; — en 1833, même texte que dans 1831 B jusqu'à « menant à quelque pensée » ; ensuite, texte de notre édition.

1652. VAR. : « grandissait, et il voulait grandir, marcher, penser, agir comme lui ; il avait fantastiquement mêlé sa vie à celle de ce rocher ; c'était sa maison, sa coquille ; il s'y était » (1831 A à 1835).

1653. VAR. : « tous les plaisirs » (Ibid.)

1654. VAR. : « insouciant, musard. Il fut heureux et se crut » (Ibid.)

1655. VAR. : « pire » (Ibid.)

1656. VAR. : « il crache, il souffre, ce cher » (1831 A).

1657. VAR. : « comme ça... Que ça fende le cœur. » (1831 A à 1835).

1658. Var. : « bien » (1831 à 1845). De même quelques lignes plus bas.

1659. Var. : « pauvre cadavre est maigre comme une poignée de » (1831 A).

1660. Var. : « se consomme » (1831 A à 1835).

1661. Les mots « à vendre » manquent de 1831 A à 1839.

1662. Var. : « Mais c'est sûr, vraiment qu'il serait mieux en terre qu'en pré, vu qu'il souffre » (1831 A à 1835).

1663. Var. : « nous guide... » (1831 A).

1664. Var. : « Mais l'impatience le fit sortir de son lit, et se montrant sur » (1831 A, B et 33); — « Mais l'impatience le chassa de son lit, et se montrant sur » (1835).

1665. Var. : « Croyant voir un spectre, la paysanne s'enfuit. » (1831 A et B).

1666. Un fruit patrouillé : un fruit souillé, gâté ; de patrouiller : marcher, s'agiter dans de l'eau bourbeuse. (Cf. Littré.)

1667. Var. : « sacrée sorcière » (1831 A à 1845).

1668. Bastant : suffisant. Ici équivaut à fort, solide. Vient de l'italien *bastare*, suffire, et aussi durer, se conserver. Terme désuet. (Cf. Littré.)

1669. Var. : « la pitié, quand il » *(Ibid.)*

1670. Var. : « Quand il se croyait seul sous un arbre, et qu'il était aux prises » (1831 A, B et 33) ; — en 1835 : « Quand il », la suite comme dans notre édition.

1671. Var. : « par la lutte » (1831 A).

1672. Var. : « des Chartreux, était toujours écrit » *(Ibid.)* C'est bien aux Trappistes et non aux Chartreux (Balzac a eu raison de corriger) que l'on attribue cette pratique, légendaire d'ailleurs. Il n'était même pas fait exception au silence de ces religieux.

1673. Var. : « Paris après avoir » (1831 A à 1845).

1674. Var. : « C'était tantôt une perspective de l'Allier déroulant son ruban [...] roches jaunâtres et montrant » (1831 A à 1835).

1675. Var. : « place, il vit pendant le temps que les postillons mirent à relayer sa voiture, cette population joyeuse, les danses, les filles parées » (1831 A, B et 33) ; — « place, il vit pendant le temps que les postillons mirent à relayer sa voiture, les danses » ; la suite comme dans notre édition (1835).

1676. Var. : « les trognes gaillardes et rougies par le vin des vieux paysans endimanchés. Les petits enfants criaient, les vieilles femmes riaient, tout avait » (1831 A) ; — « les trognes

de tous les vieux paysans gaillardes et rougies... », la suite comme
dans notre édition (1833 et 35).

1677. Var. : « l'église avaient enfin une » (1831 A à 1835).

1678. Le mot « aussi » n'est pas dans 1831 A.

1679. Var. : « insolente. Tout chagrin, il monta dans sa
voiture, et quand » (1831 A).

1680. Var. : « finissent aussitôt. » (1831 A à 1835).

1681. Var. : « le morcelait. Alors des fragments roulèrent
sur les cendres, çà et là, lui laissant » (1831 A, B et 33) ; — « le
morcelait. Çà et là, des fragments », la suite comme dans notre
édition (1835).

1682. Var. : « brûlées, et qu'il se plut à saisir dans la flamme
par jeu ; mais c'était presque involontaire. » (1831 A) ; — même
texte jusqu'à « c'était », puis : « un divertissement machinal,
presque involontaire. » (1831 B et 33) ; — « brûlées, et que, par
caprice, il se plut à saisir dans la flamme, divertissement machinal
et presque involontaire. » (1835).

1683. Var. : « disait Pauline » (1831 A à 1845).

1684. Var. : « cheminée ce morceau de papier noirci par le
feu, puis, tout à coup, il le rejeta dans le foyer. C'était l'image »
(1831 A) ; — « ...ce morceau de papier noirci par le feu ; puis,
tout à coup, il le rejeta dans le foyer ; c'était une image » (1831 B) ;
« ...ce débris de lettre noirci par le feu, puis, tout à coup, il le
rejeta promptement dans le foyer. Ce papier était une image »
(1833 et 35).

1685. Var. : « ouf !... On ne le distrait point... » (1831 A et
1835).

1686. Var. : « âme prétendue immatérielle » (Ibid.)

— Note des Pensées, sujets, fragments... (p. 5) : « Quelle pitié
de voir l'opium, agent matériel, dominer ou déterminer le jeu
d'une âme censée immatérielle ! »

1687. Var. : « active, s'éleva jusqu'à » (1831 A).

1688. Var. : « sa faim, en retrouvant un repas léger qui l'attendait, puis se couchait » (1831 A et B).

1689. Var. : « des ombres sur » (1831 A, B et 33).

1690. Var. : « misérable, je suis réveillé par la faim ?... » (1831
A à 1835).

1691. Var. : « repas royal, riche de mets appétissants, tout
fumants et irritant par ses saveurs les houppes » (Ibid.)

1692. Var. : « convoqués, puis des femmes » (Ibid.)

1693. VAR. : « l'ivresse, comme tous ses hôtes, car dans leurs regards, brillaient » (1831 A).

1694. VAR. : « rapide, pénétrante comme » (1831 A et B).

1695. VAR. : « lumière et, près de lui, ces femmes d'une exquise beauté » (1831 A) ; — « ...et près de lui deux femmes d'une exquise beauté » (1831 B); — «... et près de lui deux femmes d'une pénétrante beauté » (1833).

1696. VAR. : « se sentant la main pressée par une main polie, une main » (1831 A et B).

1697. VAR. : « serrer, recula d'horreur en comprenant que » *(Ibid.)* ; — « serrer. Alors, il recula d'horreur en comprenant que » (1833 et 35).

1698. VAR. : « Il était peut-être centenaire, ses petits-enfants lui souhaitaient encore de longs jours et peut-être de son banc rustique, assis au soleil, sous le feuillage, il apercevait, comme » (1831 A, B et 33) ; — même texte en 1835 à cette variante près « rustique, au soleil, assis sous le feuillage ».

1699. VAR. : « montagne, dans un lointain prestigieux, la terre promise » (1831 A) ; — « montagne, la terre promise, dans un lointain prestigieux » (1831 B).

1700. VAR. : « prêtes à » (1831 A à 1845).

1701. VAR. : « des cieux, apparition » (1831 A).

1702. VAR. : « Oui, près de toi, mon » (1831 A à 1839).

1703. VAR. : « jeune et beau... » (1831 A).

1704. VAR. : « comme une feuille de saule, et le lui montrant : — Pauline, disons-nous » (1831 A à 1835).

1705. VAR. : « sur Raphaël, elle examina » (1831 A, B et 33).

1706. VAR. : « Mais lui, voyant Pauline ainsi belle » (1831 A) ; — « Mais lui, la voyant ainsi belle » (1831 B et 33).

1707. VAR. : « en toi ! » (1831 A).

1708. VAR. : « Alors, avec (1831 A à 1835) une force singulière, dernier éclat de vie, il jeta la porte à terre d'un coup de pied et vit » (1831 A).

1709. VAR. : « disait-elle. Et elle tâcha de serrer le nœud rebelle. » (1831 A et B) ; — « disait-elle en tâchant vainement de serrer le nœud » (1833) ; — « disait-elle. Pauline tâchait vainement de serrer le nœud » (1835).

1710. VAR. : « délire. Léger comme un oiseau de proie, il se jeta sur elle, à genoux, brisa le schall et voulut la prendre dans ses bras. Il chercha dans son gosier des paroles pour exprimer le désir qui héritait de toutes ses forces, mais il n'y trouva que les

sons étranglés du râle, et chaque respiration » (1831 A) ; — même
texte, dans 1831 B et 33, avec deux petites variantes : 1° « à ses
genoux » ; 2° « le châle » ; — en 1835, texte de notre édition
avec cette variante : « Il chercha ».

1711. VAR. : « il mordit Pauline...

....
....
....

— Que demandez-vous, dit-elle à Jonathas qui, épouvanté
des cris, se présenta et voulut lui arracher le cadavre sur lequel
elle s'était accroupie dans un coin. — Il est à moi !... je l'ai tué...
Ne l'avais-je pas prédit ?...

Pauline riait, et ses yeux étaient secs. » (1831 A) ; — même
texte encore dans 1831 B, mais avec cinq lignes pointillées au
lieu de quatre, et en 1833, mais sans lignes pointillées.

1712. VAR. : « — Et Pauline ?

— Ah ! Pauline ! Êtes-vous » (1831 A, B et 33).

1713. VAR. : « chêne ? Fantasque, tantôt la combustion y
dessine les cases rouges d'un damier, tantôt elle y miroite des
velours, puis, tout à coup, de petites flammes » (1831 A, B et 33) ;
— même texte, moins le mot « Fantasque » en 1835.

1714. VAR. : « flamme et par un artifice unique, au sein de
ces teintes violettes, empourprées, et flamboyantes, il trace une
figure » (1831 A, B et 33) ; — même texte en 1835 à une petite
variante près : « flamme qui, par un artifice unique, trace ».

1715. VAR. : « beau diamant pur ....
....
....
....

Place ! place ! » (1831 A, B et 33).

1716. VAR. : « jaillie du ciel et brûlante, l'être » *(Ibid.)*

1717. VAR. : « d'une pureté désespérante. Elle vient du ciel
sans doute... Ne » *(Ibid.)* ; — « ...désespérante. Oui, elle » ; la
suite comme dans notre édition (1835).

1718. VAR. : « ange ? Et vous entendez presque le frémissement » (1831 A) ; — « ange ? Et n'entendez-vous pas... » (1831
B et 1833).

1719. VAR. : « amour en cuivre...

....
....

. . . .
. . . .

Par une belle matinée » (1831 A, B et 33).

1720. VAR. : « tenant dans sa main la main d'une jolie femme, admira longtemps, au-dessus des larges eaux de la Loire, une figure ravissante et blanche, artificiellement » *(Ibid.)*

1721. VAR. : « du soleil, des nuées de l'air, sylphide, ondine tour à tour, mais les pieds agiles et voltigeant dans les airs comme un mot vainement cherché qui est dans la pensée sans se laisser saisir... L'inconnue était entre deux îles, elle agitait sa tête à travers des peupliers ; puis devenue longue et gigantesque, elle faisait resplendir » *(Ibid.)*

1722. VAR. : « collines les plus voisines et semblait » *(Ibid.)*

1723. *La Dame des Belles-Cousines* est une noble dame dont est épris Jehan de Saintré, dans *le Petit Jehan de Saintré*, roman d'Antoine de la Salle, à qui l'on attribue, en outre, *les Cent Nouvelles nouvelles* et *les Quinze joyes de mariage*. Mais le roman du *Petit Jehan de Saintré* est d'un autre ton que ces deux recueils. La « jeune dame des Cousines, sans autre nom nommer », c'est-à-dire sans doute une de ces femmes de haute naissance que le roi honorait du nom de « cousine » et même, comme ici, de « belle cousine », est une amante d'une nature noble et vertueuse et tout à fait digne de l'amour que lui porte Jehan de Saintré, modèle de chevalerie. Mais on a, dans la suite, la surprise de voir cette noble dame faillir et faillir grossièrement, et être, de la part de l'amant qu'elle a si gravement déçu et trompé, l'objet d'affronts publics. Ce roman a été remis à la mode par le comte de Tressan, qui en fit paraître une version un peu altérée dans le tome II de sa *Bibliothèque des romans* (janvier 1780). — Comme édition récente du *Petit Jehan de Saintré*, signalons celle qui a paru à la Renaissance du livre (collection des Cent chefs-d'œuvre de la littérature française).

En 1817, Dumersau et Braziers donnèrent : *Le Petit Jehan de Saintré et la Dame des Belles Cousines*, comédie-vaudeville en trois actes, « imitée du roman de Tressan » ; — en 1823, le théâtre du Vaudeville représenta une pièce d'Achille Dartois, intitulée *la Dame des Belles Cousines*.

1724. VAR. : « Belles Cousines protégeant son pays. . . . .

. . . .

— Bien, je comprends. Mais Fœdora ? » (1831 A, B et 33).

1725. Dans l'édition de 1831 A et B l'Épilogue finit au mot

« Opéra » ; — dans les éditions de 1833, 35, 38, 39 et 45 il finit au mot « partout ».

1726. Dans les éditions de 1831 A et B, venait ensuite le texte suivant :

« MORALITÉ

« François Rabelais, docte et prude homme, bon Tourangeau, Chinonnais de plus, a dit :

« *Les Thélémites estre grands mesnagiers de leur peau et sobres de chagrins.*

« Admirable maxime ! — Insouciante ! — Égoïste ! — Morale éternelle !...

« Le Pantagruel fut fait pour elle, ou elle pour le Pantagruel.

« L'auteur mérite d'être grandement vitupéré pour avoir osé mener un corbillard sans saulce, ni jambons, ni vins, ni paillardise, par les joyeux chemins de maître Alcofribas, le plus terrible des dériseurs, lui, dont l'immortelle satire avait déjà pris comme dans une serre l'avenir et le passé de l'homme.

« Mais cet ouvrage est la plus humble de toutes les pierres apportées pour le piédestal de sa statue, par un pauvre Lanternois du doux pays de Touraine. »

1727. Pas de date dans les éditions 1831 A, B et 33. En 1835 et 38 il y a : « A la Bouleaunière, avril 1831. »

La Bouleaunière (que l'on trouve aussi écrit la Boulonnière) était une propriété du fils de Mme de Berny (la Dilecta). Cette propriété était située sur la commune de Gretz, en Seine-et-Marne. Balzac y fit de fréquents mais brefs séjours.

— Et voici quelques notes sur plusieurs personnages de *la Peau de chagrin*, hormis Raphaël, Pauline et Fœdora, qui ne paraissent que dans ce roman.

— Horace Bianchon a une grande place dans la *Comédie humaine*. Interne à l'hôpital Cochin, en 1819, et donnant, avec son ami Rastignac, des soins au père Goriot mourant, il devint un médecin célèbre. Il fut officier de la Légion d'honneur, professeur à la Faculté de médecine, médecin en chef d'un hôpital, membre de l'Institut. Il a été le médecin de nombreux personnages de Balzac et, outre *la Peau de chagrin* et *le Père Goriot*, on le trouve dans : *la Messe de l'athée, César Birotteau, l'Interdiction, Illusions perdues, la Rabouilleuse, les Secrets de la princesse de Cadignan, les Employés, Pierrette, Autre étude de femme, Splendeurs et misères des courtisanes, Honorine, l'Envers de l'histoire contemporaine, Une double famille, Un prince de la Bohême, Mémoires de deux jeunes mariées, la Muse du département, la Fausse Maîtresse, les Petits Bourgeois, la Cousine Bette, le Curé de village, Étude de femme, la Grande Bretèche.* (Cf. *Répertoire,* p. 34-36.)

— Jean-Jacques Bixiou avait eu pour condisciples au lycée Philippe et Joseph Bridau. Il fut témoin au mariage de Philippe Bridau avec la Rabouilleuse ; comme Joseph Bridau il fit du dessin et de la peinture. Il fréquentait les artistes et les écrivains ; il était en relations avec les actrices et les demi-mondaines. Il dessinait fort bien et il réussissait aussi dans la caricature. Il composa, entre autres œuvres, des vignettes pour les œuvres de Canalis. On a voulu voir en lui la personnification d'Henry Monnier. Il paraît dans de nombreux romans, car il était un personnage très répandu et au courant de tous les faits de la vie parisienne. Voir *la Rabouilleuse, les Employés, la Bourse, Modeste Mignon, Splendeurs et misères des courtisanes, la Maison Nucingen, la Muse du département, la Cousine Bette, le Député d'Arcis, Béatrix, Un homme d'affaires, Gaudissart II, les Comédiens sans le savoir, le Cousin Pons.* (Cf. *Répertoire,* p. 40-41.)

— Émile Blondet, né à Alençon, était un enfant adultérin dont son père légal, le juge Blondet, se débarrassa dès qu'il le put, en l'envoyant faire son droit à Paris. A Paris, Blondet fit de la littérature et débuta au *Journal des Débats,* où il écrivit des articles de critique. Il fut lié avec Rubempré, Bixiou, Lousteau, Nathan, Rastignac, de Trailles, du Tillet, d'autres encore, bref une grande partie de la société balzacienne. Mais ce garçon spirituel, railleur, insouciant, désintéressé, et souvent à court d'argent, n'était pas un ami très sûr. Il y avait cependant en lui une fidélité à de vieilles affections ; il avait été le compagnon et l'ami à Alençon de deux jeunes filles qu'il n'oublia jamais : Mlle d'Esgrignon, pour qui il avait même de l'admiration, et Mlle de Troisvilles, qu'il retrouva plus tard, à Paris, mariée au maréchal comte de Montcornet, et qu'il épousa quand elle fut devenue veuve. Il paraît dans un certain nombre de romans : *La Vieille Fille, le Cabinet des antiques, Un grand homme de province à Paris, Splendeurs et misères des courtisanes, Modeste Mignon, Autre étude de femme, les Secrets de la princesse de Cadignan, Une fille d'Ève, la Maison Nucingen, les Paysans.* (Cf. *Répertoire,* p. 43-44.)

TABLE DES MATIÈRES

ACHEVÉ D'IMPRIMER
PAR L'IMPRIMERIE ANDRÉ TARDY
A BOURGES
LE 15 MARS 1967

Numéro d'édition : 1096
Numéro d'impression : 5054
Dépôt légal : 2eme trim. 1967

Printed in France